실존주의 철학

키에르케고어, 칼 야스퍼스, 하이데거, 사르트르

최환열 지음

창조와 지식

실존주의 철학

최 완 열

머 리 말

　서양 현대철학사는 크게 넷으로 분류되는데, 그것은 실존주의(생철학과 현상학 포함), 구조주의, 분석철학, 및 실용주의철학이다. 여기에 굳이 하나를 더 이야기 하자면 사회주의 철학이 있는데, 이것은 기존의 인식론적 전통에서 벗어난 철학으로서 순수철학은 아니다. 한편, 실존주의와 구조주의는 대륙권에서 유행하는 철학이며, 분석철학과 실용주의철학은 영미권에서 유행하는 철학이다.

생철학-현상학-실존주의의 관계

　실존주의 철학은 칸트-헤겔의 전통을 이어받았다. 칸트의 철학은 순수이성비판과 실천이성비판을 통해 우리의 이성이 어떻게 작용하고 있는 지를 논증한 것이었다. 특히 순수이성비판은 우리 안에 선험적으로 내재되어 있는 범주적 기능이 어떻게 자연법칙을 발견하고 더 나아가서는 산출해내고 있는 지를 논증한 것이었다. 칸트는 우리 안의 범주의 작동원리만을 말한 것이었다. 그는 또한 이와 더불어 우리 이성의 한계를 말하였다. 우리는 형이상학적 실체인 물 자체에 대해서는 알 수 없다는 것이었다. 헤겔은 여기에서 더 나아가 정신이 어떻게 현상하며 작동하는지를 설명했다. 그러면서 그는 우리의 이성 혹은 정신이 절대정신으로 고양될 수 있다고까지 말하였다.

　실존주의 철학은 칸트와 헤겔의 논의를 기반으로 하고 있다고 볼 수 있는데, 실존주의로 이행하기 전에 그 전단계로서 생철학과 현상학을 말할 수 있다. 생철학은 인식론과 관련하여 이들의 철학적 대상은 우리 자아의 본질이었다. 그리고 이 자아에서 어떻게 의식이 생성되며, 어떻게 작동하고 있는지를 고찰하였던 것이다. 따라서 이들의 철학적 대상은 인간의 삶 혹은 생 그 자체였다. 이 생철학의 대표자는 쇼펜하우어, 딜타이, 그리고 베르그송이다.

　현상학은 이제 이 의식보다 더 깊은 자아에 대한 추적을 하게 되는데, 이에 대한 접근방법을 말한 것이 현상학이다. 이 현상학의 대표자는 후설인데, 메를로-퐁티도 이 현상학자의 범주에 넣을 수 있겠다.

생철학 : 쇼펜하우어, 딜타이, 베르그송

　쇼펜하우어는 칸트의 순수이성비판을 그의 철학의 출발점으로 삼고 있는데, 칸트는 "감성(인식)-오성-이성"의 결과 개념과 이념이 출현한다. 쇼펜하우어는 우리의 인식 안에 감성과 오성과 이성을 모두 집어넣고, 인식과 의식을 동일하게 간주한다. 이때 인식하는 우리의 의식은 주관과 객관으로 분류된다. 즉 인식 혹은 의식의 이면에 그것과 위치를 달리하는 주체로서 정신이 있고(주관), 객체로서 사물이 있는 것(객관)이다.

이때 객관은 정신과 같은 주체로부터 충분근거율이 나와서 인식 혹은 의식을 형성한 것이다. 우리의 의식 속에서 주관과 객관이 뒤섞여 있다. 그리고 존재론적으로 보았을 때, 주관에 의해서 객관은 얼마든지 가공될 수 있다. 더 나아가서 정신이 물질보다 존재론적으로 우선이다. 그 결과 쇼펜하우어는 칸트가 말한 그 순수이성의 주체는 우리의 정신이며, 더 나아가서 그 정신과 맞닿은 어떤 절대적인 존재로서 물 자체이다. 그것이 우리 안에서 의지로 나타난 것이다. 따라서 이 의지가 바로 물자체이며, 우리의 의지도 또한 이것으로 말미암는다. 그는 이것을 합리적으로 논증을 하였던 것이다. 그리고 이에 의하면, 이 세계는 의지로 말미암은 세계이다. 그에 의하면, 나의 육체도 의지의 표상이며, 자연세계도 또한 의지의 표상이다. 물론 이 의지는 절대자의 의지일 것이다. 그는 여기에서 스피노자와 버클리의 관념론을 수용한다.

한편, 의지의 본성은 무엇인가? 그는 이것을 욕망이라고 표현한다. 이 의지에 대한 긍정과 부정이 있는데, 이 의지의 부정은 금욕으로 이어진다. 여기에서 그에게 참된 자유가 있다고 말한다. 생철학은 여기에서부터 시작되었다.

딜타이의 철학도 또한 칸트를 극복하기 위해 나타난 철학이다. 그는 자연과학과 정신과학은 그 방법론이 다르다고 말한다. 그러면서 정신과학은 삶의 체험으로부터 인식론이 시작된다. 이 체험이 시간적으로 기록된 것이 자서전이며 전기이다. 더 나아가 이 개인의 역사가 그 개인의 생명이다. 우리는 어떤 전기에 대한 추체험과 추형성을 통하여 그 시대의 역사의 보편자를 이해할 수 있다.

딜타이의 해석학은 이와 같이 두 가지 측면을 가지고 있다. 본질적으로 중요한 것은 삶에 대한 이해를 통해 역사와 자아의 본질을 추구하는 것인데, 우리는 이것을 자서전이나 전기와 같은 문헌을 통해서 접하게 된다. 딜타이는 이러한 전기를 하나의 예술작품처럼 간주하여 그곳에서 이해와 추체험과 추형성을 시도하는 것이다.

딜타이는 이때 나타나는 보편자를 객관정신이라고 말하는데, 이것이 바로 헤겔의 절대정신이라는 것이다. 그는 칸트의 순수이성과 같이 우리 안에는 이와 같은 역사의 본질을 이해하는 역사이성이 존재한다고 말한다.

베르그송은 '생철학'의 완성자로 유명하며, 그의 철학은 들뢰즈에 의해 활용되어 구조주의 철학의 선구자이기도 하였다. 베르그송은 칸트의 정태적 시간 개념을 동태적 시간 개념으로 발전시켰다.

인간에게 과거는 고스란히 의식 속에 쌓여서 현재를 변화시키며 구성하고 있다. 베르그송의 '순수 지속' 혹은 '무의식'은 과거의 쌓인 경험을 기반으로 하여서 생성 행위를 한다. 그렇다면, 그것은 닫힌 행위이다. 순수지속이 산출하는 새로운 생성이 아무리 새로운 창조일지라도, 그것은 기존의 경험에 포함된 요소를 극복할 수는 없다. 따라서 이것은 근본적인 의미에서의 '창조'는 아니다. 그것은 '창조적 진화'라야 한다.

우리의 존재론은 '정신-이미지-물질'의 삼위일체론적인데, 여기의 이미지는 '인간의 의식으로서의 이미지'와 '물질에 있는 이미지'가 같다. 이때 인간 안에는 '정신'과 같은 '무의식적 장소'가 존재하며, 그곳에는 과거가 '순수지속'으로서 현재의 '이미지'에 영향을 미치며, 결국 '물질'에 영향을 미친다. 결국 베르그송은 인간은 '물질'에 대한 '제작자'이다는 것을 논증한 것이다. 인간의 '의식' 속에서 끝없는 생명과 생성이 솟구쳐난다. 이것이 모든 '생명체'와 '물질'에 대한 '창조적 진화'를 주도하고 있다.

현상학 : 후설과 메를로-퐁티

후설의 현상학은 원래 모든 학문의 기초라고 할 수 있는 '순수 논리학'의 일환으로 진행되었다. 그러다가 이 논리학의 '개념' 등에 관한 정의에 있어서 '사태 자체'로 돌아가기 위한 일환으로 '순수 인식론'이 요청되었다. 그 결과 나타난 것이 '현상학'이었다.

후설은 우리의 대상에 대한 개념을 분명하게 하기 위해 우리의 가진 일반적 심리학적인 개념을 판단중지하고, 그 개념의 근원을 추구하였다. 이러한 연구로서 '의식의 본질'에 관한 연구가 진행되었는데, 그 결과 우리에게 주어진 '의식'은 사물을 향한 '정신의 시선'이었으며, 이 '의식'에는 '심리적 요소'와 '물리적 요소'가 중첩하여 있었고, '심리적 요소' 안에 있는 지향성이 사물을 향하여 전진하고 있었다. 이것이 '사태'의 본질이었다.

후설의 '의식'은 결국 우리의 '순수 자아' 혹은 '정신'의 존재를 증명해 주고 있다. 우리의 의식은 '정신의 시선'이라는 것을 입증하고 있기 때문이다. 또한 '의식'은 정신과 사물의 결합체이다. 여기에서 정신과 사물의 중간 매체가 발견되며, 정신과 사물의 통일성이 확보된다.

후설의 '사태 자체'로 돌아가기 위한 '판단중지'는 도리어 그 존재자의 내부로 들어와서, 그 어떤 존재의 근원을 밝혀주는 역할을 하였다. 그는 우리의 자연주의적 태도에서 나오는 '개념'을 판단중지 함을 통해서 '순수 자아'의 존재를 발견하였다. 그 결과, 우리에게 주어진 '의식'은 사물을 향한 '정신의 시선'이었으며, 이 '의식'에는 '심리적 요소'와 '물리적 요소'가 중첩하여 있었고, '심리적 요소' 안에 있는 지향성이 사물을 향하여 전진하고 있었다. 이것이 '사태'의 본질이었다. 후설의 '의식'은 결국 우리의 '순수 자아' 혹은 '정신'의 존재를 증명해 주고 있으며, '의식'은 정신과 사물의 결합체이고, 여기에서 정신과 사물의 중간 매체가 발견되어 정신과 사물의 통일성이 확보된다.

메를로-퐁티는 '몸의 철학자'로 불리는데, 그것은 신체적인 체험을 최초의 체험이라고 보기 때문인데, 머리의 사유보다 먼저 신체적인 체험이 가장 먼저의 체험이고, 그것을 체험하는 '나'가 근원에 있는 나, 세계에 접촉해 있는 나이기 때문이었다. 메를로-퐁티에 의하면, 내 신체의 감각에는 정신 혹은 의식이 함께 있다. 내 정신이 그곳에서 실제로 활동을 하고 있다. 그의 진정한 의도는 '신체화 된 정신'이었다.

따라서 몸이 곧 대자의 역할을 한다. 그 몸 속에는 실존적 세계도 감각으로 들어와 있다. 이것은 곧 즉자의 역할이다. 그리고 몸 속에 있는 대자로서의 정신은 이 즉자로서의 감각을 변화시킨다. 이 감각으로서의 대상은 또한 실제의 대상과 연결되어 있다. 몸이 세계와 하나이기 때문이다. 궁극적으로 우리의 몸은 세계에 변화를 초래한다. 이에 따라 그는 형이상학도 또한 사물에 대한 '감각'을 통해서 추구하자고 말한다. 이것은 획기적인 사고였다.

이러한 철학적 주체에 대한 태도의 변화는 무의식의 기억들도 모두 현재의 공간 위에 세울 수 있게 되었다. 즉 정신이 육체의 이면으로 숨는 것이 아니라, 육체와 함께 공간 위에 드러나기 때문이다. 따라서 그는 신비의 장소를 사물로 잡음을 통해서 사물 위에 빛나는 로고스와 신비를 발견한다. 그는 이러한 신비가 종교의 탄생을 불러왔다고 말한다.

실존주의 : 키에르케고어, 야스퍼스, 하이데거, 사르트르

헤겔의 체계를 가장 탁월하게 비판한 사람이 키에르케고어이다. 헤겔은 정신의 구조에서 '정신의 무한성과 가능성'만을 고려하였으며, '육체로서의 유한성과 필연성'은 고려하지 않은 채 그의 변증법을 전개하였다. 그래서 커다란 신학체계를 이루기는 하였지만, 반쪽만의 진리를 가지고 정신의 세계를 추론한 셈이 되어 버렸다. 헤겔이 그의 체계에서 죄의 현실을 간과한 원인은 어디 있는가? 키에르케고어의 입장에서 볼 때 그 원인은 본질과 실존을 동일시한 데 있다. 그래서 그는 '현실의 실존'과 괴리된 '개념의 실존'을 기술하였을 뿐이다. 사유와 존재는 헤겔이 말하듯이 일치하는 것, 따라서 종합될 수 있는 것이 아니라 오히려 칸트가 의미하듯이 실존으로 인하여 괴리되어 있다. 실존주의는 이에 대한 인식에서부터 시작되며, 이것을 가장 먼저 논증한 사람은 키에르케고어였다.

키에르케고어는 모든 '실존'이 가지고 있는 기본적인 정서는 '불안'이라고 한다. 이것이 있어야 우리의 진정한 실존이 깨어난다. '체념'과 '믿음'이라는 정서는 '불안'을 기본바탕으로 하지 않고는 성립될 수 없는 개념이기 때문이다. 키에르케고어는 이러한 측면에서 '불안'이라는 기본적 정서를 긍정적이고 유익한 것으로 받아들인다. 그는 아브라함의 이야기에서 '이삭 번제'라는 '죽음'과 같은 상황의 본질은 '불안'이며, 이것이 우리의 실존이다.

우리의 '의지'는 이러한 상황 속에서 '결단'을 하게 되는데, 이를 통해 '자기'는 '더 나은 자기'를 찾게 된다. 특히 실존유형 중에서 '아브라함'은 종교적 유형에 속하는데, 이때 '의지'는 '체념과 믿음'을 통해 '타자(신)'를 이 관계 속에 끌어들여 '인간 한계'를 극복한다. 이렇게 '진정한 자기'를 찾게 해주는 그러한 의식은 '의식'과 구분하여 '자기의식'이라고 한다. 이때 '자기'는 '더 나은 자기'가 되는 '종합'은 '의식'이 수행하는데, 그것은 오직 '신과의 관계'를 통해서만 수행될 수 있다.

인간의 '의식'은 극단에 이르게 되고서야 비로소 진지한 결단이 나오게 된다. 인간은 기본적으로 신에는 모든 것이 가능하다는 것을 믿는다. 이제 그의 의식은 이 '신'을 믿을 것인가, 말 것인가를 결정해야 한다. 이것은 의식적인 행위이다. 여기에서 '믿음'을 선택한다는 것은 '오성상실'을 전제로 하여야 한다. 이에 의하면, 신에게로 갈 수 밖에 없다. 그 믿음은 "체념과 (하나님에 대한)믿음"으로 구성되어 있다. 이것은 기복적 믿음이 아니라, 신에 대한 믿음이었다. 키에르케고어의 이 이야기는 모든 실존주의자들이 다루는 실존에 대한 내러티브가 되었다. 그리고 실존주의자들은 의식을 다룬다.

칼 야스퍼스에 의하면, 우리 모든 인간에게는 "나 자신은 누구인가? 나는 어디에서 와서 어디로 가는가?"라는 '나 자신'에 관한 원초적이고 본질적인 질문이 있다. 이것은 살아가면 살아갈수록 물음은 깊어진다. 이것은 존재를 찾는 물음인데, 우리에게 주어진 존재에 대한 단서는 '상황'이 유일하다. 따라서 우리의 철학함은 상황을 밝히는 것으로 출발해야 한다. 그런데, 그렇다고 해서 이에 대한 검토를 통해서 그 존재가 밝혀지는 것은 아니다. 그에 의하면, 오히려 그 존재를 인식하는 방법은 초월함이었다.

이와 같은 실존은 분명히 비대상적인 것이지만, 우리가 그것에게 나아갈 때, 그것도 또한 대상화된 것이라고 말해야 한다. 이와 같이 우리의 사유는 실존을 객체로 만들어낸다. 그것은 실존이 실제로 존재하기 때문에 그렇다. 그러나 '실존'은 개념이 아니라 모든 대상성 너머를 지시하는 지표이다. 칼 야스퍼스에 의하면, 실존철학의 본질적인 방향은 형이상학이다. 그리고 실존철학의 방법은 조명을 통한 철학이다. 빛이 던져지는 곳을 사유함을 통해서 성립된다.

그에 의하면, 우리 안에 '철학적 근본작용'이 있는데, 그것은 우리 자신이 어떤 실존적인 사건을 만났을 때, 스스로 자신을 발견하기 위해서 대상적인 것으로부터 비대상적인 것에로의 사유의 전환을 수행한다는 것이다. 그리고 이러한 사유가 발생하는 이유는 우리의 의식 안에는 '포괄자'의 여러 양태가 내재해 있기 때문이다. 이것은 초월자가 세계 내의 모든 존재를 포괄하는 포괄자이기 때문이다.

인간은 이와 같이 '지평선 너머에 존재하는 포괄자'를 한계상황에 직면하여 좌절할 수 밖에 없을 때, 존재에의 길을 얻을 수 있는 근본충동을 가져온다. 한계상황이 이것을 불러온다. 그리고 인간은 초월자를 향하며, 영원화를 추구한다. 이때 초월자의 암호가 들려온다. 그러므로 좌절은 암호 자체이다. 우리는 좌절의 암호를 상세하게 해독하여야 한다.

초월자의 암호해독을 통해서 실존을 해명하고자 하는 것이 철학적 신앙이고, 철학적 신앙은 은폐된 신에 대한 신앙이다. 철학적 신앙은 초월자가 존재한다는 사실을 자유롭게 체득하고자 하는 신앙이다. 그렇다고 해서 이 초월자의 암호가 해석된다는 것은 있을 수 없다. 그러나 우리 유한적 현존은 철저한 좌절의 경험 속에서 초월자의 존재를 붙잡을 수 있다. 우리는 현실상황에 있어서 불안을 떨쳐버릴 수 없었다. 그러나 존재를 이와 같이 만나면, 신기하리만치 불안이 떠나간다. 존재의 심적 상태가 우리 안에 실현된다. 야스퍼스는 이것을 '불안에서 안심에로의 비약' 이라는 말로 표현한다. 이 실존적 만남은 신화나 신앙으로 비약하기도 한다. 모든 신화나 신앙은 이러한 실존적 만남에서 유래하였다.

하이데거의 주요 사상은 후설의 현상학을 철학의 체계 속에 올려놓은 것이었다. 특히 그는 우리 의식의 본질을 밝힌다. 다만 그의 철학은 우리의 무의식이나 정신의 단계에 까지 이르진 못한다. 그의 철학은 오직 의식에만 집중한다. 먼저, 하이데거는 후설의 현상학을 우리의 의식 속에 반영하여, 의식을 중심으로 한 존재론을 발전시켰다.

우리의 모든 생각들을 괄호로 칠 경우, 그 의식의 본질이 등장을 하는데, 그것은 곧 염려였다. 그리고 이 염려 속에는 모든 과거와 현재와 미래가 다 한 자리에 모여 있었다. 그리고 그것이 우리 현존재의 본질이었다. 이와 같이 시간이 우리의 의식을 지배할 경우, 우리의 최종적인 미래는 죽음이며, 이것을 향한 기획투사를 통해 우리 존재의 본래성이 드러난다.

우리의 의식 속의 염려가 우리를 미래로 이끈다. 이때 우리의 죽음을 결의하고, 이것을 경험함을 통해서 우리의 본래적인 실존을 회복한다. 한편, 이때 하이데거는 기독교의 세례와 유사한 이야기를 한다. 궁극적으로 우리의 결의성에 따라 미래가 현재화 된다. 결국 하이데거는 베르그송의 시간 개념을 그의 철학 전개에 깊이 도입한 것으로 보인다. 즉, 시간을 차원을 달리한 공간으로 본다. 그래서 현재 위에 과거와 현재와 미래가 모두 존재한다. 이와 같이 하이데거는 미래를 현재로 끌어와서 죽음에 기투를 함으로써 우리의 실존을 극복한다.

사르트르의 실존주의는 무신론적 실존주의라고 불리는데, 그는 우리의 대자 존재가 '무'라고 설정한다. 그리고 우리가 여기에 무엇을 채우느냐에 의해 우리의 실존이 결정된다는 것이다. 그런데, 이것은 존 로크의 경험이론과 크게 다르지 않다. 로크는 우리의 정신은 백지 상태라고 하였다. 여기에 경험을 통해서 우리를 구성한다고 말하였다. 사르트르는 이와 크게 다르지 않다. 그는 로크의 '정신'을 '무'로 대체하였을 뿐이다. 사르트르는 헤겔이나 스피노자의 정신의 기능을 '무'로 대체하려는 시도를 하였는데, 그 논의는 전개하면 할수록 그의 '무'는 '정신'을 그렇게 해석하려고 의도하였다는 의미 밖에 주지 않는다. 그의 '무'는 '정신'으로 대체될 필요가 존재한다. 한편, 그는 '심적 시간성'을 말하였는데, 이것은 베르그송의 시간 개념을 원용하여서 즉자존재를 대자존재의 의식 속으로 끌고 들어왔다.

생철학과 현상학 그리고 실존주의 철학의 주제

근세 이후의 철학은 인식론적 접근을 하고 있다. 위의 내용들에 의하면, 생철학, 현상학, 그리고 실존주의 철학도 또한 중요한 인식론적 흐름을 형성하고 있음을 알수 있다. 생철학은 우리의 정신의 본질을 밝히고 있는데, 이 정신은 객관정신(혹은 절대정신)과 연결되어 있다. 우리는 여기에서 칸트와 헤겔의 종합을 보는 것이다. 그리고 우리 정신의 존재가 생철학에 의해 밝혀진다. 특히 이 정신의 나타남은 우리의 의식(이미지)인데, 우리의 의식 속에서는 정신적 요소와 물질적 요소가 병존하여 있다. 그러면서도 이 정신적인 이미지가 물리적 이미지를 변화시키고 있다. 자연법칙 산출자로서의 칸트의 순수이성의 본질이 다시 한 번 드러난 것이다. 이것은 현상학을 통해서 또 다시 확인된다. 그리고 실존주의는 우리의 의식을 우리가 어떻게 관리할 것인가를 다루었다. 키에르케고어로부터 사르트르에 이르기까지 모두 우리의 실존을 죽음 혹은 무라고 말하며, 이 죽음을 극복하는 방법으로서 죽음에의 결단을 촉구하고 있다. 이때 유신론적 실존주의자들은 이것이 바로 절대자와의 만남의 장이라고 말한다. 그리고 우리의 실존은 이와 같이 극복된다고 말하고 있다.

책 저술의 방법

오늘날 많은 철학을 강의하는 사람들이 원서에 충실하지 않은 경향을 보이고 있다. 그러나 독자의 입장에서는 먼저 원저자의 의도를 알고 싶어한다. 그래서 이 책은 철학자들의 의도를 분명하게 이해하기 위하여 원서(번역본)와 논문들을 요약하여 기술한 책이다. 그리고 원래 책제목이 "생철학-현상학-실존주의"였는데, "생철학-현상학"과 "실존주의"를 구분하였다.

2023.12.

신학박사 최 환 열

<제 목 차 례>

1장 키에르케고어

2장 칼 야스퍼스

3장 하이데거

4장 사르트르

1장 키에르케고어

1절 쇠렌 키에르케고어(1813-1855)의 생애 등

1. 키에르케고어의 생애

가. 출생과 유년시절

키에르케고어는 부유한 모직상인 미카엘의 막내아들로 태어났다. 그의 어머니 안네는 그의 아버지 미카엘의 하녀였는데, 그의 본처가 슬하에 자녀가 없이 죽자 그녀와 결혼을 한 것이었다.

키에르케고어는 1813년 5월 5일 덴마크의 코펜하겐에서 유복한 모직 상인의 막내아들로 태어났다. 이때 이미 아버지 미카엘은 56세였고 어머니 안네는 45세였다. 안네는 원래 그의 집의 하녀였는데, 전처가 슬하에 자식 하나 없이 병으로 세상을 떠나자 미카엘은 안네를 아내로 맞아들였다. 원래 양심적이고 종교적이었던 미카엘은 이 사실(결혼 전에 안네와 관계를 맺은 것)을 마음속에 괴로운 가책의 채찍으로 느꼈다. 미카엘은 50세가 되었을 때, 사업의 경영을 남에게 맡기고 조용히 시골에 은퇴하며 철학과 종교에 관한 독서와 명상에 전념하는 한편 자녀 교육에 힘을 기울였다.
쇠렌 키에르케고어는 어머니에 관해서는 거의 말한 바가 없다. 그는 어머니에게서는 별로 영향을 받은 바가 없었던 것 같다. 다만 덴마크의 철학사상가인 호프딩에 의하면, "안네는 단순하고 명랑한 부인이었다. 쇠렌은 어머니한테서 쾌활한 성격을 물려받았다. 아버지한테서 물려받은 우울성과 어머니한테서 물려받은 쾌활성은 서로 조화되지 않은 채 키에르케고어의 성격을 형성하였다"고 말한다. (최혁순, 『키에르케고어 선집』역자 후기, 299-300)

키에르케고어는 그의 철학적 성향에 있어서는 그의 어머니 보다 그의 아버지 미카엘의 영향을 많이 물려받았다. 특히 그의 아버지 미카엘은 그의 나이 12살 때, 집의 가난으로 인해서 신을 저주한 적이 있었는데, 이것은 그를 평생토록 괴롭혔다. 미카엘은 그의 자녀들이 모두 단명한 이유를 이 사실과 연결시키고 있기 때문이었다. 이에 대해 최혁순은 다음과 같이 말한다.

키에르케고어의 아버지 미카엘은 죄니, 죽음이니, 구원이니 하는 인생과 종교의 근본 문제를 생각하지 않고서는 살아갈 수 없는 사람이었다. 종교적인 엄숙성이 그의 생활과 성격의 기조를 이루고 있었다. 미카엘에게는 괴로운 기억이 있었다. 키에르케고어의 『유고』 속에 다음과 같은 유명한 말이 나온다. "어렸을 때 유틀란트의 황야에서 양을 치면서 추위와 굶주림에 괴로운 나머지 언덕에 올라가서 신을 저주한 어떤 이단자의 무서운 운명-그는 82세가 되었어도 이것을 잊어버릴 수가 없었다."

키에르케고어의 아버지 미카엘은 12살 때, 집이 가난해서 유틀란트의 황야에서 양을 쳐야 했다. 그는 어느 날 심한 추위와 굶주림과 고독에 못견디어 언덕에 올라가서 이렇듯 괴로운 생의 운명을 마련한 신을 저주하였던 것이다. 그는 그 후 치부, 성공하여 유족한 몸이 되었지만 어려서 신을 저주했다는 이 쓰라린 죄의 기억은 80세가 넘은 인생의 노경에 이르러서도 그를 괴롭혔던 것이다. 미카엘은 그토록 심각하고 엄숙하고 우울한 종교적 성격의 소유자였다. 그는 또한 심각한 우울성 이외에 예리한 이지적 두뇌와, 재치있는 변론의 재주와 자유분방한 상상력과 풍부한 유머의 소유자였다.… 쇠렌은 아버지한테서 그러한 성격을 그대로 물려받았다.… 그의 사상 속에 엿보이는 예리한 아이러니와 역설은 모두 아버지 미카엘의 재현이었다. (최혁순, 『키에르케고어 선집』역자 후기, 300-301)

그의 유년시절도 천재성이 있었다. 다만 그의 성품은 그의 향후 철학에 걸맞게 우수적이었다.

키에르케고어의 우수의 철학은 그의 이러한 타고난 우수와 우수적인 생의 체험의 산물이다. 쇠렌은 여덟 살 났을 때 학교에 갔다. 대단히 머리가 좋았다. 특히 라틴어 문법은 선생도 눈의 휘둥그레질 정도로 잘했고, 작문은 놀라운 바가 있었다. 그는 침묵하길 좋아했고, 말수가 적었으며, 친구들을 별로 사귀지 않았다. 몸은 허약했다. 여러 동무들이 그를 놀려대면 신랄한 기지와 조소로 응수했다. 학교교육은 엄격한 기독교 교육이었다. (최혁순, 『키에르케고어 선집』역자 후기, 301)

나. 코펜하겐 대학에서의 수학 (1830-1840)

키에르케고어는 그의 젊은 시절은 우울하였으며, 그 우울을 자신도 떨쳐버릴 수 없었다고 말하며, 자신은 야누스적인 성향을 지녔다고 말한다. 그는 17-27세에 이르기까지 코펜하겐 대학의 신학부에서 공부하였다. 그가 속한 이 시기는 유럽에는 낭만주의의 물결이 휩쓸고 있을 때였다. 그는 이때 신학보다 철학이나 미학에 더 관심이 많았다고 말한다.

1830년 키에르케고어는 18살에 코펜하겐 대학 신학부에 입학하였다. 그는 아버지의 뜻을 받들어 평생 목사로 지낼 생각이었다. 그는 이때부터 일기를 쓰기 시작하였으나 20살의 청년다운 생기발랄한 희망에 가득찬 일기가 아니고 코펜하겐의 겨울 하늘처럼 무겁고 침울한 일기였다. 그것은 우수와 고독과 불안과 회의와 모순과 절망의 문자로 덮인 일기였다.… "나는 야누스와 같이 두 개의 얼굴을 가지고 있다. 한 얼굴로는 웃고 한 얼굴로는 운다." 자기는 야누스처럼 두 얼굴을 가지고 한 얼굴로는 남을 대하여 쾌활한 웃음을 짓지만 또 한 얼굴로는 스스로 마음속에 눈물을 흘린다는 것이다. 이에서 안과 밖, 내면과 외면이 모순되는 자기 분열의 키에르케고어의 모습을 엿볼 수 있다.… (최혁순, 『키에르케고어 선집』역자 후기, 301-302)

키에르케고어가 코펜하겐 대학 신학부에 입학한 것은 1830년 헤겔이 세상을 떠나기 바로 전 해이다. 그 당시 덴마크의 사상계는 헤겔 철학의 영향 하에 있었지만 동시에 슐레겔(1772-1829)을 중심으로 한 낭만주의의 풍조가 세상을 풍미하던 때다. 낭만주의는 미와 꿈과 젊음을 예찬하고, 천재와 개성을 찬미하고, 자유분방한 시적 상상을 즐기는 것이 그 특색이다. 아름답고 황홀한 미적, 예술적인 분위기를 존중하는 것이 낭만주의이다. 키에르케고어는 17살에서 27살까지 10년 동안 코펜하겐 대학에 있었지만 신학보다 미학이나 철학에 더 관심과 정열을 기울였다. (최혁순, 『키에르케고어 선집』역자 후기, 302)

다. 아버지의 죽음과 레기네 올젠과의 파혼 사건 (1838-1846)

이 시기에 그의 실존 사상에 결정적인 영향을 미칠 두 가지 사건이 발생하였는데, 하나는 올젠과의 연애 사건이며, 또 하나는 코르사르 사건이었다.

키에르케고어는 25살 때에 레기네 올젠이라는 소녀와 약혼을 하였으며, 둘은 깊은 사랑에 빠져있었다. 이때 키에르케고어는 자신의 성격으로 이 여인을 행복하게 해줄 자신이 없다는 것을 알게 되었다. 그리고 더 나아가서 그는 신을 향한 '아가

페 사랑'과 이 여인을 향한 '에로스 사랑' 사이에서 양자택일이라는 이상한 편집증적 갈등을 하였다. 그의 이러한 편집증적인 종교적 열정이 그로 하여금 '파혼'을 선언하게 하였다. 이때 그의 나이 28세였다.

키에르케고어는 25살 때에 레기네 올젠이라는 16살의 귀여운 소녀와 사랑에 빠지게 되었다. 둘은 서로 사랑이 깊어져서 1840년 9월에 약혼을 하게 되었다. 그때 쇠렌의 나이는 28살, 레기네는 19살이었다. 두 젊은이는 한없이 행복하였다. 그러나 지나칠 정도의 종교적 엄숙성과 무서운 우울성의 성격을 가진 키에르케고어는 결혼을 앞두고 여러 가지 불안과 고민과 의혹에 사로잡히게 되었다. 나는 과연 레기네를 행복하게 해 줄 수 있을까? "참새와 같이 명랑하고 경쾌한 레기네하고 백 개의 눈을 가진 아르고스처럼 자기반성적인 쇠렌"이 과연 남들처럼 행복하게 살 수 있을까? 아르고스란 그리스 신화에 나오는 백안의 거인이다. 그는 아르고스처럼 백 개의 눈을 뜨고 날카로운 눈초리로 사물을 감시한다. 그는 아르고스처럼 백 개의 눈동자를 가지고 자기의 내부 세계를 예리.준엄하게 들여다보는 철저한 자기반성의 인간이다. 그러한 자신과 참새처럼 즐겁고 경쾌하게 인생을 살아가는 레기네는 성격적으로나 사상적으로 도저히 맞을 것같이 생각되지 않았다. 그는 지나치게 종교적인 인간이었다. 키에르케고어는 종교적이고 윤리적이고 우울한 사색가인데, 레기네는 명랑하고 미적이고 직접적이고 사교적인 여성이었다. 키에르케고어는 이러한 대척적.반대적 성격을 가진 둘이 결혼을 해도 과연 원만할 수 있을까 하는 무거운 회의에 사로잡혔다.

그는 신에 대한 경건한 종교적인 아가페의 사랑과 레기네에 대한 인간적인 에로스의 사랑 사이에 끼어서 고민하였다. 신의 사랑의 길을 택하느냐, 여성의 사랑의 길을 취하느냐? 두 갈래 길에서 어느 것 하나를 선택할 수 밖에 없었다. 이것이냐 저것이냐 하는 엄숙한 결단 앞에 서게 되었다.… 그는 레기네의 사랑을 버리고 신의 사랑을 택했다. 그는 심각한 고민 끝에 드디어 파혼을 선언하였다. 그것은 슬프고 괴로운 일이었다. 그러나 그로서는 어쩔 수 없는 일이었는지도 모른다. 그들이 약혼한 것은 1840년 9월이었고 키에르케고어가 레기네에게 파혼을 선언한 것은 1841년 10월이었다. 약혼 기간이 겨우 1년 지속된 셈이었다. (최혁순, 『키에르케고어 선집』역자 후기, 303-304)

한편, 바로 이 시기 직전에 아버지의 죽음도 있었는데, 이때 그의 나이는 26세였다. 그의 아버지는 그에게 큰 정신적인 지주였는데, 이 아버지의 죽음은 그에게 큰 충격이었다. 그의 아버지의 죽음은 그가 "신 앞에서의 실존"의 길을 걷게 하는 하나의 결정적인 계기를 이루었다.

1838년 8월 9일에 미카엘은 82세의 고령으로 세상을 떠났다. 아버지의 죽음은 키에르케고어에게 큰 충격을 주었다. 그것은 신의 계시인 것만 같이 느껴졌다. "아버지는 나에게서 떠나가신 게 아니고, 나를 위해서 돌아가신 것이다"라고 키에르케고어는 말했다. 그가 "신 앞에서의 실존"의 길을 걷게 하는데 하나의 결정적인 계기가 된 것은 아버지 미카엘이요, 미카엘에게서 받은 교육이요, 미카엘의 죽음이었다. 키에르케고어는 약간의 유산을 상속 받았다. 그는 1855년 가을에 죽을 때까지, 그 유산으로 생활비를 충당할 수 있었다. (최혁순, 『키에르케고어 선집』역자 후기, 304)

키에르케고어의 사상과 관련하여 기이한 것은 이 시기 이후 3년 동안에 그의 사상 전반을 아우르는 저작들이 쏟아져 나왔다는 것이다. 위의 두 가지 사건의 충격은 그로 하여금 이 모든 저술들을 생산하게 한 계기가 되었다. 그는 이 모든 저작들을 익명으로 저술하였다.

『이것이냐 저것이냐』를 비롯하여 『공포와 전율』『반복』『철학적 단편』『불안의 개념』『인생행로의 제단계』『철학적 단편의 비문학적 후서』등의 키에르케고어의 저서가 꼬리를 물고 쏟아져 나왔다. 이러한 저서들이 1843년 2월에서 1846년 3월까지 3년 안에 저술되었다는 것을 생각하면 놀라지 않을 수 없다. 그는 과연 천재적인 사상가요, 저술가였다. 또한 이 기간은 사상가로서의 전성시대요, 절정을 장식하는 기간이었다. 그 책들은 설교집 이외에는 대부분 익명으로 발표되었다. (최혁순, 『키에르케고어 선집』역자 후기, 304)

라. 코르사르 사건

그러나 그의 저술과 관련하여 뜻하지 않은 사건이 일어났는데, 이로 인해 그는 사회와 대중에 대항하여 진리의 순교자로서 혹은 사상의 투사로서 싸우지 않으면 안 되게 되었다. 그것은 바로 코르사르 사건이었다.

이 사건은 키에르케고어의 저작을 평소 좋지 않게 생각하던 미학자 포올 멜러가
《코르사르》라는 풍자 신문에 키에르케고어를 비난하는 글을 발표한 데서 발단하
였다. 《코르사르》신문은 키에르케고어에 대하여 갖은 독필을 휘두르고 매호에
그에 대한 만화를 게재하고 그를 야유하고 조롱하였다. 《코르사르》는 그를 거리
의 소크라테스라고 희롱하였다. 키에르케고어는 의연한 태도로 분연히 여기에 응
수하였다. 대중은 이 사건을 재미있는 구경거리로 여겼을 뿐만 아니라, 악의적
조소로써 키에르케고어를 백안시하였다.

키에르케고어는 신문이니 사회니 대중이니 하는 것과 정면으로 대결하게 되었고
이 경험을 통해서 그는 당대 일반의 본질을 직시할 수 있었다. 『현대의 비판』이
라는 책은 이러한 기록에서 나온 책이다.… 키에르케고어는 대중을 조소하고 매
도하지 않을 수 없었다.(최혁순, 『키에르케고어 선집』역자 후기, 305)

마. 종교적 신앙으로의 입문 (1847-1853)

키에르케고어는 위의 사건을 계기로 하여서 종교적 신앙의 생애로 들어서게 되
었다. 신앙의 길은 진리의 길이요, 진리의 길은 수난의 길이라는 신념에서 그는 제
2의 저술들을 발표하였다. 그 저술들은 모두 기독교의 종교적 신앙의 기조 위에
서는 책들이었다.

그는 결정적으로 종교적 신앙의 생애로 들어서게 되었다. 신앙의 길은 진리의
길이요, 진리의 길은 수난의 길이라는 신념에서 그는 제2의 저술들을 발표하였
다. 그 저술들은 모두 기독교의 종교적 신앙의 기조 위에 서는 책들이었다. 『죽
음에 이르는 병』『기독교의 훈련』『저술가로서의 나의 활동을 위한 관점』『나의 저
술적 활동』『사랑에 대하여』 그 밖의 여러 권의 『설교집』 등이 있다. 이 대량의
저술은 1847년에서 1852년경에 쓰인 것들이다. (최혁순, 『키에르케고어 선집』역
자 후기, 305)

바. 덴마크 국립교회와의 논쟁 (1854-1855)

그는 덴마크 교회의 수장이며 국민의 존경을 받았던 뮌스터 감독의 삶이 과연
기독교인의 삶인가에 대해 의문을 품고 있었다. 그리고 그가 세상을 떠났을 때, 그
를 향해 '진리의 증인'이라고 찬양을 하자, 이에 대한 반론을 재기하였다. 그리고

이것이 기화가 되어 마르텐젠과 논쟁을 벌였다. 그리고 이것은 키에르케고어와 국가교회와의 싸움으로 확산되었다. 이 싸움은 반 년 이상이나 지속되었고, 그는 이 싸움을 하는 과정에 그의 생애를 마쳤다.

1854년 정월에 덴마크 교회의 수장 뮌스터 감독이 세상을 떠났다. 뮌스터는 데나크 교회의 수장으로 국민의 존경과 신뢰를 받고 있었다. 그러나 그의 생활은 과연 고난의 생활인가? 그는 십자가를 짊어진 순교자라고 할 수 있는가? 그는 참된 기독자인가? 키에르케고어는 그에게 회의와 불만을 품고 있었으나 그의 고령에 경의를 표하여 침묵을 지켜왔다. 뮌스터 감독이 세상을 떠나고 며칠 후 신학 교수 마르텐젠은 그의 추도 설교에서 뮌스터를 가리켜 진리의 증인이라고 찬양하였다.…

마르텐젠 교수가 1854년 후임의 감독으로 결정되자 키에르케고어는 1854년 12월 18일 《조국》이라는 신문 지상에 "감독 뮌스터는 진리의 증인, 진정한 진리의 증인의 한 사람이었던가? 이것은 정말인가?"라는 제목의 항의문을 발표하였다. 이것이 빌미가 되어 키에르케고어와 덴마크 기독교 사이에 맹렬한 논쟁이 전개되었다. 그는 의인의 정열과 기백을 가지고 그 당시의 사이비 기독교와 사이비 기독교도들에 대해서 준엄한 비판과 공격의 화살을 던졌다. 원만이라는 이름 아래 속세와 안이하게 타협하여 자기를 속이고 남을 속이면서 어물어물 살아가는 부실한 기독교도들의 허위와 죄악을 폭로하고 진정한 기독교인으로 살아간다는 것이 어떤 것이며 진정한 기독교가 무엇인지를 세상에 드러내려고 하였다.

여기에 대해서 마르텐젠도 가만히 있지 않았다. 그는 키에르케고어를 향하여 영웅의 무덤 위에서 춤추는 텔시테스라고 하였다. 텔시테스는 호메로스의 극시 『일리아드』에 나오는 인물로 그리스 사람들 중에서 가장 추한 염치불구의 횡설수설가다. 마른텐젠을 둘러싼 세력들과 키에르케고어 간에 1855년 5월까지 반 년 이상이나 격렬한 논쟁이 계속 되었다. 키에르케고어는 덴마크 교회의 가장 훌륭한 설교자로 존경을 받던 고인 뮌스터를 중상 비방하는 자라하여 그들은 집중적인 공격을 퍼부었다. 키에르케고어는 정면으로 이와 대결했다. …기독교회는 기독교를 이 세상에서 몰아냈다고 그는 말하였다. 키에르케고어는 『순간』이라는 팜플렛을 내어 덴마크 국립교회에 끝까지 도전하였다. 그는 자기가 진리를 위해서 용감하게 싸울 수 있는 용기를 베풀어주신 신에게 감사를 드렸다.

이 싸움은 키에르케고어에게 너무나 무거운 십자가였다. 그는 혈혈단신 이 싸움의 와중에서 기가 진하고 힘이 다하여 1855년 10월 2일, 가두에서 졸도하여 코펜하겐 병원에 입원, 그로부터 1개월 후에 43년의 고독한 예외자의 생애를 마쳤다. 때는 1855년 11월 11일, 그는 자기에게 고귀한 사명을 주신 신의 은총과 섭리에 감사하면서 조용하고 깊은 평화 속에 숨을 거두었다. "폭탄은 파열하여 주위에 불을 지를 것이다." 이것이 그의 마지막 말이다. 불은 실존주의라는 사상으로 퍼져나갔다. 그는 새벽 하늘과 별과 같이 고고한 사상적 선구자의 생애를 살았다. 그것은 단독자의 길이었다. (최혁순, 『키에르케고어 선집』역자 후기, 305-307)

2. 키에르케고어의 사상사적인 위치

헤겔을 비판하고 자신의 이론을 형성한 다른 중요한 인물은 키에르케고어이다. 이러한 의미에서 그는 헤겔의 후계자, 곧 우파에 속한 후계자라고 말할 수 있다. 키에르케고어가 신학과 철학에 대하여 끼친 영향은 마르크스 못지않게 크다고 말할 수 있으며, 이 두 사람의 상호대조적인 입장은 사상계의 쌍벽을 이루고 있다. 키에르케고어에게 중요한 문제는 "하나님 앞에 서 있는, 그러나 사회의 모든 관계로부터 추상화된, 고독한 단독자의 내면적 실존"에 있었다.

키에르케고어의 헤겔 비판은 헤겔을 신학의 세계로 내몰았으며, 헤겔의 신학은 판넨베르그 등의 과정신학에 지대한 영향을 미치며, 그곳에서 다시 부활하여 그 뿌리를 이어간다. 반면, 키에르케고어의 헤겔비판은 독일관념론의 종말을 가져오고 실존주의 철학의 시대가 도래하게 하였다.

가. 헤겔의 체계에 대한 비판

헤겔의 체계를 가장 탁월하게 비판한 사람이 키에르케고어이다. 헤겔은 정신의 구조에서 '정신의 무한성과 가능성'만을 고려하였으며, '육체로서의 유한성과 필연성'은 고려하지 않은 채 그의 변증법을 전개하였다. 그래서 커다란 신학체계를 이루기는 하였지만, 반쪽만의 진리를 가지고 정신의 세계를 추론한 셈이 되어 버렸다. 김균진은 다음과 같이 키에르케고어를 평가한다.

비기독교세계에 대한 키에르케고어의 비판은 헤겔의 "체계"에 대한 비판과 결부되어 있음을 알 수 있다. 키에르케고어의 입장에서 볼 때 근본적으로 헤겔의 체

계는 현실 일반을 올바르게 파악할 수 없다.···

헤겔의 논리적 체계로서의 현실은 현실적인 현실이 아니라 관념적인 현실이요, 현실적인 현실로부터 추상화된 현실이다.··· 헤겔의 체계는 인간의 참된 현실과 일치하지 않는 하나의 "추상적인 사변"이다. 키에르케고어는 헤겔이 이 체계에서 간과한 중요한 것이 하나 있는데, 그것은 "죄의 현실"이었다.··· 헤겔은 뛰어난 개성을 가지고 있고 박학다식한 학자이지만 죄의 현실을 간과한 하나의 위대한 체계를 형성하였으며, 이 체계로써 그는 모든 것을 설명하고자 하였다. 죄의 현실을 간과한 헤겔의 체계에 반하여 기독교의 한 특징의 요소는 죄의 개념에 있다고 키에르케고어는 생각한다. 기독교와 이교를 질적으로 구분하는 것은 죄의 개념이다. 이교와 자연인은 죄가 무엇인지 알지 못한다. 죄가 무엇인지를 밝혀주는 것이 기독교가 말하는 "하나님의 계시"이다. 여기에서 우리는 키에르케고어가 자연계시를 거부하고 있음을 볼 수 있다. 죄가 무엇인지를 밝혀주는 것은 예수 그리스도 안에서 일어난 하나님의 계시이다. "이교와 기독교의 질적 차이는 화해론에 있는 것이 아니라, 죄론에 있다." 기독교의 진리는 이성적인 합리적인 진리가 아니라 역설적인 진리이다. 이 진리에 도달할 수 있는 길은 죄를 깨닫는 데 있다. 즉, "오직 죄의식에 있다. 어떤 다른 길을 통하여 여기에 도달하려는 것은 기독교의 권위에 대한 침해이다."[1]

나. '보편자'에 대한 비판 : 실존의 개념

키에르케고어는 실존주의의 출발점에 서있다. 그는 인간의 '본질'과 '실존'을 구별한 처음의 사상가였다. 이런 차원에서 그는 현대철학의 선구자라고 불리울 수 있다. 김균진은 다음과 같이 키에르케고어를 평가한다.

헤겔이 그의 체계에서 죄의 현실을 간과한 원인은 어디 있는가? 키에르케고어의 입장에서 볼 때 그 원인은 본질과 실존을 동일시한 데 있다. 그러므로 그는 현실의 실존을 파악하지 못하였고 오히려 이 실존과 괴리된 "개념의 실존"을 기술하였을 뿐이다. 사유와 존재는 헤겔이 말하듯이 일치하는 것, 따라서 종합될 수 있는 것이 아니라 오히려 칸트가 의미하듯이 실존으로 인하여 괴리되어 있다. 그러나 헤겔은 현실의 인간으로서 사유한 것이 아니라 전문적이고 직업적인 사

---

1) 김균진, 『헤겔과 바르트』, (서울: 대한기독교출판사, 1989), 146-148.

색가로서 사유하였기 때문에 이 사실을 보지 못하고 사유와 존재를 동일시하였다. "그가 존재로부터 파악한 것은 단지 개념이었지, 그때 그때의 개별적인 그것의 현실은 아니었다."

헤겔의 개념론은 개별자를 현실자로서 전제하지만 이 개별자는 보편자와 중재 가운데 있다. 개별적인 현실은 그에게 있어서 보편자의 특수한 규정을 말하며, 개별자로서의 인간이란 정신을 그의 본질로 가진 보편적 인간 존재의 특별한 규정을 뜻할 뿐이다. 엄밀한 의미에서 개별자는 헤겔의 체계 속에서 인정되지 않는다. 거기에는 보편자가 있을 뿐이다. 모든 개별자는 보편자의 규정 내지 계기에 불과하다. 물론 키에르케고어는 인간 존재의 보편성과 보편적인 것을 부인하지 않는다. 그러나 보편적인 것은 인간의 개별적인 존재로부터 생각될 수 있을 뿐이다.

헤겔에 대한 이러한 비판에서 형성된 것이 키에르케고어의 '단독자'의 개념과 '실존'의 개념이라고 말할 수 있다. 중요한 문제는 세계사적인 보편자의 문제가 아니라 절망하여 하나님 앞에서 참된 자기로 존재하든지 아니면 자기 아닌 자기로 존재할 수밖에 없는 단독자의 문제이다. 중요한 문제는 철학, 종교, 예술, 국가 이 모든 것이 일치성 가운데 있는 보편적 세계사의 문제가 아니라 개인의 실존 문제이다. 진리는 체계에 있는 것이 아니라 개인의 실존문제이다.

하나님 앞에 설 수 있는 것은 보편적 단체로서의 인류가 아니라 오직 개인일 뿐이다. 신앙의 이 개체성 내지 단독적 인격성을 헤겔은 간과하였다. "이 개별적 인간이 하나님에 대하여 존재한다." 이 개인이 구원의 권고를 받는다. 신앙이냐 아니면 불신앙이냐의 문제는 개별적 인간, 곧 단독자로서의 인간 자신이 '결단' 해야 할 문제이다. 선을 택하느냐 아니면 악을 택하느냐의 문제를 각자가 그의 자유 가운데서 결단해야 한다.[2]

다. 하나님과 인간사이의 무한한 차이에 대한 인식

키에르케고어의 신학적 요소는 칼 바르트에게 계승되어 신정통주의의 시대를 열었다. 이 신정통주의의 신학은 슐라이어마허를 기점으로 한 자유주의 신학을 적나라하게 비판하였는데, 그의 사상은 키에르케고어의 신학사상에 모토를 두고 있었다. 김균진은 다음과 같이 키에르케고어를 평가한다.

---

2) 김균진, 『헤겔과 바르트』, 148-152.

포이에르바하는 하나님이란 인간의 본질을 하나의 초월적 대상으로 투사시킨 것으로 생각하였고 따라서 신학은 인간학으로 대체되어야 한다고 주장하였다. 포이에르바하의 이러한 주장은 하나님의 본질과 인간의 본질을 종합시킨 헤겔의 철학이 도달할 수밖에 없는 당연한 결과라고 키에르케고어는 생각하였다. 이에 반하여 키에르케고어는 하나님과 인간, 신적인 것과 인간적인 것, 기독교적인 것과 세속적인 것의 종합 내지 통일성을 거부하고 양자의 질적인 차이를 주장한다. 키에르케고어의 견해에 의하면 "하나님과 인간 사이에는 무한하게 벌어져 있는 차이가 있다." 물론 기독교는 하나님과 인간의 일치성에 대하여 말한다. 그러나 이 일치성은 하나님과 인간 일반의 일치성을 말하는 것이 아니라 하나님인 동시에 인간이신 예수 그리스도를 뜻할 뿐이다. 그러나 헤겔은 하나님의 존재와 인간 일반 사이의 질적인 차이를 철폐하고 "하나님과 인간 일반의 사변적 일치성"을 주장한다. 이에 반하여 키에르케고어는 하나님과 인간 일반 사이에는 죄의 엄격한 현실이 가로막고 있다. 그러므로 우리는 "하나님과 인간 사이의 질적인 상이성"을 망각해서는 안 된다.

따라서 키에르케고어에 의하면 "거룩한 역사", 곧 소위 말하는 구원의 역사는 "일반적 의미의 역사와 질적으로 다르다." 헤겔의 철학에 있어서 일반적 의미의 역사, 곧 세계사는 하나님의 구원의 역사를 뜻한다. 세계사는 하나님의 존재, 곧 정신이 자기 자신으로 돌아가는 과정으로서 이 세계에 대하여 구원의 과정을 뜻한다. 그리스도 안에서 일어난 구원의 사건은 세계사로서 진행되는 구원의 역사에 대한 종교적 표상이다. 이에 반하여 키에르케고어는 "그리스도는 역사에 의하여 결코 소화될 수 없으며 보편적 삼단논법으로 변조될 수 없는 패러독스이다."고 한다. 키에르케고어에 의하면, 예수 그리스도와 함께 시작하는 "거룩한 역사"는 "홀로 역사의 밖에 있다." 키에르케고어의 이러한 점은 칼 바르트의 신학에 의하여 그대로 계승되었다. 그리하여 바르트에 있어서도 하나님의 역사와 세속의 역사, 은혜의 역사와 자연의 역사는 엄격히 구분된다. 이에 반하여 판넨베르그는 이러한 바르트 신학의 "역사상실"을 비판하면서 구원사와 세계사를 동일시한 헤겔의 입장을 다시 주장한다.[3]

---

3) 김균진, 『헤겔과 바르트』, 152-154.

3. 키에르케고어의 책 저술 방법

키에르케고어는 다른 가상의 인물을 저자로 내세워서 책을 발간했다. 그리고 어떤 경우에는 이 가상의 인물도 또 다른 가상의 인물의 글을 우연히 습득한 것처럼 가정을 세우고 글을 쓴다. 예컨대 『이것이냐, 저것이냐』의 경우, 그 저자는 빅토리 에레미타 라는 익명을 이용하여 책을 낸다.

그런데 여기에 그치는 것이 아니라, 이 저자는 서문에 자신은 우연히 고물상에서 한 책상을 구매하였는데, 여기에서 우연히 책으로 내기 위한 원고를 발견하였으며, 이것을 출판한다고 말한다. 따라서 『이것이냐, 저것이냐』의 실제 저자는 그 책상의 주인인데, 그 논고의 1부 대부분의 저자의 이름은 알아내지 못하여서 '심미가 A'라는 이름으로 부른다. 이때 '심미가 A'는 '돈 후안(요하네스 후안)'이라는 사람을 중심으로 이야기를 엮어간다.

그 1부 중에서도 맨 마지막에 있는 "유혹자의 일기"는 이 "심미가 A"가 누구로부터 받은 충고의 편지였는데, 그 편지의 저자 이름은 '요하네스'였다. 보통 이 사람은 '유혹자 요하네스'로 불리운다. 이 책의 "심미적 실존"은 이에 대한 내용이다.

이 책의 2부는 이 '심미가 A'에게 충고를 하는 '윤리가 B'가 저자의 두 개의 편지와 B의 친구인 한 목사의 짧은 설교문이다. 이 사람의 이름과 직업은 밝혀지는데, 그의 이름은 빌헬름이며, 그의 직업은 판사였다. 이 책의 "윤리적 실존"은 이에 대한 내용이다.

이 책의 "종교적 실존"에 대한 내용은 『두려움과 떨림(공포와 전율)』의 내용을 요약하고 있는데, 이 책의 저자 이름은 '침묵의 요하네스'이다. 『불안의 개념』의 저자는 '비길리우스 하우프니엔시스'이며, "단독자"를 주제로 삼고 있는 『죽음에 이르는 병』의 저자는 '안티 클리마쿠스'이다. 『Concluding Unscientific Postscript』(이하 '후서'라 함)의 저자는 '요하네스 클리마쿠스(의미: 영원한 지복)'이다. 『반복』의 저자는 콘스탄티우스이다.

이러한 책 저술 패턴은 플라톤의 대화에서 각각의 주인공들을 등장시켜서 말하게 하고, 여기에 자신의 메시지를 삽입하는 "간접 전달 방식"이다. 이에 대해 유영소는 다음과 같이 말한다.

결국, 의사소통방식이 직접적이냐 간접적이냐를 결정하는 것은, 전달 내용, 즉 진리의 성격이라고 할 수 있다. 따라서 키에르케고어가 간접전달을 사용했다는 것은, 그가 객관적 진리가 아닌 실존적 진리를 전달하고 했음을 의미한다. 하지만 실존적 진리가 무엇인지, 몇 마디 설명으로는 쉽게 개념을 파악하기 어렵다. 하기야, 개념적으로 명쾌하게 설정될 수 있다면, 그것이야말로 직접전달이 가능한 객관적 지식일 것이다.4)

예컨대, '심미가적 실존'의 경우, 그와 같은 사람의 실존이 되어야 설명이 가능할 것이다. '윤리적 실존'의 경우에도 판사라는 직책의 사람이라야 자신의 '윤리적 삶'에 대한 설명이 가능할 것이다. 이와 마찬가지로 '종교적 실존'은 '침묵의 요하네스'라야 한다. 키에르케고어는 그 각각의 실존적 삶을 사는 사람의 직접적인 말을 들려주고자 했던 것이다.

2절 심미적 실존

키에르케고어는 그의 실존유형을 "심미적 실존유형-윤리적 실존유형-종교적 실존유형"으로 구분하고, 이들의 실존유형을 서술하고자 한다. 『이것이냐, 저것이냐 1』에서는 먼저 '심미적 실존'을 설명한다. 그에 의하면, 이러한 '심미적 실존유형'은 '에로스'라는 단어로 대표되는데, 이 '에로스'는 또 다시 두 가지 형태로 구분된다. 그리고 그들이 소유하고 있는 에로스는 하나는 '직접적 에로스'이며, 또 하나는 '반성적 에로스'이다. 『이것이냐 저것이냐』의 편집자 에레미타이다. 그는 1부에서는 '심미가 A'가 저술한 문서를 통해서 '돈 후안'을 중심으로 '직접적 에로스'를 소개하며, '요하네스'를 통해서는 '반성적 에로스'를 소개한다.

1. 에로스적인 것

가. 모차르트와 돈 후안

심미가 A(키에르케고어)는 모차르트의 음악 중에서 '돈 조반니'를 듣고 그의 영혼이 놀라움으로 충만하여, 그를 겸손히 찬양하는 마음으로 그 앞에 공손히 머리를 숙였다고 말한다. 키에르케고어 의하면, '돈 조반니'라는 소재는 그의 음악과 관련하여 환상적인 결합이었다고 말한다. 마치 호메로스와 트로이 전쟁의 결합이 그 위대한 신화를 낳았듯이, 그 결합은 환상적이었다고 말한다. 키에르케고어는 그가 만났다가 헤어진 레기나를 여기에도 연결시킨다. 그에 의하면, 모차르트의 '돈 조반

---

4) 유영소, "키에르케고어의 세 가지 실존 유형 속에 나타난 '에로스적인 것' 연구," 10.

니'는 그 음악을 듣는 자로 하여금 돈 조반니가 되게 해주어서 그를 경험하게 해준다고 말한다.

호메로스가 트로이 전쟁이라는 역사적 사건에서 우리가 생각할 수 있는 가장 뛰어난 서사시적인 소재를 발견한 것은 우연이다. 행운은 두 개의 인자를 갖고 있다. 즉, 가장 뛰어난 서사시적 소재가 호메로스에게 떨어진 것은 행운이다.…
모차르트의 경우에 있어서도 사정은 마찬가지이다. 심오한 의미에서 어쩌면 인생이 제공하는 유일한 음악적인 소재가 다름 아닌 모차르트에게 주어졌다는 것은 행운이다. 모차르트는 돈 조반니 때문에 그의 이름과 작품이 영원히 기억될 소수의 사람들 속에 끼게 되었다. 영원히 그들을 기억하고 있기 때문에, 시간도 그들을 잊어버릴 수가 없을 것이다. 일단 거기에 들어가기만 하면, 모두가 똑같은 위치에 서기 때문에, 모두가 무한한 높이에 서기 때문에, 최고의 위치에 서느냐 최하의 위치에 서느냐하는 일 따위는 문제가 되지 않는다. (『이것이냐, 저것이냐』, 83-84)
불멸의 모차르트여! 나의 신상에 일어난 일체의 일이 그대 때문이다. 내가 나의 분별을 잃은 것도 그대 때문이고, 나의 영혼을 떨게 하고 있는 경악도, 나의 가장 내밀한 본질을 사로잡은 공포도 모두가 그대 때문이다. 또 내가 나의 생애에서 무엇인가에 항상 나의 마음이 설레게 된 것도 그대 때문이다. 비록 나의 사랑은 불행으로 끝났지만, 나는 사랑을 하지 않고서는 죽을 수 (밖에) 없었던 사실을 두고 그대에게 감사드린다. (『이것이냐, 저것이냐』, 85)
모차르트의 경우도 마찬가지이다. 그를 고전적인 작곡가로 만들고 절대적으로 불멸하게 만든 것은 그의 단 하나의 작품이다. 이 작품이 '돈 조반니'이다.… 돈 조반니야말로 그의 자격증명 작품이다. 돈 조반니를 통하여, 그는 시간 밖에 있지 않고 시간 안에 있는 영원 속으로 들어간다. 이 영원은 어떤 휘장으로도 가려져 있지 않기 때문에 모든 사람이 볼 수 있다. 불멸한 것들은 거기 영원 속에서 단 한 번만 제시되는 것이 아니라 항상 되풀이되어 제시되고, 한 세대가 지나가며 그것들을 응시하고는, 그 응시를 통하여 행복을 느끼고 무덤으로 간다. (『이것이냐, 저것이냐』, 89)

모차르트 음악에 나타나는 그 '돈 조반니'가 심미적 실존을 대표하는 '돈 후안'이다. 키에르케고어는 모차르트 음악의 '돈 조반니'를 통해서 모든 사람들이 '돈 후안'을 경험할 수 있다고 한다. 키에르케고어는 독자들을 그와 같이 '돈 후안'이 되게 함을 통해서, 그것이 바로 '심미적 실존유형'이라고 설명하고 있는 것이다.

나. '정신'과 '감성'의 관계

키에르케고어(심미가 A)는 '원리, 힘, 및 독립된 체계'로서의 '감성'이 '정신의 한 규정'으로 성립되게 한 것은 그리스도교라고 말한다. 성경에서는 이 '감성'을 '정욕'으로 소개하며, 인간을 그의 노예처럼 부릴 수 있는 강력한 '정신'으로 말한다. 그런데, 이것은 그리스 세계에서도 이미 '심적인 것'으로 규정되어 있었는데, 그가 바로 '에로스'였다. 즉, 그리스 세계에서는 '에로스'라는 '정신'이 인간의 '감정'에 작용을 한다는 것이었다. 모두가 알다시피, 이 '에로스'의 화살을 맞으면 그 누구든지 '사랑'에 빠져버린다. 한편, 그리스도교에서는 이 감정과 정신을 대립과 배제로 이해했지만, 그리스 세계에서는 조화와 일치로 이해하였다. 그 내용을 심미가 A(키에르케고어)는 다음과 같이 소개한다.

원리로서, 힘으로서, 하나의 독립된 체계로서의 감성은 그리스도교 안에서 비로소 정립된 것이고, 그런 의미에서 그리스도교가 감성을 세계 속으로 초래하였다고 하는 사실은 진실이다. 그리스도교가 감성을 세계에 초래하였다고 하는 명제를 올바르게 이해하기 위해서는, 이 명제는 그와 반대되는 명제, 즉 그리스도교는 감성을 세계에서 축출하였다. 그리스도교는 감성을 세계로부터 배제하였다고 하는 명제와 동일한 것으로 파악해야만 한다.… 즉 감성은 정신의 한 규정으로서 그리스도교에 의해서 정립되었다. 이것은 지극히 자연스러운 일이다. (『이것이냐, 저것이냐』, 108)

물론 감성은 이전부터 세계 안에 존재하고 있었지만, 정신적으로 규정되어 있지 않았다. 그렇다면 감성은 그 당시에는 어떻게 존재하고 있었던 것일까? 심적으로 규정되고 있었다. 그것은 이교 안에서 그런 식으로 존재하고 있었다. 정확하게 말한다면, 그리스에서 그런 식으로 존재하고 있었다고 하겠다. 그러나 심적으로 규정된 감성은 대립과 배제가 아니라 조화이고 일치이다. 그러나 감성이 바로 조화적으로 규정되어 있었기 때문에, 그것은 원리로서가 아니라 함께 발음되는 전접음(前接音)으로서 나타났다. (『이것이냐, 저것이냐』, 108-109)

그리스 세계에서 '에로스'는 단순히 '세속적인 사랑'만을 의미하는 신이 아니었다. 플라톤은 『향연』에서 '에로스'신을 주제로 한 찬양과 논의들을 소개하는데, 이 향연에 참석한 파이드로스에 의하면, 이 '에로스'는 '카오스'가 출현하고 곧 바로 '대지'와 더불어 출현하였는데, 결국 이 신이 모든 만물에 '열정'이라는 '본능'을 나누어 주어서 만물이 나타나게 한다. 여기에서 '에로스'는 본능의 신이다. 또 다른 참석자 파우사니아스는 이 '에로스'가 '천상의 에로스'와 '세속의 에로스'로 구분된다고 말한다. 여기에서 '천상의 에로스'는 지혜를 나누는 '애자'와 이 지혜를 가르침 받는 '소년' 사이에 싹트는 그 '신성한 사랑'을 의미한다. 그리고 '세속의 에로스'는 바로 '육체적인 사랑'을 의미한다. 그리스인들은 이 양자를 모두 아름답게 수용하였다. 그리고 이제 키에르케고어가 말하는 '에로스'는 후자의 에로스를 말한다.

한편, 키에르케고어는 이 그리스에서의 '에로스'는 어떤 원리로 정립되거나 구현되어 있지 않았다. 그래서 그는 자신은 사랑을 하지 않았으며, 다른 모든 자들이 '에로스' 덕분에 사랑을 하게 하였다. 그래서 '에로스'의 사랑은 감성에 터전을 두고 있는 것이 아니라, 심적인 것에 터전을 두고 있었다고 한다.

이 고찰은 에로스적인 것은 세계의식이 발전을 거듭하는 여러 단계에서 모습을 드러낸 갖가지 형태에 조명을 던져 줄 것이다. 이 조명은 우리를 직접적-에로스적인 것은 곧 음악적-에로스적인 것과 동일한 것이라고 하는 결론을 내리게끔 인도해줄 것이다. 그리스적인 의식(意識)에서는 감성은 아름다운 개성 속에서 통제를 받고 있었다.… 감성은 아름다운 개성 속에서 참과 즐거움을 만끽하고 있었다.… 사랑은 도처에 계기로서, 또 계기적으로 아름다운 개성 속에 구현되어 있었다. 신들은 인간들 못지않게 행복한 사랑의 모험과 불행한 사랑의 모험을 알고 있었다. 그러나 인간에 있어서나 신들에게 있어서는 사랑이 원리로서는 구현되지 않았다. 사랑은 그들 속에, 즉 개개인들 속에 있었던 한에 있어서는, 사랑의 보편적인 위력의 한 계기로서 있었지만, 어디에도 구현되어 있지 않았다.… 나는 이제 이것을 좀더 각별히 강조하고자 한다.

'에로스'는 사랑의 신이었지만, 자기 자신이 사랑을 한 것은 아니었다. 다른 신들이나 사람들이 사랑의 힘을 느끼면, 그들은 그것을 에로스의 소관으로 돌리고 그에게 상의를 하였지만, 에로스 자신은 사랑하지 않았다.… 에로스의 사랑은 감성에 터전을 두고 있는 것이 아니라, 심적인 것에 터전을 두고 있다. 사랑의 신은 자기 자신은 사랑을 하지 않지만, 다른 모든 자들은 '에로스' 덕분에 사랑을

한다는 것이 순수한 그리스의 사상이다. (『이것이냐, 저것이냐』, 109-111)

따라서, 에로스가 개입한 사랑은 인간의 일반적인 감정을 뛰어넘는 '심적인 사건'이면서, 아울러서 '정신의 사건'이며, '신적인 사건'이다. 따라서 그 에로스에 의하여 유발된 사랑은 어느 누구나 그 사랑에 빠져 버린다.

다. "에로스적인 것의 직접적 단계"의 의미

기독교에서 말하는 "말씀 하나님의 성육신"은 신이 한 인간의 육체로 강림한 것을 말한다. 역으로, 이러한 '에로스'가 어떤 사람의 '육체' 속에 직접적으로 개입하였다면, 그 사람은 어떤 사람일까? 그 사람이 바로 '돈 조반니'로 불리는 '돈 후안'이었던 것이다. 이것을 키에르케고어는 '관계의 역전'이라고 말한다. 신이 인간을 대신하고 있기 때문이다. 이러한 관계의 역전이 일어나면, 이제 모든 여인들은 그를 보는 순간 그의 육체적 아름다움에 빠져든다. 이러한 실존을 만끽하는 실존유형이 곧 '심미적 실존유형'이다.

이 주목할 만한 관계에 관해서는, 나로서는 그것은 대표적 관계의 역전이라고밖에는 달리 적절히 표현할 수가 없다. 과연 어느 쪽이 대표자이냐 하는 대표적 관계에 있어서는, 전체의 힘이 단 하나의 개인 속에 집중되어 있고, 다른 모든 개인들은 그 개인의 개개의 운동에 참여하는 한에 있어서만 그 힘에 참여하는 것이다. 나는 또 이 관계는 성육신의 바탕에 깔려있는 관계의 역전이라고도 말할 수 있을 것이다. 성육신에 있어서는 특정한 개인이 생명의 충실을 가지 자신 속에 갖고 있기 때문에, 이 충실은 다른 모든 개인들에게는, 그들이 성육신한 개인 속에서 그 충실을 직관하는 한에 있어서만 존재한다. 그리스 사람들의 의식에 있어서는 이 관계가 역전되어 있다. 신의 힘을 구성하고 있는 것이 그 신 속에 있지 않고, 다른 모든 개인 속에 있으나, 그 개인들은 힘이 그 신에게 있다고 돌리고 있다. 신은 자신의 힘을 자기 아닌 전 세계에 전달하기 때문에, 그 자신은 약하고 무력하다. 반면에 성육신한 개인은 이를테면 자기 외의 모든 사람들로부터 힘을 흡수하기 때문에, 충실은 이제 그의 안에만 있고, 다른 사람들은 그들이 그의 안에 있는 그 충실을 직관함으로써만 그 충실에 참여할 수 있다.…
…힘으로서, 왕국으로서 상정하고, 또 이 원리가 어떤 한 개인 안에 집중되어 있

다고 상정한다면, 이때 나는 감성적-에로스적인 천재의 개념을 얻을 수 있다. 이 것은 그리스 사람들이 갖고 있지 목하였던 이념이고, 간접적인 의미에서 그럴 뿐이기는 하지만, 그리스도교가 비로소 이 세계에 초래한 것이다. (『이것이냐, 저 것이냐』, 111-113)

라. '에로스적'인 것의 매개

키에르케고어는 '감성적(직접적) 에로스적인 것'의 매개는 '음악'이며, 이것은 영 혼에 직접적으로 영향력을 행사한다고 말한다. 언어를 통해서 표현되는 것은 간접 적인 영향력을 행사하는 것으로서, 반성이라는 계기를 거치는 윤리적인 것의 매개 이다.

만약 이 감성적-에로스적인 것이 직접성 안에서 자신을 표현하겠다고 요구한다 면, 과연 그것을 위해서는 어떤 매개가 적합할까 하는 문제가 제기된다. 여기서 간과해서는 안 될 점은, 바로 그것이 직접성 안에서 표현되고 제시되는 것을 요 구한다는 사실이다. 자신의 간접성 안에서나 자신이 아닌 다른 어떤 것 안에서 의 반영으로라면, 그것은 언어의 영역에 들어오고, 윤리적인 범주에 예속되게 된 다. 그러나 자신의 직접성 안에서라면, 그것은 음악에서만 표현될 수 있다.…
표현을 바꾼다면, 음악은 영적인 것이다. 음악은 에로스적-감성적인 천재성 안에 서 자신의 절대적인 대상을 갖는다. 그렇다고 해서 물론 음악이 다른 것은 아무 것도 표현하지 못한다는 말은 아니고, 단지 그 대상만이 본래의 대상이라는 뜻 이다. 마찬가지로 조각 예술도 역시 인간의 아름다움 이외에도 많은 것을 표현 할 수 있지만, 인간의 아름다움이 그 예술의 절대적인 대상이다. 회화도… 그 아 름다움이 절대적인 대상이다. (『이것이냐, 저것이냐』, 113-114)
음악은 정신 바깥에 있게끔 정신적으로 규정된 직접적인 것을 위한 매개다. 물 론 음악은 다른 많은 것을 표현할 수도 있지만, 이런 것이 곧 음악의 절대적인 주제이다.… 그러므로 감성적인 천재성이 곧 음악의 절대적인 주제인 것이다. 그 본질에 있어서 감성은 절대적으로 서정시적이다.(『이것이냐, 저것이냐』, 125)

반면, 반성적 에로스적인 것의 매개는 '시적인 것'이다. 이러한 실존유형은 '시적 인 것'을 에로스적 사랑 속에서 구현한다. 시인은 반성적 매개인 말로써 자신을 표 현한다. 『유혹자의 일기』의 저자이자 일기의 주인공인 요하네스는 이러한 성향의 사람이었다. 그는 시인인 동시에 유혹자이다. 이러한 사람의 특성은 '반성'이다.

2. 직접적(감성적) 에로스의 실존유형

에레미타(키에르케고어)의 책에서 '심미가 A'는 직접적이고 에로스적인 것과 관련하여 욕망의 세 단계를 제시한다. 그리고 그는 직접적이고 에로스적인 것은 음악을 통해서만 교통이 가능하므로 이 세 단계 각각에 음악을 연관시켜 그 재현하는 인물들을 설명한다. 첫 번째 단계는 욕망이 꿈을 꾸는 단계로서, 『피가로의 결혼』에 등장하는 시동 체루비노가, 두 번째 단계는 욕망이 무엇인가를 발견하려고 꿈틀거리고 찾는 단계로서 『마술피리』의 파파게노가, 세 번째 단계는 비로소 욕망하고 있는 상태로 발전된 『돈 조반니』의 돈 조반니(돈 후안)가 이것을 대표한다. (『이것이냐, 저것이냐』, 143)

가. 에로스적인 사랑의 첫째 단계 : 꿈꾸는 욕망

이 단계는 그 안에 '에로스'적인 욕망은 꿈틀거린다. 감성적인 것이 깨어난 것이다. 그러나 대상이 존재하지 않는다. 따라서 모든 여성이 그 대상으로서 아름답게만 보인다. 이것은 폭발해야만 한다. 그런데, 대상은 존재하지 않고, 오히려 마음 속에만 존재한다. 마치 그 욕망과 대상이 자웅동체적으로 존재한다.

첫째 단계는 『피가로의 결혼』에 나오는 '시동'(백작가의 시동 케루비노로서 등장하는 모든 여성에게 사랑을 느끼는 소년)에 의해서 암시된다.(『이것이냐, 저것이냐』, 132)

감성적인 것이 깨어난다. 그러나 아직은 운동을 하기 위해서가 아니고, 조용한 휴식을 하기 위해서고, 또 아직은 기쁨과 환락을 위해서가 아니고, 아직 깨어나지 않고 있고, 그것은 단지 우울한 예감에 불과하다. 욕망 속에는 언제나 욕망이 현존하고 있고, 그 욕망에서부터 솟아올라 갈피를 잡을 수 없는 여명 속에서 자태를 드러낸다.… 욕망은 자기의 대상이 될 것을 이미 소유하고 있지만, 그것을 욕망해 보지 못한 채로 소유하고 있다. 따라서 그것을 소유하지 못하고 있다. 이 것은 고통스러운 모순이지만 그래도 그것이 지닌 감미로움 때문에 즐겁고 매혹적인 모순이고, 이 모순이 비애와 우수에 젖어 첫째 단계 전반에 울려 퍼진다. 이 모순의 고통은 거기에 너무 적게 있기 때문이 아니고, 오히려 거기에 너무 많이 있기 때문이다. 욕망은 조용한 욕망이고, 그리움도 조용한 그리움이고, 황홀도 조용한 황홀이다. 그 속에서 욕망의 대상은 어렴풋이 나타나지만, 그것은 가까이에 나타나 있기 때문에 바로 욕망 안에 나타나 있는 것이나 다름이 없다. 욕망의 대상은 욕망 위에서 감돌고, 욕망 속으로 가라앉는다. 그러나 이 운동은 여전히 욕망 자체의 인력에 의해서 일어나는 것도 아니고, 또 욕망이 작동하고 있기 때문에 일어나는 것도 아니다. (『이것이냐, 저것이냐』, 134)

욕망은 숨을 쉬어야만 하고 폭발을 해야만 한다. 욕망의 대상은 여인처럼 주섬주섬 수줍은 듯이 달아나고, 그리하여 둘은 헤어진다. (『이것이냐, 저것이냐』, 135)

시동의 역이 음악적으로는 항상 여성의 음성으로 부르게끔 되어 있다는 것이 매우 중요한 의의를 갖고 있다는 사실을 알 수 있을 것이다. 이 단계에서 도사린 모순은 말하자면 모순에 의해서 암시된다. 즉, 욕망은 전혀 규정되어 있지 않고, 욕망의 대상도 욕망과 거의 떨어져 있지 않기 때문에, 마치 식물의 생활에 있어서는 양성과 음성이 동일한 꽃 속에 현조하고 있듯이, 욕망의 대상은 욕망과 함께 자웅동체적으로 머물고 있다. 욕망과 욕망의 대상은 이 통합 속에 뭉쳐있고 양자가 다 중성으로 있는 셈이다. (『이것이냐, 저것이냐』, 137)

이 '시동'의 단계에서는 모든 여인이 사랑의 대상으로서 아름답다. 즉, 그의 사랑의 대상은 영원한 여성이고, 이러한 요소만 구비하고 있으면 사랑의 대상이다.

스잔나(백작집의 하녀)는 케루비노(시동)가 어느 정도까지는 마르체리나(백작집의 가정부)까지도 사랑하고 있다고 비웃는다. 이에 대해 시동은, "그녀도 역시 여자다"라는 말 이상의 대답을 하지 않는다. 작품 속에 등장하는 시동에 관한 한, 그가 백작부인에게 사랑을 느끼는 것은 본질적인 일에 속하지만, 마르체리나에게까지 사랑을 느낀다는 것은 비본질적인 일에 속한다. 그가 마르체리나를 사랑한다는 것은 그를 백작부인에게 묶어 놓고 있는 격렬한 정열에 대한 간접적이고 역설적인 표현에 불과하다. 전설 속에 나오는 시동에 관한 한, 그가 백작부인에게 사랑을 느끼는 것과 마르체리나에게 사랑을 느끼는 것은 다 꼭 같이 본질적이다. 즉, 그의 사랑의 대상은 영원한 여성이고, 백작부인과 마르체리나는 둘 다 이것을 공유하고 있다. 그러므로 후에 우리가 돈 주안에 관해서, "환갑이 지난 바람둥이 여자에게도 키스를 하고, 기꺼이 그들을 자신의 명단에 올린다"고 하는

말을 들을 때도, 여기서 우리는 완전한 유사점을 발견하게 된다. (『이것이냐, 저것이냐』, 138)

나. 에로스적인 사랑의 둘째 단계 : 찾는 욕망

에로스적인 것의 둘째 단계는, 위의 감성적인 것에 의해서 욕망이 깨어난다는 것이다. 그리고 이제 이 욕망은 그 대상을 찾아서 끊임없이 떠난다. 모차르트의 『마술피리』에 나오는 파파게노가 이와 같은 실존유형이다. 여기서 주인공 타미노 왕자와 동행하는 파파게노는 새털로 된 옷을 입은 수다스러운 새잡이이다. 이 욕망은 부부의 사랑을 목적으로 욕망이 전개된다. 그는 『나는야 새잡이』에서 "아가씨가 걸리는 그물이 있다면, 남몰래 한 다스씩 잡으련만, 그러면 내 곁에 가두어 두고, 아가씨는 죄다 내 것"이라며 노래를 부른다.

욕망이 깨어난다. 그리고 사람은 자기가 꿈을 꾼 사실을 깨어나는 순간에 비로소 알게 된다. 그와 마찬가지로 여기에서도 꿈은 지나가 버렸다. 욕망을 깨어놓은 이 충격, 이 전율은 욕망과 욕망의 대상을 분리시키고, 욕망에게 대상을 제공한다. 이것은 뚜렷이 마음에 간직해 두어야 할 변증법적인 규정이다. - 즉, 대상이 있을 때만 욕망이 있고, 또 욕망이 있을 때만 대상이 있다. 욕망과 욕망의 대상은 완전한 쌍둥이고, 줄 중의 어느 하나도 상대방보다 한 순간의 몇 분의 1이라도 먼저 태어나지 못한다.… (『이것이냐, 저것이냐』, 142)

식물의 생명이 대지에 묶여 있듯이, 첫째 단계는 실체적인 그리움 속에 갇혀 있다. 욕망이 깨어나고, 대상은 자신의 개시 속에서 다양화하며 떠나간다. 그리움은 대지로부터 빠져 나와서 방황의 길을 떠난다. 꽃은 날개를 얻어 쉬지 않고 지치지도 않고 여기저기를 떠돈다. 욕망은 대상을 향해 방향을 잡고 있고, 또 자기 자신 속에서 운동하고 있다.…

파파게노에게 있어서는 욕망이 무엇인가를 발견하려고 꿈틀거린다. 이 발견욕이 욕망 속에 있는 고동이고, 욕망이 지닌 용수철이다. 욕망은 이렇게 찾아도 정확한 대상을 발견하지 못하나, 찾아서 헤매는 사이에 다양성을 발견한다. 이렇게 욕망은 깨어나지만, 아직은 욕망으로 규정되어 있지 않다. (『이것이냐, 저것이냐』, 143)

다. 에로스적인 사랑의 셋째 단계 : 절대적인 욕망

이 셋째 단계는 에로스적 욕망의 완성 단계를 지칭한다. 이 욕망은 자신의 절대적인 대상을 자신 속에 가지고 있고, 또 개별자를 절대적으로 원한다. 즉 에로스라는 신이 한 개별자 안에 있는 것이다. 이것은 개별적인 개인 속에 있는 욕망이 아니라, (정신에 의해서 배제된 것이지만, 마치 그것이 거룩한 신적인 것처럼) 정신적으로 규정된 원리로서의 욕망이다. 이 사람의 가치관에서는 욕망이 정상적인 것으로 장려된다. 이것이 곧 감성적인 천재성의 이념이다. 이러한 인물의 실존형식이 돈 환(돈 후안, 돈 조반니)[5]이다.

첫째 단계에 깃들인 모순은, 욕망이 아직은 자신의 대상을 갖지 못하고, 욕망하지 않은 채로 자신의 대상을 소유하고 있기 때문에, 욕망하는 경지에까지는 이르지 못하고 있었다는 점에 있었다. 둘째 단계에 있어서는, 대상은 자신이 지닌 다양성으로 나타나지만, 욕망이 자신의 대상을 이 다양성 속에서 찾기 때문에 이것 역시 깊은 의미에서는 대상이 아니고, 또 그것은 아직 욕망으로서는 정립되어 있지 않다. 이와는 달리 『돈 조반니』에 있어서 욕망은 절대적으로 욕망으로서 규정되어 있고, 내포적인 의미에서나 외연적인 의미에서나 선행하는 두 단계의 직접적인 통합이다.

첫째 단계는 이상적으로 일자(一者)를 원하고, 둘째 단계는 다양성의 규정 밑에 있는 개별자를 원하고, 셋째 단계는 이 둘의 통합을 원한다. 욕망은 자신의 절대적인 대상을 개별자 속에 가지고 있고, 개별자를 절대적으로 원한다.…

따라서 욕망은 이 단계에 있어서는 절대적으로 건전하고, 승리감에 넘쳐 있고, 의기양양하고, 불가항력적이고, 데모니시(다이몬적)하다. 그러므로 우리가 당연히 간과해서는 안 될 일은, 여기서 문제되는 것은 개별적인 개인 속에서의 욕망이 아니라, 정신에 의해서 배제되는 것으로서 정신적으로 규정된 원리로서의 욕망이라는 사실이다. 이것이야말로 우리가 위에서 시사한 바와 같이 감성적인 천재성

---

5) 돈 조반니의 조반니는 이탈리아식 명칭이며, 스페인어로는 후안이다. 한편, 이 후안은 요한을 의미하며, 독일어로는 요하네스이다. 즉 이 이름은 '유혹자 요하네스'와 같은 이름이기도 하다. 한편, 『두려움과 떨림』의 저자 '침묵의 요하네스'도 같은 이름이다. 『철학의 부스러기』와 『후서』의 저자 역시 요하네스이다.
유영소는 이에 대해, "만일 '요하네스'를 한 개인으로 가정한다면, 이 사람이 반성적 의식을 가지면 유혹자 요하네스가 될 수 있으며, 종교적 도약을 하면 침묵의 요하네스가 되고, 요하네스 클리마쿠스 혹은 안티 클리마쿠스가 될 수도 있다. 모든 인간에게 이러한 실존원리가 작동한다고 보아야 할 것이다. 그런 의미에서 모든 인간 실존은 돈 후안적 요소를 지니고 삶을 시작한다"고 말한다.(유영소, "키에르케고어의 세 가지 실존유형 속에 나타난 에로스적인 것 연구," 137)

의 이념이다. 이 이념을 표현하는 것이 돈 환이고, 또 돈환을 표현할 수 있는 것은 오로지 음악뿐이다.(『이것이냐, 저것이냐』, 151-152)

그런데, 이러한 '에로스적인 감성적 천재성'은 '유혹'으로 규정된다. 기독교 세계에서는 이것은 '육신의 영'이 '육신' 속에 들어와서 그 '육신'을 '욕정의 화신'으로 만들어 버린 것으로 간주되었다.

그리스도교가 이 세계에 초래한 육신과 영혼의 갈등을 중세는 자신의 고찰의 주제로 간주하지 않을 수 없었고, 이런 목적을 위하여 서로 싸우는 힘들을 개별적으로 고찰의 주제로 삼지 않을 수 없었다. 그러므로 돈 환은 육신의 성육신이고, 혹은 육신의 영에 의한 육신의 영화라고 할 수 있을 것이다.(『이것이냐, 저것이냐』, 157)

이러한 실존유형의 대표적인 자가 곧 '돈 환(후안)'이었다. 그렇다면, 그의 삶은 어떠한가?

라. 직접적 에로스적 실존으로서의 '돈 후안'

모차르트의 『돈 조반니』의 주요 소재가 된 돈 환은 어느 시기의 사람인가? 혹은 모차르트의 『돈 조반니』의 배경은 어느 시대인가? 중세 시대 초기의 '기사 시대'에 있어서의 '에로스적인 것'은 어느 정도 그리스의 그것과 흡사하였다. 즉, 그리스도교에서는 이것을 정신적인 것에 반항하는 감성적인 것으로 나타난 존재로만 간주하였는데, 그때에는 그 둘 다가 심적인 것으로 규정되었다. 그런 식으로 생각한다면 돈 환은 중세 초기에 속한다. 그런데, 만약 이 양자의 심적인 것이 대립하는 가운데에서 양자가 발전하였으며, 그러한 과정 속에서 본질적인 욕망의 분노가 폭발한 것이라면, 그것은 중세 후기로도 볼 수 있다.

기사시대에 있어서의 에로스적인 것은 어느 정도까지 그리스의 그것과 흡사하였다. 즉, 그 둘이 모두 심적으로 규정되어 있었다.… 따라서 기사의 에로스적인 요소도, 비록 정신적인 것이 질투하는 준엄성을 지니고 감시의 눈을 게을리 하지는 않았다고 하지만, 중세의 의식 속에서도 정신에 대하여 어느 정도 유화적인 태도로 현존하고 있었다.… 그런 식으로 생각한다면 돈 환은 중세 초기에 속한다.

반대로 만약 우리가 관계는 점차 이런 절대적인 대립으로 발전하였다고 가정한다면, 정신적인 것이 합자한 회사로부터 자신의 지분을 더욱 더 많이 빼내서 독립적으로 활동하려고 하였기 때문에, 본질적인 분노가 폭발하였다고 생각하는 것이 더 자연스럽기 때문에, 돈 환은 중세 후기에 속한다.(『이것이냐, 저것이냐』, 158-159)

이렇게 또 다른 정신으로서의 욕망이 그의 정당성을 얻게 되었다면, 이제 그 '감성'의 맹위는 어떠할 것인가? 이제 '욕망'이라는 '감성'이 깨어난 것이다. 이제 여기에는 '반성'이 발붙일 곳이 없다. 마치 비너스가 살고 있는 사랑의 산에서 난무하는 그 쾌락의 모습인데, 이것은 마치 '욕정의 국가'와도 같다. 그리고 돈 환은 여기서 태어난 첫째 아들과 같은 존재였다.

…이렇게 정신이 대지로부터 떠나버리자, 감성적인 것이 맹위를 떨치며 나타났다.… 이리하여 감성은 이제 그 어느 때 보다도 강하게 자신이 지닌 풍요성에 눈 떴고, 또 자신이 지닌 환희와 열광 속에서 깨어났다.… 이리하여 정신적인 것이 세상을 떠난 후로는 전 세계가 감성이라는 것을 위한 거대한 음향판이 되고 말았다.

중세는 어떤 지도에서도 찾아볼 수 없는 어떤 산에 관해서 많이 언급하고 있다. 그 산은 비너스가 살고 있다는 사랑의 산이다. 감성은 거기에 거처를 정하고 거기서 자신의 난폭한 쾌락을 즐긴다. 왜냐하면 감성은 하나의 왕국, 하나의 국가이기 때문이다. 이 왕국에는 언어나 건전한 사상이나 수고스러운 반성의 작업이 발붙일 곳이 없다. 거기에는 오로지 원초적인 정열의 소리와 환락의 희롱과 도취경에서 터져 나오는 난폭한 고함소리만이 들려올 뿐이고, 사람들은 영원한 황홀경 속에서, 그런 것들을 오로지 향락을 위해 향락할 따름이다. 이 왕국이 낳은 첫째 자식이 돈 환이다.

그러나 그것이 죄의 왕국이라고는 아직 말할 수 없다. 왜냐하면 그런 말은 이 왕국이 미학적인 무차별성에 있어서 나타날 순간에만 해당되기 때문이다. 반성이 가해질 때 비로소 그것은 죄의 왕국으로 나타난다.…(『이것이냐, 저것이냐』, 159-160)

이제 돈 환의 사랑은 어떠한가? 그는 밑바닥에서부터 유혹자이다. 이것은 일반적인 '심적인 사랑', 곧 '기사적인 사랑'과는 근본적으로 다르다. 먼저, 기사적인 사랑은 자신의 욕망 충족에 대한 의구심과 불안을 가지고 있으나, 돈 환의 이 감성적인 사랑은 이런 불안을 가지고 있지 않다. 그래서, 일을 간단하게 해치운다. 두 번째, 심적인 사랑은 개개인에 대한 '사랑의 관계'에 충성하려 한다. 그러나 돈 환에게는 그런 관계를 가질 틈이 없다. 그에게는 여자를 본다는 것과 여자를 사랑한다는 것은 동일하다. 그는 스페인에서 1,003명의 여자를 유혹하였다. 그렇다면, 돈 환이 유혹하는 데 사용한 힘은 어떤 것일까? 그것은 욕망이고, 감성적인 욕망의 에너지이다. 이 거인적인 정열에 대한 반응은 욕망의 대상이 된 상대를 미화시키고 발전시키기 때문에, 상대는 정열에 반영되어 매혹된 아름다움 속에서 불탄다. 즉 그의 욕망이 욕망의 상대를 끌어들이기 때문에 상대를 유혹할 필요가 없다. 그는 늙은이도 회춘을 시키고, 어린 아이를 순식간에 성숙시키기 때문에 여자라고 하면 일체가 그의 밥이다. 상대가 스커트만 입었다면, 그가 저지를 일이란 뻔하다.

돈 환은 밑바닥에서부터 유혹자이다. 그는 심적으로 사랑하는 것이 아니라 감성적으로 사랑한다.··· 즉, 감성적인 사랑은 한 사람의 여자를 사랑하는 것이 아니라 모든 여자를 사랑한다. 말하자면 모든 여성을 유혹하는 것이다.···

기사적인 사랑 역시도 심적이고, 따라서 기사라는 개념에 어울리게 본질적으로 정숙하다. 다만 감성적인 사랑만이 감성이란 개념에 어울리게 본질적으로 정숙하지 못하다.···

첫째로, 이 (심적인) 사랑은 자신의 사랑이 행복을 누릴 수 있을까, 또 자신의 욕망이 충족되어 보상을 받을 수 있을까 없을까 하는 의구심과 불안을 갖고 있다. 감성적인 사랑은 이러한 불안을 갖고 있지 않다.··· 돈 환의 경우에는 그렇지가 않다. 그는 일을 간단하게 해치우고, 언제나 절대적인 승리를 거두는 자로 간주되어야 한다.···

둘째로, 심적인 사랑은 하나의 다른 변증법을 갖고 있다. 즉 이 사랑이 사랑의 대상이 되는 개개인에 대한 관계에 있어서 각기 다르다. 바로 이 점에 이 사랑이 지닌 풍요성과 내용의 충성이 있다. 그러나 돈 환의 경우는 그렇지가 않다. 그에게는 그런 관계를 가질 틈이 없고, 그에게는 일체가 순간적인 일에 불과하다. 그에게는 여자를 본다는 것과 여자를 사랑한다는 것은 같은 일이었다.··· 그에게는 여자를 보는 것과 여자를 사랑하는 것은 동일한 일이고, 그것은 순간에서의 일이고, 같은 순간에 일체가 지나가 버리고, 이리하여 같은 일이 한없이 되풀이 된다. 돈 환에게 심적인 사랑이 있다고 상상하면, 그것은 당장에 우스꽝스러운 것이 되고 또 자기모순이 되어 버린다. 그리하여 그가 스페인에서 1,003명의 여자를 유혹하였다고 하는 이념마저도 어울리지 않게 된다. 그렇다면, 모차르트의 『돈 조반니』의 주요 소재가 된 돈 환은 어느 시기의 사람인가? 중세 시대 초기의 '기사 시대'에 있어서의 '에로스적인 것'은 어느 정도 그리스의 그것과 흡사하였다. 즉, 그리스도교에서는 이것을 정신적인 것에 반항하는 감성적인 것으로 나타난 존재로만 간주하였는데, 그때에는 그 둘 다가 심적인 것으로 규정되었다. 그런 식으로 생각한다면 돈 환은 중세 초기에 속한다. 그런데, 만약 이 양자의 심적인 것이 대립하는 가운데에서 양자가 발전하였으며, 그러한 과정 속에서 본질적인 욕망의 분노가 폭발한 것이라면, 그것은 중세 후기로도 볼 수 있다.

기사시대에 있어서의 에로스적인 것은 어느 정도까지 그리스의 그것과 흡사하였다. 즉, 그 둘이 모두 심적으로 규정되어 있었다.… 따라서 기사의 에로스적인 요소도, 비록 정신적인 것이 질투하는 준엄성을 지니고 감시의 눈을 게을리 하지는 않았다고 하지만, 중세의 의식 속에서도 정신에 대하여 어느 정도 유화적인 태도로 현존하고 있었다.… 그런 식으로 생각한다면 돈 환은 중세 초기에 속한다.
반대로 만약 우리가 관계는 점차 이런 절대적인 대립으로 발전하였다고 가정한다면, 정신적인 것이 합자한 회사로부터 자신의 지분을 더욱 더 많이 빼내서 독립적으로 활동하려고 하였기 때문에, 본질적인 분노가 폭발하였다고 생각하는 것이 더 자연스럽기 때문에, 돈 환은 중세 후기에 속한다.(『이것이냐, 저것이냐』, 158-159)

이렇게 또 다른 정신으로서의 욕망이 그의 정당성을 얻게 되었다면, 이제 그 '감성'의 맹위는 어떠할 것인가? 이제 '욕망'이라는 '감성'이 깨어난 것이다. 이제 여기에는 '반성'이 발붙일 곳이 없다. 마치 비너스가 살고 있는 사랑의 산에서 난무하는 그 쾌락의 모습인데, 이것은 마치 '욕정의 국가'와도 같다. 그리고 돈 황은 여기서 태어난 첫째 아들과 같은 존재였다.

…이렇게 정신이 대지로부터 떠나버리자, 감성적인 것이 맹위를 떨치며 나타났

다.… 이리하여 감성은 이제 그 어느 때 보다도 강하게 자신이 지닌 풍요성에 눈 떴고, 또 자신이 지닌 환희와 열광 속에서 깨어났다.… 이리하여 정신적인 것이 세상을 떠난 후로는 전 세계가 감성이라는 것을 위한 거대한 음향판이 되고 말았다.

중세는 어떤 지도에서도 찾아볼 수 없는 어떤 산에 관해서 많이 언급하고 있다. 그 산은 비너스가 살고 있다는 사랑의 산이다. 감성은 거기에 거처를 정하고 거기서 자신의 난폭한 쾌락을 즐긴다. 왜냐하면 감성은 하나의 왕국, 하나의 국가이기 때문이다. 이 왕국에는 언어나 건전한 사상이나 수고스러운 반성의 작업이 발붙일 곳이 없다. 거기에는 오로지 원초적인 정열의 소리와 환락의 희롱과 도취경에서 터져 나오는 난폭한 고함소리만이 들려올 뿐이고, 사람들은 영원한 황홀경 속에서, 그런 것들을 오로지 향락을 위해 향락할 따름이다. 이 왕국이 낳은 첫째 자식이 돈 환이다.

그러나 그것이 죄의 왕국이라고는 아직 말할 수 없다. 왜냐하면 그런 말은 이 왕국이 미학적인 무차별성에 있어서 나타날 순간에만 해당되기 때문이다. 반성이 가해질 때 비로소 그것은 죄의 왕국으로 나타난다.…(『이것이냐, 저것이냐』, 168-170)

그는 욕망의 만족을 향락한다. 그는 그것을 향락하자마자 다시 새로운 대상을 찾고, 끝도 없이 그런 일을 계속한다. 그러므로 돈 환은 사기꾼이지만, 그는 사기에 앞서서 사기를 꾸미지 않는다고 나는 생각한다. 유혹 당한 여자들을 속이는 것은 감성의 고유한 힘이고, 그것은 오히려 일종의 복수심이다. 그는 욕망하고, 항상 욕망을 계속하고, 그리고 항상 욕망의 만족을 향락한다. 유혹자라고 하기에는 그에게는 앞질러 계획을 세울만한 시간을 갖지 못하고 있고, 또 후에 자신의 행동을 의식할만한 시간도 갖고 있지 못하다.… 이 유혹자는 상대가 여자라면 어떤 여자도 유혹할 수 있는 재간을 가지고 있기 때문에, 설혹 그가 악마에게 붙들려도, 만약 그가 악마의 할머니와 이야기할 수 있는 기회만 얻을 수 있다면, 감언이설로 그 자리에서 빠져나올 수 있을 것이라고 말하고 있다.(『이것이냐, 저것이냐』, 177-178)

그렇다면, 돈 환이 유혹하는데 사용하는 힘은 어떤 것일까? 그것은 욕망이고, 감성적인 욕망의 에너지이다. 그는 모든 여자 안에 있는 여성적인 것 전체를 욕망하고, 그 안에 그가 노획한 것을 미화하고 정복하는 감성적인 이상화(理想化)의 위력이 도사리고 있다. 이 거인적인 정열에 대한 반응은 욕망의 대상이 된 상대를 미화하고 발전시키기 때문에, 상대는 정열에 반영되어 매혹된 아름다움 속에서 불탄다. 감격한 자의 불이 유혹적인 광채로, 평상시에 그와 관계를 맺고 있던 사람까지도 불빛을 발하게 하기 때문에, 모든 처녀들은 그와 본질적인 관계를 갖고 있기 때문에, 돈 환은 훨씬 깊은 의미에서 그들을 변모시킨다. 그러므로 여자라고 하는 중요관심사와 비교될 때 모든 유별한 차별성이 그의 앞에서 사라진다. 돈 환은 늙은이를 회춘시켜 아름다운 중년부인으로 옮겨놓고, 어린 아이를 순식간에 성숙시킨다. 여자라고 하면 일체가 다 그의 밥이다.('상대'가 스커트만 입고 있다면, 그가 저지를 일이란 뻔하다.)

그러나 우리는 결코 그의 감성이 눈이 멀었다는 식으로 이해해서는 안 된다. 그는 본능적으로 판별하는 방법을 알고 있고, 더구나 그는 이상화까지 한다.(『이것이냐, 저것이냐』, 179-180)

마. 불안이자 악마적인 생의 욕망으로서의 '돈 후안'

돈 환은 그의 '유혹자'의 삶에서 저지른 유혹들로 인해서 너무도 많은 좋지 않은 관계들을 형성하게 되었다. 돈 후안은 그를 향한 복수심에 불타는 사람들에게 쫓기고, 기사장의 망령에게도 쫓긴다. 모차르트는 그의 『돈 조반니』의 극 중에서 '기사장'을 등장시키는데, 이 사람은 돈 환에 의해 죽임을 당한 사람의 망령이다. 많은 사람들이 그들의 욕정에 의해서 돈 환에게 종속되어 있는데, 이 사람만은 '유령'이기 때문에 그렇지 않다. 이 기사장의 망령은 신을 상징하며, 마지막에 돈 후안을 지옥 불에 떨어뜨리는 심판의 집행자 구실을 한다.

기사장은 단 두 번 나타난다. 첫 번째는 밤이고, 무대 뒤이기 때문에 우리는 그를 볼 수가 없지만, 그가 돈 환의 칼에 쓰러지는 것을 들을 수 있다.… 두 번째도 역시 그는 망령으로 나타나고, 그의 근엄하고 엄숙한 음성에서 하늘의 뇌성이 진동한다. 그러나 그 자신이 변모되어 있는 것처럼, 그의 음성 역시 인간의 음성 이상의 것으로 변해 있다. 그는 이미 말을 하는 것이 아니라, 심판한다.(『이것이냐, 저것이냐』, 226)

그럼에도 불구하고 돈 환은 결코 뉘우치지 않는다. 그에게는 불안이 깃들어 있다. 그러나 이 불안이 곧 그의 에너지이다. 이것은 반성된 불안이 아니라, 실체적인 불안이다.

돈 환의 삶은 바로 이런 것이다. 그의 속에는 불안이 깃들어 있지만, 이 불안이 그의 에너지이다. 그것은 주체적으로 반성된 불안이 아니라, 실체적인 불안이다.… 돈 환의 삶은 절망이 아니고, 그것은 불안 속에서 태어난 감성의 전체적인 힘이다.(『이것이냐, 저것이냐』, 235)

3. 반성적 에로스의 실존유형

『이것이냐, 저것이냐』의 저자는 심미가 A이다. 이 책 1부에서 지금까지 언급한 돈 환으로 대표되는 '직접적 에로스적' 실존유형의 저자는 '심미가 A'이다. 반면에 이 책 중에서 "유혹자의 일기"는 '반성적 에로스적' 실존유형을 나타내는데, 이 단편의 저자는 요하네스라는 청년이다. 이 일기의 소재는 일반적으로 키에르케고어 자신일 수 있다. 이 책의 주인공 '요하네스'은 키에르케고어를 상징하고 있으며, '코데리아'는 레기네를 상징한다는 견해가 설득력 있게 말해진다.

가. 유혹자 요하네스

돈 후안은 그의 본능이 에로스적이어서 여인들을 유혹할 필요가 없다. 그냥 여인들이 딸려온다. 마치 음악이 아무런 논리가 없이 사람의 마음에 스며들 듯 반성이 필요하지 않다. 그러나 '시적'인 천품을 가진 사람에게는 '에로스적인 것'의 직접성은 억제되고, '향락'은 반성적인 것이 된다. 따라서, 이 사람은 예술가가 작품을 구상하고 작업에 착수하는 것처럼, 갖가지 기술로 연애 사건을 창출해 낸다. 심미가 A는 이 유혹자가 다음과 같이 자신에 대해 말하고 있다고 생각한다.

"… 유혹적인 이름, 곧 유혹자라는 말만 듣고서도 곧장 아가씨들이 줄을 지어 내 품 안으로 몰려들 것이오! 나에게 반년의 말미를 주시오. 그러면 나는 이제까지 내가 경험한 모든 일보다 더 흥미로운 사건들의 이야기를 생산해 보이겠소. 나는 같은 여성에 대한 복수를 나에게 퍼부으려는 비상한 착상을 품고 있는 젊고 발랄하고 정신적인 처녀를 상상 속에 그려보고 있소.… 그리고 나서 그녀를 내가 원하는 곳까지 데리고 가면, 그때는 그녀는 나의 것이오!"(『이것이냐, 저것이냐』, 22-23)

한편, 심미가 A는 이 『유혹자의 일기』를 보면서 이 글을 쓴 사람은 탁월한 '시인의 성품'을 가진 자라고 말한다. 그렇다면, 그는 현실을 시적인 상상으로 승화시켜 향락을 누리는 사람이다. 그는 문학적인 '반성'의 형식 속에서 향락을 누린다. 그의 제1의 향락은 시적인 향락이고, 심미적인 것은 제2의 향락이다.

문학작품이 아니라고는 하지만 이 일기가 이다지도 문학적인 색채를 지니고 있다는 사실을 도대체 어떻게 설명해야 할 것인가? 이에 대한 대답은 그리 어렵지가 않다.… 요컨대, 시와 현실을 따로따로 구별할 수가 없을 정도로 그는 시인적인 소질을 소유하고 있었다는 사실로써 설명이 된다. 시적인 것은 그가 스스로 초래해 갖고 있던 월등한 천품이었다. 이 월등한 천품이야말로 그가 현실의 시적인 상상을 향락하는 시적인 것의 정체였고, 그는 이 월등한 천품을 다시 문학적인 반성의 형식 속에서 이끌어냈던 것이다.
문학적으로 기록한다는 것은 현실 속에서 시적인 것을 향락한다는 것과는 또 다른 제2의 향락으로써, 요컨대 그의 인생 전체는 이 향락으로 말미암아 이루어졌던 것이다. 처음의 경우에 있어서는 그는 심미적인 것을 인격적으로 향락하였고, 제2의 경우에 있어서는 자신의 심미적인 인격을 향락한 것이었다.(『이것이냐, 저것이냐』, 540)

이러한 사람의 특성은 '반성'이다. 돈 후안의 경우, 에로스는 또 하나의 정신으로서 그 에로스적 행위는 하나의 정신적 행위였다. 하지만, 앞에서도 간간히 언급되었지만, 그리스도교적인 정서 속에서 '에로스'는 "정신에 의해 배제된" 혹은 그것과 "대립되는" 존재이다. 이것은 인간의 '반성' 속에서 드러난다. 특히 '시적'인 천품을 가진 사람에게는 결국 '에로스적인 향락'은 반성 속에서 드러나게 된다. 즉, 그는 자신의 에로스적 사랑을 충분히 만끽하고 난 후, 양심의 가책이 일어나면 그 사랑을 버린다. 왜냐면, 그는 현실감각이 없기 때문이다. 어떻게 보면, 이 유혹자 요하네스는 키에르케고어 자신의 이야기인지도 모른다.
심미가 A(키에르케고어)에 의하면, 는 이러한 사람은 일종의 발노성 정신병에 시달린다고 말한다. 즉, 그 병에 걸리면 현실은 충분한 자극을 주는 것이 못 되고 단지 고작해야 일시적인 자극제가 되는 존재에 불과해진다는 것이다. 따라서 이러한 자는 타고난 정신적인 재능으로 처녀를 유혹하고, 자기에게로 이끈다. 그러나 그는 그 이상으로 처녀를 자기의 소유로 삼지는 않는다. 그는 돌연 한 걸음도 더 나아가지 않고 약속이나 맹세는 물론 한 마디의 사랑의 속삼임도 남기지 않고 그 관계를 딱 잘라버린다.

지금 이 순간, 나는 그에 관해서 악 운운하는 말을 감히 할 수가 없다. 그는 일종의 발노성(發怒性) 정신병에 시달리고 있었다. 그 병에 걸리면 현실은 충분한 자극을 주는 것이 못되고 단지 고작해야 일시적인 자극제가 되는 존재에 불과해진다.… 현실이 자극제로서의 의의를 상실한 순간, 그는 무장해제를 당했던 것이다. 그리고 이 점에 그의 속에 깃든 악이 있었던 것이다. 그는 자극을 받고 있던 순간에도 이 사실을 의식하고 있었고, 또 이 의식 속에 악이 도사리고 있었다. 어떤 처녀에 얽힌 이야기가 이 일기의 주요한 부분을 이룩하고 있지만, 나는 이 처녀를 잘 알고 있다. 그가 다른 처녀들도 유혹하였는지 어땠는지의 여부를 나는 모른다. 그의 기록으로 미루어 보아 그것도 있을 법한 일 같기도 하다.… 타고난 정신적인 재능의 도움을 받아 그는 처녀를 유혹하는 온갖 방법을 터득하고 있었고, 또 그것으로써 처녀를 자기에게로 이끌었다. 그러나 물론 그 이상으로 처녀를 자기의 소유로 삼지는 않았다. 그가 어떻게 하면 처녀를 최고로 흥분시킬 수 있는가 하는 방법을 알고 있었고, 또 그럼으로써 처녀가 온갖 것을 그에게 바칠 용의를 찾을 것을 확신할 수 있었다는 사실을 잘 상상할 수가 있다. 그리하여 사건이 이런 지경에까지 이르면, 그는 돌연 한 걸음도 더 나가지 않고 약속이나 맹세는 물론이거니와 한 마디의 사랑의 속삭임도 남기지 않고 그 관계를 딱 잘라 버리는 것이었다. 일이 이쯤 되면 중대한 결과가 야기된다. 즉, 이렇게 관계가 단절되었다는 의식은 그 불행한 처녀에게, 한편으로는 자기가 호소할 수 있는 것이라고는 아무것도 가진 것이 없기 때문에,… 끊임없이 농락을 당해야 하기 때문에 이중으로 고통이 되는 것이다.(『이것이냐, 저것이냐』, 542-544)

심미가A에 의하면, "유혹자의 일기"의 서론에 나오는 위의 내용이 곧 유혹자 요하네스의 본모습이다. 그리고 반성적 에로스적 실존유형에 대한 설명이다. 이 요하네스의 명제는 "여자는 단지 순간이다"로 요약된다.

나. "유혹자의 일기" 내용

"유혹자의 일기"는 4월 4일부터 9월 25일까지의 내용이다. 이 6개월 동안의 과정은 이 유혹자 요하네스가 코데리아를 어떻게 유혹하고, 그것을 즐기고, 궁극적으로 어떻게 그 사이를 끝내었는지가 기록되어 있다. 이 전체적인 내용을 유영소는 다음과 같이 요약한다.

요하네스가 정신적인 유혹자이긴 하지만, 그렇다고 해서 직접적인 에로스 관계가 완전히 배제되는 것은 아니다. 오히려, 그것은 유혹의 최종적 목표다. 단지, 처음부터 목표물을 손에 넣지 않고, 최대한 에로스적인 기분을 시적으로 향락하는 가운데 완전히 익은 열매가 자기에게 저절로 굴러 떨어질 때까지의 과정 전체를 즐길 뿐이다. 요하네스의 일기가 4월 4일에서 시작하여 9월 25일에 끝나는 것은 결코 우연이 아니다. 그가 씨 뿌리는 봄에서 열매를 수확하는 가을까지 6개월간 정교하게 창작해온 연애 사건은 코데리아가 처녀성을 바친 직후에 종결된다. 코데리아에게 계획적으로 접근해서 기습적으로 약혼을 하고, 그녀 스스로 약혼에 환멸을 느껴 파혼하도록 유도한 뒤에, 모든 형식적 굴레에서 자유로운 상태에서 코데리아가 자발적으로 정조를 바치도록 짜놓은 그의 각본이 마침내 완성되었기 때문이다. 요하네스는 마지막 일기에서 "나는 다시는 그녀를 만나지 않으련다. 처녀란 일체를 바치고 나면 연약해지고 일체를 상실하고 만다. 왜냐하면 남자의 경우는 순결이 소극적인 요소에 불과하지만, 여자에게는 그것이 여성의 본질적인 내용이기 때문이다."라고 쓰고 있다. 그리고 이제까지 코데리아를 사랑했지만, 이제부터는 자기 마음을 빼앗지 못할 것이라고 단언한다. 만약 자신이 신(神)이라면 그녀를 남자로 변신시켜 주리라는 특유의 냉혹한 유머도 잊지 않고 덧붙인다. (유영소, "키에르케고어의 세 가지 실존유형 속에 나타난 에로스적인 것 연구," 156-157)

다. 코데리아의 편지

유혹자 요하네스는 코데리아를 버리고 나서 얼마 후에 코데리아로부터 몇 통의 편지를 받았다. 그는 그것을 개봉도 하지 않고 그대로 되돌려 보냈다. 한편 심미가 A는 이 편지뭉치도 또한 코데리아로부터 입수하였다고 말한다.

요하네스! 저는 당신을 나의 요하네스라고 부르지 않겠습니다. 저는 일찍이 당신이 저의 것이었던 적이 없었다는 사실을 잘 알고 있습니다. 또 저는 당신을 나의 요하네스라고 부르며 마음 속으로 기뻐하였던 생각만으로도 충분한 벌을 받고 있습니다. 그렇지만 저는 역시 당신을 나의 요하네스라고 부를 수가 있습니다. 나를 유혹한 사람, 나를 속인 사람, 나를 죽인 사람, 나의 불행의 원인, 나의 기쁨의 무덤, 나를 망쳐놓은 심연이라고 부를 수 있습니다. 저는 당신을 나의 요하네스라고 부르고, 저를 당신의 코데리아라고 부를 수 있습니다. 한때는 당신을 숭배하는 저의 음성에 자랑스럽게 귀를 기울였을 당신의 귀에 이 말이 상쾌하게 들렸을 것이지만, 같은 그 말이 이제는 당신에 대한 저주처럼, 영겁을 두고 저주하는 저주처럼 들릴 것입니다. 즐거워하지는 마세요! 당신을 쫓아 다니며 손에 비수를 들고 당신에게 도전하여 제가 당신의 조소를 살 셈으로 있는 줄로 아시면 잘못이에요. 어디든지 당신이 원하시는 곳으로 달아나세요. 그래도 역시 저는 당신의 것이에요. 지구 한 끝까지라도 가세요. 그래도 역시 저는 당신의 것이에요. 아니에요. 저는 제가 죽는 그 시간까지 당신의 것이에요. 제가 당신에게 말하고 있는 이 말 자체가 저는 당신의 것이라는 증거예요. 당신은 하나의 인간을 철저하게 속였습니다. 그래서 당신은 저에게는 일체가 되었어요. 그러니만큼 이제 저는 제가 당시의 노예라는 사실에서, 아니 제가 당신의 것, 당신의 것, 당신의 저주라는 사실에서 저의 기쁨을 찾으려고 합니다. -당신의 코데리아로부터-

요하네스! 어떤 부자가 있었습니다. 그는 몸집이 크고 작은 가축을 많이 소유하고 있었습니다. 그리고 가난한 소녀가 있었습니다. 그녀는 양 한 마리밖에는 가진 것이 없었습니다. 그렇지만 그 양은 그녀의 손에서 음식을 받아먹었고, 그녀의 그릇에서 물을 먹었습니다. 당신은 그 부자였고, 이 세상의 온갖 영광이 풍족하였습니다. 저는 저의 사랑 밖에는 가진 것이 없는 그 가난한 소녀였습니다. 당신은 그 사랑을 빼앗아 그것에서 기쁨을 느꼈습니다. 그리고 정열이 북받쳐 오르면, 당신은 제가 가지고 있던 보잘 것 없는 것을 희생해버렸던 것입니다. 그러나 당신은 당신이 소유하고 있는 것은 무엇 하나도 희생시킬 생각을 하지 않았습니다.…6) -당신의 코데리아로부터-

요하네스! 이젠 더 이상 소망이 없는 것입니까? 결코 당신의 사랑이 다시는 눈을 뜨지 않을 것입니까? 그럴 리가 없습니다.… -당신의 코데리아로부터- (『이것이냐, 저것이냐』, 554-557)

만일 유혹자 요하네스의 일기 소재가 키에르케고어 자신이었다면, 키에르케고어

---

6) 이것은 사무엘하 12:5-7에 나오는 다윗 왕과 나단의 이야기를 인용하여 코데리아가 편지를 쓴 것이다. 다윗 왕이 밧세바를 취하기 위해, 그의 충성스러운 신하 우리야를 전쟁터에서 최전방에 세워 죽게 하였다. 그리고 그의 아내를 취하였다. 이에 대해 나단 선지자가 와서 비유로 한 이야기이다.

는 레기네의 문제를 평생토록 짊어지고 살았을 것이다. 그리고 실제로 그렇게 하였다.

3절 윤리적 실존

키에르케고어는 『이것이냐, 저것이냐 2부』에서 '윤리적 실존'을 말한다. 키에르케고어는 『이것이냐, 저것이냐』를 에레미타라는 익명으로 출간하였는데, 1부의 저자는 '심미가 A'라고 말하며, 2부는 중년의 기혼자인 동시에 배석판사라는 직함을 가진 '윤리주의자 B'라는 사람이다. 그는 1부의 필자인 A라는 문학청년의 심미적인 인생관을 비판하고 있다. 이 사람은 이미 심미적인 인생관을 극복한 사람이며, 이젠 확실한 윤리관을 가지고 있으며, 현실적으로 사회적인 지위를 갖추고 있다. 한편, 이 '윤리주의자 B'의 이름은 『이것이냐 저것이냐』서론과 2부의 내용 중에 등장하는 그의 이름은 '빌헬름'이다. 『후서』에서도 그의 이름은 '빌헬름'으로 소개된다. 이 '빌헬름'의 여자에 대한 명제는 "여성의 아름다움은 세월의 흐름과 함께 더해진다"이다.

키에르케고어에 의하면, '심미적 실존'으로부터 '윤리적 실존'으로 나타나는 것의 분기점은 '결혼'이며, 여기에서 '심미적 타당성'을 발견하는 것이다. 결혼은 어떻게 보면, 향락의 유혹으로부터의 구원이다.

그렇다면, 인격형성이란 무엇인가? 바로 이 '심미적인 것'이 윤리성 안에서 제자리를 찾는 것이다. '심미적인 것'과 '윤리적인 것'의 균형인 것이다. 이 양자가 균형을 이루고 있는 실존을 그는 '윤리적 실존'이라고 말한다. '심미적 실존'이 '결혼'을 통하여 '에로스적 사랑'을 찾는 것이 어떻게 보면, '윤리적 실존'인 셈이다.

1. 결혼의 심미적 타당성

가. '심미가 A'를 향한 반성의 촉구

요하네스를 향한 코데리아의 마지막 편지 세 통 중에서 두 번째 편지는 성경의 사무엘하 12:5-7의 이야기를 인용한 것이었다. 이 이야기는 다윗 왕이 밧세바를 취하기 위하여 그의 충성스러운 신하를 살해한 내용에 대한 나단 선지자의 질책이었다. 지금 '빌헬름(윤리주의자 B)'은 그 비참한 이야기가 '심미가 A'에 해당한다고 말한다. 즉, 모든 '심미가'들에게 해당되는 이야기라고 한다. 요하네스는 그러한 비참한 행위를 코데리아 한 사람에게 하였지만, 돈 후안은 온갖 여인들에게 그러한 행위를 하였다. 이제 '빌헬름'은 모든 '심미가들'에게 나단 선지자의 이름(신의 이름)으로 회개를 촉구한다. 여인을 '심미적'으로 바라보는 모든 사람은 이 죄에 빠져 있다고 말한다.

그대는 다윗 왕이 예언자 나단이 던진 비유를 이해하려고 하기는 하였지만, 그것이 자기에게 적용되는 것이라는 사실을 이해하려고 하지 않았을 때에 예언자 나단이 어떻게 행동했는지를 잘 알고 있을 것이다. 나단은 단도직입적으로 다음과 같이 말했다. "왕이여, 바로 그 사람이 당신입니다." 나 역시 그런 식으로 내가 하는 말은 그대에 관한 말이고, 그대를 향해서 하는 말이라는 사실을 항상 그대에게 유념시키려고 하였다. 그러므로 나는 그대가 이 편지를 읽으며, 그대가 읽고 있는 것이 편지라고 하는 인상을 항상 간직하리라는 것을 믿어 의심치 않는다. (『이것이냐, 저것이냐 2』, 8)

심미적인 사람들이 이와 같이 죄에 빠진 이유는 그들은 인생의 전주에만 몰두하고 있기 때문이며, 그들이 편애하는 것은 첫사랑의 감각이기 때문이다. 이제 그들은 어린애가 아니기 때문에 그들의 시선은 전혀 다른 의미를 가지고 있어야 한다.

그대의 인생은 전적으로 전주(前走)에만 몰두하고 있다. 아마 그대는 이에 대하여, 하여간 그 편이 평범이라는 철로 위로 달리고, 혼잡한 사회생활에서 일개의 원자로 화해서 자신을 상실하는 것보다는 훨씬 좋다고 말할 것이다. 이미 언급한 바와 같이 우리는 그대가 결혼을 증오하고 있다고는 말할 수 없다. 왜냐하면 그대의 사상은 아직은 결코 결혼이란 문제에 도달하지 못했고, 적어도 아직은 결혼 때문에 추문을 야기한 사실은 없다는 것은 의문할 여지가 없기 때문이다. 그러니 그대는 아직 결혼이라는 문제를 철저하게 생각해 본 일이 없다고 가정한다고 해도 나를 너그러이 용납해야 할 것이다.
그대가 편애하는 것은 첫사랑의 감각이다. 그대는 몽상적 작열하는 사랑의 투시 속에 잠기는 방법을 알고 있다. 그대는 전신에 가느다란 거미줄을 쳐놓고 먹이를 기다리고 있다. 그러나 그대는 어린애가 아니고, 방금 깨어난 의식이 아니다. 따라서 그대의 시선은 전혀 다른 의미를 갖고 있어야만 한다.(『이것이냐, 저것이냐 2』, 11)

나. '윤리적 삶'에서 나오는 '결혼의 심미성'

'윤리가 B' 혹은 '빌헬름'은 '심미가 A'의 회개를 돕기 위해서 해주고 싶은 말이 있다. 그것은 결혼의 심미적 의의를 제시하는 것이고, 결혼 속에 깃든 심미적 요소를 제시해주는 것이었다. 그런데, '빌헬름'은 이러한 것을 말하기에 앞서서 '심미가 A의 교화'를 돕기 위하여 자신의 사례를 말하고 싶다고 한다. 그는 자신의 결혼 생활이 일반적인 삶과 별반 다를 것이 없을 지라도, 일상적인 상황에 있어서 마저도 '미학적인 것(심미적인 것)'을 간직할 수 있다고 말한다. 그러면서 그는 자신의 아내를 설명하는데, 거기에는 아름다움과 그렇지 않은 것들이 혼재해 있다. 그런데, 그는 이런 일체의 장점에 대하여 하나님에게 감사하고, 모든 단점은 잊기로 하고 있다고 말한다. 그는 자신이 그 녀를 사랑할 수 있도록 힘을 달라고 기도한다고 말한다. 그런데, 여인들을 무차별적으로 탐하는 '심미가'들은 이와 반대로 실제로는 약탈을 해서 인생을 살고 있다. 그들은 몰래 사람들의 마음 속에 숨어들어가서 그들의 가장 행복한 순간을 훔친다.

이제 본론으로 들어가 보자. 특히 나의 과제로 간주해야만 하는 것은 둘이다. 하나는 결혼의 심미적인 의의를 제시하는 것이고, 다음은 실생활의 많은 장애에도 불구하고 결혼 속에 깃들인 심미적인 요소가 얼마나 단단히 간직되는가 하는 사실을 제시하는 일이다. 그러나 이 작은 논문이 그대를 사로잡게 할지도 모를 교화에 더욱더 확실하게 그대가 의지할 수 있도록 하기 위하여, 나는 본론에 들어가기에 앞서서 논쟁을 일으킬 짤막한 서론을 선행시키려고 한다.…(『이것이냐, 저것이냐 2』, 14)

신중을 기하기 위하여 나는 기회가 주어질 때마다 나의 아내와 그녀에 대한 나의 관계를 언급할 것이다. 물론 그렇다고 해서 우리들의 결혼을 모범적인 결혼이라고 제시하고 싶어서가 아니다. 단지 한편으로는 순전히 공상적인 시적 묘사는 각별한 설득력이 없기 때문이고, 또 한편으로는 일상적인 상황에 있어서 마저도 미학적인 것을 간직할 수가 있다는 사실을 제시하는 것이 중요하다고 생각하고 있기 때문이다.

그대는 여러 해 동안 나를 알고 있고, 내 아내는 오 년 전부터 알고 있다. 그대는 그녀를 무척 아름답고, 아니 오히려 매력적이라고 생각하고 있을 것이고, 나 역시 그렇게 생각하고 있다. 그러나 나는 또 그녀가 낮에는 저녁때보다 아름답지 못하다는 사실과, 어떤 슬픈 병색이 완연한 모습이 낮 동안에만은 사라진다는 사실과, 밤이 되어서 예쁘게 보이고 싶어질 때는 그런 모습을 잊어버린다는 사실을 잘 알고 있다. 나는 또 그녀의 코가 나무랄 데가 없을 만큼 아름답지는 않다는 사실과, 그녀의 코가 무척 작지만 세상을 향하여 멋들어진 자세를 과시하고 있다는 사실을 잘 알고 있다. 그리고 나는 이 작은 코가 하도 많은 즐거운 놀림거리의 계기를 마련해 주었기 때문에, 비록 그것이 나의 관찰 속에 있다고 하더라도, 나는 결코 그녀에게 그 이상 더 아름다운 코를 원하지 않을 것이라는 사실도 알고 있다.… 나는 이런 일체의 장점에 대하여 하나님에게 감사하고, 모든 단점은 잊기로 하고 있는 것이다.

그러나 이런 일이란 그리 중요한 것이 못 된다. 그렇지만 내가 충심으로 하나님께 감사하고 있는 한 가지 일은, 그녀가 내가 사랑한 유일한 여자고, 처음 여자라는 사실이다. 그리고 내가 충성으로 하나님께 기구하는 한 가지 일은 내가 다른 여자를 사랑할 생각을 내키지 않도록 나에게 힘을 주십사 하는 것이다. 이런 기도는 그녀 역시 동참하는 가족의 기도이다. 왜냐하면 어떤 감정이나 어떤 기분도 내가 그녀를 거기에 동참시킬 수 있어야만 그것이 내게 한층 높은 의의를 갖게 되기 때문이다.(『이것이냐, 저것이냐 2』, 15-16)

내 말의 요지는, 우리들의 첫사랑을 항상 새롭게 되살리고, 그런 식으로 첫사랑이 다시 나에게 미학적으로나 종교적으로나 의의를 갖게 하자는 것이다.…

우리들의 첫사랑을 되살린다는 것은, 일찍이 경험한 것을 단순히 서글프게 반성한다거나 시적으로 회상하는 일이 아니다. 그런 일이란 결국 우리 자신을 속이는 일이고 우리를 피곤하게 할 뿐이다. 내가 되살린다고 하는 말은 행동을 한다는 뜻이다.… 그러니 우리들은 되도록 오래오래 인생의 샘이 막히지 않도록 열어두어야만 한다.

그런데도 그대는 반대로 실제로는 약탈을 해서 인생을 살고 있다. 그대는 몰래 사람들의 마음속에 숨어들어가서 그들의 가장 행복한 순간을 훔치고, 샤미소의 작품인 『피터 슈레밀』에 나오는 키다리처럼 이 그림자 호주머니 속에 집어넣었다가 그대가 원하는 때에 그것을 꺼낸다.(『이것이냐, 저것이냐 2』, 17)

나의 친애하는 벗이여, 결국 그대는 그대 자신을 속이고 있고, 그대가 남의 가장 행복한 순간을 붙드는 일에 관해서 하는 말 모두는 그대가 붙드는 지나친 기분에 불과하다고 나는 진심으로 믿고 있네.… 그리고 결국 그런 일의 밑바닥에는 엄청난 불성실이 깃들어 있는 것이 아닐까?(『이것이냐, 저것이냐 2』, 19)

'빌헬름'의 결혼관은 지극히 일반적이고 정상적이다고 보아야 할 것이다. 그리고 이러한 여성관은 '빌헬름'의 지혜에서 나왔는데, 모든 인생들이 이해하고 동의하는 바이다. 이것은 어느 누구든지 원하기만 하면 참여할 수 있다. 그리고 '빌헬름'에 의하면, 바로 여기에 심미적인 요소도 깃들이게 된다.

다. 결혼의 심미적 타당성

사실 결혼 안에 있는 심미적인 요소를 논증하는 것은 쉽지 않다. 다만 논리적으로 설득할 뿐이다. '윤리가 B' 혹은 '빌헬름'은 많은 문학작품들의 많은 이슈가 "행복한 결혼의 평온한 생활에 닻을 내리는 것이다"고 말하며, 이것이 대체로 5막에 자리잡는다고 한다. 그 목표를 향해서 4막까지의 믿기 어려울 정도의 고통과 고난을 참는다. 그렇다고 해서 이러한 문학작품들이 독자들에게 이에 대한 별다른 노우하우를 주는 것도 아니다. 왜냐하면 거기에는 대단한 기술이 요구되는 것은 아니기 때문이다. 오히려 요청되는 것은 권태를 극복하기 위한 인내가 필요하다는 것 정도를 제공한다. 결론적으로 이와 같은 전체 전개에서 파악되는 진실 된 점, 즉 참으로 심미적인 요소는 사랑이 하나의 노력으로서 제시되고 있다는 사실과, 이 감정이 반대를 무릅쓰고 싸우는 것으로 보고 있다는 점이다.

내가 취급하고자 하는 것은 결혼의 심미적인 타당성이다. 이런 일은 누구나가 기꺼이 인정하는 불필요한 연구로 보일지도 모른다. 왜냐하면 그런 일은 이미 여러 번 지적되었기 때문이다. 이미 여러 세기에 걸쳐서 기사들과 모험가들이 끝내는 행복한 결혼의 평온한 생활에 닻을 내리기 위하여 믿기 어려울 정도의 고통과 고난을 참아온 것이 아닐까? 이미 여러 세기에 걸쳐서 소설가들과 소설을 읽는 사람들이 행복한 결혼으로 끝내기 위해서 계속 쓰고 읽어온 것이 아닐까? 또 제5막에서 행복한 결혼의 낌새가 보이기만 하여도, 세대에서 세대에 걸쳐서, 앞선 네 개의 막에서 벌어지는 고통과 갈등을 참아오지 않았던가?…
작품들은 대개 사랑하는 사람들은 많은 우여곡절을 겪고 난 후에 이윽고 서로가 서로의 품에 안긴다. 막이 내리고 책도 끝난다. 그러나 독자는 한 사람도 현명해지지 않는다. 왜냐하면 실은 유일한 선이라고 간주하고 있는 선을 소유하기 위해서 전력을 다하여 싸우기에 필요한 용기와 슬기를 갖기에는 그리 대단한 기술을 요하지 않기 때문이다. 그러나 이와는 반대로 어떤 소원이 성취되고 나서 흔히 뒤따르기 마련인 권태를 극복하기 위해서는 분별과 지혜와 인내가 필요하다.… 이와 같은 전체 전개에서 진실 된 점, 즉 참으로 심미적인 요소는, 사랑이 하나의 노력으로서 제시되고 있다는 사실과, 이 감정이 반대를 무릅쓰고 싸우는 것으로 보고 있다는 점이다.(『이것이냐, 저것이냐 2』, 31-32)

2. 사랑의 변증법

가. 낭만적-반성적-종교적 사랑의 변증법

'윤리가 B'는 오히려 '심미적 사랑'은 '낭만적 사랑'이 '반성적 사랑'을 거쳐서 '종교적 사랑' 속에서 성취된다는 것을 말하고자 한다.

먼저, 낭만적인 사랑은 그것이 매우 일방적이고 아주 정열적이고 쾌락적이라는 특징을 가지고 있다. 그리고 하나님께서도 모든 결혼이 이러한 사랑을 사랑하신다. 결혼한 자들 중에서 이에 대해 그렇지 않다고 말하는 것을 거짓말이라고 말한다.

나는 우선 낭만적인 사랑의 특징을 들어보기로 하겠다. 한마디로 말해서 낭만적인 사랑은 직접적이라고 말할 수 있다. 즉, 여자를 보는 것은 곧 여자를 사랑하는 것이었다. 혹은 여자가, 감금되어 있는 방의 닫힌 창문 틈으로 단 한 번 남자를 보았다고 해도, 그럼에도 불구하고 그 여자는 그 순간부터 그 남자를, 세상에서 유일하게 그 남자를 사랑하였던 것이다.(『이것이냐, 저것이냐 2』, 35)

그러므로 모든 결혼은, 심지어는 냉정한 배려 끝에 결합된 결혼까지도, 적어도 개개의 어떤 순간에 있어서는 이런 전경을 그려보고 싶은 욕구를 느낀다. 그리고 영(靈)이신 하나님께서도 지상의 것에 속하는 사랑을 사랑하신다고 하는 이 사실이야말로 얼마나 아름다운 일인가! 물론 결혼을 한 사람들 사이에서는 이 분야에 있어서 허다한 거짓말을 주고받고 있다는 사실을 나는 서슴없이 그대에게 승인한다.…

낭만적인 사랑은, 그것이 자연적인 필연성을 뒤따르고 있다는 사실로 미루어 보아도 직접적인 것이라는 것을 알 수 있다. 낭만적인 사랑은 아름다움에 터전을 두고 있다. 즉, 부분적으로는 감성적인 아름다움에 또 부분적으로는 감성을 통하여 감성과 함께 감성 속에서 얻어지는 아름다움에 터전을 두고 있다. 그러나 심사숙고 끝에 얻어지는 것이 그런 것이 아니라, 낭만적인 사랑 자체가 항상 자기표현을 할 수 있는 지점에서 감성적인 모습으로 바깥을 내다보고 있는 그런 순간에 얻어지는 것이다. 낭만적인 사랑이 본질적으로는 감성에 터전을 두고 있음에도 불구하고, 그럼에도 불구하고 이 사랑은 그것이 영원이라는 의식을 구현하고 있기 때문에 고귀하다. 왜냐하면 모든 사랑을 육욕과 구별해주는 것은, 사랑이 영원이라는 각인을 지니고 있기 때문이다. 애인들끼리는 자신들의 관계가 결코 변할 수 없는 그 자체로서 완성된 하나의 전체라고 진정으로 확신하고 있다. 그러나 이런 확신은 자연적인 규정에 근거를 두고 있을 뿐이므로, 따라서 그 속에 깃든 영원한 것도 시간에 근거를 두고 있게 마련이고, 그렇게 되면 영원적인 것은 그 자체가 말살된다.(『이것이냐, 저것이냐 2』, 36-37)

두 번째, '윤리가 B'에 의하면, 이제 이 낭만적 사랑에 이성의 '반성'이 개입하기 시작한다. '감성적 사랑'은 도덕과 유사한 점이 있고, 그 사랑이 육체적으로 타락하는 것을 막아주지만, 그것만으로는 '사랑'에 깃들인 보다 깊은 가치를 다 포괄할 수 없기 때문이다. 만약 '향락'만이 인생의 중요사라고 한다면 이것은 아무 문제가 되지 않는다. 그러나 그것은 농도가 짙어질수록 이 다음 순간에는 사라져 버릴 것이라는 의식을 갖고 그 향락을 누리게 된다. 이때 '우수'가 우리 안에서 제멋대로 일어난다. 이 '우수'는 전 생애에 걸쳐서 결합해서 살아야 한다는 생각에 대하여 어떤 극단적인 두려움과 남모르는 공포를 가지고 있다. 이 '우수'에는 '이기적인 우수'가 있고, '공감적인 우수'가 있다. 이것은 결혼생활을 무효로 돌리고 싶은 강한 경향을 불러오는데, 그것의 정체는 '비겁'과 '방탕' 때문이다. 이것은 그의 '낭만적 사랑'이 '반성적 영역'에 들어왔음을 의미한다.

낭만적인 사랑은 그 속에 영원이라는 것이 깃들어 있다는 추측 때문에 도덕과 유사한 점이 있고, 이것이 그 사랑을 고귀하게 만들어 주고, 단순한 감성으로 타락하는 것을 구해 준다. 왜냐하면 감성적인 것은 찰나적인 것이기 때문이다. (『이것이냐, 저것이냐 2』, 38)
만약 향락이 인생의 중요사라고 한다면, 나는 그대의 발아래 엎드려 그대의 제자가 될 것이다.… 그러나 거기에는 작은 감시초소가 언제나 남아 있다. 또 때로는 그대는 그대의 마음을 닫는다. 그러고는 아무도 근접할 수 없게끔 완고하게 그대 주위의 성벽을 쌓는다. 이상이 그대를 에워싸고 있는 상황이다. 동시에 그대는 그대의 향락이 얼마나 이기적인가, 또 그대가 그대 자신을 결코 내맡기지 않고, 결코 남들이 그대를 향락하는 것을 허락하지 않고 있는 사실을 알 것이다.

그런 의미에서 그대가, 온갖 향락으로 자신을 소모하고 낭비하는 사람들, 예컨대 사랑에 실패하여 상심하고 있는 사람들을 조소하는 것도 당연하다.… 뿐더러 그대는 가장 농도 짙은 향락이란, 그것이 다음 순간에는 사라져 버릴 것이라는 의식을 갖고 향락을 마음껏 누릴 때 성립된다는 사실을 잘 알고 있다.…

…부분적으로는 이기적이고 또 부분적으로는 공감적이기도 한 우수(憂愁, 근심과 걱정)가 그런 관점을 제기할 것이라는 주장으로 되돌아가련다. 이기적인 우수는 물론 자기 자신을 위해서 두려워하고, 또 모든 우수와 마찬가지로 제멋대로 놀아난다. 이 우수는 전 생애에 걸쳐서 결합해서 살아야 한다는 생각에 대하여 어떤 극단적인 두려움을, 남모르는 공포를 갖고 있다. "과연 우리는 무엇을 의지할 수 있는가? 일체가 변한다. 현재 내가 숭상하고 있는 대상도 어쩌면 변할지 모른다.…" 이기적인 우수는 다른 우수와 마찬 가지로 반항적이고, 그런 사실을 자신이 의식하고 있고,…, 공감적인 우수는 보다 고통스러우나 동시에 약간은 더 고귀하다. 이 우수는 남을 위해서 두려워한다.(『이것이냐, 저것이냐 2』, 43-45)

그러므로 오늘날에 있어서 결혼생활을 무효로 돌리고 싶은 강한 경향이 있다고 한다면, 그것은 중세에 있어서처럼 독신생활이야말로 보다 완전한 것이라고 간주하기 때문이 아니라, 오히려 그렇게 생각하는 이유는 비겁과 방탕 때문이다.(『이것이냐, 저것이냐 2』, 47)

다른 그럴듯한 도피구는 편의주의적인 결혼 내지는 이성이 개입한 결혼일 것이다. 이 말 자체로 미루어 보아도 이미 이성이 사이에 끼어들었다는 사실, 즉 우리가 반성의 영역에 들어왔다는 것을 알 수 있다.(『이것이냐, 저것이냐 2』, 48)

세 번째, '윤리가 B'는 낭만적인 사랑과 반성적인 사랑의 통합으로서의 종교적인 사랑을 말한다. 그는 이 사랑의 통합을 "직접적인 사랑으로의 복귀", 혹은 "첫 사랑의 단계에 있던 것의 내포"라고 말한다. 그리고 그것으로서 '종교적인 사랑'을 말한다. 왜냐면 그리스도교는 결혼을 부부애가 최초의 에로스적인 것의 일체를 내포해야 한다고 말하고 있기 때문이다. 그는 낭만적인 사랑은 결혼과 결합될 수 있고, 또 결혼 속에서 존립할 수 잇다는 사실과, 결혼이란 낭만적인 사랑의 성화라는 사실을 밝히는 것이 자신의 과제라고 말한다.

나는 이미 앞에서 낭만적인 사랑과 반성적인 사랑을 논증적인 입장에서 다루었기 때문에, 이제 여기서는 보다 고차원적인 통합이 어느 정도까지 직접적인 사랑으로의 복귀인가, 또 따라서 어느 정도까지 최초의 단계에 있던 것을 내포하고 있는가를 살펴보려고 한다. 반성적인 사랑이 항상 자기 자신을 잠식한다는 사실과, 또 그것이 이제는 여기에 다음은 저기에 하는 식으로 멋대로 머문다는 사실은 이제 명백히 드러났고, 또 이 반성적인 사랑이 자기 자신을 넘어서 보다 고차원적인 지위를 지향하고 있다는 사실도 밝혀졌다. 그러나 문제는 이런 보다 고차원적인 경험이 과연 곧장 첫사랑과 밀접한 관계를 맺을 수 있느냐 하는 것이다. 그런데 보다 고차원적인 이 경험은 종교적인 것이고, 바로 거기서 반성적인 오성은 끝이 난다. 하나님에게는 어떤 일도 불가능한 것이 없는 것과 마찬가지로 종교심이 있는 사람들에게는 불가능한 일이란 없다. 종교적인 영역에 있어서 사랑은, 반성의 영역에서는 찾아도 얻지 못하였던 무한성을 다시 발견한다. (『이것이냐, 저것이냐 2』, 53-54)

그리스도교는 결혼을 확고히 견지한다. 그러므로 부부애가 최초의 에로스적인 것의 일체를 내포할 수 없다면 그리스도는 인류의 최고의 발전을 대표할 수 없다.… 그러므로 여기서 그대는 내가 나 자신에게 부과하고 있는 과제가 무엇인가를 알게 된다. 즉 낭만적인 사랑은 결혼과 결합될 수 있고, 또 결혼 속에 존립할 수 있다는 사실과, 결혼이란 낭만적인 사랑의 성화(聖化)라는 사실을 밝히는 것이 나의 과제다. (『이것이냐, 저것이냐 2』, 55)

나. 사랑과 결혼의 통합

'윤리가 B'는 사랑과 결혼의 통합 문제를 다양하게 논의한다. 다음의 내용은 이에 대한 결론들이다.

그러므로 내가 해야 할 첫째 과제는, 결혼이란 무엇인가 하는 규정을 내림에 있어서 나 자신이, 아니 그보다는 특히 그대 자신이 방향을 제대로 잡는 일이다. 본래가 결혼을 구성하고 있는 것, 즉 결혼에다 실질적인 내용을 부여해주는 것은 분명히 사랑이다.…(『이것이냐, 저것이냐 2』, 57)

결혼에 있어서의 실체적인 요소는 곧 사랑(에로스)이다. 그렇지만 과연 어느 쪽이 먼저일까?… 사랑이 먼저 와야 한다.…(『이것이냐, 저것이냐 2』, 61-62)

그러므로 사랑을 불러일으키는 것은 결혼이 아니라, 반대로 결혼은 사랑을 전제로 하는 것이고, 결혼은 사랑을 과거의 것으로 전제하는 것이 아니고 현재의 것으로 전제한다. 그러나 결혼은 윤리적이고 종교적인 요소를 내포하고 있지만, 사랑은 그런 것을 내포하고 있지 않다. 그런 까닭에 결혼은 체념이라는 기초 위에서 성립되는 것이지만, 사랑은 그렇지가 않다. 그런즉 모든 사람은 자신의 생애를 보내는 동안에 두 개의 운동을 거친다고 가정할 생각이 없다면, 다시 말해서 첫째로 사랑의 큰 고향이라고도 할 수 있는 이교적인 운동과, 둘째로는 결혼에서 표현되는 그리스도교적인 운동이라는 두 운동을 거친다고 가정할 생각이 없다면, 요컨대 에로스란 그리스도교에서는 배제되어야만 한다고 말하고 싶지만, 사랑이란 결혼과 통합될 수 있다고 하는 사실이 제시되어야만 한다.…

그러므로 우선 사랑(에로스)에 관한 연구부터 시작하기로 하다. 이제 나는 그대와 세상의 모든 사람들이 비웃는 것임에도 불구하고, 나에게는 항상 아름다운 의미를 갖고 있는 어떤 낱말에서부터, 즉 첫사랑이란 말에서부터 시작하고 싶다.(『이것이냐, 저것이냐 2』, 63-64)

다. 에로스에 대한 연구

그러면서, 이제 '윤리가 B'는 에로스에 관한 연구를 시작하는데, 무엇보다도 먼저 '첫 사랑'에 대한 연구부터 시작한다.(『이것이냐, 저것이냐 2』, 64-276) 이하의 내용은 생략한다.

3. 윤리적 실존 : 심미적인 것과 윤리적인 것의 균형

키에르케고어는 『이것이냐, 저것이냐 2』에서 "인격형성에 있어서의 심미적인 것과 윤리적인 것의 균형"을 말하고 있다. 그에게 '인격형성'이라는 말 자체가 '윤리적 실존'을 상징하는 용어였다. 키에르케고어에게 '윤리적 실존'이란 '심미적인 것'과 '윤리적인 것'의 균형이었다.

가. "이것이냐, 저것이냐"의 선택

키에르케고어(윤리가 B, 빌헬름)는 "이것이냐, 저것이냐"의 선택을 아주 반복적으로 '심미가 A'에게 말하며, 이제 "심미적 삶이냐, 윤리적 삶이냐"를 선택하라고 강조한다. 그는 '파토스'를 다하여 이것을 결정하라고 한다. "이 말의 사용에는 가장 무서운 대립을 행동으로 몰아붙이는 가능성을 시사하고 있기 때문이다"고 말한다. 이 '선택'은 마치 '주문'과도 같아서 그의 '영혼'을 엄숙한 곳으로 인도하고, 때로는 '무서운 충격'을 주기도 한다. 이 그의 삶을 양 극단으로 갈라놓으며, 한번 선택한 그 길은 그의 인생 전체를 그리로 인도한다.

    물론 인생에는 "이것이냐, 저것이냐"에 적용하게 되면 우스꽝스러워지거나 미친 것으로 간주될 그런 상황이 많다. 그렇지만 또 영혼이 너무 방종하여 이런 딜레마에 내포된 바의 내용을 파악하지 못하고, 그의 인격이 파토스를 다하여 "이것이냐, 저것이냐"라고 말할 수 있는 에너지를 결여하고 있는 사람도 많다. 나에게는 이 말이 항상 깊은 인상을 남겨 주었고, 그것은 지금도 변함이 없다. 특히 지금처럼 절대적으로, 그리고 특정 대상과 아무런 관련도 짓지 않고 말할 때는 더욱 그렇다. 왜냐하면 이 말의 사용은 가장 무서운 대립을 행동으로 몰아붙이는 가능성을 시사하고 있기 때문이다. 이 말은 실제로 나에게 주문과도 같은 영향을 끼쳐서 나의 영혼은 극도로 엄숙해지고, 때로는 무서운 충격을 주기까지 한다.
    나의 젊은 시절을 생각해 보아도,… 선택을 할 경우에는 오로지 다른 사람들의 가르침에 따랐을 뿐이었지만, 선택의 순간은 엄숙하고 신성하였다. 그 후 내가 인생의 기로에 섰을 때의 일들을 생각해보면, 그 때의 나의 영혼은 결정적인 시간에 성숙하였다고 할 수 있다.…
    왜냐하면 "이것이냐, 저것이냐"하는 말이 절대적인 의의를 갖는 상황은 단 하나, 즉 한쪽에는 참됨과 의로움과 거룩함이 늘어서고, 다른 한쪽에는 쾌락과 천한 성질과 어두운 정열과 타락이 늘어서 있는 그런 상황 뿐이지만, 어느 쪽을 택하여도 무방한 일들 중에서 한쪽을 선택할 경우에도 옳게 선택한다는 것은 항상 중요한 일이기 때문이다.(『이것이냐, 저것이냐 2』, 277-278)

나. 윤리적 선택

    '윤리가 B'는 이때 '심미적인 선택'은 본질적인 의미의 선택이 아니라고 말한다. 그것은 그의 본성일 뿐이기 때문이다. 따라서 위에서 선택을 말하는 것은 사실은 "윤리적인 것의 고유하고 절박한 표현이다"고 말한다. 이것은 마치 '선과 악' 중에서 하나를 선택하라고 하는 것과 비슷하다. 괴테의 『동서시편』에 나오는 어떤 '심미적인 것'을 선택한 '심미가'에게 '윤리가 B'는 다음과 같이 말한다.

    하여간 이제 그대는 자기가 자유롭다고 느끼고, 세상을 향해서 작별인사를 한다. "이리하여 나는 이제 먼 곳으로 떠난다. 나의 모자 위에는 별들만이 있을 뿐이다." 이렇게 그대는 선택하였다. 물론 그대가 인정하고 있듯이 그렇게 훌륭한 선택이라고는 말할 수 없지만 말이다. 그러나 실제로는 그대는 전혀 선택을 하지 않았거나, 혹은 말의 본래적인 의미에서 선택을 한 것이다. 그대의 선택은 하나의 심미적인 선택이다. 그러나 심미적인 선택이란 선택이라고 할 수가 없다. 선택하는 행위는 본질적으로 윤리적인 것의 고유하고 절박한 표현이다. 보다 엄밀한 의미에서 "이것이냐, 저것이냐"가 문제가 되고 있는 곳에서는 어디에나 윤리적인 것이 내포되어 있다고 우리는 언제라도 확신할 수 있다. 유일하게 절대적인 "이것이냐 저것이냐"는 선과 악 사이에서 어느 한 쪽을 택하는 선택이지만, 이것 역시 절대적으로 윤리적이다. 심미적인 선택은 전적으로 직접적이어서 그런한에 있어서 선택이 아니거나, 혹은 그 선택이 다양성 속에서 자신을 잃어버리게 되거나 둘 중의 하나이다.(『이것이냐, 저것이냐 2』, 295)

다. 심미적인 것과 윤리적인 것의 조화

키에르케고어는 '심미적인 것'은 '악'이 아니라, '중립적인 것'이라고 말한다. 그렇기 때문에 선택을 구성하는 것은 '윤리적인 것'이라고 말한다. 즉, '윤리적인 것' 안으로 '심미적인 것'이 따라와서 여기서는 단지 '정립'을 이룰 뿐이라는 것이다. 따라서 '윤리적인 것'을 선택한다는 것은 '의욕하는 것'을 선택하였을 뿐인 것이다.

선과 악 쪽을 택하는 사람은 선을 택한다는 것이 사실상 진리이지만, 이런 일은 후에 가서야 판명이 된다. 왜냐하면 심미적인 것은 악이 아니라 중립적인 것이기 때문이다. 바로 이런 이유 때문에 나는 선택을 구성하는 것은 윤리적인 것이라고 주장한 것이다.

그러므로 중요한 것은 선한 것을 원하는가 악한 것을 원하는가 하는 둘 중에서 선택을 하는 일이 아니라, 의욕하는 것을 택하는 것이 중요하다. 그러나 이렇게 함으로써 이번에는 선한 것과 악한 것이 정립된다. 윤리적인 것을 택하는 사람은 선한 것을 택하는 셈이지만, 여기서 선한 것이란 전적으로 추상적이어서, 여기서는 단지 그 존재가 정립될 뿐이다.… 여기서 그대는 다시금 선택을 하는 일이 얼마나 중요한 일이며, 근본적인 일은 심사숙고를 하는 일이 아니라, 선택을 윤리적인 것 속으로 끌어올리는 의지의 세례를 받는 일이라는 사실을 알게 된다.(『이것이냐, 저것이냐 2』, 300)

여기서는 선택이 문제가 되고, 그렇다, 절대적인 선택이라는 것이 문제가 된다.

왜냐하면 절대적으로 선택함으로써만 우리는 윤리적인 것을 선택할 수가 있기 때문이다. 절대적인 선택을 함으로써 윤리적인 것이 정립된다. 그러나 그렇다고 해서 이로부터는 결코 심미적인 것이 배제된다는 결론은 나오지 않는다. 윤리적인 것 안에서 인격은 자기 자신으로 집중되고, 그래서 심미적인 것은 절대적으로는 배제되거나 혹은 절대적인 것으로서 배제된다. 그러나 상대적으로는 심미적인 것이 여전히 남아있게 된다. 인격은 자기 자신을 선택함으로써 윤리적으로 자기 자신을 선택하고, 절대적으로 심미적인 것을 배제한다. 그러나 인간은 자기 자신을 선택하였다고 해서 그가 다른 존재가 되는 것이 아니고 자기 자신이 되기 때문에, 심미적인 것의 전체는 그것에 깃든 상대성을 지니고 다시 되돌아온다.

키에르케고어에게 '윤리'는 '심미적인 것'이 '에로스적인 결혼'으로 정립되는 것이다. 이것이 그에게는 '윤리적인 것'이었다. 사실은 모든 윤리는 여기에서부터 시작된다. 다른 사람을 사랑하는 것도 중요하지만, 그 자신이 먼저 '향락'의 가치관으로부터 해방되는 것이 가장 우선이다.

라. 심미적 인생과 이면의 '우울과 절망'

위의 논리에 의하면, 윤리적 인생관과 더불어 심미적 인생관은 항상 함께 추구된다. 그는 "이 두 인생관은 우리는 인생을 즐겨야만 한다고 하는 원칙에 의견의 일치를 보고 있다"(『이것이냐, 저것이냐 2』, 324)고 말한다. 그런데, 이 심미적 인생관을 추구할 경우, 항상 '우울'이라는 것이 수반된다고 말한다. 그리고 그는 이 '우울'은 근본적으로 악이라고 판단한 중세의 교의에 찬성한다고 말한다. 그리고 이것은 '죄'였다. 키에르케고어는 이것이 젊은이들을 붙잡고 있다고 말한다. '심미적인 것'으로부터 '윤리적인 것'으로의 이행에는 이와 같은 '죄'로부터의 해방이라는 또 다른 어떤 요소가 요청된다. 즉, 이 '윤리적 실존'은 '종교적 실존'의 문제를 통해서만 해결(선택)된다는 것이다. 즉, 죄를 이겨야 진정한 '윤리적 선택'을 '진심으로 의욕'할 수 있다. 이것이 '윤리가 B'가 '심미가 A' 혹은 모든 '심미가들'에게 하고자 하는 이야기였다.

오늘날에 있어서는 우울하다는 것이 어떤 위대한 것으로 여겨지고 있다. 그런 까닭에 그대가 이 말을 지나치게 부드럽다고 생각하는 것을 나는 이해할 수 있다. 나는 우울을 근본적인 악으로 생각한 중세의 교의에 찬성한다. 만약 내가 옳다고 한다면 이것은 그대에게는 매우 불쾌한 정보일 것이다. 왜냐하면 그것은 그대의 인생관 전부를 뒤집어 엎어놓기 때문이다. 그러나 오해를 피하기 위해서 인간이란 슬픔과 근심을 갖게 마련이고, 그것이 하도 커서 어쩌면 일생동안 따라다닐지도 모를 일이고, 또 그것은 아름답고 진실한 것일 수도 있겠지만, 인간이 우울해지는 것은 자신의 죄과 때문이라는 사실만은 분명히 말해두고자 한다. (『이것이냐, 저것이냐 2』, 329)

슬픔이나 근심을 지니고 있는 사람은 어째서 자기가 슬프며 자기가 무엇을 근심하고 있는지를 알고 있다. 만약 우울에 사로잡힌 인간에게 우울의 원인이 무엇이며 무엇이 그를 그렇게도 무겁게 짓누르고 있는가를 묻는다면, 그는 "나도 모른다. 나는 그것을 설명할 수가 없다"고 대답할 것이다. 바로 여기에 우울의 무한성이 도사리고 있다. 이 대답은 완전무결한 정답이다. 왜냐하면 그가 그것을 알게 되면 우울은 곧 제거되기 때문이다. 이에 반해서 슬퍼하고 있는 사람의 경우에는 어째서 그가 슬퍼하고 있는지를 안다고 해도, 그 때문에 슬픔이 제거되는 일은 없다. 그러나 우울은 죄다. 참으로 우울은 모든 죄를 대표하는 죄다. 왜냐하면 깊이 진심으로 의욕하지 않는다는 것은 곧 죄고, 또 그것은 모든 죄의 어머니가 될 수 있기 때문이다. 이 병이 혹은 오히려 이 죄가 현대에 있어서는 매우 널리 퍼져있다. 그리고 모든 젊은 독일과 프랑스의 젊은이들이 바로 이 병에 걸려 신음하고 있다.(『이것이냐, 저것이냐 2』, 335-336)

키에르케고어는 이후에 "이제 우리는 어째서 그들이 절망하는가를 살펴보기로 하자"(『이것이냐, 저것이냐 2』, 341)라고 하며, "심미적 인생관 자체가 절망이다"(『이것이냐, 저것이냐 2』, 344)는 것을 논증한다.

4절 종교적 실존 : 『공포와 전율』

1. 아브라함 찬사

가. 이삭 번제 명령

키에르케고어는『공포와 전율(두려움과 떨림)[7]이라는 책을 '침묵의 요하네스'라

---

7) 어떤 번역서는 『Fear and Trembling』의 번역으로서 "두려움과 떨림" 혹은 "공포와

는 간접저자의 이름으로 저술하였다. 그는 이 책을 통해서 "종교적 실존"을 설명하고자 하였는데, 그는 창세기 22장에 나타난 "이삭 번제 사건"의 해설을 통해서 이것을 소개하고자 한다. 키에르케고어(침묵의 요하네스)는 그 서두에 다음의 성경본문을 소개하며, 그의 아들 이삭을 번제로 드리기 위해 나아가는 그 여정을 이야기식으로 소개한다.

그 일 후에 하나님이 아브라함을 시험하시려고 그에게 말하기를 "너의 사랑하는 아들, 너의 외아들 이삭을 데리고 모리아 땅으로 가서 내가 너에게 지시하는 한 산 거기에서 그를 번제로 드리라"(『공포와 전율』, 18)

이른 아침이었다. 아브라함은 일찍 일어났다. 그는 나귀 등에 안장을 놓고 이삭을 데리고 그의 장막을 떠났다. 사라는 그들이 보이지 않을 때까지 창문에서 그들을 전송했다.(『공포와 전율』, 18) …아브라함은 모리아산에 올라갔다. 그러나 이삭은 아버지의 마음을 이해하지 못했다.(『공포와 전율』, 19) …아브라함과 이삭은 서로 의좋게 나귀를 타고 모리아산까지 갔다. 그러고 나서 아브라함은 조용하고 차분히 번제를 올리기 위한 모든 준비를 다했다. 그러나 그가 뒤로 돌아서 칼을 뽑으려 할 때, 이삭은 아브라함의 왼쪽 손이 절망적으로 움켜쥐어져 있으며, 그의 전신에는 전율이 흐르고 있는 것을 보았다. 아브라함은 칼을 뽑아 들었다.(『공포와 전율』, 24)

아브라함이 그의 아들 이삭을 번제로 드리기 위하여 죽이려고 했을 그 때, 하늘로부터 "아브라함아, 아브라함아"라는 음성이 들리고, "그 아이에게 네 손을 대지 말라. 네가 네 아들 네 독자까지도 내게 아끼지 아니하였으니, 내가 이제야 네가 하나님을 경외(두려움)[8]하는 줄을 아노라"(창 22:12)는 말씀이 들려왔다. 이에 대해 후대에서는 "그가 믿은 바 하나님은 죽은 자를 살리시며 없는 것을 있는 것으로 부르시는 이시니라"(롬 4:17)고 하였다.

나. 아브라함 찬사

전율"이 사용된다. 한편, 이 용어는 신학에서의 전문용어로서, 인간이 신을 만났을 때 우러나오는 감정을 의미한다. 이에 대해 성경에서는 보통 "경외(두려움)와 떨림"으로 번역한다. 그럼에도 이 책에서는 번역자가 정한대로 『공포와 전율』로 표기하고자 한다.

8) 키에르케고어가 사용한 'Fear'의 용어는 이 구절에서 따온 것이다.

키에르케고어(침묵의 요하네스)는 세상에서 위대하다고 불리워지는 사람들이 있는데, 세상과 싸운 사람은 세상을 이김으로써 위대해졌고, 자기 자신과 싸운 사람은 자기 자신을 이김으로써 위대해진다고 말한다. 그러나 하나님과 싸운 사람은 어느 누구보다도 더욱 위대하다고 말한다. 위의 아브라함의 행위가 아브라함의 '무력함'과 '하나님을 향한 믿음'의 산물이라고 말하며, 이와 같은 믿음의 사람은 위대하다고 말한다. 이때 아브라함은 "자기의 무력(無力) 혹은 체념"으로 하나님을 이겼는데, 이것은 "신비로운 지혜"였다. 그리고 그것은 "하나님에 대한 믿음"에서 나온 것이었다고 한다.

그렇다. 이 세상에서 위대하였던 자는 결코 잊혀지지 않을 것이다. 그들은 각기 자기 나름대로 위대하였던 것이다. 그들은 각기 그들이 사랑한 대상의 위대성에 정비례하여 위대했다. 즉, 자기 자신을 사랑한 자는 자기 힘으로 위대해졌고, 남을 사랑한 자는 그 헌신 때문에 위대해졌던 것이다. 그러나 하나님을 사랑한 자는 어느 누구보다도 더 위대해졌다.… 그들은 각기 그들의 상대로 하여 분투한 대상의 위대성에 정비례하여 위대했다. 즉, 세상과 싸운 사람은 세상을 이김으로써 위대해졌고, 자기 자신과 싸운 사람은 자기 자신을 이김으로써 위대해졌다. 그러나 하나님과 싸운 사람은 어느 누구보다도 위대해졌다. 이리하여 세계는 싸움터가 되었다. 사람이 사람과 싸웠고, 한 사람이 천 사람과 싸웠다. 그러나 하나님과 싸운 자는 가장 위대했다.
이리하여 땅 위는 싸움터였다. 어떤 자는 자기의 힘으로 일체를 이겼다. 또 어떤 자는 자기의 무력(無力)으로 하나님을 이겼다. 자기 자신을 의지하고 일체를 얻는 자도 있고, 자신의 힘에 의지했다가 일체를 희생시킨 자도 있었다. 그러나 하나님을 믿은 자는 어느 누구보다도 위대했다.… 아브라함은 그 어느 누구보다도 위대했다. 무력(無力)의 본질인 그의 힘 때문에 그는 위대했다. 어리석음이 그 비밀의 본질인 지혜로 말미암아 그는 위대했다. 광기의 모습을 빌린 그의 소망 때문에 그는 위대했다. 자기 자신을 미워한 사랑 때문에 그는 위대했다.… (『공포와 전율』, 29-31)
그러나 아브라함은 믿었다. 그리고 이 세상에서의 삶을 위하여 믿었다.…(『공포와 전율』, 38)
그러나 아브라함은 믿었고 의심하지 않았다. 그는 부조리한 것을 믿었다.(『공포와 전율』, 39)

다. '체념(無力함)'과 '믿음'에 대한 본질적 이해

우리는 아브라함의 이 믿음 사건에 대한 본질적인 해석(신학적 해석)을 들어보아야 한다. 왜냐하면, 이 사건은 기독교의 시원을 이루는 사건이기 때문이다. 기독교는 이 사건에서 기인하였으며, 이 사건의 심화와 확장으로서 모세의 율법이 존재하고, 예수 그리스도의 십자가 사건이 존재하고 있기 때문이다. 이 사건은 BC 20세기경의 사건인데, 기독교에서는 아브라함과 이삭을 하나로 파악한다. BC 15세기경에 이 사건은 모세에 의해서 제사로 자리 잡았는데, 이삭 번제사건은 제사로 바뀌었으며, 이삭은 제사의 제물로 바뀌었다. 그리고 이러한 역사적 정황 AD 1세기경에 예수 그리스도가 십자가 제사의 제물로 나타났던 것이다. 따라서 이 아브라함의 사건은 기독교의 본질을 말하고 있다. 다음의 본문은 필자의 해설이다.

아브라함의 언약적 사건(이삭번제사건)은 기독교 믿음, 특히 제사의 효시이다. 이 믿음의 패턴이 고스란히 모세에게 승계되어 이 이삭 번제사건은 모세에 의하여 제사제도로 발전하였다. 그리고 이 제사의 틀 속에서 예수 그리스도가 제물이 되었다. 즉, 이 세계 속에는 제사제도가 그때부터 오늘날까지 존재하며, 그 제물은 "이삭-동물-예수 그리스도"로 발전해 온 것이다. 이 아브라함의 믿음이 기독교 믿음의 효시이며 표준이다. 모든 기독교인들은 이 아브라함의 믿음을 승계하여야 구원에 이른다.

키에르케고어는 이것을 논파하고 있다. 이때 아브라함의 믿음은 "체념-믿음"이었는데, 이것을 기독교적인 용어로는 "세례('죽음'의 의미)-믿음"이라고 말한다. 그리고 이 사실 속에서 우리의 실존이 심미적·윤리적 실존에서 종교적 실존으로 바뀐다. 이것을 기독교에서는 '거듭남'이라고 말한다. 키에르케고어는 이러한 "체념-믿음"이 우리의 실존을 바꾸지, 헤겔과 같은 단순한 지식체례로는 우리의 변화는 존재하지 않는다고 말하고자 한다. 당시에 키에르케고어의 이 메시지가 헤겔 신학에 대한 가장 적절한 비판이 되었다. 이런 측면에서 우리는 키에르케고어를 현대 신학의 아버지라고까지 말할 수 있다. 사도 바울은 "아브라함의 이 믿음을 가진 자가 그리스도인이다"(롬 4:12)라고 말한다.

이 사건에는 두 가지 덕목이 존재한다. 하나는 '체념'이며, 또 하나는 '믿음'인데, 이때의 '믿음'은 어떤 소원성취에 대한 믿음이 아니라, '하나님에 대한 믿음'(창 15:6)이었다. 이것은 동전의 양면과도 같다. 아브라함은 하나님(여호와)께로부터 "이삭을 번제의 제물로 바치라"는 음성을 듣고 그는 '죽기'로 작정을 하였다. 그리고, 망설임 없이 '죽음'으로 걸어 들어갔다. 이것이 위의 "아브라함의 찬사"에 나타난 '체념'의 개념이었다.

이때 성경은 아브라함이 "하나님을 믿었다"고 말한다. 아브라함은 하나님에 대한 '믿음'으로 지체 없이, 도리어 하나님께 자신의 생명을 제물로 드린다는 마음으로 이것을 기꺼이 지체 없이 결정하였다. 성경에서는 이 '믿음'으로 그 '체념'을 결정하였다고 말한다.(창 15:6) 이 두 사건은 동시적으로 발생하는 덕목이었다.

그래서 '믿음'을 아는 자는 항상 체념을 한다. '체념'이 습관이 되어 있다. 그에게는 세상의 좋은 것에 대해서 아무 소망이 없다. 그래서 그는 무소유자나 마찬가지이다. 생명에 대해서도 마찬가지이다. 그래서 그는 순교자나 다름이 없다. 그는 세상에 대해 아무 욕망이 없다. 그는 세상을 향해 죽은 자가 되어있다. 아브라함은 이 훈련을 평생토록 해 왔으며, 이제 이 훈련한 것을 시험하는 때에 이르렀던 것이다.(창 22:1) 아브라함은 78세 정도 되었을 때에 이 '체념과 믿음'을 배웠는데, 그때에는 엘리에셀을 포기하면서 배웠다. 그리고 99세 정도 되어서 이스마엘을 포기하면서 또 다시 이 '체념과 믿음'에 대해서 배웠다. 그때마다 그는 세상의 모든 것을 포기했었다. 특히 그의 자손을 포기했었다. 당시의 시대적인 정황은 경찰력이 존재하지 않았기 때문에 스스로 자신의 생명을 보존하여야 했다. 이때 그에게 '자손'은 마치 생명과도 같았다. 그는 자신의 생명을 포기하는 방법을 평생토록 배웠고, 그 포기의 결단이 없이는 한 치도 불안을 해쳐 나올 길이 없었다. 그는 평생토록 순교자의 정신으로 살았다. 그가 체념하고 죽이고자 한 것은 '이삭'이 아니라, 바로 '자신'이었다. 즉, 하나님을 믿음으로 자신의 생명을 죽음에 내어주었던 것이다. 그는 항상 죽었고, 항상 다시 살아났다. 이것이 그의 삶이었으며, 그의 평생토록 삶의 태도였다.

이때 이삭도 아브라함과 동일한 것을 경험하였다. 심지어는 그 안에 그의 모든 후손을 포함하였다. 그래서 이 정신은 고스란히 이스라엘 자손들에게 승계되었으며, 후일에 제사제도로 자리 잡게 되었다. 그래서 이스라엘 백성들은 이 아브라함의 고백을 하면서 제물을 바쳤다. 따라서 그들이 여호와께 바친 것은 제물이 아니라, 바로 자신들의 생명을 바쳤다. 그리고 후에 예수 그리스도께서 이 제물로 이 세계 속에 등장하였다. 그러자, 이제 모든 그리스도인들이 이 아브라함의 고백을 하면서, 이 예수의 생명을 자신의 제물로 삼아 하나님께 바침을 통해서 자신들의 생명을 바쳤다. 이것이 기독교 신앙이다. 그리고 이것을 통해 기존의 모든 '심리적 실존'과 '윤리적 실존'들이 '종교적 실존'으로 거듭난다. 이것이 기독교의 '거듭남'이었다. 키에르케고어는 헤겔의 거대한 신학적 체계가 우리의 정신을 새롭게 하는 것이 아니라, 이 개별적 존재들의 개별적인 '믿음'이 절대자를 만나게 하고, '단독자'로 거듭나게 된다고 말하였다.

2. '체념'과 '믿음' : 종교적 실존의 출현

가. 불안

키에르케고어는 모든 '실존'이 가지고 있는 기본적인 정서는 '불안'이라고 한다. 그리고 이것이 있어야 우리의 진정한 실존이 깨어난다. '체념'과 '믿음'이라는 정서는 '불안'을 기본바탕으로 하지 않고는 성립될 수 없는 개념이기 때문이다. 키에르케고어는 이러한 측면에서 '불안'이라는 기본적 정서를 긍정적이고 유익한 것으로 받아들인다. 키에르케고어(침묵의 요하네스)는 아브라함의 이야기에서 이 문제를 간과하고 단순하게 아브라함을 찬양하는 설교자를 날카롭게 비판한다. 키에르케고어는 어떤 설교자가 아브라함의 행위를 '최선의 것'이라는 일반적인 찬양을 붙인 것에 대해서도 동의하지 않는다. 그러면서 '이삭 번제'라는 '죽음'과 같은 상황의 본질은 '불안'인데, 이것을 말하지 않고, 영웅적인 행위만을 말하는 것은 몹시 잘못된 설교라는 것이다. 그리고 이 '불안'이 있어야 '믿음'이 성립한다.

사람들은 아브라함의 영광을 찬양한다. 그렇지만 어떻게? 사람들은 이야기 전체에 완전히 빈약한 일반적인 표현을 부여한다. "아브라함이 자기의 최선의 것을 바치려고 할 정도로 하나님을 사랑한 사실은 위대한 일이 아닐 수 없다"라고, 그러나 "최선의 것"이라는 말은 모호한 표현이다. 그렇기 때문에 명상하는 자는 명상을 하며 유유자적 담배를 피울 수가 있고, 듣는 사람도 태평스럽게 다리를 앞으로 펴고 있을 수 있다.
…그는 아브라함과 같이 행동하려고 할 것이다. 자식이야말로 최선의 것이기 때문이다. 만약 아브라함에 관한 설교를 한 설교자가 이 사실을 알게 된다면 그는 아마도 그 자(이렇게 행동하려는 자)에게 달려갈 것이다. 그러고는… "이 개만도 못한 놈아. 이 세상의 쓰레기야. 자기의 자식을 죽이려 하다니, 도대체 어떤 고약한 악마에게 홀렸단 말이냐!" 아브라함에 관한 설교를 하였을 때는 열도 올리

지 않고 땀도 흘리지 않았던 이 설교자는 그러는 자기 자신에게 놀랄 것이다. (『공포와 전율』, 50-51)

아브라함이 한 일은 윤리적으로 표현한다면 이삭을 죽이려고 한 것이고, 종교적으로 표현한다면 이삭을 바치려고 한 것이다. 그런데, 바로 이 모순 속에 사람들이 잠을 이루지 못하게 할 수 있는 불안이 있는 것이다. 그리고 이 불안이 없으면 아브라함은 저 아브라함이 아닐 것이다.…

요컨대 믿음이란 것이 영(零)이나 무(無)로 변모되어 제거되고 말면, 뒤에 남는 것은 아브라함이 이삭을 죽이려고 했다는 잔인한 사실 뿐이다. 이 사실만을 윤내 낸다는 것은 믿음을 갖지 않은 어느 누구에게라도 아주 쉬운 일이다. 즉, 믿음이 아브라함을 모방하는 것을 어렵게 하고 있는 것이다.(『공포와 전율』, 55)

나. '체념'과 '믿음'의 이중운동

키에르케고어(침묵의 요하네스)는 이제 아브라함의 믿음을 이해하기 위해서는 아브라함의 처지에 들어가 본다. 키에르케고어가 이렇게 아브라함의 입장에 들어가 보았을 때, 자신도 체념할 수 있을 것 같았다. 그런데, 이것은 엄밀히 관찰해 보았을 때, 그것은 거짓말이었다. 그것은 '믿음의 대용품'에 불과하였다. 또 자신은 무한한 '믿음의 운동'을 일으켜보았다. 그런데, 그것은 또 다시 자신 속에서 안식하기 위한 운동에 불과하다는 것을 알게 되었다.

만약 내가 이렇게(비극적 영웅의 자격으로) 저 모리아산으로의 왕족과 같은 여행의 행차를 명령 받았다면, 그때 내가 어떻게 했을 것인가를 잘 알고 있다. 나는 비겁하게도 집에 머물러 있지는 않았을 것이다. 길가에 누워서 빈둥거리거나 칼을 잊어버리고 그래서 약간의 시간적 지연을 획책하지는 않았을 것이다. 아마도 정해진 시간에 거기에 도착하여 만반의 준비를 갖추었을 것이라고 나는 확신한다.… 말에 오르는 순간 나는 나 자신에게 이렇게 말하였을 것이다. "이제 만사는 끝장이 났다. 하나님께서는 이삭을 요구하셨다. 나는 이삭을, 그리고 이삭과 더불어 나의 모든 기쁨을 바쳤다.…" 만약 내가 그런 일을 정말로 했다고 한다면 어쩌면 그들 중에는 나의 행위가 아브라함이 행한 일보다도 더욱 위대한 일이라고 생각하며, 나에게도 그렇게 생각하게 하려는 사람들이 있을지도 모른다. 나의 엄청난 체념은 아브라함의 소심함보다도 훨씬 이상적이기도 하고 시적이기도 하기 때문이라는 것이다. 그렇지만 그것은 엄청난 거짓말이다. 왜냐하면 나의 엄청 난 체념이라는 것은 실은 믿음의 대용품에 불과하기 때문이다.

또 내가 무한한 믿음의 운동을 일으켰다고 하더라도, 그것은 어디까지나 내가 나 자신을 발견하고 다시 나 자신 속에서 안식하기 위한 운동에 불과하였을 것이 다. 나는 또 실제로 아브라함이 사랑하였듯이 이삭을 사랑하지 못하였을 것이 다. 내가 이 운동을 일으키려고 결심한 것은, 인간적으로 말한다면 나의 용기를 증명해 줄 수 있을지도 모를 일이다. 그러나 그 경우에도 내가 충심으로 이삭을 사랑했다고 하는 사실이 전제가 되어야 하는 것이고, 이 전제가 결핍된다면 전 체는 하나의 범행이 되고 만다.… (『공포와 전율』, 67-68)

키에르케고어는 "그렇다면, 아브라함은 어떻게 하였던가?"를 묻는다. 그에게는 이 '체념과 믿음' 양자의 '이중 운동'이 있었다고 말한다. 한편, 키에르케고어는 이 때의 아브라함의 믿음을 '부조리'라고 표현한다. 왜냐면, "이삭을 죽이라"는 '체념' 과 이것의 '철회'에 해당하는 "다시 산다"는 믿음은 전혀 앞뒤가 맞지가 않는 부조 리이기 때문이다.

그렇지만 아브라함은 어떻게 하였던가? 아브라함은 지나치게 빨리도, 그렇다고 해서 또 지나치게 늦지도 않았다. 그는 나귀에 올라 천천히 길을 갔다. 가는 도 중에도 그는 한결같이 (하나님을: 필자)믿었다. 만약 하나님께서 이삭을 요구하신 다면 그는 언젠가는 이삭을 기꺼이 바칠 생각이었지만 하나님께서는 이삭을 요 구하시지 않으시리라는 것을 그는 믿었다. 그는 부조리의 힘으로 믿었다. 왜냐하 면 거기에는 인간적인 타산이 문제될 여지가 없었고, 그에게 그 요구를 하신 하 나님이 다음 순간에 그 요구를 철회하신다고 한다면, 그것은 바로 부조리이기 때문이다.

그는 산에 올랐다. 그리고 칼이 번적인 순간까지도 그는 믿었다. 하나님께서는 이삭을 요구하시지 않으실 것이라고, 실로 그는 일의 결과에 놀랐을지도 모른다. 그러나 그는 이중운동을 통하여 최초의 자리에 다시 도달한 것이다. 그렇기 때 문에 그는 첫 번째보다도 더 기쁘게 이삭을 받았던 것이다.(『공포와 전율』, 68-69)

한편, 기독교에서는 이 두 운동 사이의 관계를 부단히 연구한다. 이에 의하면,

아브라함은 '믿음'으로 이삭을 '체념'하였다. 이것은 이 이삭번제사건의 모델이 되는 또 다른 사건인 '엘르에셀 포기'의 사건을 통해서 밝혀진다. 아브라함이 엘르에셀을 '포기(체념)한 사건'에 대해서 창세기 저자는 본문에 의하면, 먼저 여호와가 "나는 전능한 하나님이라, 나는 너의 방패와 상급이다"(창 15:1)고 말씀하시면서, 엘르에셀을 포기할 것을 말씀하셨다. 그 다음에 아브라함의 엘르에셀 '포기(체념)' 가 이루어진다. 그리고 궁극적으로 "아브라함이 하나님을 믿으매, 이것을 그의 의로 여기시고"(창 15:6)라고 말하고 있기 때문이다.

다. '믿음'과 '무한한 체념'의 관계

우리는 믿음으로만 체념할 수 있다. 이때 키에르케고어에 의하면, "무한한 체념 속에 평화와 안식이 있다"고 말한다. 그런데, 믿음은 반드시 이 체념으로만 표현된다고 말한다. 만일 체념을 하지 못하는 자가 있다면 그는 믿음을 가지고 있지 않다고 말한다.

무한한 체념 속에는 평화와 안식이 있다.…이 무한한 체념 속에는 고통 속에서의 위로와 평화와 안식이 있다. 그러나 운동을 제대로 수행하였을 경우에만 그렇다.… (『공포와 전율』, 90)

사람들은 정신을 거의 믿지 않는다. 그러나 이 운동을 수행하기 위해서는 바로 그 정신이 필요하다.(『공포와 전율』, 91)

무한한 체념은 믿음에 앞서 있는 마지막 단계다. 따라서 이 운동을 수행하지 못한 자는 모두 믿음도 가지고 있지 않다. 왜냐하면 무한한 체념 안에서만 비로소 나는 나 자신의 영원한 가치를 자각하기 때문이다. 그리고 그때라야 비로소 믿음을 통하여 이 세상을 파악한다는 것이 문제로 등장할 수 있기 때문이다. (『공포와 전율』, 92)

그러므로 믿음은 심미적 감동이 아니라 훨씬 차원이 높은 것이다. 바로 믿음이 체념을 전제로 하고 있기 때문이다. 믿음은 마음의 직접적인 충동이 아니라 이 세상의 역설이다.(『공포와 전율』, 94)

체념을 하는 데는 믿음이 필요치 않다. 내가 체념에서 얻는 것은 나의 영원한 의식이고, 이것은 순수한 철학적인 운동이기 때문이다. 이 운동이라면 나도 할 만한 자신이 있고, 또 나는 나 자신을 이 운동을 할 수 있게끔 훈련시킬 수도 있기 때문이다. 즉, 어떤 유한한 것이 나를 지배할 정도로 커지면 언제든지 나는 이 운동을 할 수 있을 때까지 단식하며 수행한다. 왜냐하면 나의 영원한 의식은 나의 하나님에 대한 사랑이고, 이 사랑이 나에게는 가장 숭고한 것이기 때문이다. 체념을 하는 데는 믿음이 필요치 않다. 그러나 나의 영원한 의식 이상의 것을 조금이라도 얻으려고 하면 그때는 믿음이 필요하다. 이것은 역설이기 때문이다. 사람들은 흔히 여러 가지 운동을 한다.

모든 것을 단념하기 위해서는 믿음이 필요하다고들 한다. 더 야릇한 일은 어떤 사람이 믿음을 잃고 슬퍼한다는 말을 듣는 일이다. 그런데 그 사람이 어느 단계에 있는가를 보려고 저울을 살펴보면 얄궂게도 그는 체념의 운동을 해야 할 지점에 겨우 도달해 있음을 알 수 있다. 체념으로써 나는 일체의 것을 단념한다. 나는 이 운동을 나 자신의 힘으로 한다. 만약 내가 그것은 나 자신의 힘으로 하지 않는다면, 그렇다면 나는 비겁하고 나약하고 감격함이 없기 때문이고, 인간 각자에게 배당된 고차원의 존엄성의 의미를, 즉 내가 나 자신의 감독관이라고 하는 사실, 로마의 장관보다 훨씬 높은 신분이라고 하는 사실을 느끼지 않기 때문이다. 이 운동을 나 자신이 한다. 그렇게 함으로써 내가 얻는 것은 나의 영원한 의식에 있어서 영원한 존재자에 대한 나의 사랑과 복된 화합에 있어서의 나 자신이다. 믿음으로 말미암아 나는 아무것도 단념하지 않는다.

반대로 나는 믿음으로 말미암아 일체를 얻는다. 즉, 겨자씨 한 알만큼의 믿음만 있어도 산을 옮길 수 있다는 바로 그런 의미에서다.… 시간적인 것 전체를 부조리한 힘을 빌려서 파악하기 위해서는 역설적이고 겸손한 용기가 필요하다. 그리고 이것이 믿음의 용기인 것이다. 아브라함은 믿음으로 이삭을 단념한 것이 아니라, 믿음으로 말미암아 이삭을 얻었다. 체념을 통하여 저 돈 많은 젊은이는 가진 것을 모두 버렸을지도 모른다.(필자: 마태복음의 부자청년 이야기를 의미) 만약 그가 체념 때문에 그렇게 했다고 한다면 믿음의 기사는 그에게 다음과 같이 말할 것이다. "부조리한 것의 힘을 통하여 당신은 한 푼도 남김없이 되찾을 것입니다. 틀림이 없을 것입니다."(『공포와 전율』, 96-98)

따라서 '하나님에 대한 믿음'에서 나오는 '무한한 체념'을 통하여 우리가 '종교적 실존'으로 나타난다는 것을 알 수 있다.

3. 윤리적인 것의 목적론적 정지 : 개별과 보편의 역전

가. '보편적 윤리'와 '개인적 믿음'

칸트에 의하면, 윤리는 어느 지역 어느 시대를 막론하고 모든 인류에게 보편타당하다. 이것은 인과율의 지배를 받지 않기 때문에 어떤 다른 무엇에 목적(*Telos*)를 두지 않는다. 따라서 어떤 개인이 자신의 상황에 비추어서 의로움을 주장하려고 하면, 그의 양심은 그에 대해서 곧바로 정죄한다. 이것은 칸트 『실천이성비판』의 주제이다.

한편, 헤겔은 『법 철학』에서 정신의 변증법적 작용을 칸트의 '실천이성'에 반영하여 한층 더 정치하게 발전시킨다. 그는 정신의 발전과정은 "주관정신-객관정신-절대정신"이라고 말한다. 그리고 인간의 행복(혹은 구원)이란 정신의 궁극적 단계인 절대정신에 대한 깨달음이라고 말한다. 이때 객관정신은 "법-도덕-인륜"의 발전단계를 거친다. 그는 윤리를 개인적 측면보다 사회적 역사적 측면을 더 중시여겼다. 그래서 그는 "보편적 이성에 기초한 규범을 준수하는 삶을 살아라"고 말한다. 또한, 그는 인륜에 대해서도 "가족-시민사회-국가"에 이르는 변증법적 발전을 말한다. 따라서 국가는 인륜으로서 절대 목적 그 자체라고 보았다. 그래서 개인의 윤리적 삶은 오직 국가의 구성원이 될 때에만 가능하다고 보았다. 그에게 역사는 이성적인 절대정신의 자기 실현과정이었다. 헤겔에게는 이와 같은 보편에 참여하는 것이 '유일한 의'였으며, 어떤 측면에서 보면 이것이 곧바로 '구원의 도'였다.

그런데, 이제 아브라함의 경우 이에 대한 역전현상이 나타났다. 아브라함의 이와 같은 개인적 '믿음'의 행위는 분명히 '보편 기준'에 의하면, '범죄'로 판명이 나지 '의롭다'는 말을 들을 상황은 아니었다. 그런데, 그는 창세기 15:6에서 "이 믿음으로 말미암아 의롭다" 함을 받았다. 키에르케고어 당시의 헤겔의 영향력은 절대적이었다. 키에르케고어는 헤겔에 대한 가장 탁월한 비판자가 되었다. 헤겔의 윤리관 혹은 구원관은 이제 이 키에르케고어의 질문에 답을 해야 하는 상황이었다. 키에르케고어의 투쟁은 결국 헤겔과의 투쟁이었다. 헤겔의 국가주의 윤리에 의해서 경시되었던 '개인의 실존'이 살아난 것이다. 키에르케고어는 실존주의의 창시자로 불리운다. 『공포와 전율』에 나타난 "윤리적인 것의 목적론적 정지"는 이것을 주제로 한 글이다.

먼저, 키에르케고어(침묵의 요하네스)는 칸트의 『실천이성비판』을 원용하여 윤리적인 것은 보편타당한 진리라고 말한다. 이것은 그것 자체의 목적만을 가지지 어떤 다른 인과율에 얽매이지 않는다. 이러한 실천이성은 우리 이성에게 최고 기관의 기준이다. 또 여기에서 헤겔에 의하면, 개인적인 도덕들이 서로 상충을 일으킬 경우에는 공동체의 윤리가 그보다 더 보편적이다. 개별적인 윤리는 보편적 윤리에 의해 정죄를 받는 것이다.

윤리적인 것은 그것이 윤리적인 한에 있어서 보편적인 것이고, 그것이 보편적인 한에 있어서 모든 사람에게 타당한 것이다. 다른 관점에서 표현한다면, 언제 어떤 순간에나 타당한 것이라 하겠다. 윤리적인 것은 자기 자신 속에 내재적으로 머물러 있고, 자신의 텔로스(목적)라고나 할 것을 자기 바깥에 가지고 있지 않으며, 그 자신이 자기의 바깥에 가지고 있는 일체에 대한 텔로스인 것이다.

그리고 윤리적인 것이 텔로스를 자기 속에 간직하고 있는 한 윤리적인 것은 앞으로 나아가지 못한다. 직접적으로 감각적이고 심령적인 것으로 규정되면, 개별자는 보편적인 것 속에 자기의 텔로스를 가지는 개별자이고, 그의 윤리적인 과제는 자기 자신을 항상 보편적인 것 속에 표현하고 자기의 개별성을 지양하고 보편적인 것이 되는 일이다. 이 개별자가 보편적인 것에 대하여 자기의 개별성을 주장하려고 하면 그 순간 개별자는 죄를 범하게 된다. 그리고 이 자기의 죄를 승인하지 않고서는 다시 보편적인 것과 화해할 수 없다.

개별자가 보편적인 것 속으로 들어가 버린 후에도 개별자로서의 자기를 주장하려고 하는 충동을 느낀다면 그때마다 개별자는 유혹에 빠져 있다고 할 수 있으므로, 뉘우치고 또 개별자로서의 자기 자신을 버리고 보편적인 것 속에 몰입함으로써만 이 유혹 속에서 빠져 나올 수가 있다.

만약 이것이 인간과 인간의 이 세상에서의 생존양식에 관해서도 그렇다고 말할 수 있는 최고의 것이라고 한다면, 윤리적인 것은 영원히 그리고 모든 순간에 있어서 인간의 텔로스인 인간의 영원한 축복과 같은 성질을 갖는다.(『공포와 전율』, 108-109)

그런데, 키에르케고어는 위의 헤겔이 말은 어떤 측면에서는 옳다. 그러나 '믿음'에 대하여는 옳지 않으며, 아브라함의 사건에 대해서 항의를 하지 않은 것 또한 옳지 않다고 말한다. 키에르케고어는 이에 대해 "믿음이란 곧 개별자가 보편적인 것보다도 높은 곳에 있다는 역설이다"고 말한다.

만약 이것이 사실이라면, 헤겔이 선과 양심에 관한 장에서 인간을 한낱 개별적인 존재로만 규정하고 있는 것은 옳고, 또 이 규정을 인륜적인 것의 목적론 안에서 지양되어야만 할 '악의 도덕적인 여러 형식'이라고 간주하고, 따라서 이 단계에 머물러 있는 개별자는 죄를 범하든가 그렇지 않으면 유혹에 빠질 수 밖에 없다고 한 것도 옳다. 이에 반하여 헤겔이 이 믿음에 관하여 언급한 바는 옳지 않고, 또 아브라함은 살인자로 투옥되고 추방되어야만 할 터인데도 믿음의 아버지로서의 명예와 찬양을 받고 있는 사실에 대하여 소리 높여 분명히 항의하고 있지 않음은 옳지 않다.

믿음이란 곧 개별자가 보편적인 것보다도 높은 곳에 있다는 역설이다. 그러나 주의해야 할 일은 이 운동은 반복되는 것이고, 따라서 개별자가 처음에 보편적인 것 안에 있다가 후에 와서는 보편적인 것보다도 높은 곳에 있는 개별자로서 고립된다고 하는 역설이다.…(『공포와 전율』, 109-110)

나. '믿음'의 역설

키에르케고어는 개별자가 보편을 제치고, 곧바로 절대자에 의하여 절대자에 이르는 과정을 '믿음의 역설'이라고 말한다. 일잔적 형이상학적 체계에 의하면, 모든 개별자는 어떤 보편에 의해서 인식론적 상승을 이루게 된다. 그리고 그 보편은 또다시 보편을 기준으로 하여 상승을 이룬다. 이때 최고의 보편자는 '절대적 선'이었다. 이러한 기준에 의하면, 아리스토텔레스의 『니코마쿠스 윤리학』에서의 절대자에 이르는 방법은 '윤리'라는 '보편'에 충실할 때였다. 일반적인 보편이 매개가 되어서 '최고선'에 이르렀던 것이다. 그런데, '믿음의 의'는 절대자에 의해서 직접적으로 '그의 애인'으로 끌어올려진 관계였다. 이러한 관계에는 보편자의 매개가 필요 없었다. 이것을 키에르케고어는 '믿음의 역설'이라고 말한다.

믿음이란 곧 개별자가 개별자로서 보편적인 것보다 높고, 보편적인 것에 거슬릴 권리가 부여되어 있고, 그 밑에 종속하는 것이 아니라 그 위에 군림한다는 역설이다. 그러나 주의해야 할 점은 개별자가 개별자로서 보편적인 것 밑에 종속되었다가 그 후에 이제는 보편적인 것을 통하여 개별자로서 보편적인 것 위에 군림하는 애인이 된다는 역설, 즉 개별자가 개별자로서 절대자에 대하여 절대적인 관계에 선다는 역설이다. 이 입장은 매개되지 않는다. 왜냐하면 모든 매개는 바로 보편적인 것의 힘을 빌려서 이루어지는 것이기 때문이다. 이 입장은 현재에도 그렇고 영원히 역설로 남는다. 그리고 이것은 사유가 근접하기 힘든 것이다.

믿음은 바로 이 역설인 것이다. (『공포와 전율』, 111-112)

다. 윤리적인 것의 정지

키에르케고어는 '믿음의 사람'의 행동은 '부조리한 것의 힘'을 빌려 행동한다고 말한다. 그의 행동은 자칫 윤리적인 것이 아닐 수도 있다. 그는 윤리라는 매개에 의해서 행동하지 않는다. 키에르케고어는 이것을 자신은 이해할 수 없는 '부조리' 라고 말한다. 한편, 국가를 위해서 자신의 딸을 희생한 아가멤논이나, 자식을 처형 하도록 명령한 브루투스와 같은 어떤 '비극적인 영웅'이 있다면, 그들은 윤리라는 매개에 의해서 위로를 받는다. 그러나 아브라함의 경우에는 설령 이삭이 죽어버렸 다고 해도, 이러한 대립을 통일하는 '윤리'라는 '중간규정'이 존재하지 않는다.

아브라함은 부조리한 것의 힘을 빌려 행동한다. 왜냐하면 그가 개별자로서 보편 적인 것보다 위에 있다고 하는 바로 그것이 부조리한 일이니까. 이 역설은 매개 될 수 없다. 왜냐하면 그가 매개를 가지고 행동하려는 순간, 그는 유혹에 빠져있 음을 인정하지 않을 수 없을 것이고, 또 유혹에 빠져있다면 그는 결코 이삭을 희생할 생각을 못했을 것이고, 혹시 이삭을 바쳤다고 해도 후회하고 보편적인 것으로 뒤돌아 올 것이기 때문이다. 그는 부조리한 것의 힘을 빌려 이삭을 되얻 는다. 그러므로 아브라함은 어떤 순간에도 비극적 영웅이 아니고, 그와는 전혀 다른 그 무엇이다. 즉, 살인자가 아니면 믿음의 사람이다.
비극적인 영웅을 구원하는 중간규정, 다시 말해서 서로 대립한 것을 통일하는 매개인 중간규정을 아브라함은 가지고 있지 않다. 비극적인 영웅을 이해할 수가 있고, 또 어떤 광기적인 의미에서 다른 누구보다도 아브라함에 대해 경탄해 마 지 않는 나이지만, 내가 아브라함을 이해하지 못하는 이유는 바로 여기에 있는 것이다.(『공포와 전율』, 114)

'믿음의 사랑' 아브라함에게는 '윤리적 정지'가 발생한 것이다. 어떻게 보면 보편 적인 것 위에 이러한 모든 보편들의 보편이 최종적인 '텔로스(목적)'이기 때문일 것 이다.

비극적 영웅과 아브라함의 차이는 쉽게 눈에 띈다. 비극적 영웅은 아직도 윤리 적인 범위 안에 머물러 있다. 그는 윤리적인 것의 표현인 텔로스(목적)를 윤리적인 것보다 높은 곳에 두고 있다.…

아브라함의 경우는 상황이 다르다. 그는 그의 행동으로써 윤리적인 것 전부를 밟고 넘어갔다. 그리고 한층 높은 텔로스를 윤리적인 것의 바깥에 가졌고, 이 텔로스와의 관계에 있어서 그는 윤리적인 것을 정지시켰다.…

아브라함이 보편적인 것을 밟고 넘어선 것은 민족을 구하기 위해서도 아니고, 또 화를 내고 있는 여러 신들을 달래기 위해서도 아니다.… 아브라함의 모든 행위는 보편적인 것과는 아무런 관계가 없고, 순전히 사사로운 일이다 그렇다면 비극적 영웅은 그의 인륜적인 덕 때문에 위대하지만, 아브라함은 순전히 개인적인 덕 때문에 위대하다는 결론이 나온다.(『공포와 전율』, 118-119)

그 기사는 하나님의 심복, 하나님의 벗이 된다는 것을, 전적으로 인간적인 표현을 사용한다면 비극적 영웅도 하나님을 삼인칭으로밖에는 부를 수 없는데도 그는 하나님을 '당신'이라고 부를 수 있다는 것을 예감할 것이다. (『공포와 전율』, 158)

5절 '절망의 변증법'과 '단독자'

키에르케고어는 1848년 3월에서 5월 동안 『죽음에 이르는 병』을 썼다. 그리고 안티-클리마쿠스라는 이름으로 1849년에 발표하였다. 이 책은 키에르케고어의 장기간의 사색을 집약해 놓은 작품이다.

1. '자기'와 '절망'

가. '자기'의 구조와 인간의 실존

키에르케고어는 그의 『죽음에 이르는 병』서문에서 요한복음 11:4에서 나사로를 향하여 말한 "그 병은 죽을 병이 아니다"라는 예수 그리스도의 말씀을 통해서 인간의 육체적인 질병이나, 심지어는 죽을 병까지도 "그것은 죽음에 이르는 병이 아니다"라고 말한다. 오히려 그리스도교적으로 이해할 때, "삶 보다 죽음 안에 무수히 많은 희망이 있다"(『죽음에 이르는 병』, 임규정 역, 50)고 말한다. 진정한 의미에서 "절망이 죽음에 이르는 병이다"고 말한다.

키에르케고어는 "절망은 정신의 병, 자기의 병이다…"(『죽음에 이르는 병』, 55)고 말하면서, 논의를 시작한다. 그리고, 이 '자기의 병' '정신의 병'을 설명하기 위해 먼저 '자기의 구조'를 말한다. '정신'이 곧 '자기'인데, 이 '자기'는 '자기 자신'과 관계를 맺는다. 어떻게 보면 '자기'의 상태를 고스란히 반영한다는 이야기이다. 이 이야기가 동어반복과 같지만 이 '정신'이 처한 환경을 고려하면 그렇지 않다. 왜냐하면 '인간'은 무한한 것(영원한 것, 자유)과 유한한 것(시간적인 것, 필연)의 '종합'이기 때문이다. 이 '종합'이 '자기'에 반영되기 때문이다. 따라서 맨 처음의 '자기'는 '정신'을 말하지만, 그 다음의 '자기' 혹은 '자기 자신'은 이 본문에서는 스스로 '지칭된 정신'을 말한다.(한편, 여기에 나타나는 '자기 자신'은 새롭게 나타나는 '더 좋은 자기, 영원한 자기' 등을 의미한다.)

인간은 '정신'과 '육체'로 구성이 되어 있다. 이때 '정신'은 무한한 것을 상상한다. 이때 헤겔은 이 '정신'의 이러한 활동을 '현실'과 고스란히 일치를 시키고 그의 『정신현상학』을 기술한다. 이때 이 '정신'은 거대한 체계를 이룬다. 이에 반하여 키에르케고어는 이 '정신'은 그의 상상이 원대하면 원대할수록 육체의 한계라는 '필연'에 의하여 '절망' 속에 빠져버린다. '정신'의 '가능성' 속에 나타난 '현실성'으로서의 '절망'이다. '자기'로서의 '정신'은 이 한계에 갇힌 '자기 자신'으로서의 '정신'을 보고 '절망'하는 것이다. 인간은 이와 같이 종합이며, 이로 보건대 인간은 아직 '자기'가 아니다. 여기에서의 '자기'는 이 한계를 극복해낸 '단독자'로서의 '더 나은 자기'를 말한다. 이 틀이 『죽음에 이르는 병』의 전체적인 틀이다. 다음의 본문은 이러한 이해를 반영한다.

> 인간은 정신이다. 그런데 정신은 무엇인가? 정신은 자기이다. 그러면 자기는 무엇인가? 자기는 자기 자신과 관계하는 관계이며 또는 그 안에서 자기 자신과 관계하는 관계이다. 자기는 관계가 아니라 자기 자신과 관계하는 관계이다. 인간은 무한한 것과 유한한 것의, 시간적인 것과 영원한 것의, 자유와 필연의 종합이며, 간단히 말해서 종합이다. 종합은 그 둘의 관계이며, 이렇게 보건대 인간은 아직 자기가 아니다.(『죽음에 이르는 병』, 55)

따라서 '자기'는 '자기 자신'과 관계를 하게 되는데, 이 관계는 '영혼'과 '육체' 사이의 관계로서 이어져 있다. 그리고 만일 이 관계가 정립되었다면, 이제 이러한 관계로 인해 '자기 자신'은 제3의 것으로 나타나며, 이것이 곧 '진정한 자기'이다. 그런데, 이때 이 관계의 정립에는 '육체'의 한계라는 절망의 요소가 있었다. 이 한계 극복은 스스로에 의하건, 타자에 의하건 누군가에 의해서 이루어지게 되었을 것이다. 이때, 인간 스스로 인간의 한계를 극복하는 것은 불가능하므로, 이러한 극복은 '타자'를 통해서일 것이다. 이로 보건대, 인간의 자기는 그처럼 파생된, 정립된 관계이며, 자기 자신과 관계할뿐더러 자기 자신과 관계하는 가운데 타자와도 관계하는 관계이다.

그 둘의 관계에서, 관계는 부정적인 통일로서 제3의 것이며, 그 둘은 관계에 이어져 있되 관계 안에서 관계에 이어져 있다. 이리하여 영혼의 조건 아래에서는 영혼과 육체 사이의 관계는 하나의 관계이다. 만일, 그렇기는 하지만, 그 관계가 자기 자신과 관계한다면, 이러한 관계는 긍정적인 제3의 것인데, 그런즉 이것이 자기이다.
이처럼 자기 자신과 관계하는 그러한 관계, 즉 자기는 그 자신을 정립하였던지 아니면 타자에 의해서 정립되었을 것이다.
만일 자기 자신과 관계하는 관계가 타자에 의해서 정립되었다면, 그렇다면 그 관계는 사실 제3의 관계인데, 그러나 이 관계, 즉 제3의 관계는 그렇지만 또 다시 하나의 관계이며 더욱이 관계 전체를 정립한 것과 관계하고 있다.
인간의 자기는 그처럼 파생된, 정립된 관계이며, 자기 자신과 관계할뿐더러 자기 자신과 관계하는 가운데 타자와도 관계하는 관계이다.(『죽음에 이르는 병』, 55-56)

우리는 앞에서 자기 자신을 정립할 때, "스스로의 관계를 통해 정립 할 수도 있으며, 타자와의 관계를 통해서 정립할 수 할 수 있다"고 우리는 말하였다. 이때 키에르케고어는 "자기가 (절망한) 자기 자신 그대로 이기를 원하는 형태는 있을 수 없다"고 말한다. 오히려 "(절망한) 자기 자신이기를 원하지 않고, 관계 전체를 정립한 존재와 관계하는 형태만 가능하다"고 말한다. 절망의 형태는 이렇게 크게 두 가지 형태라고 말한다. 그 내용은 다음과 같다.

(인간의 자기는 그처럼 파생된, 정립된 관계이며, 자기 자신과 관계할뿐더러 자기 자신과 관계하는 가운데 타자와도 관계하는 관계이다.) 이것이 바로 엄밀한 의미에서 두 가지 형태의 절망이 있을 수 있는 까닭이다. 만일 인간의 자기가 자기 자신 스스로를 정립하였다면, 그렇다면 딱 한 가지 형태, 즉 자기 자신이기를 원하지 않는, 자기 자신을 없애고 싶어 하는 형태만 가능할 것이며, 절망하여

자기 자신이기를 원하는 형태는 있을 수 없을 것이다. 이 두 번째 형식은 특히 그 관계(자기)의 전적인 의존에 대한 표현, 즉 스스로는 평형과 안정 상태에 도달하지도 못하고 또 그 상태를 누릴 수도 없는 자기의 무능력에 대한 표현이며, 오직 자기 자신과 관계하는 가운데 관계 전체를 정립한 존재와 관계함으로써만 그런 게 가능하다는 사실에 대한 표현이다.

그렇다. 절망의 이 두 번째 형태(절망하여 자기 자신이기를 원하는 것)는 그저 절망의 한 특이한 종류를 가리키는 게 아니라, 그와는 반대로 모든 절망이 궁극적으로는 그것으로 소급되고 또 귀착될 수 있는 그런 형태이다.(『죽음에 이르는 병』, 56-57)

나. 절망의 출처 : 자기의 가능성과 현실성

키에르케고어에 의하면, 인간의 절망은 그의 '정신'의 무한한 '가능성'이 유한한 육체의 '필연'에 갇힌 자기의 결여된 '현실성'으로 인해 발생한다. 즉, 무한과 유한의 종합으로 인해 절망이 발생한다.

그렇다면, 절망은 장점인가 단점인가? 이것은 정신의 무한한 가능성에서 나온 것이기 때문에 탁월한 장점이다. 이러한 '가능성'은 인간에게만 있고 동물에게는 없기 때문이다. 그리고 이 절망의 결과 인간의 정신은 '타자로서의 정신'과 관계를 하게 되기 때문에 이것은 행복이기도 하다. 그럼에도 절망에 빠져 있는 것은 최악의 재난이자 불행이다. 그런데, 키에르케고어는 이때 이러한 절망의 '현실성'은 일반적인 현실성과 가능성으로 불리면 안 된다고 말한다. 이것은 양자택일적인 관계가 아니다. 이것은 차라리 '현실화된 가능성'으로 불리어야 한다.

절망은 장점인가 단점인가? 순전히 변증법적으로 말하자면, 그것은 둘 다이다. 만일 절망에 빠져 있는 사람은 전혀 고려되지 않은 채 오로지 절망에 대한 추상적인 관념만 고찰된다면, 절망은 탁월한 장점으로 간주되어야 할 것이다. 이러한 질병이 가능성은 동물에 대한 인간의 우월성이며, 이러한 우월성 때문에 인간은 자신의 직립보행에 의한 것과는 다른 방식으로 동물과 구별되는데, 왜냐하면 그것은 무한한 직립성 내지 고귀함, 즉 그가 정신이라는 사실을 가리키고 있기 때문이다. 이러한 질병의 가능성은 동물에 대한 인간의 우월성이다. 이러한 질병을 자각한다는 것은 자연인에 대한 그리스도교인의 우월성이다. 이러한 질병으로부터 치유된다는 것은 그리스도교인의 행복이다.

결론적으로 절망할 수 있다는 것은 무한한 이점이며, 그런데도 절망에 빠져 있는 것은 최악의 재난이자 불행이다. 아니, 그것은 파멸이다. 일반적으로는 이것은 가능성과 현실성의 관계에는 해당되지 않는다.

… 이것은 일반적으로 현실성과 가능성의 관계에는 적용되지 않는다. 모두 인정하듯이, 사상가들은 현실성은 부정된 가능성이라고 말하지만, 이것은 전혀 사실이 아니다. 그것은 성취된 것, 현실화된 가능성이다.(『죽음에 이르는 병』, 60)

절망은 이와 같이 '자기'가 '자기 자신'과 관계하는 종합이라는 관계에서 발생한 것이다. 따라서 이 종합은 잘못된 관계가 아니며, 그것은 그저 가능성일 뿐이다. 그렇다면, 현실성으로서의 '절망'은 그 자체적으로 존재하는 그러한 형태의 '절망'이 아니라, 인간의 본질 그 자체에 존재하는 그 무엇이게 된다. 따라서 절망은 인간 자신에게 있다. 만일 그가 종합이 아니라면, 그는 전혀 절망할 수 없을 것이다. 한편, 이 종합은 '정신의 가능성'과 '육체의 필연성'의 종합이었다. 여기에서 나타난 '현실성'이 곧 절망이었다. 그렇다면, 이 '절망'을 해소할 자는 누구인가? 그 육체의 한계를 극복하게 할 '타자'로서의 '신' 밖에 없다. 그렇기 때문에 키에르케고어는 또한 이 '절망'은 인간은 이러한 '자기의 관계'로 구성하신 분, 곧 '하나님'께로부터 온 것이라고 말한다.

절망은 자기 자신과 관계하는 종합이라는 관계에서의 잘못된 관계이다. 그렇지만 그 종합은 잘못된 관계가 아니다. 그것은 그저 가능성일 뿐이며, 혹은 그 종합에 잘못된 관계의 가능성이 있다. 만일 그 종합이 잘못된 관계라고 한다면, 절망은 결코 존재하지 않을 것이며, 그렇다면 절망은 인간의 본질 그 자체에 존재하는 그 무엇일 것이다. 다시 말하건대 그것은 절망이 아닐 것이다. 그것은 우연히도 인간에게 닥치게 되는 그 무엇일 것이며, 인간이 굴복하는 질병처럼, 혹은 모든 인간의 운명인 죽음처럼 인간이 겪는 그 무엇일 것이다. 아니다. 아니다. 절망은 인간 자신에게 있다. 만일 그가 종합이 아니라면, 그는 전혀 절망할 수 없을 것이다.

어디에서, 그렇다면 절망은 오는가? 종합이 자기 자신에게 관계하는 그 관계로부터 온다. 하나님, 곧 인간을 관계로 구성하신 분께서, 말하자면 그 관계를 당신의 손에서 풀어 놓으시기 때문이다. 요컨대 그 관계가 자기 자신과 관계하기 때문이다. 또한 그 관계는 정신이기 때문에, 자기이기 때문에, 그 관계에 모든

절망에 대한 책임이 근거를 두고 있다.…(『죽음에 이르는 병』, 60-61)

사정이 이러한 까닭은 절망하는 것이 일종의 정신의 조건인 데다, 또한 인간의 영원한 것과 관련되기 때문이다. 그렇기 때문에, 인간은 자신에게서 이 영원한 것을 없앨 수가 없다. 아니, 영원히 그것은 불가능하다. 그렇기 때문에 절망하는 것도 또한 그와 같다.

사정이 이러한 까닭은 절망하는 것이 일종의 정신의 조건인 데다, 또한 인간의 영원한 것과 관련되기 때문이다. 그렇지만 그는 자신에게서 영원한 것을 없앨 수가 없다. 아니, 영원히 그것은 불가능하다. 그는 아무리 해도 그것을 버릴 수 없으며, 그 어떤 것도 그보다 더 불가능하지는 않다. 그가 절망을 품지 않는 순간은, 그가 절망을 내던져버렸음에 틀림없거나 혹은 그것을 지금 버리고 있음에 틀림없다. 그러나 그것은 돌아오거니와, 요컨대 그가 절망에 빠져 있는 매 순간마다 그는 자신의 절망을 자기 자신에게로 끌어 들이고 있는 것이다. 왜냐하면 절망은 잘못된 관계에 기인하는 것이 아니라, 자기 자신과 관계하는 관계에 기인하는 것이기 때문이다. 사람은 자기 자신에 대한 관계에서 벗어날 수 없는 것처럼 자기에게서도 벗어날 수 없는데, 이는 결국 같은 것인 바, 왜냐하면 자기는 자기 자신에 대한 관계이기 때문이다.(『죽음에 이르는 병』, 62-63)

다. 강화되는 절망 : "죽음에 이르는 병"으로서의 절망

이 '절망'이라는 "죽음에 이르는 병"은 그 결과가 죽음인 병을 의미한다. 즉 이 것은 '불치병'과 동의어이다. 그렇다고 하여서 이 '죽음'이 육신적인 죽음을 의미하는 것이 아니다. 그러다보니 이 '고통'은 죽으려 해도 죽을 수 없는 병이다.

'절망'이라는 '정신의 병'은 '정신'의 활동을 전제로 한다. 이 정신은 인식적으로, 감성적으로, 의지적으로 무한한 자신의 능력을 펼쳐낸다. 그런데, 그것의 현실은 제한이었다. 여기에서 영혼의 통증으로서 '절망'이 출현한 것이었다. 따라서 이 절망의 고통은 영혼의 부르짖음이다. 영혼의 부르짖음이기 때문에 그 고통이 본질적이며, 그것은 영혼의 죽음에까지 이르게 한다.

이 '절망'은 그의 '정신'이 존재하는 한, 그것은 사라지지 않는다. 그리고 이것은 그의 영혼이 그것을 태워 없애려고 하면 할수록 강화된다. 이것이 '강화의 법칙'이다.

이 개념, 즉 죽음에 이르는 병은, 그렇지만, 특별한 방식으로 이해되어야 한다. 말 그대로 이것은 결과가 죽음인 질병을 의미한다. 그렇기 때문에 우리는 '불치의 병'이라는 표현을 죽음에 이르는 병과 동의어로 사용한다.… 만일 엄밀한 의미에서 죽음에 이르는 병에 대한 그 어떤 물음이 있다고 한다면, 그 병은 곧 그 끝이 죽음이고 또 죽음이 그 끝인 그런 질병이어야 한다. 이것이 바로 절망이라고 하는 것이다.

그렇지만 또 다른 의미에서 절망은 그보다 훨씬 더 명확하게 죽음에 이르는 병이다. 사실대로 말하자면 그 누구도 이 병으로 생명을 잃을 가능성이나 또는 이 병이 육체적 죽음을 결과할 가능성은 털끝만큼도 없다. 오히려 절망의 고통은 바로 이처럼 죽으려 해도 죽을 수 없는 무능력이다. 따라서 그것은 병상에 누워 죽음과 투쟁하고 있으면서도 그러나 죽을 수도 없는 불치병에 걸린 사람의 상황과 오히려 공통점을 훨씬 더 많이 지니고 있다. 그렇기 때문에 죽음에 이르는 병을 앓고 있다는 것은 죽으려 해도 죽을 수 없다는 것인데, 그런데도 이는 삶의 희망이 있는 것 같은 상황도 아니다. 천만에, 희망 없음은 최후의 희망, 즉 죽음조차도 없다는 것이다. 절망이 죽음에 이르는 병이라는 것은 이 마지막 의미, 즉 영원히 죽어가야 하는, 또 죽어가면서도 죽을 수 없는, 죽음을 죽어야 하는 이 고통스러운 모순, 이러한 자기의 질병이라는 의미에서이다.…

만일 사람이 질병으로 죽는 것처럼 절망으로도 죽는다고 한다면, 그 안에 있는 영원한 것, 즉 자기는 육체가 질병으로 죽는 것과 같은 의미에서 죽을 수 있어야 한다. 그런데, 이것은 불가능하다. 절망으로 인한 죽음은 끊임없이 삶으로 전환된다. 절망에 빠져 있는 사람은 죽을 수 없다. "칼이 사상을 죽일 수 없는 것처럼" 절망은 영원한 것을, 즉 절망의 뿌리에 자리 잡고 있는 자기를 태워 없앨 수가 없는데, 절망의 벌레는 죽지 않거니와 또 그 불도 꺼지지 않는다.

그럼에도 불구하고 절망은 분명히 자기를 태워 없애려는 것이지만, 그 자신이 하고 싶어 하는 것을 할 수 없는, 헛되이 "자기를 태워 없애려는 것"이다. 절망이 하고 싶어 하는 것은 그 자신을 태워 없애는 것, 그 자신이 할 수 없는 어떤 것인데, 이러한 무기력은 자기를 태워 없애는 또 하나의 새로운 형태인 바, 이러한 형태의 절망은 또다시 자기가 하고 싶어 하는 바, 즉 그 자신을 태워 없애는 일을 할 수가 없다. 이것은 강화, 또는 강화의 법칙이다. 이것은 절망의 도발성 내지 차가운 불인데, 이러한 끊임없는 고통은 헛되이 자기를 태워 없애버리려고 더욱 더 깊이 파고든다. 그를 태워버리지 못하는 절망의 무능력은 절망에 빠져 있는 그 사람에게는 결코 위안이기는커녕 오히려 위안과 정반대의 것이다.(『죽음에 이르는 병』, 63-65)

라. 절망의 보편성

키에르케고어에 의하면, 절망은 인간에게 보편적이라고 말한다. 위의 논증이 말하는 것처럼 '정신'을 가진 자에게는 누구에게든지 '절망'은 존재한다. 그렇기 때문에 절망은 드문 것이라는 통속적인 견해는 전적으로 잘못이다.

의사들이 흔히 살아 있는 사람 가운데 완벽하게 건강한 이는 단 한 명도 없을 것이라고 말하는 것처럼, 인간을 제대로 아는 사람이라면 누구든지, 살아 있는 사람은 단 한 사람도 예외 없이 조금이라도 절망하고 있으며, 미지의 그 무엇이나 혹은 그 자신이 감히 알려고도 하지도 않는 어떤 것 등과 관련된 근심, 내면의 갈등, 부조화, 불안, 혹은 실존에서의 어떤 가능성과 관련된 불안, 혹은 실존에서의 어떤 가능성과 관련된 불안, 또는 자기 자신에 대한 불안 등을 마음 속에 내밀하게 품고 있을 뿐만 아니라. 그런 까닭에 의사가 몸 안에 병을 지니고 돌아다닌다고 이야기하는 것처럼, 병을 지니고 이리저리 돌아다니고, 그 자신이 설명할 수 없는 불안 안에서 그리고 그러한 불안을 통해서 아주 드물게 그 모습을 나타내는 정신의 병을 안고 다닌다고 말할 것이다.(『죽음에 이르는 병』, 71) 그렇기 때문에 절망은 드문 것이라는 통속적인 견해는 전적으로 잘못이다. 오히려 절망은 보편적인 것이다. 자기는 절망에 빠져 있지 않다고 생각하거나 느끼는 사람은 모두 절망에 빠져 있지 않다고 주장하거나 혹은 자기는 절망에 빠졌다고 말하는 사람만 절망에 빠져 있는 것이라고 주장하는 통속적인 견해는 전적으로 그릇된 것이다. 그와 반대로 자신은 절망하고 있다고 솔직하게 말하는 사람은,… 치유될 가능성에 변증법적으로 더 근접해있다.(『죽음에 이르는 병』, 78)

마. 키에르케고어의 '자기의 관계'와 '절망'에 대한 평가

위의 내용은 기독교 신학자들에게는 가볍게 여기지는 이야기일 수 있지만, 위의 이야기가 철학의 체계 속에 자리 잡고 있다는 점에서는 굉장히 큰 이야기이다. 현대 철학사의 발전과정을 한 마디로 열거하고 있기 때문이다.

먼저, 우리는 '정신'의 존재를 어떻게 입증할 것인가? 키에르케고어는 이 '절망'에 대한 논리적 이해를 통해서 '정신'의 존재를 '경험적'으로 입증하였다. 유물론자들은 정신의 존재를 인정하려 하지 않는다.

두 번째, 키에르케고어는 '필연'에 갇힌 '정신'을 발견함을 통해서 헤겔 철학의 오류를 발견하였다. 헤겔은 유한자의 '정신'을 무한자의 '정신'과 동일한 종류라고 말하였다. 그래서 그는 '정신'과 '현실'을 동일선상에서 보았다. 이러한 '정신'은 거대한 체계를 형성하게 되는데, 키에르케고어는 이것을 '정신의 가능성'으로서의 '공상'이라고 하였다. 이러한 공상이 추론을 통하여 계속적으로 확장되면, 어떤 일이 벌어지겠는가? 신만이 이룰 수 있는 거대한 체계를 갖출 것이다. 헤겔은 이와 같이 하여서 인간의 정신이 절대정신에 이른다고 말하였다. 키에르케고어는 그러한 가능성이 전개된 것만큼, '절망'이 뒤따른다고 말하였다. 그리고 이것이 인간의 실존이라고 말하였다. '정신'만 좋고 볼 때, 인간은 '하나님의 형상'이지만, '정신과 육체'를 함께 놓고 볼 때 인간의 '정신'은 '죽음의 병에 걸린 자기'일 뿐이다. 이것이 인간의 '실존'이었다.

헤겔은 우리 인간의 '정신(이성)'을 '하나님의 형상'관련하여 '하나님의 정신'과 그 본질이 같다고 말한다. 그래서 그는 '정신(이성)' 속에 있는 그 '힘' 때문에 '정신'과 '현실'을 동일하게 바라본다. 그러한 근거 하에 '정신'의 '변증법'을 설명한다. 이에 반하여 키에르케고어는 이 개별자로서의 인간의 정신은 절대정신(보편자)과 단절된 정신이라고 말한다. 인간의 본질을 '하나님의 형상'으로 볼 수 있지만, 이 인간의 실제 모습은 '절대정신(보편자)과 단절된 정신(개별자)'으로서의 '실존'이다. 현대의 모든 실존주의자들의 실존 개념은 모두 키에르케고어의 이 '보편자와의 단절'이라는 이 '실존'개념에 기반하여 그들의 철학을 전개하고 있다. 헤겔의 낭만주의는 이와 같이 키에르케고어의 '실존'에 의해서 좌절하게 된다.

세 번째, 키에르케고어는 '경험'으로서의 '실존'의 문제로 시작하였다. '절망'은 모두가 보편타당한 경험으로 수용하고 있기 때문이다. 그는 '절망'의 문제를 통해 '정신'의 실재성을 먼저 입증하고, 여기에서 논의를 시작한다. 그의 '실존'에 대한 담론은 '실존주의'에서 계속 되는데, 결국 실존주의의 주제는 '정신'에 관한 문제였다. 그는 '정신'을 철학적 담론으로 끌어 들이는데 성공하였다.

이러한 '실존주의적' 연구는 얼마 지나지 않아서, 그 실존을 구성하는 실질적인 존재인 '무의식적 자아'의 연구로 이어지게 된다. 그것이 곧 '구조주의 철학'이다. 이 '무의식적 자아'의 연구는 '언어-구조주의', '사회-구조주의', '심리-구조주의', '신화-구조주의'에 이르게 되는데, 특히 '신화 구조주의'에 의해서 이 무의식적 자아는 어떤 '신적 존재'와 관련을 맺고 있음이 드러난 것이다. 그가 곧 위의 키에르케고어가 말하는 '타자'였다.

철학은 이제 철학의 담론에서 이 '타자'를 지울 수 없게 되었다. 그러한 시도는 현대철학에서 먼저 '절망'을 지워야 하며, 그 다음에 이것을 근거로 출발한 '실존주의'를 지워야 하고, '타자'로 이어지는 '구조주의 철학' 전체를 지워야 한다. 키에르케고어는 이어지는 담론에서 이 '절망'의 원인이 '무한'을 추구하는 '정신'과 그것이 '타자'와 단절 된 데에서 기인하였음을 발견하였다.

필자의 견해에 의하면, 우리는 이런 차원에서 키에르케고어를 현대 철학의 아버지라고 불러도 좋을 것으로 본다.

2. 의식의 변증법적 종합 : 절망의 여러 형태

가. 의식적 종합

자기와 자기 자신의 관계 사이에는 '무한성'과 '유한성'의 종합이라는 하나의 관계가 존재한다. 이때 자기는 '정신'이기 때문에 '자유'인데, 인간의 정신으로 인한 '가능성'과 육체로 인한 '필연성'의 변증법적 양상에 제한을 받는다. 이때 '절망'이 출현하는데, 이것은 사실 '의식'의 범주에 속한다. 결국 키에르케고어에서부터 이미 '(정신으로서의)무의식'과 '의식'의 두 자아가 나타난 셈이다.

이때 의식이 이 '절망'을 어떻게 파악하느냐에 의해서 '절망의 여러 형태'들이 출현하게 된다. 그리고 이러한 형태들이 그 인간의 '실존유형'을 결정하게 된다. 이와 같이 인간에는 '의식'이 결정적이다. 이 '의식'이 더해질수록 '자기'도 더해진다. 또한 궁극적으로 이 의식에서 나타난 '의지'가 '결단'을 하게 되는데, 이에 의해서 '자기'는 '더 나은 자기'를 찾게 된다. 특히 실존유형 중에서 '아브라함'은 종교적 유형에 속하는데, 이때의 '의지'는 '체념과 믿음'을 통해 '타자(신)'를 이 관계 속에 끌어들여 '인간의 한계'를 극복한다. 이렇게 '진정한 자기'를 찾게 해주는 그러한 의식을 키에르케고어는 '의식'과 구분하여 '자기 의식'이라고 부른다.

절망의 형태들은 종합으로서의 자기를 구성하는 요소들을 반성함으로써 추상적으로 도달될 수 있다. 자기는 무한성과 유한성으로 이루어져 있다. 그런데 이 종합은 하나의 관계이다. 그리고 이것은 파생적이기는 하지만, 작ㅣ자신과 관계하는 관계이고 자유이다. 자기는 자유이다. 그런데, 자유는 가능성과 필연성을 범주들의 변증법적 양상이다.

그렇지만 절망은 의식의 범주 안에서 고찰되지 않으면 안 된다. 절망이 의식되어 있는가 되어 있지 않은가 하는 것이 절망과 절망 사이의 질적 차이를 나타낸다. 그렇다 하더라도 모든 절망은 개념적으로 본다면 의식되고 있다. 그러나 이것은 그 개념에 따라서 절망에 빠져 있다고 적절하게 말해질 수 있는 사람이 스스로 그것을 의식하고 있다는 것을 의미하는 것은 아니다. 따라서 의식이 결정적이다. 일반적으로 말해서 의식 - 즉, 자기의식 - 은 자기와 관련하여 결정적이다. 저 의식이 더해질수록 자기도 더해진다. 의식이 더해질수록 의지도 더해진다. 의지가 더해질수록 자기도 더해진다. 의지가 전혀 없는 사람은 결코 자기가 아니다. 그러나 의지를 더 강하게 가질수록 사람은 자기의식을 더 갖게 된다. (『죽음에 이르는 병』, 83-84)

나. 무한성과 유한성에 의해 규정된 '절망'

키에르케고어에 의하면, '자기'가 '더 나은 자기'가 되는 '종합'은 '의식'이 수행하는데, 그것은 오직 '신과의 관계'를 통해서만 수행될 수 있다고 말한다. 왜냐면 '자기(정신)'의 '가능성'을 실현시켜 줄 자는 '신' 밖에 없기 때문이다. '육체'와 관계된 '자기'는 그로부터 제한을 받고, '현실성'으로서의 '절망'만을 산출시킬 뿐이다. 여기에서 '의식'의 '체념과 믿음'의 결단을 통해 긍정적인 종합을 이룰 때, 새로운 '자기'가 '생성'된다.

자기는 자기 자신과 관계하는 무한성과 유한성의 의식적 종합이며, 자기의 과제는 자기가 되는 것이다. 그런데 그것은 오직 신과의 관계를 통해서만 수행될 수 있다. 자기가 된다는 것은 구체적으로 된다는 것이다. 그러나 구체적으로 된다는 것은 유한적으로 되는 것도 아니고 무한적으로 되는 것도 아니다. 왜냐하면 구체적으로 된다고 하는 것은 실로 하나의 종합이기 때문이다. 따라서 생성의 과정은 자기의 무한화 과정에서 자기 자신으로부터 무한히 멀어지는 것이며, 유한화 하는 과정에서 자기 자신에게로 무한히 돌아오는 것이어야만 한다. 그러나 자기가 자기 자신이 되지 않는다면, 그러한 것을 알든 모르든 자기는 절망에 빠져 있다. 그러나 자기가 현존하는 모든 순간에 자기는 생성의 과정에 있다. 왜냐하면 가능적 자기는 현실적으로 현존하는 것이 아니고, 다만 생성되어야 하는 것이기 때문이다. 자기가 자기 자신이 되지 않는 한, 자기는 자기 자신이 아니다. 그러나 자기 자신이 아니라는 것은 정확히 절망이다.(『죽음에 이르는 병』, 84)

키에르케고어는 "무한성의 절망은 유한성을 결여하고 있는 것이다"고 말한다. 예컨대, 오직 무한하게 되기를 원하는 모든 인간의 실존은, 인간의 실존이 무한하게 되었거나 또는 무한하게 되기를 원할 때마다 절망이다. 왜냐하면 자기는 종합이기 때문이다. 그런데, 이것은 '공상'이다. 그리고 이 공상은 단순한 능력이 아니라, 모든 능력을 대표하는 능력이다. 키에르케고어는 이러한 공상이 '인식, 감정, 의지'의 영역에서 일어난다고 말한다. (키에르케고어에 의하면, 헤겔은 정신의 이 기능만을 선택하여 그의 논리를 전개하였다.) 그런데, 이 공상은 무한한 절망을 야기시킨다. 심지어는 신 앞에 서 있는 사람일수록 자기에게로 되돌아오지 못하고, 공상 속에 머물게 된다.

무한성의 절망은 유한성을 결여하고 있는 것이다. 이것이 그렇다는 것은 종합으로서의 자기에 고유한 변증법에서 기인하는 것이다. 절망의 형태는 직접적으로 (즉, 비변증법적으로) 규정될 수 있는 것이 아니라 오직 그것의 대립을 반성함으로써 규정될 수 있다. 절망자의 상태는 직접적으로 묘사될 수 있다.… 그러나 절망은 그것의 대립을 통해서만 규정될 수 있다.… 아마 무한하게 되었거나, 또는 오직 무한하게 되기를 원하는 모든 인간의 실존은, 인간의 실존이 무한하게 되었거나 또는 무한하게 되기를 원할 때마다 절망이다. 왜냐하면 자기는 종합이며 그것의 유한성은 한정시키는 계기이고 무한성은 확대시키는 계기이기 때문이다. 따라서 무한성의 절망은 공상적인 것, 무한한 것이다. 왜냐하면 자기가 바로 절망함으로써, 신에게 투명하게 의지할 때에만 건강하며 또 절망에서 해방되기 때문이다.
공상적인 것은 물론 공상과 아주 밀접하게 관련되어 있다. 그러나 공상은 감정, 인식, 의지와 관련되어 있다. 그러므로 인간은 공상적인 감정, 인식, 의지를 가질 수 있다. 공상은 일반적으로 무한화의 매체이다. 그것은 다른 능력들이 그저 그런 것과는 달리 단순한 능력이 아니다. 이렇게 말해도 된다면, 그것은 모든 능력을 대표하는 능력이다.… 공상은 무한화 하는 반성이다.… 자기란 반성이다. 그리고 공상도 반성이며 자기 가능성으로서의 자기 연출이다. 공상은 어떤 그리고 모든 반성의 가능성이며, 이런 매체의 강렬함은 자기의 강렬함의 가능성이다. 공상적인 것은 인간을 자기에게서 멀어지게 할 뿐이며, 그렇게 함으로써 인간이 자기 자신에게로 되돌아가는 것을 방해하는 그런 방식으로 일반적으로 인간을 무한한 것으로 인도한다.

감정이 이런 식으로 공상적으로 될 때, 자기는 더욱더 사라져 갈 뿐이고, 자기는 비인간적으로 어떤 인간에게도 속하지 않으며, 결국에는 비인간적으로,… 일종의 추상적 감성이 되어 버린다.

인식의 경우도 그것이 공상적으로 될 때에는 사정이 같다. 인식의 입장에서 본 자기의 전개 법칙은, 자기가 진실로 자기 자신이 되는 한, 인식의 증가는 자기 인식의 증가에 대응한다는 것이며, 자기가 알면 알수록 자기는 자기 자신을 더 많이 안다는 것이다. 그러나 그렇지 않다면, 인식이 더해질수록 더욱더 일종의 비인간적인 인식이 되는데,…

의지가 공상적으로 될 때 자기도 점차 증발된다.…

가령 종교적 분야에서 그렇다. 물론 신과의 관계는 사람을 무한화한다. 그러나 이 무한화는 인간을 너무 공상 속으로 몰아넣게 되어서 그를 도취상태로 있게 한다. 신 앞에서 실존한다는 것은 인간에게 견딜 수 없는 것과 같다. 왜냐하면 그는 자기 자신에게로 되돌아갈 수 없으며, 자기 자신이 될 수 없기 때문이다.…
(『죽음에 이르는 병』, 85-88)

다. 가능성과 필연성에 의해 규정된 절망

키에르케고어는, 가능성과 필연성은 생성에 똑같이 본질적이다고 한다. 자기에는 유한성과 무한성이 속해 있듯이 가능성과 필연성에도 속해 있다. 어떤 가능성도 갖고 있지 않은 자기는 절망에 빠져있다. 마찬가지로 어떤 필연성도 갖고 있지 않은 자기도 절망에 빠져있다. 가능성의 절망은 필연성을 결여하고 있는 것이다. 만일 가능성이 필연성을 뛰어넘고 그 결과 자기가 가능성에 있어서 자신으로부터 이탈한다면, 자기는 자신이 돌아가야 할 필연성을 소유하지 못한다. 이것이 가능성의 절망이다. 이런 자기는 추상적 가능성이 된다.

여기에서 자기가 결여하고 있는 것은 사실 현실성이다. 키에르케고어는 이에 대해 "현실성은 가능성과 필연성의 종합이다"고 말한다. 본질적으로 없는 것은 복종하는 힘이고, 자신의 삶의 필연성에 복종하는 힘이며, 자신의 한계라고 불리는 것에 복종하는 힘이기 때문이다.

"가능성의 절망은 필연성을 결여하고 있는 것이다." 이것이 그렇다는 것은 이미 말한 바 있지만, [종합으로서의 자기에 고유한] 변증법에 기인한다. 유한성이 무한성에 대한 관계에서 한정하는 축이듯이, 필연성은 가능성에 대한 관계에서 한정하는 것이다. 자기는 유한성과 무한성의 종합으로 성립되고 잠재적이므로, 자신이 되기 위해서 자기는 상상을 매개로 자신을 반성하며 그럼으로써 무한한 가능성이 명백해진다. 잠재적으로 자기는 필연적인 것만큼 가능적이다. 왜냐하면 자기는 자신이기 때문이다. 그러나 자기는 자신이 되는 과제를 안고 있다. 자기가 자신인 한에서 자기는 필연적이다. 그리고 자기가 자신이 되는 과제를 안고 있는 한에서 자기는 가능성이다.

그러나 만일 가능성이 필연성을 뛰어넘고 그 결과 자기가 가능성에 있어서 자신으로부터 이탈한다면, 자기는 자신이 돌아가야 할 필연성을 소유하지 못한다. 이것이 가능성의 절망이다. 이런 자기는 추상적 가능성이 된다. 자기는 가능성 안에서 지칠 때까지 발버둥치지만, 자기가 있는 곳에서 벗어나지도 못하고 그 어떤 곳에도 도달하지 못한다. 왜냐하면 필연적인 것은 문자 그대로 그런 장소이기 때문이다. 자신이 된다는 것은 문자 그대로 그런 장소로부터 벗어나는 운동이다. 생성된다는 것은 그런 장소 안에서의 운동이다.

그래서 가능성은 자기에게 더욱 더 커 보인다. 더욱더 많은 것이 가능해진다. 왜냐하면 아무것도 현실적이지 않기 때문이다. 결국 모든 것이 가능한 것처럼 보인다. 그러나 정확히 이것은 심연이 자기를 삼켜버리는 그 지점이다.…(『죽음에 이르는 병』, 92-94)

여기에서 자기가 결여하고 있는 것은 사실 현실성이다. 그리고 역시 일상언어로 우리는 어떤 사람이 비현실적으로 되었다고 말한다. 그러나 자세히 살펴보면 그가 실제로 결여하고 있는 것은 필연성이다. 철학자들은 필연성을 가능성과 현실성의 종합이라고 설명할 때 잘못을 범한다. 그런 것이 아니라, 현실성이 가능성과 필연성의 종합이다.… 본질적으로 없는 것은 복종하는 힘이고, 자신의 삶의 필연성에 복종하는 힘이며, 자신의 한계라고 불리는 것에 복종하는 힘이다.(『죽

음에 이르는 병』, 94-95)

라. 믿음의 변증법

인간의 절망에는 이제 아무런 희망이 없다. '정신'은 무한한 것을 가능성으로 바라보고 있고, '육체'는 유한하여 필연성 속에 갇혀 있다. '정신'은 이제 발버둥 치면 발버둥 칠수록 절망 속에 빠진다. 이제 '의식'은 한계를 맞게 된다. 키에르케고어는 인간이 극단에 이르게 되고서야 비로소 진지한 결단이 나오게 된다고 말한다. 인간은 기본적으로 신에는 모든 것이 가능하다는 것을 믿는다. 이제 그의 의식은 이 '신'을 믿을 것인가, 말 것인가를 결정해야 한다. 이것은 의식적인 행위이다. 여기에서 '믿음'을 선택한다는 것은 '오성상실'을 전제로 하여야 한다. 이에 의하면, 신에게로 갈 수 밖에 없다. 키에르케고어는 여기에서 『공포와 떨림(두려움과 떨림)』의 아브라함의 믿음을 가져온다. 그 믿음은 "체념과 (하나님에 대한)믿음"으로 구성되어 있었다. 이것은 기복적인 믿음이 아니라, 신에 대한 믿음이었다.

결정적인 것은 신에게는 모든 것이 가능하다는 것이다. 이것은 영원한 진리이며 따라서 매 순간 계속해서 진리이다. 이것은 정말 알려진 진리인데, 관습적으로 이렇게 표현되고 있다. 그러나 인간적으로 말해서 가능성이 전혀 없을 때 인간이 극단에까지 이르게 되고서야 비로소 진지한 결단이 나오게 된다. 그 다음에 문제는 그가 신에게는 모든 것이 가능하다는 것을 믿을 것인가, 즉 그가 믿을 것인가 말 것인가 하는 것이다. 그러나 이것은 오성을 상실하기 위한 바로 그 형식이다. 믿는다는 것은 정말 신을 얻기 위하여 오성을 상실하는 것이다.…
인간적으로 말한다면, 이때 구원은 전적으로 불가능하다. 그러나 신에게는 모든 것이 가능하다! 이것이 신앙의 싸움이며, 미친 듯이, 이렇게 말하고 싶다면, 가능성을 위해 싸우는 것이다. 왜냐하면 가능성이 유일한 구원이기 때문이다.…
이렇게 싸움은 진행된다. 싸우는 자가 멸망하느냐 안하느냐 하는 것은 오로지 그가 가능성을 얻느냐 얻지 못하느냐, 즉 그가 믿느냐 안 믿느냐에 달려있다. 그러나 그는 인간적으로 말한다면 자신의 멸망이 전적으로 확실하다는 것을 알고 있다. 이것이 믿음의 변증법이다. 일반적으로 사람은 이러저러한 일이 아마도 자신에게는 일어나지 않을 것이라는 점만을 알고 있을 뿐이다. 그러나 이 일이 일어나면, 그것이 그의 파멸이 될 것이다. 무모한 인간은 이런저런 가능성이 있는 위험 속으로 돌진한다.… 그렇지만 그는 믿는다. 이런 까닭에 그는 파멸하지 않는다.… 인간적으로는 그것이 자신의 파멸이라는 것을 알면서도 가능성을 믿는 것이 신앙이다. 그래서 신도 그를 돕는다.(『죽음에 이르는 병』, 97-100)

3. '의식'에 의해 나타나는 '실존의 3유형'

가. 절망적 무지 : 심미적 실존

키에르케고어는 "의식에 의해 규정된 절망"이라는 주제로 논의를 시작하면서 맨 먼저 소개하는 것은 "절망이라는 것을 알지 못하는 절망, 또는 자기와 영원한 자기를 갖고 있다는 것에 대한 절망적 무지"를 소개한다. 이러한 사람은 감성적인 것과 감성적-심령적인 것에 철저히 지배되고 있기 때문이다. 이러한 실존은 '심미적 실존유형'으로서 돈 후안이 대표적인 인물이다. 이러한 사람은 '무정신성'의 사람인데, 정신이 주는 유익을 전혀 누리지 못한다. 이들의 절망은 그 향락이 끝날 때 드러난다. 그 내용을 다음과 같이 소개한다.

왜 그런가? 왜냐하면 그는 감성적인 것과 감성적-심령적인 것에 철저히 지배되고 있기 때문이며, 그는 감성적 범주, 즉 쾌, 불쾌 속에서 살고 있기 때문이며, 정신, 진리 등등과 작별을 고했기 때문이며, 너무 감성적이어서 모험을 ㅈ하거나 정신으로 존재하는 것을 감내할 용기가 없기 때문이다.… 즉, 그들은 정신이라는 것에 대한 어떤 개념도 가지고 있지 않으며, 인간이 도저히 도달할 수 있는 절대적인 것에 대한 그 어떤 개념도 가지고 있지 않다.(『죽음에 이르는 병』, 106)

모든 인간은 정신으로 존재하도록 구성된 육체적-심령적 종합이다. 이것이 그의 집인 것이다. 그런데 그는 지하실에 사는 것을 선호한다. (『죽음에 이르는 병』, 106)

무정신성을 특징짓는 불안은 바로 그것의 무정신적 안전감에 의해 인지된다. 마찬가지로 절망도 근저에 있다. 그리고 환각의 황홀경이 끝날 때, 실존이 비틀거리기 시작할 때, 그때에는 절망도 근저에 있던 것으로서 즉시 나타난다.(『죽음에 이르는 병』, 107)

무정신성의 심미적 범주는 무엇이 절망이고 무엇이 절망이 아닌가 하는 것을 재는 기준을 제시하지 않는다.(『죽음에 이르는 병』, 110)

나. '연약함'의 절망 : 윤리적 실존

키에르케고어에 의하면, 절망이라는 것을 의식하면, "영원한 것이 있는 자기"가 자기에게 있다는 것을 의식하게 된다. 심미적 실존유형의 경우에는 '감성'만 드러나고 '반성'이 너무 약하여서 절망을 의식하지도 못하고, 따라서 자기 안에 "영원한 것이 있는 것"을 알지 못한다. 그러나 '반성'이 있는 경우에는 이 '자기 의식(영원한 자기에 대한 의식)'이 드러난다. 그런데, 이때 이 '자기 의식'에 대해 이 '영원한 자기'이기를 원하는 경우가 있으며, '연약함'으로 인해서 "절망하여 자기 자신(영원한 자기)이기를 원하지 않는 경우"가 있다. 후자를 '연약함의 절망'이라고 하며, '여성적 절망'이라고 하고, 이러한 사람은 '윤리적 실존'에 머물게 된다. 이 사람의 경우, 접하게 되는 절망은 두 가지인데, 하나는 "지상적인 것에 대한 절망"과 "영원한 것의, 또는 자신에 대한 절망"이다.

a. 지상적인 것에 대한 절망

특히 이러한 사람이 절망하는 것은 일반적으로 그 '절망의 이유'가 "지상적인 것, 또는 지상적인 어떤 것에 대한 절망"이다. 이러한 경우의 '절망'은 순수한 직접성이거나 양적절망으로서, 여기에는 그 어떤 무한한 의식도 없다. 절망은 단지 수단일 뿐이며, 외부적 요인의 압박에 굴복하는 것일 뿐이다.

"지상적인 것, 또는 지상적인 어떤 것에 대한 절망"으로서, 이것은 순수한 직접성이거나 또는 양적 반성을 포함하는 직접성이다. 여기에는 자기에 대한, 절망이 무엇인지에 대한, 절망의 상태로서의 조건에 대한 그 어떤 무한한 의식도 없다. 절망은 단지 수난일 뿐이며, 외부적 요인의 압박에 굴복하는 것일 뿐이다.(『죽음에 이르는 병』, 117)
직접성이 어떤 반성을 지니고 있다고 생각될 때, 절망은 좀 변경된다. 자기에 대한 좀더 정도가 더해진 의식이 생겨나고, 그에 따라서 절망의 본성과 절망으로서의 인간의 상태에 대한 의식이 생겨난다. 그러한 개인이 절망하고 있다는 것에 대해 말하는 것은 무언가를 의미한다. 그러나 그 절망은 본질적으로 연약함의 절망이며 하나의 고통이다. 그것의 형태는 자신이기를 원하지 않는 절망이다.(『죽음에 이르는 병』, 123)
그는 문제가 사라질 것이라고 생각한다.… 그는 자신이기를 원하지 않는다. 아마 이것은 지나갈 것이며, 아마도 변화가 일어날 것이다. 그리고 이런 어두운 가능성은 아마 잊혀질 것이다. 그것이 계속 되는 한, 말하자면 그는 변화가 시작되었는지를 알아보기 위해 가끔씩만 자신을 방문할 뿐이다. 변화가 시작되는 순간, 그는 다시 집으로 돌아가 그가 말하듯 "다시 자신이 된다." 그러나 그것은 다만 그가 중단했던 곳에서 시작하는 것을 의미할 뿐이다. 그는 어떤 지점까지는 자기였지만, 그 이상 나아가지를 못했다.(『죽음에 이르는 병』, 125)

그는 소설에서처럼 이제 몇 년 동안 행복한 결혼생활을 해왔으며 활동적이고 진취적인 남자이며, 아버지이자 시민이고, 어쩌면 중요한 사람이기도 하다. 집에서는 하인들이 그를 '주인님'이라고 부르며, 시내에서는 '명사'이다.… 그는 교양있는 그리스도교인 중 한 사람이다. 불멸의 문제가 가끔 그를 사로잡으며, 목사에게 그런 불멸성이 존재할 수 있는지,… 여러 번에 걸쳐 묻곤 한다.… 그는 자기가 없기 때문이다.(『죽음에 이르는 병』, 126)

그 결과 자기의 영혼에 대해 염려한다는 것과 정신이고자 하는 것은 이 세상에서는 시간낭비로 생각한다.… 그들은 목사에게 구원을 보장받는 그리스도교인들이다.(『죽음에 이르는 병』, 128)

b. '영원한 것, 또는 자신'에 대한 절망 : 자기의식의 출현

키에르케고어에 의하면, 위에서 언급한 "지상적인 어떤 것에 대한 절망은, 본래 영원한 것과 자신에 대한 절망"이다. 이것이 원래 '절망의 공식'이었다. 그러나 자각하지 못하고 있을 뿐이었다. 따라서 이런 절망은 의미 있는 진전이다. 이제까지의 절망이 '연약함의 절망'이라면, 이것은 '자신의 연약함에 대한 절망'이기 때문이다. 그런데, 중요한 것은 그는 자신의 절망을, 그가 영원한 것에 대해 절망하고 있다는 것을 의식하게 되었다는 것이다. 즉, 그 진전이란, 자기의식이 처음으로 나타났다는 것이다. 즉 자기 안에 영원한 무엇이 있다는 개념을 지니게 되었다는 것이다. 사람이 자신에 대해 절망하려 한다면, 자신에게는 자기가 있다는 것을 자각하여야만 한다. 그런데, 그럼에도 불구하고 이 '연약함의 절망'은 절망하여 자신이기를 원하지 않는 절망이 된다.

지상적인 것에 대한 절망, 또는 지상적인 어떤 것에 대한 절망은 그것이 절망인 한, 본래 영원한 것과 자신에 대한 절망이다. 왜냐하면 이것이 정말 모든 절망의 공식이기 때문이다. 그러나 위에서 묘사된 절망하는 개인은, 말하자면 그의 뒤에서 일어나고 있는 일을 자각하지 못한다. 절망하는 사람은 지상적인 어떤 것에 대해 절망하고 있으며 또 절망하는 것에 대해 늘 이야기한다고 생각하지만, 그는 영원한 것에 대해 절망하고 있다. 왜냐하면 그가 지상적인 것에 그처럼 큰 가치를 부여한다는 사실은, 또는 이것을 더 자세히 말한다면 그가 지상적인 어떤 것에 그와 같은 큰 가치를 부여한다는 것, 또는 그가 처음에 지상적인 것을 전 세계로 만들고 그런 다음 지상적인 것에 그와 같은 큰 가치를 부여한다는 사실은 실로 영원한 것에 대해 절망하는 것이기 때문이다.

이런 절망은 의미 있는 진전이다. 이제까지의 절망이 연약함의 절망이라면, 이것은 자신의 연약함에 대한 절망이다. 이것은 반항의 절망과는 다른 연약함의 절망이라는 범주 안에 아직도 머물러 있지만 말이다. 따라서 상대적인 차이가 있을 뿐이다. 즉 처음의 형태는 연약함의 의식을 그것의 마지막 의식으로 갖고 있지만, 여기에서 의식은 그것에서 멈추지 않고 새로운 의식, 자신의 연약함에 대한 의식이 된다는 차이가 있다. 절망에 빠진 사람 자신은 지상적인 것을 그처럼 중요시하는 것, 절망하는 것이 연약함이라는 것을 이해하고 있다. 그러나 절망에서 신앙으로 확실하게 돌아서서 자신의 연약함을 탓하며 무릎을 꿇는 대신에, 절망 속에 빠져들어 자신의 연약함에 대해 절망한다. 이렇게 하여 그의 전체적인 관점이 뒤바뀐다. 이제 그는 자신의 절망을, 그가 영원한 것에 대해 절망하고 있다는 것을, 그가 자신에 대해 절망하고 있다는 것을, 너무 나약해서 지상적인 것에 그렇게 큰 의미를 부여하고 있다는 것을 더욱 분명하게 의식하게 되는데, 이것이 이제 그에게 그가 영원한 것과 자신을 상실하였다는 절망적인 표지가 되는 것이다.

그 진전은 다음과 같다. 자기의식이 처음으로 나타난다. 왜냐하면 영원한 것에 대해 절망한다는 것은 자기의 개념, 즉 자기 안에 영원한 무엇이 있다거나, 또는 자기가 자기 안에 영원한 무엇을 갖고 있었다는 개념을 지니지 않고서는 불가능하기 때문이다. 사람이 자신에 대해 절망하려 한다면, 자신에게는 자기가 있다는 것을 자각해야만 한다. 그는 이것에 대해 절망하고 있고, 지상적인 것이나 지상적인 어떤 것에 대해서가 아니라 자신에 대해서 절망하고 있다. 더욱이 여기에는 절망이 무엇인지에 대한 더 강화된 의식이 있다. 왜냐하면 절망은 정말 영원한 것과 자신의 상실이기 때문이다.…

그럼에도 불구하고 이 절망은 절망하여 자신이기를 원하지 않는 절망의 형태로 분류된다.(『죽음에 이르는 병』, 133-135)

다. '자기'이기를 원하는 '반항'의 절망 : 종교적 실존

앞에서의 '연약함'은 여성적 절망인데 반하여, 여기에서의 절망은 남성적 절망이다. 그러나 만일 절망하는 인간이 변증법적으로 한 걸음 나아간다면, 즉 자신이 왜 자신이기를 원하지 않는가를 안다면, 여기에는 변동이 생긴다. 이에 대한 '반항'이 생기는 것이다. 의식의 상승이 있으며, 무한한 자기에 대한 의식이 싹트게 된다. 그리고 그 어떤 대가를 치르고서 라도 자기 자신을 찾기를 원하게 된다. 그는 무한한 형태라는 것에 의해 그의 자기를 구성하고 싶어한다.

위에서 서술된 절망의 종류는 사람의 연약함에 대한 것이었다. 절망하는 개인은 자신이기를 원하지 않는다. 그러나 만일 절망하는 인간이 변증법적으로 한 걸음 나아간다면, 만일 그가 왜 자신이기를 원하지 않는가를 안다면, 거기에는 변동이 있고, 반항이 있다. 절망하여 그가 자신이기를 원하는 바로 그 이유 때문에 그렇다.

지상적인 것, 또는 지상적인 어떤 것에 대한 절망이 먼저 오고. 그 다음에 영원한 것, 자신에 대한 절망이 온다. 그 다음에 반항이 오는데, 반항은 정말 영원한 것의 도움을 받은 절망이고, 절망하여 자신이 되기를 원하는 자기의 내부에 있는 영원한 것의 절망적인 남용이다. 그러나 곧 반항은 영원한 것의 도움을 받은 절망이기 때문에, 어떤 의미에서 진리에 매우 가깝다. 그리고 반항은 진리에 매우 가깝기 때문에, 진리로부터 무한히 멀리 떨어져 있다. 신앙으로 향하는 통로인 절망은 영원한 것의 도움을 받아 온다. 영원의 도움을 받아 자기는 자신을 얻기 위해 자신을 상실할 용기를 가진다. 그러나 여기에서 자기는 자신을 상실하는 일부터 시작하려고 하지 않고, 자신이기를 원한다.

절망의 이런 형태에서 자기에 대한 의식의 상승이 있으며, 따라서 절망이란 무엇인지에 대한 그리고 자기의 상태가 절망이라는 것에 대한 의식의 상승이 있다. 여기에서 절망은 자신을 하나의 행위로 의식한다. 그것은 외부의 압박을 받은 고난처럼 밖으로부터 오는 것이 아니라, 직접 자기로부터 온다. 따라서 반항은 자기의 연약함에 대한 절망과 비교해보면 정말 새로운 규정이다.

절망하여 자신이기 위해서는 무한한 자기에 대한 의식이 있어야 한다. 그러나 이 무한한 자기는 정말 자기의 가장 추상적인 형태, 가장 추상적인 가능성일 뿐이다. 그리고 절망에 빠진 사람이 자기를 설정한 힘에 대한 모든 관계로부터 자기를 끊어서 떼어버리고, 그러한 힘이 있다는 관념으로부터 자기를 끊어서 떼어

버리고, 그러한 힘이 있다는 관념으로부터 자기를 끊어서 떼어버리면서 되고자 하는 것은 바로 자기이다. 이 무한한 형태의 도움으로 절망에 빠진 자기는 자신의 주인이기를. 자신을 창조하기를, 자기를 자신이 되고자 원하는 자기로 만들기를, 그의 구체적인 자기의 내부에 갖고자 하거나 갖지 않으려 하는 것을 결정하고 싶어 한다.(『죽음에 이르는 병』, 142-143)

그는 무한한 형태라는 것에 의해 그의 자기를 구성하고 싶어 한다. 이런 절망의 일반적인 명칭이 공모된다면, 그것은 스토아 주의라고 불릴 수 있을 것이다.(『죽음에 이르는 병』, 144)

키에르케고어에 의하면, 이 '절망하는 자기'에는 이 문제를 스스로 해결해 보려 하는 '행동적인 자기'가 있고, '수동적인 자기'가 있다. 이때 행동적인 자기는 자신의 성을 쌓는데, 궁극적으로 드러나는 것은 '무'로 드러나며, 그의 모든 도모는 해체된다.

절망에 빠진 자기가 행동하는 자기라면, 아무리 대단하다고 하더라도, 아무리 놀랍다고 하더라도, 아무리 끈질기게 추구된다고 하더라도, 그것이 무엇을 시도하든 간에, 자기는 끊임없이 단지 상상적 구성을 위해서만 자신을 자신에게 관계시킨다. 자기는 자신을 능가하는 어떤 힘도 인정하지 않는다.…

따라서 절망하는 자기는 허공에 성을 짓고 있을 뿐이며, 결정적인 행동을 피하고 있을 뿐이다.… 그리고 전체의 토대는 무이다. 절망 속에서 자기는 자신을 신으로 만들고, 자신을 발전시키고, 자신이라는 총체적인 만족을 즐기고 싶어한다.… 그러나 마지막 분석에서 자기가 자신으로 이해하는 것은 수수께끼이다. 자기가 건물을 완성했다는 것에 가장 근접했다고 보이는 순간에, 자기는 자의적으로 모든 일을 무로 해체시킨다.(『죽음에 이르는 병』, 145-146)

한편, 절망하는 자기가 수동적이라면, 그 절망은 행동적으로가 아니라, 도리어 절망함을 통하여 자신이기를 원한다. 그리고 그 경우에는 그 자신을 찾는 길은 '신의 도움'만이 요청된다.

절망하는 자기가 수동적이라면, 그 절망은 절망하여 자신이기를 원하는 것이다. 절망하여 자신이기를 원하는 그러한 상상적으로 구성하는 자기는 잠정적으로 자신의 구체적인 자기로 향하는 동안 이런저런 어려움을, 그것이 무엇이든 그리스도교인들이 십자가, 근본적인 결함이라고 부르는 것을 만난다.… 프로메테우스처럼 무한한 부정적인 자기는 자신이 이런 예속에 못박혀 있다고 느낀다. 결국 그것은 수동적인 자기이다. 그러면 이런 절망, 즉 자신이기를 원하는 절망의 표현은 무엇인가?(『죽음에 이르는 병』, 147)

여기에서 이제 『공포와 전율(두려움과 떨림)』에서 나타난 '아브라함의 신앙'이 접목된다. 그는 '체념과 믿음'으로 이러한 한계를 극복하고 '신' 앞에서의 '단독자'로 나타난다. 이 부분에서 키에르케고어의 논의는 기독교 신앙의 '죄'에 대한 교리와 연결되어진다. 키에르케고어는 이 부분은 『죽음에 이르는 병』의 2부에서 "절망은 죄이다"는 제목으로 논의를 전개한다. 여기에서는 생략하기로 한다.

6절 평 가

키에르케고어는 모든 '실존'이 가지고 있는 기본적인 정서는 '불안'이라고 한다. 그리고 이것이 있어야 우리의 진정한 실존이 깨어난다. '체념'과 '믿음'이라는 정서는 '불안'을 기본바탕으로 하지 않고는 성립될 수 없는 개념이기 때문이다. 키에르케고어는 이러한 측면에서 '불안'이라는 기본적 정서를 긍정적이고 유익한 것으로 받아들인다. 키에르케고어는 아브라함의 이야기에서 '이삭 번제'라는 '죽음'과 같은 상황의 본질은 '불안'이며, 이것이 우리의 실존이다. 그리고 반드시 이러한 기반 위에서 우리의 '믿음'이 성립하고, 여기에서 실존의 극복이 나온다고 말한다.

키에르케고어는 그의 실존유형을 '심미적 실존유형-윤리적 실존유형-종교적 실존유형'으로 구분하고, 이들의 실존유형을 서술하고자 한다. 먼저, '심미적 실존유형'은 에로스라는 단어로 대표되는데, 이 에로스에 있는 반성적 에로스에 의해, 윤리적 실존으로 나아간다. 이것의 분기점은 결혼이며, 여기에서 심미적 타당성을 발견하는 것이다. 결혼은 어떻게 보면, 향락의 유혹으로부터의 구원이다. 이 '윤리적 실존'은 이제 '종교적 실존'으로 나아가는데, 그는 이것을 창세기 22장에 나타난 '이삭 번제 사건'의 해설을 통해 소개한다. 이 사건이 종교적 실존을 밝혀주는 사건이기 때문이다.

키에르케고어는 모든 '실존'이 가지고 있는 기본적인 정서는 '불안'이라고 한다. 이것이 있어야 우리의 진정한 실존이 깨어난다. '체념'과 '믿음'이라는 정서는 '불안'을 기본바탕으로 하지 않고는 성립될 수 없는 개념이기 때문이다. 키에르케고어는 이러한 측면에서 '불안'이라는 기본적 정서를 긍정적이고 유익한 것으로 받아들인다. 키에르케고어는 '이삭 번제'라는 '죽음'과 같은 상황의 본질은 '불안'이며, 이 '불안'이 있어야 '믿음'이 성립한다.

자기와 자기 자신의 관계 사이에는 '무한성'과 '유한성'의 종합이라는 하나의 관계가 존재한다. 이때 자기는 '정신'이기 때문에 '자유'인데, 인간의 정신으로 인한 '가능성'과 육체로 인한 '필연성'의 변증법적 양상에 제한을 받는다. 이때 '절망'이 출현하는데, 이것은 사실 '의식'의 범주에 속한다. 이때 의식이 이 '절망'을 어떻게 파악하느냐에 의해서 '절망의 여러 형태'들이 출현하게 된다. 그리고 이러한 형태들이 그 인간의 '실존유형'을 결정하게 된다. 이와 같이 인간에는 '의식'이 결정적이다. 이 '의식'이 더해질수록 '자기'도 더해진다.

또한 궁극적으로 이 의식에서 나타난 '의지'가 '결단'을 하게 되는데, 이에 의해서 '자기'는 '더 나은 자기'를 찾게 된다. 특히 실존유형 중에서 '아브라함'은 종교적 유형에 속하는데, 이때의 '의지'는 '체념과 믿음'을 통해 '타자(신)'를 이 관계 속에 끌어들여 '인간의 한계'를 극복한다. 이렇게 '진정한 자기'를 찾게 해주는 그러한 의식은 '의식'과 구분하여 '자기 의식'이라고 한다. '자기'가 '더 나은 자기'가 되는 '종합'은 '의식'이 수행하는데, 그것은 오직 '신과의 관계'를 통해서만 수행될 수 있다. 왜냐면 '자기(정신)'의 '가능성'을 실현시켜 줄 자는 '신' 밖에 없기 때문이다. '육체'와 관계된 '자기'는 그로부터 제한을 받고, '현실성'으로서의 '절망'만을 산출시킬 뿐이다. 여기에서 '의식'의 '체념과 믿음'의 결단을 통해 긍정적인 종합을 이룰 때, 새로운 '자기'가 '생성'된다.

인간의 절망에는 이제 아무런 희망이 없다. '정신'은 무한한 것을 가능성으로 바라보고 있고, '육체'는 유한하여 필연성 속에 갇혀 있다. '정신'은 이제 발버둥 치면 발버둥 칠수록 절망 속에 빠진다. 이제 '의식'은 한계를 맞게 된다. 인간이 극단에 이르게 되고서야 비로소 진지한 결단이 나오게 된다. 인간은 기본적으로 신에는 모든 것이 가능하다는 것을 믿는다. 이제 그의 의식은 이 '신'을 믿을 것인가, 말 것인가를 결정해야 한다. 이것은 의식적인 행위이다. 여기에서 '믿음'을 선택한다는 것은 '오성상실'을 전제로 하여야 한다. 이에 의하면, 신에게로 갈 수 밖에 없다. 키에르케고어는 여기에서 『공포와 떨림(두려움과 떨림)』의 아브라함의 믿음을 가져온다. 그 믿음은 "체념과 (하나님에 대한)믿음"으로 구성되어 있었다. 이것은 기복적인 믿음이 아니라, 신에 대한 믿음이었다.

2장 칼 야스퍼스

1절 칼 야스퍼스의 생애(1883-1969)

가. 초기생애와 교육

칼 야스퍼스는 비교적 부유한 집안에서 태어나 성장하였으나, 허약하여 잔병치레가 많았다. 학교 성적이 그렇게 탁월한 편은 아니었으나, 독립정신은 매우 강하여 가혹한 규율을 싫어하여 학교 당국과 충돌이 많았다. 『다음백과』에서는 다음과 같이 소개한다.

칼 야스퍼스를 빌헬름 야스퍼스와 헨리에테 탄첸의 세 아이 중 맏이로 태어났다. 친가와 외하이데거가의 조상은 수세대 동안 북부 독일에서 살았던 농부·상인·목사였다. 법률가인 아버지는 그 지역의 치안판사였고 나중에는 은행장직을 맡았으므로 집안은 부유한 편이었다. 어린 시절 야스퍼스는 허약해서 잔병치레가 많았다. 그 후유증으로 청소년기에 만성 기관지 확장증에 걸렸고 결국 심부전증으로 악화되었다. 이 질병들은 성인이 된 후에도 줄곧 그를 괴롭혔다. 학창시절 초기에는 뛰어나게 잘한 과목은 없었으나 독립정신은 유명했다. 그는 가혹한 규율을 싫어했기 때문에 학교당국과 끊임없이 충돌했으며, 실제로 학교당국의 요구에 순종하지 않으면 퇴학시키겠다는 위협도 받았다.(칼 야스퍼스,『다음백과』)

그는 하이델베르크대학교 법학부에 입학했으며, 뮌헨으로 옮겨 법학연구를 계속했으나 그다지 열성적이지는 않았다. 그후 6년 동안 베를린대학교·괴팅겐대학교·하이델베르크대학교 등에서 의학을 연구했다. 1908년 의사자격시험에 합격한 뒤 박사학위논문 〈향수와 범죄〉를 썼다. 『다음백과』에서는 다음과 같이 소개한다.

1901년 하이델베르크대학교 법학부에 입학했다. 다음해 뮌헨으로 옮겨 법학연구를 계속했으나 그다지 열성적이지는 않았다. 그후 6년 동안 베를린대학교·괴팅겐대학교·하이델베르크대학교 등에서 의학을 연구했다. 1908년 의사자격시험에 합격한 뒤 박사학위논문 〈향수와 범죄〉를 썼다. 1909년 2월 의사가 되었다. 이때 나중에 아내가 된 게르투르트 마이어와 사귀고 있었고 1910년 그녀와 결혼했다.(칼 야스퍼스,『다음백과』)

나. 임상 정신의학에 대한 연구

그는 1909년(26세) 하이델베르크대학교 정신의학 진료소의 자원연구 보조원이 되어 1915년(32세)까지 근무했다. 1911년 겨우 28세의 나이에 야스퍼스는 유명한 출판업자 페르디난트 스프링거로부터 신경생리학 교과서를 써달라는 요청을 받았다. 그는 2년 후 〈일반 정신병리학〉을 완성했다. 『다음백과』에서는 다음과 같이 소개한다.

1909년 하이델베르크대학교 정신의학 진료소의 자원연구 보조원이 되어 1915년까지 근무했다.… 야스퍼스가 연구작업을 시작했을 때 임상 정신의학의 경험적인 기초는 마련되었지만 기본적 지식체계는 없었다.…

야스퍼스는 현상학의 방법을 임상 정신의학 분야에 도입하려 했다. 현상학의 방법이란 의식적으로 경험한 현상을 인과적 설명이나 이론 없이 직접 연구하고 기술하는 것이다. 이러한 노력은 곧 열매를 맺었고 그는 정신의학의 신기원을 연 연구자로 명성을 얻었다. 1911년 겨우 28세의 나이에 야스퍼스는 유명한 출판업자 페르디난트 스프링거로부터 신경생리학 교과서를 써달라는 요청을 받았다. 그는 2년 후 〈일반 정신병리학〉을 완성했다.(칼 야스퍼스, 『다음백과』)

다. 철학으로의 이전

그는 심리학 분야에서 얻은 지위 덕분에 1913년 하이델베르크대학교 철학부(심리학과는 이곳에 포함됨)에 들어갔다. 이 대학교에서 그는 1916년 심리학과 조교수, 1920년 철학과 조교수, 1921년 철학과 교수, 1922년 철학부 차석(次席)교수가 되었다. 『다음백과』에서는 다음과 같이 소개한다.

야스퍼스는 심리학 분야에서 얻은 지위 덕분에 1913년 하이델베르크대학교 철학부(심리학과는 이곳에 포함됨)에 들어갔다. 이 대학교에서 그는 1916년 심리학과 조교수, 1920년 철학과 조교수, 1921년 철학과 교수, 1922년 철학부 차석(次席)교수가 되었다. 의학에서 철학으로 옮긴 부분적 이유는 의학부에 교수자리가 꽉 찬 반면, 철학부에서는 경험 심리학자를 필요로 했기 때문이다. 그러나 그 이전에 야스퍼스의 지적 발전과도 일치했다.(칼 야스퍼스, 『다음백과』)

라. 실존철학의 창시

그는 과학으로부터 독립적이면서도 종교적 신앙의 대용물이 되지 않을 철학을 개발하기 위해 온 힘을 쏟았다. 그 결과로 나타난 체계는 과학을 전제했지만 인간 실존의 총체성을 조명하려 한 점에서 과학의 경계선을 넘어섰다. 그리하여 철학의 임무는 생각하고 실존하는 주체인 개인의 자유에 호소하고 또 모든 실재의 중심인 인간실존에 초점을 맞추는 것이었다. 그는 실존철학의 창시자 역할을 하였다. 『다음백과』에서는 다음과 같이 소개한다.

그는 사회학자이자 역사학자인 막스 베버를 따라 과학의 원리는 사회·인문과학에도 적용된다고 주장했다. 야스퍼스는 철학이 과학과 반대로 존재를 주관적으로 해석하고, 비록 예언의 성격을 갖더라도 보편타당한 가치규범과 삶의 원리를 세우려 한다고 생각했다. 철학에 대한 이해가 깊어짐에 따라 야스퍼스는 점차 철학에서 예언적 통찰력의 역할에 대한 믿음을 포기했다.

그는 과학으로부터 독립적이면서도 종교적 신앙의 대용물이 되지 않을 철학을 개발하기 위해 온 힘을 쏟았다. 그 결과로 나타난 체계는 과학을 전제했지만 인간 실존의 총체성을 조명하려 한 점에서 과학의 경계선을 넘어섰다. 야스퍼스에게 인간 실존은 단지 '세계 속에 있음'이 아니라 인간존재의 자유를 의미했다. '나 자신'이라는 관념은 세계 속에서 자기 존재의 자유를 실현할 잠재력을 의미했다. 그리하여 철학의 임무는 생각하고 실존하는 주체인 개인의 자유에 호소하고 또 모든 실재의 중심인 인간실존에 초점을 맞추는 것이었다(휴머니즘, 과학철학).

1920~30년 야스퍼스는 이 사상의 싹을 다듬는 데 몰두했으며, 역시 유명한 철학자인 처남 에른스트 마이어와 공동으로 연구했고 마르틴 하이데거와도 우정을 나누었다. 얼마 후 하이데거가 국가사회당(나치)에 가입했기 때문에 두 사람의 우정은 깨졌다.

1930년대초 그의 지적 노동은 뚜렷한 결실을 맺게 되었다. 〈현대의 정신적 상황 Die geistige Situation der Zeit〉(1931)·〈철학 Philosophie〉(3권, 1932)이 출판되었던 것이다. 〈철학〉은 독일어 책 중에서 실존철학을 가장 체계적으로 서술한 책일 것이다. 1932년 막스 베버에 관한 책도 나왔다.(칼 야스퍼스, 『다음백과』)

마. 나치 당국과의 불화

그는 아내가 유대인이었기 때문에 국가의 적으로 분류되었다. 1933년부터 대학에서 보직을 맡지 못했으나 강의와 출판활동은 허용되었다. 『다음백과』에서는 다음과 같이 소개한다.

1933년 히틀러가 집권했을 때 야스퍼스는 깜짝 놀랐다. 왜냐하면 국가사회당을 대수롭지 않게 생각하고 있었기 때문이다(국가사회주의). 그는 나치운동이 내부에서 무너지고 당시 활동하던 다른 정치세력에 의해 재조직되고 해체되리라 생각했다. 그러나 이 기대는 실현되지 않았다. 아내가 유대인이었기 때문에 야스퍼스는 국가의 적으로 분류되었다. 1933년부터 대학에서 보직을 맡지 못했으나 강의와 출판활동은 허용되었다. 1935년 나중에 완성될 논리학 저작의 첫 부분이 〈이성과 실존 Vernunft und Existenz〉이라는 제목으로 나왔다.
1936년 니체에 관한 저서, 1937년 데카르트에 관한 논문, 1937년 또 하나의 논리학 예비저작인 〈실존철학 Existenzphilosophie〉이 나왔다. 그는 당시의 이름난 많은 지식인들과는 달리 국가사회주의 노선과 어떠한 타협도 하려 하지 않았다. 그 결과 교수직을 박탈당하고 그후의 출판활동을 무조건 금지당하는 등 일련의 처분을 받았다. 이로 인해 독일에서 연구작업을 계속하기란 불가능했다. 친구들은 그가 다른 나라로 이민을 가도록 도우려 했다. 1942년 마침내 스위스 여행이 허가되었으나 나치는 그의 아내가 독일에 남아 있어야 한다는 조건을 달았다.
그는 이 조건을 거부하고 위험을 무릅쓰고 아내와 함께 남기로 결심했다. 친구들은 그의 아내를 숨겨주어야 했다. 두 사람은 체포될 경우 자살하기로 결심했다. 1945년 그는 4월 14일에 강제수용될 예정이라는 믿을 만한 소식을 들었다. 그러나 3월 30일 미국이 하이델베르크를 점령했다. (칼 야스퍼스,『다음백과』)

마. 전후의 사상발전

그는 독일이 항복한 후 야스퍼스는 대학을 재건하고 국민의 도덕적·정치적 재생을 도와야 하는 과제에 직면했다. 그는 전후 이 2가지 과제를 완수하는 데 온 정력을 바쳤다. 이때 그는 철학적인 저술도 내 놓았지만, 일반세계사인〈역사의 기원과 시간에 대하여〉(1949)와 〈원자탄과 인간의 미래〉(1958)를 통해 정치적인 파장을 일으키기도 하였다. 그는 〈독일 연방공화국은 어디로 나아가는가?〉(1966)에서 서독 정치가들 사이에 엄청난 분노를 불러일으켰다. 그는 1967년 독일 여권을 반납하고 스위스 시민권을 취득함으로써 그들의 부당한 태도에 맞섰다. 1969년 사망할 때까지 30권의 저서를 발표했고 그밖에도 많은 중요한 서한과 3만 쪽에 달하는 수고(手稿)를 남겼다. 『다음백과』에서는 다음과 같이 소개한다.

독일이 항복한 후 야스퍼스는 대학을 재건하고 국민의 도덕적·정치적 재생을 도와야 하는 과제에 직면했다. 그는 전후 이 2가지 과제를 완수하는 데 온 정력을 바쳤다.…

그의 사상은 〈철학적 신념〉(1948)·〈계시와 연관한 철학적 신념 Der philosophische Glaube angesichts der Offenbarung〉(1962)에서 나타났다. 모든 사상은 본질적으로 신념에 기초하고 있으므로 인간의 과제는 철학적 사고를 이 세계의 덧없는 대상에 대한 집착에서 해방하는 일이라고 생각했다.

형이상학과 종교의 모든 체계에 대한 과거의 설명을 대체하기 위해 야스퍼스는 암호라는 개념을 도입했다.… 〈위대한 철학자들〉(1957)이라는 제목의 세계철학사는 과거의 사상들이 과연 얼마만큼 서로 의사소통할 수 있는가를 탐구하는 데 목적이 있었다.

야스퍼스는 〈역사의 기원과 시간에 대하여〉(1949)라는 일반세계사를 쓰기 시작했다. 역사의 중심에 놓이는 중추적 시기(BC 800~200)에 현재 인간 문명의 기초를 이루는 모든 기본적 피조물이 생겨났다. 이 저작을 준비할 때 떠오른 영감에 따라 야스퍼스는 〈원자탄과 인간의 미래〉(1958)에서 세계의 정치적 통일가능성을 깨닫기에 이르렀다. 세계의 정치적 통일의 목표는 절대적 주권이라기보다 세계연방이고 연방제에서는 다양한 개체들이 자유롭고 평화롭게 살아가고 의사소통할 수 있다. 야스퍼스는 이러한 사상의 영향하에서 말년 동안 세계정치와 독일 정치를 면밀하게 관찰했다. 독일에서 민주주의를 향한 노력들이 점점 더 민족적 정당 과두제로 기우는 듯이 보였을 때 그는 〈독일 연방공화국은 어디로 나아가는가?〉(1966)에서 이러한 경향을 통렬하게 공격했다.

이 저작은 좌우파를 막론하고 서독 정치가들 사이에 엄청난 분노를 불러일으켰다. 야스퍼스는 1967년 독일 여권을 반납하고 스위스 시민권을 취득함으로써 그들의 부당한 태도에 맞섰다. 1969년 사망할 때까지 30권의 저서를 발표했고 그밖에도 많은 중요한 서한과 3만 쪽에 달하는 수고(手稿)를 남겼다.(칼 야스퍼스, 『다음백과』)

2절 존재탐구

1. 상황에서 출발하는 철학함

가. 존재를 찾고 있는 나

철학의 역사에서 "나 자신은 누구인가? 나는 어디에서 와서 어디로 가는가?"라는 '나 자신'에 관한 원초적이고 본질적인 질문을 가지고 철학을 시작한 최초의 사람은 칼 야스퍼스인 것으로 보인다. 이 질문은 모든 사람들에게 존재하는 원초적인 질문이다. 우리는 시작과 끝 사이에서 시작과 끝에 대해 묻고 있는 것이다. 이것은 살아가면 살아갈수록 물음은 깊어진다. 이러한 물음에 대해 칼 야스퍼스는 "나는 내게 의지할 곳을 주는 답을 원한다. 왜냐하면… 나는 뭔지 모를 불안에 쫓기기 때문이다.… 나는 소멸하기만 하는 것이 아닌 존재를 찾는다. 무엇이 존재하는지 보편타당하게 나에게 말해주고,… 그런 질문에 내가 대답할 수 있어야만 할 것 같다."고 말한다.

존재란 무엇인가? 왜 어떤 것은 존재하고, 왜 무(無)는 없는가? 나는 누구인가? 나는 본래 무엇을 원하는가? 내가 이런 질문을 제시할 때라도, 이러한 질문은 내가 처음부터 갖고 있는 것이 결코 아니다. 어떤 과거로부터 온 내가 존재하고 있는 어떤 상황에서부터 나는 이러한 질문을 던지고 있는 것이다.

나 자신에 대한 의식에 눈뜨면서 나는 내가 방향을 잡고 있는 하나의 세계 속에 있는 나를 본다. 다시 말해서 나는 사물들을 붙잡기도 하고, 그것들을 다시 내던지기도 했다. 모든 것이 의문의 여지없이 자명했고, 순수하게 현존해 있었다. 그러나 지금 나는 나 자신을 이상하게 생각하면서 본래적으로 존재하는 것이 대체 무엇인지 묻는다. 왜냐하면 모든 것이 전적으로 지나가 버리는 것으로 있기 때문이다. 즉 나는 시작점에 있지 않았고 끝에 있는 것도 아니다. 바로 시작과 끝 사이에서 나는 시작과 끝에 대해 묻고 있는 것이다.

이러한 물음에 대해 나는 내게 의지할 곳을 주는 답을 원한다. 왜냐하면 나의 상황에 대해 남김없이 파악하지도 못하고 그 유래를 꿰뚫어보지도 못하고 있음을 의식할 때, 나는 뭔지 모를 불안에 쫓기기 때문이다. 나의 상황을 나는 오로지 움직임 중에만 볼 수 있다. 이 움직임 속에서 나는 나의 상황과 함께 끊임없이 변화한다.… 그러면서도 나는 그것이 무엇인지 모른다. 나는 소멸하기만 하는 것이 아닌 존재를 찾는다.

무엇이 존재하는지 보편타당하게 나에게 말해주고, 그렇게 내가 나의 상황 속에서 존재한다는 사실을 납득시키고, 이 상황 속에서 전체와 나 자신에게 무엇이 문제인지를 납득시키는 그런 질문에 내가 대답할 수 있어야만 할 것 같다.(칼 야스퍼스, 『철학1』, 89-90)

나. 찾아야만 하는 존재의 답

우리가 존재를 찾고 있는데, 만일 우리가 존재를 하나의 대상처럼 간주하고, 혹은 그 존재를 마치 알고 있는 것처럼 간주하고, 이제 그 존재에 대한 찾음을 망각할 경우, 즉 "자신으로 존재하려 감행하지 않는다면, 나는 비존재의 불안 속에서 처음과 끝 사이에 여전히 남겨질 것"이다.

마치 존재가 내게 있어서의 하나의 대상이기라도 한 것 같고, 나는 이 대상에 대하여 마치 세계라는 구조물에 대하여 가르침을 받는 것 같은 대답이 이때 답으로 제시된다. 그러나 이러한 가르침은 나의 상황에서 쉼 없이 미끄러져 간 다른 대상들과 병행해서 떠올랐던 어떤 것에 지나지 않을 것이다. 만약 내가 객관성으로 존재하는 것으로 가르칠 수 있는 존재를 주는 것 같은 어떤 것을 고수하길 바랄 경우, 나 자신을 망각할 때만 이런 일이 가능할 것이다. 이때 나는 나 자신을 여러 대상들 중 하나의 내상으로 만들어버릴 것이다.…
하지만 상황으로부터 이렇게 기만적으로 도피할 때의 자기망각은 완성될 수가 없다. 물론 당분간 나는 바쁜 척하며 움직일 수도 있을지 모른다. 또한 나는 나 없이도 존재하고 발생하는 그런 알려진 객관적인 것에 나를 묶어둘 수 있을지도 모른다. 하지만 이 객관적인 것이 내게 의심스럽게 되면, 나는 언젠나 다시금 상실에 대한 의식에서부터 상황 속에 잇는 나 자신 앞에 서게 된다. 이 상황 속에서 나는 상황과 함께 변한다. 만약 내가 파악하고 결단하면서 자신으로 존재하려 감행하지 않는다면, 나는 비존재의 불안 속에서 처음과 끝 사이에 남겨지게 되는 것이다.(야스퍼스, 『철학1』, 90-91)

다. '세계정위'에 국한 된 '나의 객관적 인식'

우리의 객관적인 인식은 생성되어 나오는 존재가 무엇인지는 알지 못한다. 다만 나의 상황 속에서 내게 나타나는 존재에 대해서만 인식이 가능하다. 그리고 우리는 이러한 것들을 지배하는 데 성공한다. 칼 야스퍼스는 이것을 세계 정위라고 말한다. 이 세계정위는 "객관적으로 확인이 가능한 물리적 세계를 인간이 생존을 위해 특정한 형태로 파악하고 있는 상태"를 의미한다. 그런데 세계는 변화무쌍한 것이며 전체가 다 드러나지 않는다.

나의 객관적 인식은 모든 것이 생성되어 나오는 존재가 무엇인지 인식하는 대신에 나의 상황 속에서 내게 나타나는 존재자에 제한된다. 내가 그 속에서 방향을 잡고 있는 세계 속의 사물들은 알 수 있는 것이고, 이런 한에서 그것들 지배하는 데 성공한다. 세계정위는 객관적 존재로서의 존재를 향한 방향 속에서 끝없이 나가며 상황을 밝혀주는 것으로 나에게 증명된다.

그러나 만약 내가 나 자신과 전체 상황을 파악하여 세계지식을 존재 일반에 관한 지식으로 만들어 완결하려고 생각한다면, 나는 그 어떤 토대에도 도달하지 못한다. 왜냐하면 '상황-존재'는 존재의 시작이 아니라, 단지 세계정위의 시작이며 철학함의 시작일 뿐이기 때문이다.(야스퍼스, 『철학1』, 91-92)

라. 유일한 현실의 형태로서의 상황

상황은 나의 현존(Dasein)으로서 나에게 유일한 현실의 형태이며, 이것만이 직접성과 유일한 확신을 준다. 그렇다고 해서 그 상황이 결코 직접적인 어떤 것이 아니다. 상황은 단지 일반적인 것이 아닐 뿐이다. 상황은 본질적으로 존재 현상을 역사적으로 매개해 그때그때마다 채우는 것으로 존재한다. 우리에게 주어진 유일한 현실의 형태는 상황뿐이다.

상황은 앞선 것으로부터 유래하며 역사적인 깊이를 갖는다. 상황은 결코 완료되지 않고 미래를 가능성과 불가피성으로서 자신의 속에 간직하고 있다. 상황은 상황 안에 있는 나의 현존(Dasein)으로서 나에게 유일한 현실의 형태이다. 나는 상황으로부터 사유하면서 상황으로 다시 돌아간다. 여기에 현재로서의 그때그때 마다의 직접성과 유일한 확신이 존재한다.

만약 내가 나의 상황을 그 자체로서 사유하고 또한 직접 사유한다면, 나는 그저 도식만을 그리고 있는 것이다. 현실적인 것으로서의 상황은 항상 다른 방식으로, 그리고 그 이상의 것으로 존재한다. 상황은 결코 단지 직접적인 어떤 것이 아니다. 생성된 것으로서 상황은 지나간 현실과 자유로운 결정을 자신 속에 품고 있다. 현존하는 것으로 상황은 미래적인 것의 가능성 속에서 나를 숨 쉬게 한다. 설령 사항의 일반적 구조가 하나의 현존분석만으로 그려진다고 하더라도, 상황은 결코 단지 일반적인 것이 아니다. 상황은 본질적으로 존재현상을 역사적으로 매개해 그때그때마다 채우는 것으로 존재한다.(야스퍼스, 『철학1』, 92-93)

마. 상황을 밝히는 것으로부터 출발하는 철학함

칼 야스퍼스는 우리에게 주어진 존재에 대한 단서는 '상황'이 유일하다고 말한다. 따라서 우리의 철학함은 상황을 밝히는 것으로 출발해야 한다고 말한다. 그렇다고 해서 그 상황 개개의 것들이 아무리 규정돼 있다고 해도 그 전체로서는 여전히 완결되지 않는다.

상황을 두루 조망하는 일과 상황의 근원과 모든 가능한 미래를 목격하는 일을 나는 마치 그 시작과 끝을 조망할 수 있게 된 것 같은 하나의 완결된 세계의 종말의 날에 어떤 한 존재 앞에서 할 수 있을지도 모른다. 하지만 내가 볼 때 나는 아직도 존재를 탐구하고 있다. 더군다나 나는 일어난 일 속에서 나 스스로 뭔가를 행하면서 아직도 존재를 탐구하고 있다. 나는 이 상황에서 다른 상황으로 시선을 돌리고, 지나간 상황에 시선으로 돌린다. 하지만 항상 이 시선은 규정할 수 없는 암흑 속에서 끝난다.
알 수 있는 모든 전제와 알 수 있는 역사적 현실로부터는, 즉 세계로부터는 상황 속의 나 자신을 나는 충분히 파악할 수 없다. 그러나 또한 나는 나의 상황으로부터 세계를 파악할 수도 없다. 상황을 밝히는 것으로부터 출발하는 철학함은 항상 움직임 속에 머물러 있는 것이다. 왜냐하면 상황은 그 자체가 세계사건으로서 또한 자유에 의한 결단으로서 단지 끝없는 움직임이기 때문이다. 따라서 철학함이란 마치 상황처럼 개개의 것들이 아무리 규정돼 있다고는 해도 전체로서는 완결되지 않은 채 남아 있다.(야스퍼스, 『철학1』, 93)

바. 초월함의 방법

칼 야스퍼스에 의하면, 우리의 철학의 출발점은 분명히 우리에게 주어진 '상황'인데, 이에 대한 검토를 통해서 그 존재가 밝혀지는 것은 아니다. 그에 의하면, 오히려 그 존재를 인식하는 방법은 초월함이었다.

내가 상황을 밝히는 일을 철학함의 출발점으로 파악할 때, 나는 전체 현존을 통일적 존재로서 모든 원리로부터 도출하려는 객관적 설명을 포기하게 된다. 모든 객관적 사상구성체는 단지 그때그때마다 어떤 하나의 특별한 기능만 지닌다.

나는 상황에 처해서 나 자신에 대해 깨어나며 존재에 대한 물음을 제기했다. 상황 속의 나 자신을 규정되지 않은 가능성으로 발견하면서 나는 나 자신을 본래적으로 발견하기 위해 존재를 탐구해야만 한다. 더군다나 존재 자체를 발견하고자 하는 이러한 탐구가 난파될 때만 나는 철학함을 시작하는 것이다. 이는 가능적 실존으로부터 철학함이고, 그리고 이러한 철학함은 방법의 측면에서는 초월함이다.(야스퍼스, 『철학1』, 93-94)

2. 형식적인 존재의 개념들

가. 객관존재

칼 야스퍼스는 우리의 상황 속에 현상되는 존재로서 '객관존재, 자기존재, 즉자존재'로 분류한다. 이때 객관존재는 공간과 시간 속에 있는 경험적으로 현실적인 것을 의미한다. 이렇게 상황 속에서 앞서 발견된 존재가 나에게는 객관(Objekt)이며, 객관존재이다.

파악된 것으로서 존재는 곧 하나의 규정된 존재가 된다. 따라서 존재가 무엇이냐고 질문하면, 여러 가지 존재가 우리에게 제시된다. 즉 공간과 시간 속에 있는 경험적으로 현실적인 것, 죽은 것과 살아 있는 것, 사물과 사람, 도구와 낯선 재료, 현실적인 것에 타당한 관념들, 관념적 대상들에 대한 강제력 있는 구성물들, 그리하여 수학적 구성물들, 공상의 내용들, 즉 한 마디로 말하자면 대상성 일반이 우리에게 제시된다. 이렇게 상황 속에서 앞서 발견된 존재가 나에게는 객관(Objekt)이다. (야스퍼스, 『철학1』, 94)

나. 자아존재(대자존재)

나는 다르게 존재한다. 나는 사물들 앞에 서듯이 나 자신 앞에 서지 않는다. 즉 나는 저 객관적 존재방식들이 대답하는 질문을 하는 자이며, 스스로 자신을 질문하는 자로 알고 있는 질문자이다. 즉 하나의 자아존재(Ichsein)이다. 그들 자신에 대해 존재하는 것으로서 있는 자아존재가 곧 대자존재이다.

> 나는 다르게 존재한다. 나는 사물들 앞에 서듯이 나 자신 앞에 서지 않는다. 즉 나는 저 객관적 존재방식들이 대답하는 질문을 하는 자이며, 스스로 자신을 질문하는 자로 알고 있는 질문자이다. 내가 나를 돌려서 나 자신을 객관화하려 해도, 내가 객관화되는 그곳에도 항상 나는 존재한다. 즉 하나의 자아존재 (Ichsein)가 남아 있다.
> 객관적 존재로서의 존재와 자아존재로서의 존재는 가장 먼저 닥쳐오는 가장 본질적인 존재방식이다. 객관들 속에는 물론 개인들도 포함된다. 이 개인들은 내가 그들에 대해 객관이 될 수 있듯이 그들 자신에 대해 존재하는 것으로서는 자아이다. 그리고 또한 나는 내가 거기 있듯이 나 자신에 대해 객관이 될 수도 있다. 그러나 분열에도 불구하고 객관으로서의 자아와 주관으로서의 자아가 하나로 있는 그러한 점이 자아 속에는 남아 있다. (야스퍼스, 『철학1』, 94-95)

다. 즉자존재

야스퍼스는 칸트의 '물 자체'를 '하나의 그 존재자체, 즉자존재'라고 부른다. 그런데 우리는 이것을 직접 접촉할 수 없다고 말한다. 왜냐면 우리는 이것을 만나는 즉시 우리 안에서 현상으로 변화시켜 버리기 때문이라고 한다.

> 사물존재는 자신에 대해 아무것도 모른다. 그러나 사유하는 주관인 나는 사물존재에 대해 알고 있다. 내가 이 사물존재를 어떤 한 주관에 대해서 그의 대상존재로부터 독립해있다고 생각할 때, 나는 이 존재를 하나의 존재 그 자체(Sein an sich)라고 칭한다. 하지만 이 즉자존재(Ansichsein)는 내가 접근할 수 있는 대상이 아니다. 왜냐하면 내가 이것을 일차적으로 포착할 때는 이것을 나는 하나의 대상으로 만들지만, 이로써 이것을 나에 대한 하나의 존재인 현상으로 만들어버리기 때문이다.
> 존재와 의식된 존재가 함께 포함된 존재이면서 자기 자신에 대해 존재하는 어떤 한 존재를 나는 나 자신의 안에서만 알아본다. "나는 존재한다"라고 나는 말할 수 있기 때문에 존재로서의 나는 모든 사물존재와는 뿌리부터 다르다. 그러나 만약 내가 경험적 현존으로서 나 자신을 객관화한다면, 이와 같은 것으로서의

나는 '자아(Ich)' 그 자체인 것은 아니다. 내가 나 자신에 대해 대상으로 있는 한, 나는 나 자신 자체로 존재하는 것에 대해서 알지 못한다. 나는 인식하는 지식이 아닌 다른 방식으로 나 자신에 내면화되어야만 할지도 모른다. 하지만 그렇게 되면 다른 사물의 즉자존재는 나에게 낯선 것으로 남겨질 것이다. (야스퍼스, 『철학1』, 95-96)

라. 발견되지 않는 존재의 본질

우리에게 있는 존재는 일반적으로 이와 같이 객관존재, 대자존재, 즉자존재로 구분되는데, 이 중 어떠한 것도 존재자체가 아니다. 그리고 이들의 관계를 아무리 종합한다고 해서 존재 전체의 모습을 우리에게 보여주는 것은 아니다.

…객관존재로서 존재는 끝없는 다양성과 무한의 풍족함을 지닌 채 나에게 주어진다. 그것은 인식 가능한 것의 세계를 의미한다. 자아존재로서 존재는 직접적으로 확실한 것이면서도 개념적으로는 포착할 수 없는 것이며, 경험적 현존으로 객관화된 채 더 이상 본래적인 자아가 아닌 한에서만 인식된다. 즉자존재로서의 존재는 인식을 통해서는 접근할 수 없는 것이고, 또 사유에 있어서 필연적인 한계개념이라서 객관으로서 알고 있는 모든 것을 의문 속에 밀어 넣는 것이다. 왜냐하면 즉자존재가 절대적인 것이라고 하는 의미의 객관존재로 받아들여져야만 할 때는 이 절대적인 것이 곧바로 현상으로 상대화되기 때문이다.
따라서 어떤 한 존재를 본래적 존재라고 확정해 둘 수는 없다. 어떠한 것도 존재 그 자체가 아니며, 또한 어떠한 것도 타자 없이는 존재하지 않는다. 즉 모든 것은 존재 속의 하나의 존재인 것이다. 그러나 이러한 존재 전체를 우리는 발견하지 못하고 있다. 이 존재 전체는, 객관존재, 대자존재, 즉자존재라고 하는 세 개의 존재방식이 종으로 있는 유와 같은 공통적인 것이 아니다. 또한 이 존재 전체는 이 존재방식이 전개되는 근원도 아니다.…(야스퍼스, 『철학1』, 96-97)

3. 의식분석으로서의 현존분석

가. 현존으로서의 의식

칼 야스퍼스에 의하면, 존재는 위와 같은 형태로 우리에게 다가오나 그것은 결국 우리에게 의식으로만 자리할 뿐이다. 특히 물 자체에 해당하는 즉자존재는 한계

사유 속에 갇혀있다. 그리고 결국 이러한 모든 것은 하나의 공통기반인 '사유하는 자의 현존'에서 발생하며, 이러한 사유는 의식이고, 이 의식은 시간적 현존으로 있다. 따라서 '현존(Dasein, 지금 여기있는 것)은 의식이며, 나는 의식으로서 현재 존재(da bib)하기 때문에 사물들은 내게 오직 의식의 대상으로서만 존재한다. 따라서 현존으로서의 의식은 모든 것의 매개자이다. 이러한 학설로서 현존분석은 통찰이라는 전승된 재산이다.

존재는 대상에 관한 개념 속에서는 규정된 존재로서 사유되었고, 자아존재가 자기 자신과 관계되어 있는 경우에는 직접적으로 파악되었고, 즉자존재라는 한계사유 속에서는 사라져가면서 파악되다가 파악할 수 없는 것으로서 인식되었다. 이렇게 사유된 것은 하나의 공통기반인 사유하는 자의 현존에서 발생한다. 존재방식들이 사유를 위한 관점들로 나타나는 그 근거지를 향해 나는 존재를 탐구하며 육박해간다. 모든 관점들이 들어 있는 사유 자체가 그때 그때 현존하는 전체로서의 존재이다. 또 항상 이 전체는 존재로서 등장하는 것을 포괄하고 있다. 이러한 사유는 의식이다. 이 의식은 스스로를 발견하는 상황 속에서 시간적 현존으로서 있다.

현존(Dasein)은 의식이며, 나는 의식으로서 현존(da bin)하기 때문에 사물들은 내게 오직 의식의 대상으로서만 존재한다. 나에게 나타나 존재하는 모든 것은 의식 안에 들어가지 않으면 안 된다. 현존으로서의 의식은 모든 것의 매개자이다. 앞으로 밝혀지겠지만 설령 의식이 존재의 단순한 물로서 존재한다고는 해도 그렇다.

현존분석은 의식분석이다. 현존분석은 살아 있는 자아의 임의로 반복될 수 있고 대체될 수 있는 현존으로서의 의식에 항상 나타나는 것을 보여준다. 또한 의식에 대한 학설로서 현존분석은 의식을 변화 불가능한 어떤 것이자 현실로부터 떼 놓은 어떤 것으로서 파악한다. 이러한 학설로서 현존분석은 통찰이라는 전승된 재산이다.(야스퍼스, 『철학1』, 98-100)

나. 대상으로서 의식, 자기의식으로서 의식, 현존하는 의식으로서 의식

칼 야스퍼스는 현존하는 우리의 의식을 대상의식, 자기(자아)의식의 이중성으로 구분한다. 우리 안에는 대상에 대한 의식이 있다. 이것을 대상의식이라고 하는데, 인식 주체인 자아(Ich) 앞에 대면해 있는 어떤 것에 대한 의식인데, 이것은 (물 자체를 향한) 지향성을 가진다.

그런데 우리의 의식은 지향성만 가질 뿐 아니라, 자기 자신을 향한 의식도 존재한다. 의식은 대상으로부터 돌아서서 자기 자신을 반성한다. 따라서 우리의 의식은 자기 자신의 의식으로도 존재한다는 것이다. 우리의 의식으로서의 나는 나 자신을 향하여 있다. 따라서 나는 이중적인 존재이다. 나는 나 자신과 마주하고 있다. 우리의 의식은 대상들을 단지 하나의 타자로서 파악하고, 또한 자기 자신도 대상으로 파악한다.

의식은 사물들의 존재와 같은 존재가 아니라 생각하면서 대상들을 향해 있는 것을 본질로 하는 존재이다. 자명하면서도 놀라운 이 근원현상을 사람들은 지향성이라고 칭했다. 의식은 지향하는 의식이다.…
(더 나아가) 의식은 자기 자신을 향한다. 의식은 단지 대상들에 방향을 잡는 것뿐 아니라, 돌아서서 자기 자신을 반성한다. 다시 말해서 의식이란 단지 의식으로만 존재하는 것이 아니라 자기의식으로도 존재하는 것이다. 의식이 자기 자신을 반성한다는 것은 지향성이 그렇듯 자명한 것이면서도 놀라운 것이다. 나는 나 자신을 향하여 있다.
즉 나는 단 하나의 존재임과 동시에 이중의 존재이다. 나는 사물과 같은 현존은 아니고, 내적으로 분열한 상태 속에 존재한다. 즉 나는 나 자신에 마주하는 대상이며, 그러므로 움직이면서 내면적 불안정으로 존재한다. 어떠한 의식도 정지된 것으로, 즉 그러 존립하고 있는 것으로 파악될 수 없다.… 물론 의식은 대상들을 단지 하나의 타자로서 파악하고 자기 자신도 대상으로 파악한다.(야스퍼스, 『철학1』, 100-101)

즉, 우리의 하나의 동일한 자아는 사실상 이중화되어 있다. 의식이 자기 자신을 대상으로 파악할 때, 그 대상의식은 자기 자신이다. 따라서 우리의 의식에는 두 개의 서로 다른 것(의식과 자기의식)이 존립한다.(참조: 칼 야스퍼스는 이것을 '자아의식'이라고 지칭하고 있는 것 같다.) 그리고 그 대립의 중심에는 자아의식이 있고, 이 자아의식 속에서 하나의 동일한 자아를 사실상 이중화하는 것이다. "나는 나 자신을 의식하고 있다"라고 하는 것이 이것을 의미한다.

그러나 의식이 자신을 대상으로 파악할 때의 대상으로서의 의식은 자기 자신과 맞아떨어진다. 심리학적으로 자기를 관찰해보면 [의식하는 나와 대상으로서 의식된 나라는] 이러한 대립은 체험적으로 의식된 것과 그것에 대한 앎이 서로를 지향하고 있는 형태를 가정한다. 즉 같은 의식 속에서 있지만 의식된 것 속에 있는 것과 앎 속에(im Wissen) 있는 것이라는 두 개의 서로 다른 것이 존립한 형태를 가정하는 것이다. 하지만 이 대립의 중심에는 자아의식이 있고, 이 자아의식 속에서 "나는 나 자신을 의식하고 있다"라고 하는 것이 하나의 동일한 자아를 사실상 이중화하는 것이다. "나는 생각한다"는 것과 "나는 생각한다고 하는 것을 생각한다"는 것은 다른 하나 없이는 존재하지 않는 식으로 서로 합치한다. 하나가 하나로서가 아닌 둘로서 존재하고, 그런데도 둘이 되지 않고, 바로 이 유일한 하나인 채로 남아 있다고 하는 이 사실은 논리적으로는 모순처럼 보이지만 여기에서는 현실적이다. 그리고 이것이 형식적 자아 일반의 개념이다.(야스퍼스, 『철학1』, 101-102)

[저자 해설] 칼 야스퍼스는 우리의 의식을 독자적으로 놓는다. 그리고 이 의식이 무엇을 인식하였을 때, 그것을 대상의식이라고 말한다. 또한 우리의 의식은 자기 자신을 돌아보는데, 그곳에서 반성적으로 나타나는 의식을 자기의식이라고 말한다. 이때 이 의식과 자기의식을 합하여 자아 혹은 자아의식이라고 부르고 있는 것으로 보여진다. 이럴 바에야 차라리 "대상의식-자아의식-자기의식"으로 구분하는 것이 논리적으로 더 부합하는 것 같다. 여기에서 자아의식이 곧 '현존하는 의식'이다. 칼 야스퍼스의 '현존하는 의식'으로서의 '자아의식'에는 자신 고유의 일반적 '의식'에 항상 '자기의식'이 반영되어 있다. 따라서 칼 야스퍼스가 '자아의식'이라고 말할 때, 그것은 '자기의식이 반영된 의식'이라고 이해해야 할 것이다.

한편, 훗날 구조주의에서는 이 '자기의식'이 '무의식적 자아'로 나타나며, 이것이 '본질적 자아'이다.

다. 의식의 근원적 현상 : 자아의식과 대상의식의 공속성

칼 야스퍼스는 우리 의식의 근원적 현상으로서 자아의식과 대상의식이 우리의 의식 안에 공존하고 있다고 말한다. 그런데, 이때 물자체를 향한 지향성으로 우리는 아무리 전진하려 해도 그것이 이루어지지 않고 있다. 단순한 현존하는 이 의식은 분열된 의식에서 볼 경우에는 하나의 한계이다.

전적으로 현재화돼 다른 어떠한 것에도 환원되지 않는, 주관과 객관 속의 분열이라고 하는 의식의 근원적 현상은 자아의식과 대상의식의 공속성을 의미한다. 참으로 나는 사태 속에서 나를 완전히 망각해버릴 정도로 사물들 속에서 나 자신을 잃어버리고 있다. 하지만 하나의 최종적인 주관이 점으로 항상 남는다. 즉 비개인적이며 단지 형식적인 자아라는 점이 항상 남는다. 이 자아라는 점에 사상이 현존함으로써 맞서 있다. 즉 이 자아라는 점에 사상이 대상으로 있는 것이다. 역으로 나 자신밖에 모를 정도로 나는 나의 자아의식을 고립시킬 수 없다. 즉 나는 다른 것에 마주하고 있음으로써만 존재한 것이다. 아무리 희미할지라도 대상의식 없이는 어떤 자아의식도 존재하지 않는 것이다.

거꾸로 생각해보면 사물들의 외적 존재와 같은 것도 아니고 대상이 없는 지향성도 아닌 하나의 의식이 최종적으로 파악될 수 있다. 이 의식은 내면성의 단순한 움직임인 체험인데, 이 움직임은 갑작스러운 지향성 속에서 드러난다. 그럼에도 이 움직임은 역방향으로 파악하여야만 알려질 수 있는 것이다. 그럼에도 이 움직임 자체는 아무런 분열됨도 없이 잠자고 있으며, 현존으로서는 예를 들어 깨어나는 체험에서나 막연한 감정에서 회상될 수 있을 뿐이다. 단순한 현존하는 이 의식은 분열된 의식에서 볼 경우에는 하나의 한계이다.(야스퍼스, 『철학1』, 102-103)

라. 한계로서의 의식

칼 야스퍼스는 의식에 대한 직접적인 분석은 한계이다고 말한다. 오히려 "이 의식이라는 명제는 실존적 의식을 출발점과 충족으로 삼는 조명을 염두에 둔 것이다"고 말한다.

논리학, 심리학, 그리고 의식의 역사학 각각을 위한 구성적 도식이 의식분석의 방향들 속에서 획득된다. 그러나 거대한 기획들 속에 부분적으로는 놓여 있는 이러한 객관화괴는 분석들은 어디서도 종결될 수가 없다. 이러한 분석들은 분석이 접근할 수 없는 것이 무엇인지를 느끼게 해주는 한계들에 부딪힌다.…
의식은 하나의 한계이다. 그것은 여전히 탐구의 대상이지만, 그것은 이미 모든 대상적 고찰로부터 도망치는 어떤 것이다. 철학할 때 우리가 의식으로부터 출발한다는 명제는,… 진리는 아니다. 사실 이 명제는 실존적 의식을 출발점과 충족으로 삼는 조명을 염두에 둔 것이다.(야스퍼스, 『철학1』, 109)

4. 최우선의 단계로서의 실존

가. 현존하고 있는 나 자신

존재는 잡기 어려운 즉자존재로 인해서 떠다니는 상태에 머물러 있어서, 그것은 현존재분석에서 하나의 한계로 느껴지게 된다. 이에 비해서, 나 자신은 현존재분석에 설정된 한계로서 현존하고 있는 것이다. 이로써 존재를 탐구할 때 취해야 할 최우선의 단계가 드러난다.

존재는 잡기 어려운 즉자존재로 인해서 떠다니는 상태에 머물러 있었다. 그것은 현존재분석에서 하나의 한계로 느껴지게 되었다. 하지만 즉자존재가 관념에 있어서 하나의 무로서 나에게는 어디까지나 단적으로 가까워지기 어려운 완전한 타자였다는 점에 비해서, 나 자신은 현존재분석에 설정된 한계로서 현존하고 있는 것이다. 이로써 존재를 탐구할 때 취해야 할 최우선의 단계가 드러난다.(야스퍼스, 『철학1』, 109-110)

나. "경험적 현존재, 의식일반, 가능적 실존"로서의 자아존재

칼 야스퍼스는 '나'라는 자아존재는 경험적인 현존재이다. 그리고 모든 사람과 동일한 나로서의 나의 의식은 의식일반이다. 그리고 더 나아가 나는 '가능적 실존'이다. 나에게 처해 있는 실존은 자기자신과 무엇인가의 본래적인 존재에 다다르는 길이다.

만약 내가 '나'라고 말할 때 나는 무엇을 생각하고 있는지 나 스스로 묻는다면, 이에 대한 첫 번째 대답은 내가 나 자신에 대해서 숙고할 때 나는 나 자신을 객관화하고 있다는 것이다. 즉 내 환경에 대한 나의 적응이 반영된 불확정한 자기의식을 갖는 이러한 개인으로서 이러한 신체가 나이다. 다시 말해서 나는 경험적 현존재로서 존재한다.

두 번째로 다른 모든 나와 본질적으로 동일한 하나의 '나'로 존재한다. 즉 나는 대체가능한 것이다. 이 대체가능성은 경험적인 개인들의 평균성질의 동일성으로서 생각되는 것이 아니라 모든 객관적 존재의 조건으로 있는 주관성을 의미하는 자아존재 일반으로서 생각되는 것이다. 즉 나는 의식일반으로서 존재하는 것이다.

세 번째로 나는 무제약성을 향한 가능성 속에서 나 자신을 경험한다. 나는 현존하는 것을 근거와 반대근거 속에서 알고 싶을 뿐만 아니라 근원의 근거제시 불가능성에 의거해서도 알고자 한다. 그리고 나는 거기서 나 자신에게 확실해지는 순간을 행위하면서 갖는다. 즉 이제 내가 원하고 행하는 것은 나 자신이 원래 원하는 것이다. 이렇게 나는 이러한 알고 싶음과 행위가 나 자신의 것으로 존재하는 것을 원한다. 내가 알고 행동하려는 방식 속에서 나의 본질이 내게 전달된다. 내가 그 본질을 확신하고 있지 않은데도 말이다. 지식과 행동의 자유가 존재한다는 이러한 가능성으로서 나는 '가능적 실존'9)이다.

…마지막으로 가능적 실존으로서 나는 자기 자신의 가능성에 관계하며 이런 것으로서 어떠한 의식일반에 대해서도 현존하는 일 없는 존재이다. 가능적 실존의 의미가 파악되면서 객관적이고 주관적 존재의 모든 방식의 영역이 타파된다.…(야스퍼스, 『철학1』, 111)

가능적 실존으로서의 나는 객관존재와 자아돈재의 존재영역을 뚫고 나가는 와중의 철학함에서 결정적인 우위를 갖는다. 가능적 실존은 이 존재영역 속에서 오직 소극적으로만 한정될 수 있는 즉자존재를 향하는 움직임이다. 아마도 가능적 실존은 객관의 세계 속에서는 의식일반에 대해 닫혀 있는 길을 열 것이다. 경험적 현존재에는 무(無)이고 의식일반에서는 근거 없는 상상인 이 철학함은 가능적 실존에게는 자기 자신과 본래적 존재에 다다르는 길이다.(야스퍼스, 『철학1』, 112)

다. 실존의 드러남으로서의 시간

우리는 실존과 맞닿아 있다. 그리고 이 실존이 우리 안에 현존하는 의식으로 자

---

9) 가능적 실존 : 존재는 잡기 어려운 즉자존재로 인해서 떠다니는 상태에 머물러 있었다. 그것은 현존재분석에서 하나의 한계로 느껴지게 되었다. 하지만 즉자존재가 관념에 있어서 하나의 무로서 나에게는 어디까지나 단적으로 가까워지기 어려운 완전한 타자였다는 점에 비해서, 나 자신은 현존재분석에 설정된 한계로서 현존하고 있는 것이다. 이로써 존재를 탐구할 때 취해야 할 최우선의 단계가 드러난다.(존재는 잡기 어려운 즉자존재로 인해서 떠다니는 상태에 머물러 있었다. 그것은 현존재분석에서 하나의 한계로 느껴지게 되었다. 하지만 즉자존재가 관념에 있어서 하나의 무로서 나에게는 어디까지나 단적으로 가까워지기 어려운 완전한 타자였다는 점에 비해서, 나 자신은 현존재분석에 설정된 한계로서 현존하고 있는 것이다. 이로써 존재를 탐구할 때 취해야 할 최우선의 단계가 드러난다.(조요한, 사귐 속에 발견되는 실존, 마음건네기)
http://cafe.daum.net/CommuningTogether

리하고 있다. 이때 이 실존은 자기 자신에 관계하며 또한 그 속에서 초월자에 관계하고 있다. 이와 같이 내 현존에 시간의 경과에 따라 그 무엇인가를 드러내는데, 그것이 실존함의 깊이이다. 우리는 가능적 실존에 근거해서 우리의 현존에서 역사적인 것을 파악한다. 내가 역사적인 것 속에 뿌리박고 있으면 시간적 현존은 자체적으로 영원과 관련된 의미를 제공한다. 시간의 경과에 따라 우리의 의식에는 자꾸 무엇인가가 더해진다. 따라서 시간은 실존의 드러남인 것이다. 영원은 실존의 역사적 드러남인 시간의 깊이이다.

실존은 결코 객관이 되지 않는 것이고, 내가 그것에 근거해 사고하며 행동하는 것의 근원이며, 아무것도 인식하지 않는 일련의 사유 속에서 내가 그것에 대해 말하는 것이다. 즉 실존은 자기 자신에 관계하며 또한 그 속에서 초월자에 관계하는 것이다.(야스퍼스, 『철학1』, 113)

가능적 실존에 근거해서 나는 내 현존에서 역사적인 것을 파악하는데, 이 역사적인 것은 알 수 있는 현실들의 단순한 다양성으로부터 나와 실존함의 깊이가 된다.… 그의 역사적 상황 속에서 가능한 것을 그 자신의 것으로서 파악하는 자야말로, 정말로 이것을 바라는 것이다.

내가 역사적인 것 속에 뿌리박고 있으면 시간적 현존은 자체적으로, 그리고 자동으로 중요성을 갖는 것이 아니라 시간 속에서 영원을 위해 결정된다는 의미에서 그 중요성을 갖는다. 이럴 경우에 미래로서의 시간은 가능성이고, 과거로서의 시간은 신뢰에 의해 묶여 있음이며, 현재로서의 시간은 결의함이다. 이럴 경우에 시간은 단순한 경과가 아니라 자신의 결의에 의해 시간 속에서 자기를 획득하는 실존의 드러남이다. 시간적인 것이 이러한 중요성을 갖고, 또 그렇게 의식됨으로써 시간적인 것은 동시에 극복이 되었다. 하지만 시간적인 것이 극복된 것은 어떤 하나의 추상적인 무시간성 때문이 아니라 내가 시간의 밖이 아니라 시간의 안에서 시간을 넘어서 있음으로 해서이다.…

실존은 시간적으로 역사적인 것 속에서 선택하면서 자기를 실현하고 그런 가운데서 객관적으로는 소멸해가는 것에도 불구하고 충실한 시간에로 자기를 실현해 간다. 영원은 무시간성도 아니고 모든 시간 속에서의 지속도 아니다. 영원은 실존의 역사적 드러남인 시간의 깊이이다.(야스퍼스, 『철학1』, 115-116)

라. 두 종류의 존재 : 세계와 실존

칼 야스퍼스는 이 세계 속의 존재를 두 종류로 파악한다. 하나는 사태로서 직접적으로 현존하는 존재로서, 이것은 직접적으로 파악되는 대상적인 존재이다. 또 한 종류의 존재는 실존으로서, 그것은 그 자체로서는 현존하는 것이 아니지만, 현존으로서의 가능적 실존에게는 현상한다. 이것은 객관적으로 인식되는 것이 아니라 주관적으로 조명되어 그 모습을 드러낸다. 한편 이러한 세계존재 인식과 실존조명은 한 의식 속에서 산출된다. 즉 실존은 다른 실존과 함께 세계로서의 상황 안에 존재하지만, 세계존재로서 인식 가능한 것이 되지는 않는다. 이 실존은 가능적 실존의 초월작용 속에서만 가능적 실존에게 확실해진다.

실존은 다른 실존과 함께 세계로서의 상황 안에 존재하지만, 세계존재로서 인식 가능한 것이 되지는 않는다. 세계 안에 존재하는 것은 의식일반으로서의 나에게 존재로서 파악된다. 하지만 실존은 가능적 실존의 초월작용 속에서만 가능적 실존에게 확실해진다.

강제적으로 승인을 강요하는 존재는 사태로서(als Sache) 직접적으로 현존한다. 나는 이것을 직접 파악할 수 있고, 사물들에게는 기술적으로 그리고 나 자신이나 다른 의식에게는 논증하면서 이것에서부터, 그리고 이것을 갖고 무엇인가를 만들 수 있다. 강제적으로 승인을 강요하는 존재 속에는 경험적 현실의 실재적인 저항이거나 사유 필연적인 것과 사유가능한 것의 논리적 저항이건 간에 하나의 소여된 것의 저항이 존재한다. 어디에서건 하나의 대상적인 존재가 있다. 이것은 근원적 객체로서 또는 이 근원적 객체 속에서 적당한 방법으로 대상화된 것으로서, 가령 연구용 도구인 모형과 유형 속에서 적당한 방법으로 대상화된 것으로서 어디서나 존재한다.

실존은 그 자체로서는 현존하는 것이 아니지만, 현존으로서의 가능적 실존에게는 현상한다. 물론 세계와 실존 사이, 인식가능성과 조명가능성 사이, 객관적 존재로서의 존재와 실존의 자유존재로서의 존재 사이의 간극은 사유 속에서 지양될 수 있는 것이 아니다. 그러나 이 두 종류의 존재방식은 동시에 가능적 실존이기도 한 하나의 의식에 대해서 이 분리를 관철하는 것은 무한한 과제이며, 이 과제를 성취하면서 세계존재 인식과 실존조명이 한 의식 속에서 산출되는 것이다.(야스퍼스, 『철학1』, 116-117)

마. 존립으로서의 존재와 자유로서의 존재

칼 야스퍼스에 의하면, 존립으로서의 대상존재는 우리를 시간적인 지속 안으로 들어서게 하는데, 실존으로서의 존재는 우리를 시간에서 벗어나 영원 안으로 들어서게 한다.

자유의 존재로서의 실존과 객관적 존재의 분리는 단지 추상적으로만 형식 속에서 진술될 수 있다. 즉 메커니즘이자 생명이며 의식으로서의 객관적 존재는 주어져 있다. 그러나 실존으로서의 자아는 근원이다. 물론 존재 일반의 근원은 아니지만, 현재 속에 있는 나에게는 근원이다. 사물의 존재에 맞춰지면 자유가 없다. 자유에 맞춰지면 사물의 존재는 본래적 존재가 아니다. 존립으로서의 존재와 자유로서의 존재는 두 가지 병렬될 수 있는 존재종류로서 대립하지 않는다. 이들은 서로 관련은 되지만, 결코 비교할 수 없는 것이다. 즉 객관적 존재라는 의미에서의 존재와 자유존재라고 하는 의미에서의 존재는 각각 자기 폐쇄적이다. 하나는 시간에서 벗어나 무시간성 안이나 끝없는 지속 안으로 들어서고, 다른 하나는 시간에서 벗어나 영원 안으로 들어선다. 모든 시간에 존재하거나 타당한 것은 객관성이고, 순간적으로 사라지면서도 영원한 것은 실존이다. 하나는 그것을 사유하는 주관에 대해서만 존재하는 것이고, 다른 하나는 결코 객관을 결여하고 있는 것은 아니지만 소통 속에 있는 실존에 대해서만 현실적인 것으로서 존재하는 것이다.(야스퍼스, 『철학1』, 118)

실존은 객관적으로 사유할 수도 없고 통용될 수도 없는 존재에 대한 이러한 자기확신의 방향을 가리키는 신호가 되지만, 이 존재를 그 누구도 스스로나 타인에 의해서 알거나 의미 있게 주장할 수 없는 것이다.(야스퍼스, 『철학1』, 120)

5. 현상과 존재

가. 현상

우리가 가진 대상의식은 존재 자체가 아니라 모두 그 존재에 대한 현상이다. 그렇다고 해서 그것이 무라는 것은 아니다. 우리는 이 현상을 보면서 초월적 존재 자체를 사유할 뿐인 것이다.

'존재라는 것은 무엇인가?'라는 출발점이 되는 물음에 대해서는 아직 하나의 정답이 발견되지 않았다.… 존재 그 자체에 대해 묻는 열정은 모든 현존과 객관존재를 초월할 때 가능적 실존에서 처음으로 나타난다. 하지만 이 가능적 실존에 대해서는 특정한 지식에 의한 결정적인 대답은 유보되어 있다. 현존하는 것은 현상이며, 존재 그 자체는 아니고, 그렇다고 무는 아니다.…(야스퍼스, 『철학1』, 120)

나. 실존과 현상

우리는 현상을 통해서 초월자인 존재를 사유한다. 그런데, 이 현상은 사유될 수 없는 초월자라는 접근 불가능한 즉자존재로 되어 있다. 우리의 의식이 현상에 대한 연구를 통해 이러한 상황에 빠져 있는 동안, 오히려 철학함은 초월자의 암호를 해독하면서, 그리고 실존에 호소하는 사유를 하면서 현상을 통해 존재 그 자체를 잡는 것이다.

존재 자체가 사유될 경우에 현상이라는 범주 안에서, 그리고 근저에 놓여 있는 것과 현상하는 것 사이의 이 특정한 객관화되는 관계를 초월하면서 모든 존재는 사유된다.

이제 그런데 현상하는 존재는 시간현존에서는 극복될 수 없는 하나의 이중성 속에 남아 있다. 즉 현상하는 존재는 한편으로는 객관적으로 근저에 놓여 있는 것으로서 사유될 수 없는 초월자라는 접근 불가능한 즉자존재로 되어 있고, 다른 한편으로 현존하는 의식이 아닌 실존이라는 현재적인 존재로 된 이중성 속에 머문다. 실존과 초월자는 이질적이지만, 서로 연관돼 있다. 그리고 이와 같은 관계 그 자체가 현존 속에 나타나는 것이다.

현존이 연구의 대상인 한에서 현존은 하나의 이론적으로 근저에 놓여 있는 것의 현상이다. 현존도 초월자도 연구를 통해서는 접근될 수 있는 것이 아니다. 하지만 연구에서 현상으로서 인식된 것은 연구에서는 가까워질 수 있는 것이 아니다. 하지만 연구 속에서 현상으로서 의식된 것은 연구에서 근저에 놓여 있는 것으로서 사유된 것과 함께 철학함의 의미에 있어서 즉자존재의 현상이다. 현상에 대한 학문적 연구가 근저에 놓여 있는 것을 고안하는 동안에 철학함은 초월자의 암호를 해독하면서, 그리고 실존에 호소하는 사유를 하면서 현상을 통해 존재 그 자체를 잡는 것이다.(야스퍼스, 『철학1』, 121-122)

다. 실존의식의 근원

[필자 해설] 실존은 의식으로서 존재한다. 자연 세계의 그 의식이 주어지면서 무엇인가 나의 주관에 의해 함께 들어온 지식이다. 그것은 내 생명 혹은 삶과 직접적으로 연결되어져 있어서 내 안에 현상한 것이다. 자연세계의 현상에 무언가가 추가된 현상이며 의식이다. 이것이 실존의식이다. 그렇다면 이 의식은 무엇의 현상일까? 내 안에 있는 자기의식에서 현상한 것인가? 아니면 초월자로부터 현상한 것인가? 아니면 자기의식에서 초월자를 의식하고 현상한 것인가? 실존은 무엇으로부터 현상한 것인가? 우리 안의 의식이든지 혹은 자기의식이 그 실존의식의 근원을 보고 현상하였든지, 혹은 그 실존의식의 근원이 우리 의식 속에 현상하였을 것이다. 그렇다면 그 실존의식의 근원은 무엇인가? 자연세계의 사물들에게서 나타난 의식이 물 자체의 현상이라고 불리는데, 오히려 실존의식도 또한 그러할 것이다. 이것이 칼 야스퍼스의 견해인 것으로 보인다. 그는 "만약 존재의 현상이라는 표현이 그 다의성에 있어서 파악돼 있어야만 한다"고 말한다. 즉 실존이라는 존재의 현상이 실존의식인데, 이제 이 실존과 존재의 관계가 중요하다. 이 실존이 존재의 한 종류이며, 오히려 존재의 본질일 수도 있다.

칼 야스퍼스에 의하면, 실존이란 오직 의식으로서 존재한다. 그러나 이것은 탐구될 수 있는 자연세계에서 나온 것은 아니다. 따라서 연구에 의해 인식되는 의식은 결코 실존적 의식이 아니다. 그럼에도 불구하고, 실존은 의식 속에서 현상한다는 명제가 이해되어야 한다면, '존재의 현상'이라는 표현이 그 존재의 다의성에 있어서 파악돼 있어야만 한다. 객관화한다는 의미에서 의식은 근저에 놓인 것의 나타남 (Phanomen, 현상)이다. 그리고 실존적 의미에서 나타남은 어떤 하나의 의식됨이고 대상화됨을 뜻한다. 현상들 속에서 객관적으로 근저에 놓인 것의 나타남과 암호 속에서 즉자존재의 초월의 나타남과, 절대적인 의식의 확실성 속에서 실존의 나타남이라는 이 이질성은 제각각의 방향에서 어떤 한 존재의 고정된 존립을 지양한다. 즉 이것도 또한 존재에 대한 물음의 뿌리에 우리를 묶어둔다.

의식이라는 것도 관찰의 대상이 되는 한, 그것은 내가 그 속에서 나 자신에 대해 하나의 자기존재를 확신하고 또한 초월자가 그것에서 현재하는 그런 의식은 아니다. 물론 실존이란 의식으로서 존재한다. 그러나 연구에 의해 인식되는 의식은 결코 이와 같은 실존적 의식이 아니다.… 탐구될 수 있는 현존으로서 존재하는 것으로서 나 자신을 넘어서 밖으로 나갈 때, 연구에 있어서는 애매해 의식되지 않는 것이나 혹은 실존에 있어서 초월자인 것이 의식에 열리고 닫힌다. 그러나 의식을 보완하는 이것은 필연적으로 연구에 대해서는 무의식적인 것의 이론으로서 다시 의식 속에서 존재하고, 실존에 대해서는 자체 모순적이고, 그래서 사라져가는 형태 속에서 존재의 암호로서 의식 속에 존재하는 것이다.

만약 실존은 의식 속에서 현상한다는 명제가 이해되어야 한다면, '존재의 현상'이라는 표현이 그 다의성에 있어서 파악돼 있어야만 한다. 이 표현 속에서는 근저에 놓인 객관적인 것의 현상도 초월자의 즉자존재의 현상도 생각되지 않고 있다. 즉 한편으로 의식 안의 현상으로서의 실존은 심리학적으로는 이해될 수 없다.… 심리학적 연구는 이 체험의 실존적 토대를 생각해내지 않고, 근저에 놓인 무의식적인 것을 생각해낸다. 이 무의식적인 것은 의식의 현실로서 타당하다. 객관화한다는 의미에서 의식은 근저에 놓인 것의 나타남(Phanomen, 현상)이다. 그런데 실존적 의미에서 나타남은 어떤 하나의 의식됨이고 대상화됨을 뜻한다. 존재로서 동시에 완전히 현재적으로 있는 것은 이 의식됨과 대상화됨 속에서 자신을 이해한다. 나는 그렇게 결코 객관으로서 알려지지 않는 것을 영원히 알고 있다.… 우리는 실존의 현상을 우리가 자신에 대해 책임을 지고 있는 곳인 근원 안에서 우리로 존재하는 것에 귀속시킨다. 객관적으로 근저에 놓인 것의 현상은 인식에 대해 보편타당하며, 실존의 현상은 실존적 소통 속에서 계시될 수 있다.

다른 측면에서 볼 때 의식 속에서 실존이라는 존재의 자기 스스로에 대한 현상인 실존은 실존에서 감지될 수는 있지만 실존 자체는 아닌 즉자존재의 현상에 대한 긴장 속에서만 자기 고유의 존재를 확신한다. 실존의 존재의식 속에서는 현상하는 존재가 단순히 직선적으로 계시될 수 있는 것이 아니라. 스스로가 자신에게 그저 현상하는 실존에게 가능성으로서 말을 거는 존재가 계시될 수 있는 것이다.

현상들 속에서 객관적으로 근저에 놓인 것의 나타남과 암호 속에서 즉자존재의 초월의 나타남과, 절대적인 의식의 확실성 속에서 실존의 나타남이라는 이 이질성은 제각각의 방향에서 어떤 한 존재의 고정된 존립을 지양한다. 즉 전체적으로 이 이질성은 시간적 현존에 안에서 가능적 실존으로 있는 묻는 자를 위해서 최종적 분열상태로 있는 존재 또한 존재에 대한 물음의 뿌리에 묶어둔다.(야스퍼스, 『철학1』, 122-124)

라. 가능 실존

[필자해설] 칼 야스퍼스는 자연세계에 대한 탐구를 통한 존재탐구는 한계를 맞는다고 말한다. 그것은 탐구의 과정 속에서 자유가 상실되기 때문이다. 그런데, 우리 인간도 또한 존재인데, 이 인간은 실존으로 존재한다. 그리고 이 실존은 근원적 결단들을 수행하는 가능실존이다. 그는 사물존재가 아닌 인간존재를 탐구함을 통해서 존재를 추적하고자 하는 것이다.

칼 야스퍼스에 의하면, 우리 주변의 모든 대상존재들은 분명히 존재의 현상이다. 그런데, 이러한 객관적인 사물 속에서 혹은 그곳에서 나온 의식 속에서 존재를 추적해 들어갈 때, 마주치는 가장 큰 문제는 '자유의 상실'이라고 말한다. 이럴 경우 모두 사유는 공상의 비약이 된다. 따라서 자연사물에 대한 탐구를 통해서는 진실한 그 무엇에 이를 수 없다.

그러나 오히려 나라는 존재는 근원적 결단을 수행하는 가능실존으로서의 존재이다. 존재에 대한 탐구는 다양한 방식으로 출발했는데, 존재의 발견은 세계정위에 있어서 과학적 인식이다. 그러나 존재확신은 대상성을 초월함으로서의 철학함이다. 따라서 진정한 철학적인 걸음은 방법에 따라 말하자면 초월함의 방식들로 파악되어야 할 것이다.

존재가 무엇인가라는 물음은 어떤 것을 다른 존재가 거기서 파생되는 존재 그 자체로 여기도록 기꺼이 사유해보게 만든다. 이렇게 해보는 일은 많은 가능성을 지닌다. 그러나 그 어느 것도 실현될 수는 없다. 만약 내가 가령 객관적으로 인식가능한 것을 본래적 존재로 여기고, 나를 객관적인 것으로부터 이끌어내고, 이렇게 하여 나 자신을 어떤 하나의 사물로 만들고 모든 자유를 없애버린다면, 혹은 만약 내가 주체의 자유를 근원적 존재로 만들고 사물을 이 존재로부터 이끌어낸다면, 그 어느 쪽의 경우에 있어서도 하나를 다른 것에서 이끌어내는 일은 공상적인 비약일 것이다.

나는 사물의 존재로부터 파악될 수도 없고, 내가 모든 것을 나 자신으로 여길 수도 없다. 나는 오히려 세계 속에 존재하고, 존립하는 것이 나에 대해 존재하고, 나는 세계 속에 나타나는 가능실존으로서 근원적인 결단들을 수행한다. 우리가 그 속에서 우리 자신을 발견하고 있는 모든 존재는 존재첨가물로부터는 결코 파악될 수 없다. 이것이 내가 철학하면서도 잊지 않고 있는 나의 상황이다.

존재에 대한 탐구는 다양한 존재로부터 출발했고 존재방식으로 있는 그것에로 되돌아갔다. 만약 존재에 대한 탐구가 존재를 발견하지 못했다 할지라도, 하나의 유일한 근원 속에 있는 하나의 원리 아래 옮겨갈 수 없는 것을 왜 존재라 부르는가라는 물음이 남는다. 우리는 각각의 진술이 지닌 언어형식이라는 사실에 직면해 있다. 무엇에 대해 이야기되는 경우에도 그것은 '이다'라는 계사를 동반하는 규정적인 명제의 형식 속에 들어온다.(야스퍼스, 『철학1』, 124-125)

존재의 발견은 세계정위에 있어서 과학적 인식이며, 하나의 규정된 존재를 많든 적든 적당한 방법으로 그때그때마다 파악한다. 그러나 존재확신은 대상성을 초월함으로서의 철학함이다. 존재확신은 그 자체로는 결코 대상이 될 수 없는 것을 이를 대표하는 대상성 속에서 범주들을 매개로 하여 부적당하게 파악하는 것이다. 따라서 진정한 철학적인 걸음은 방법에 따라 말하자면 초월함의 방식들로 파악되어야 할 것이다. 내용에 따라 말하자면 이 걸음은 실존적인 근원으로서의 하나의 절대적 의식에서부터 본래적인 존재라고 이 사유함 속에서 확신된 하나의 존재를 진술하는 것이다.…

알 수 있는 의미에서는 발견되지 않는 본래적 존재는 이 존재의 초월 속에서 탐색되어야만 한다. 이 초월에는 의식일반이 아니라 그때그때 실존만이 관계한다.(야스퍼스, 『철학1』, 125-127)

이제 탐구하는 자는 그 자신 곧 가능적 실존으로서 그 자신을 탐구해야 하는 가운데에 서게 되었다. 칼 야스퍼스는 이에 대해 "존재를 탐구하는 일은 탐구하는 자에 대한 물음 속으로 되던져졌다"고 말한다.

3절 가능적 실존에 근거한 철학

1. 철학함이란?

칼 야스퍼스는 위의 제목을 "가능적 실존에 근거한 철학함"이라고 설정하고 있다. 그는 "탐구하는 자 자신"을 가능적 실존이라고 말하며, 가능적 실존의 탐구가 곧 철학함이라고 말한다. 이 실존은 철학을 하면서 사유의 길을 통해 존재에로 돌진한다고 말한다.

존재를 탐구하는 일은 탐구하는 자에 대한 물음 속으로 되던져졌다. 탐구하는 자는 한갓 현존이 아니다. 왜냐하면 현존재는 오히려 자기 자신에 만족하고 있는 것이어서 존재를 탐구하지 않기 때문이다. 탐구하는 자 자신의 존재는 가능적 실존이며, 가능적 실존의 탐구는 철학함이다. 현존 안의 실존의 놀람과 관련해서 존재가 비로소 문제가 된다. 이 실존은 철학하면서 사유의 길을 통해 존재에로 돌진한다.

의식일반은 이 존재를 보편하게 인식한다고 여기는 한, 철학함은 가능적 실존의 철학함이 아니게 될 것이다. 왜냐하면 의식일반은 세계 내의 대상들을 인식하는 것이기 때문이다.… 이 과학들은 존재의 탐구에 봉사하고 있을 때는 철학적이지만, 그 자체로는 존재의 탐구가 아니다.

철학적 생활을 통해 스스로를 실현시키려는 가능적 실존에 근거한 철학함은 탐구에 머무른다. 근원의식은 존재가 자신에게 말을 걸어올 때는 언제나 이 존재를 받아들일 준비태세를 강화하는 자기의식적 탐구로서 이러한 근원에 육박해간다.(야스퍼스, 『철학1』, 129-130)

2. 실존을 향해 가기

가. 존재의 한 양태로서의 실존

칼 야스퍼스는 존재 탐구의 방법으로서의 '존재의 현전화' 방식을 여기서 멈춰야 한다고 말한다. 그것은 개념적으로 파악가능한 세계에 국한된다. 이와 대조적으로 실존과 초월자는 상상적인 점들이며, 철학함이란 이 점의 둘레를 움직이는 일이다고 한다. 이 운동은 실존을 중심점으로 갖는다. 우리가 실존의 존재를 부정하고, 객관적 존재를 존재 그 자체로 여긴다면, 그곳에는 공허만이 존재할 것이다. 그러나 실체와 충족은 실존하는 자의 무제약성에 대한 개념적으로 파악불 가능한 확신 안에서만 발견된다.

하나의 새로운 방향에 접어들기 위해서는 존재방식들을 현전화하는 과정을 여기서 멈춰야만 한다. 존재는 대상으로서 오직 이것인 대상적 존재에 관련될 때 명료해졌었다. 그것은 개념적으로 파악가능한 것의 세계일 것이다. 이와 대조적으로 사유된 것으로서 실존과 초월자는 상상적인 점들이다. 철학함은 이 점을 둘레에서 움직이는 일이다.

이 운동은 실존을 중심점으로 갖는다. 우리들에게 절대적으로 중요한 모든 것은 이 실존 속에서 만나고, 교차된다. 현재나 가능성으로서 실존 없이는 사유와 삶이 끝없는 것과 본질 없는 것 속으로 상실된다. 만약 내가 말로만이 아니라 실제적으로도 실존의 존재를 부정하고, 객관적 존재를 존재 그 자체로 여기면, 사물의 무제한성 속에서 내 현존의 공허와 지루함이 존재한다. 실존은 실체와 충족을 요구하기 때문에, 평안을 주지 않는 여분으로 남은 순간적인 실존에 의해 내몰리면서 실존의 탐구와 초조함에 남게 되는 것이다. 그러나 실체와 충족은 실존하는 자의 무제약성에 대한 개념적으로 파악불가능한 확신 안에서만 발견된다. 그리고 이러한 확신은 철학함 속에서 밝혀지길 원한다.(야스퍼스, 『철학1』, 130)

나. 사유에 의해 드러나는 실존의 대상성

실존은 분명히 비대상적인 것이지만, 우리가 그것에게 나아갈 때, 그것이 이야기되어질 수 있는 것이라면, 그것도 또한 대상화된 것이라고 말해야 한다. 이와 같이 우리의 사유는 실존을 객체로 만들어낸다. 그리고 그것은 실존이 실제로 존재하기 때문에 그렇다. 사유와 언어는 비대상적인 자기 확신에게로도 향하는데, 이 자기확신은 의식의 태도, 의식의 밝음, 존재의식을 의미할 수 있고 또한 절대의식을 의미할 수도 있다. 우리는 실존이라고 말하고, 이 현실성의 존재에 대해 이야기한다. 그러나 '실존'은 개념이 아니라 모든 대상성 너머를 지시하는 지표이다.

내가 실존을 직접 눈으로 포착하려고 하면, 나의 시선은 실존을 못 만난다. 어떤 것은 대상적으로 존재하는 정도에 따라 명료하다.… 의식이란 의식을 경험적으로 탐구가능 한 하나의 객체로 만드는 파생적이고 비유적이며 어쨌든 하나인 대상성을 갖는 것에 지나지 않는다. 우리가 실존을 향해 갈 때에야 처음으로 우리는 하나의 절대적으로 비대상적인 것에 접근한다. 그렇지만 이 비대상적인 것에 대한 자기 확신이 우리의 현존의 중심이고, 이 중심으로부터 존재가 탐구되며, 또 이 중심으로부터 모든 객관성의 본질이 밝혀진다.
어떤 것이 도저히 대상이 될 수 없다면, 사람은 그것에 대해 어떠한 것도 이야기할 수도 없는 것처럼 보인다. 하지만 이것에 대해 이야기하는 사람은 이것을 대상화하고 있는 것이다. 이와 같은 사유의, 추정하건대 알 수 있는 것 같은 모든 결과들은 실제로 실존을 객체(Objekt)로 만들고, 이렇게 해서 실존을 심리학화한다. 그러나 우리는 대상들을 사유하거나 이야기할 수 있을 뿐만 아니라, 비록 하나의 사상에 대한 통찰은 되지 않더라도 사유하면서 자기 스스로에게 명확히 되는 수단도 존재한다. 명확해지는 일은 비대상적인 가능적 실존의 현존형식이다. 사유와 언어는 비대상적인 자기 확신에게도 향하는 것이다. 이 자기확신은 의식의 태도, 의식의 밝음, 존재의식을 의미할 수 있고 또한 절대의식을 의미할 수도 있다.

우리는 실존이라고 말하고, 이 현실성의 존재에 대해 이야기한다. 그러나 '실존'은 개념이 아니라 모든 대상성 너머를 지시하는 지표이다. 가능적 실존에 근거해서 철학함은 사유라고 하는 수단을 갖고 어떤 하나의 공허한 심연을 지시하는 일을 넘어서 좀 더 분명한 현전화에 이르려는 노력이다. 인식할 수는 없을지라도, 실존 속에서 자신이 깊어지는 것을 사람이 단념하지 않을 때 본래적인 철학함이 있는 것이다.(야스퍼스, 『철학1』, 131-132)

다. 지양되어야 할 실존의 절대화

칼 야스퍼스는 실존을 존재의 한 양태로 보고, 그 존재 자체로 가는 과정으로 파악하지, 그 실존 자체를 하나의 독립적인 존재로 보는 것을 지양한다. 그것은 존재 자체로 대체될 수 없다. 그것이 세계를 탄생시킨 것은 아니기 때문이다.

철학함이란 가능적 실존에 의거한다는 바로 이 이유 때문에 철학함은 가능적 실존을 철학함이 연구하고 인식하는 자신의 객체로 삼는 것이 또한 불가능하다. 첫발을 내딛는 철학함이 개별적인 것을 전체로 이해하고 상대적인 것을 절대적인 것으로 이해하려는 유혹에 쉽게 빠지는 것과 같이, 실존을 어떤 하나의 절대적인 것으로 대상화하려는 시도는 철학함의 본래적인 위험이다. 실존의 존재의식이 자신 안에 닫혀 있는 것처럼 보일 때 실존을 절대적인 것으로 여기는 일은 충분히 있을 수 있기 때문에 그렇다. 하지만 실존은 시간적 현존으로서 과정 속에 머물러 있기 때문에, 이와 같은 실존의 절대화는 실존 자신에 있어서 치명적인 것이 될 것이다.

절대적인 것으로서의 본래적 존재로부터는 어쨌든 현존해 있는 것이 개념적으로 파악될 수 있지 않으면 안 될 것이다. 하지만 실존으로부터는 현존이 개념적으로 파악가능하게 되지 않는다. 우리들은 어떤 의미에 있어서도 세계를 실존으로부터 탄생시키는 것이 불가능하기 때문에, 실존이 존재 그 자체로는 있을 수 없는 것이다.(야스퍼스, 『철학1』, 132)

다. 실존 철학의 출발점

칼 야스퍼스는 내가 나 자신으로 존재하는 한, 나는 내가 무엇인지 이 상상의 한 점으로부터 사유한다고 말한다. 이 상상의 한 점은 현존의 파악을 통해 세계 속에서 자기 자신에게 접근하는 것이다. 한편, 이 상상의 한 점의 본질은 간접성이다. 따라서 실존이 자기 자신 속에 닫혀 있지 않다는 사실이 모든 실존철학의 시금석이 된다. 보다 깊은 개시를 향해 끊임없이 문을 열어가면서 유아론적 현존을 초월자의 탐구라는 본래적 존재의 경험으로 해소한다.

내가 나 자신으로 존재하는 한, 나는 내가 무엇인지 이 상상의 한 점으로부터 사유한다. 이 상상의 한 점은 내가 소유하고 있는 존재가 되지 않고, 현존의 파악을 통해 세계 속에서 자기 자신에게 접근하는 것이다. 이 상상의 한 점의 본질은 간접성이다.
따라서 실존이 자기 자신 속에 닫혀 있지 않다는 사실이 모든 실존철학의 시금석이 된다. 보다 깊은 개시를 향해 끊임없이 문을 열어가면서 실존 철학의 사유는 모든 사물에 대한 무세계성 속에 끌려들어가 있는 유아론적 현존을 초월자의 탐구를 실존철학의 본래적 존재로 경험한다는 주장으로 해소한다. 다시 말해서 실존철학은 교제를 잃은 상태로부터 다른 실존에 대한 개방성으로 해방되고, 신이 부재한 상태에서 초월자를 지시한다.(야스퍼스, 『철학1』, 133)

3. 세계정위적 사유

가. 철학함의 방향들

칼 야스퍼스에 의하면, 실존철학의 본질적인 방향은 형이상학이다. 그리고 실존철학의 방법은 조명을 통한 철학이다. 빛이 던져지는 곳을 사유함을 통해서 성립된다. 그런데 우리가 존재로부터 이와 같은 조명을 받을 때, 우리는 여기에 현존하는 세계에 대한 이해와, 우리의 근원성인 실존에 대한 이해와, 형이상학적 초월자에 대한 이해를 함께 진행하여야 한다. 따라서 이 존재탐구는 세 가지 목표를 갖고 있다. 하나는 세계정위적 사유이며, 또 하나는 실존조명적 사유이고, 마지막은 형이상학적 사유이다.

실존철학은 본질적으로 형이상학이다. 실존철학은 자신이 유래해온 것을 믿는다.…

가능적 실존에 근거한 철학함은 그 탐구 속에서 실존을 나타나게 하기 위해서 탐구 중에 모든 사유 가능한 것과 알 수 있는 것을 파악한다. 그러나 가능적 실존으로부터 철학함은 실존이 최종 목표가 아니다. 그것은 실존을 경유해 육박해 나가서 이 실존을 초월자 속에서 다시 사라지게 한다. 가능적 실존에 근거해 철학하는 사유는 빛이 던져지는 곳을 생각할 뿐만 아니라 동시에 이 빛 자체도 생각하는 탐조등이다. 이 빛 자체는 실존의 가능성으로부터 되돌려 던져질 때 알려진다.

그렇지만 이러한 조명하는 철학함의 방향들은 자의적이지 않다. 존재를, 이제는 본래적인 존재를 바닥이 없는 상태에서 다시 획득하는 일은 분리된 길에서 처음으로 일자로 되돌아가기 위해서 스스로를 분류하지 않으면 안 되는 것이다.

존재의 세 개의 명칭이 다양한 모습으로 우리들 앞에 다시 나타난다면, 분류되는 철학함을 시작들에서부터 윤곽을 그리는 일을 우리는 우리가 육박해간 그곳에서부터 다시 시작해야 한다. 이 존재의 세 가지 명칭은 존재를 고립되고 분열된 것으로서 만나는 것처럼 보이지 않고 전체로서, 근원적인 것으로서, 그리고 일자로서 만나는 것처럼 보인다. 즉 현존의 전체는 세계이며, 우리의 근원성은 실존이고, 일자는 초월자이다.

…따라서 이 존재 탐구는 세 가지 목표를 가지고 있다. 이 목표들을 규정할 수 없는 것으로 남아 있더라도 각각이 별개로 나타나는 것이다. 즉 존재탐구는 스스로 방향을 잡으며 세계 속에 들어와서 가능적 실존인 자신에게 호소하면서는 세계를 초월해 나아가고, 그런 다음 초월자에게 자신을 개방한다. 존재 탐구는 지식이 될 수 있는 것으로부터 스스로를 떼어내기 위하여 지식이 될 수 있는 것을 세계 속에 들어가는 중에 파악하고, 이렇게 함으로써 철학적인 세계정위가 된다. 그리고 존재 탐구는 단순한 세계현존으로부터 젓어나 자기실현의 능동성을 일깨우며, 이렇게 함으로써 실존조명이 된다. 또 존재탐구는 존재를 갈망하며 형이상학이 된다.(야스퍼스, 『철학1』, 133-136)

나. 세계정위적 사유

의식일반에서 객관적으로 인식이 가능한 존재로 있는 존재를 탐구하는 것을 세계정위적 사유라고 한다. 현존하는 대상들에 대한 지식은 세계정위라고 칭해진다. 이 지식은 항상 종결되지 않고 하나의 무한한 과정으로 남기 때문에 방향잡기(정위)일 뿐이다. 세계정위는 내부적으로 탐구적 세계정위와 철학적 세계정위로 나뉜다. 탐구적 세계정위는 객관성을 구하는 하나의 사유가 독학하여 제시하는 인식이다. 철학적 세계정위는 학문들의 최종적 성과들을 하나의 통일된 세계상으로 요약하는 것이라기 보다, 그것이 타당한 세계상이 될 수 없다는 사실을 지적하는 것이다. 철학적 세계정위는 사실적 세계정위의 의심으러운 점들을 탐구하는 것이다.

의식일반에서 객관적으로 인식이 가능한 존재로 있는 존재는 세계로서는 우리의 인식에 대해 완결될 수 없는 것이다.…

현존하는 대상들에 대한 지식은 세계정위라고 칭해진다. 이 지식은 항상 종결되지 않고 하나의 무한한 과정으로 남기 때문에 방향잡기(정위)일 뿐이다. 그리고 이 지식은 어떤 한 규정된 존재에 관한 지식, 다시 말해서 세계 속의 지식이 되기 때문에 세계정위이다.

세계 내의 사물들에 관한 지식으로서의 세계정위는 현존분석과 구별되어야만 한다. 현존분석은 뒤덮는 것으로서, 즉 세계정위마저도 자신 속에 포함하는 것으로서 현존 일반을 파악하려고 한다. 현존분석은 세계정위가 그 안에서 수행될 뿐만 아니라 그 안에 나에 대해 존재를 갖는 모든 것이 있는 그것의 구조들을 어떤 일반적인 것으로 현전화하려는 시도이다. 세계 정위는 학문들의 연구자들에 의해 수행된다. 그러나 현존분석은 존재탐구 안에 있는 철학함을 한 걸음 내딛는 것이다.

세계정위는 내부적으로 탐구적 세계정위와 철학적 세계정위로 나뉜다. 탐구적 세계정위는 객관성을 구하는 하나의 사유가 독학하여 제시하는 인식이다.…인식된 것을 의식일반으로서의 모든 사유와 함께 공유하는 것이 이 사유에게는 가능하다. 물론 사유하는 의식의 개체들이 존재하는 만큼 많은 세계들이 존재한다. 그러나 이 잡다함 자체가 세계정위에서 다시 대상이 된다.…

철학적 세계정위는 학문들의 최종적 성과들을 하나의 통일된 세계상으로 요약하는 것이 아니라. 이와 같이 타당한 세계상이 유일하고 절대적인 것이 될 수 없다는 사실을 지적하는 것이다. 철학적 세계정위는 사실적 세계정위의 의심으러운 점들을 탐구하는 것이다.(야스퍼스, 『철학1』, 136-138)

4. 실존조명의 사유

가. 현존분석과 실존조명

현존과 실존은 구분된다. 현존이란 우리의 의식 속에 무언가가 현상으로 출현한 것을 말한다. 이에 대해 우리는 객관적인 존재를 현존분석을 통하여 존재를 파악하려 한다. 그러나 이제 우리는 객관적인 모든 존재로부터 실존조명에로 거슬러 올라가려 한다. 칼야스퍼스에 의하면, 이렇게 현존분석과 실존조명은 이질적인 의미를 갖는 것이다.

칼 야스퍼스는 현존분석과 실존조명은 이질적인 의미를 갖는다고 말한다. 즉 현존분석은 의식일반에 의해 수행되며 현존이 지닌 일반적인 것을 나타낸다.

모든 제각각 규정된 존재로부터 일반적으로 우리들에 대해 존재하는 것이 그 안에서만 존재하는 모든 것을 포함하는 의식으로서의 현존에로 되돌아가는 것에 의해 철학이 어떤 한 현존분석의 단초들을 현전화했다면, 그렇게 철학은 세계 속의 객관적 존재로서의 모든 존재로부터 실존에로 거슬러 올라가는 것에 의해서 어떤 하나의 실존조명의 과제를 파악한다. 현존분석과 실존조명과는 이질적인 의미를 갖는 것이다.(야스퍼스, 『철학1』, 140)

나. 실존조명의 조건으로서 현존분석

현존분석은 그 자체도 거기서 파악되는 의식일반에 의해 수행될 수 있는 것이다. 이에 반해 실존조명은 단독자를 향하는 단독자의 언어이다. 실존조명은 단독자의 무제약적인 뿌리와 목적 속에서 이 단독자의 가능성을 나타낸다. 실존조명에서는 누구든지 스스로를 인식하는 것이 아니라 각자가 만들고 부딪히면서 현존을 자기 고유의 현실로 번역함으로써 이 단독자 스스로를 인식한다. 실존조명은 단지 자의적이며 오해 가능한 방법으로만 스스로를 전달한다. 이때 현존분석의 명석성이 이 실존조명의 조건이 되어서 그 한계를 구성해준다.

현존분석은 이와 같은 것으로서는 실존적으로 구속력이 없는 것이다. 즉 현존분석은 그 자체도 거기서 파악되는 의식일반에 의해 수행될 수 있는 것이다. 현존분석은 현존이 지닌 일반적인 것을 나타낸다. 현존분석 속에서 모든 사람은 자신을 이 단독자로서가 아니라 자아 일반으로서 인식한다. 현존분석은 일의적이며 직접적으로 스스로를 전달한다.

이에 반해 실존조명은 구속력이 있는 것이고, 단독자를 향하는 단독자의 언어가 된다. 일반적인 통찰 대신에 가능한 조명을 제시하면서 실존조명은 단독자의 무제약적인 뿌리와 목적 속에서 이 단독자의 가능성을 나타낸다. 실존조명에서는 누구든지 스스로를 인식하는 것이 아니라 각자가 많든 적든 제 것으로 만들고 부딪히면서 자기 고유의 현실로 번역함으로써 바로 이 단독자로서 스스로를 인식한다. 실존조명은 단지 자의적이며 오해 가능한 방법으로만 스스로를 전달한다. 실존조명은 그가 말을 거는 사람이 자신이 문제가 되는 그런 방식으로 그에게 말을 거는 것이다.

이에 반해서 현존분석은 실존조명으로부터 갈라지면 갈라질수록 그 자체로서는 철학적으로 중요하지 않은 것이지만, 실존조명의 조건이다. 즉 현존분석이 명석해질수록, 그만큼 실존조명이 결정적으로 되는 일이 가능하다. 왜냐하면 의식의 내재성 속에서는 자기를 의식하고 있는 나 자신이 일체 배제된다는 사실을 현존분석의 한계에 있어서 느낄 수 있도록 한다는 것이 현존분석의 명석성이기 때문이다. 따라서 현존분석은 실존조명에 대칭되는 한계구성이 된다.(야스퍼스, 『철학 1』, 141)

다. 실존조명에 대한 진술

칼 야스퍼스에 의하면, 우리의 사유 속에는 반드시 실존조명에 대한 진술이 있다고 말한다. 즉 상대적인 것에 대해 무제약적인 것을, 단순한 일반적인 것에 대해 자유를, 현존의 무한성에 대해 가능적 실존의 무한성은 본능적으로 존재하며, 이러한 실존조명에 대해서 진술하지 않으면 안 되는 것이다.

이리하여 어떠한 철학함이라고 해도 그 도중에 있어서 실존을 개명하지 않는 것이 없다고는 해도 이와 관계없이 여기에서는 특수 의미에 있어서의 실존조명에 대해 진술하지 않으면 안 된다. 즉 상대적인 것에 대해 무제약적인 것을, 단순한 일반적인 것에 대해 자유를, 현존의 무한성에 대해 가능적 실존의 무한성을 각각 느낄 수 있도록 하기 위해 나 자신의 근원과 가능성의 신호 속에서의 대화 시도로서의 실존조명에 대해서 진술하지 않으면 안 되는 것이다. 그러나 사유 속에서 이와 같이 자기 스스로를 전방에 몰아놓는 대상성은 나를 이 대상성으로부터 또 다시 나 자신 위에 다시 내던지지 않고는 못 배긴다.(야스퍼스, 『철학 1』, 142)

라. 실존을 해명하는 사유

실존을 해명하는 사유는, 그것이 생활 자체 안에서의 능동적 사유일 경우 존재의 확신을 낳는다. 실존을 해명하는 사유는 철학적 세계정위 속에서 얻어지는 부유상태를 어떠한 것에도 지지되지 않은 상태에서 감행해 본다. 그러나 이때 철학함이 도달할 수 있는 전범위에 있어서 실존의 자유에 밝음이 골고루 미치면 미칠수록 그만큼 결정적으로 실존에서의 초월자가 계시된다. 실존의 모든 길은 형이상학으로 이끄는 길이다.

실존을 해명하는 사유는, 존재의 인식으로는 될 수 없다. 오히려 이 사유가 생활 자체 안에서의 능동적 사유라고 하는 경우에는 존재의 확신을 낳는 것이다. 실존을 해명하는 사유는 그것이 철학적인 언어 속에서 호소하며 자기 스스로를 전달하는 경우에는 존재의 확신을 가능하게 한다. 실존을 해명하는 사유는 철학적 세계정위 속에서 얻어지는 부유상태를 어떠한 것에도 지지되지 않고 감행해 본다. 그러나 철학함이 도달할 수 있는 전범위에 있어서 실존의 자유에 밝음이 골고루 미치면 미칠수록 그만큼 결정적으로 실존에서의 초월자가 계시된다. 실존의 모든 길은 형이상학으로 이끄는 길이다.
따라서 인간이 그의 현존을 넘어 자기 스스로를 높이는 것이 가능한 이상, 철학함은 형이상학에 있어서 비상을 향해 다가갈 것이다. 실존하는 자에 있어서 형이상학은 그 속에서 초월자가-여러 실존들의 교제하는 세계 속에서부터-말을 걸어오는 해명과정이다. 여기에 인간에 있어서 본래적으로 소중한 것이 있다. 인간은 여기에 있어서 가장 깊이 속을 수 있고 동시에 사유하는 자로서 자기 자신에 대해 가장 깊이 확신을 발견하는 것도 가능하다.(야스퍼스, 『철학1』, 143)

5. 형이상학적 사유

가. 한계상황과 초월자의 암호

칼 야스퍼스는 우리가 어떤 현상과의 관계 속에서 어떤 한계상황에 직면할 때, 우리의 실존은 그 현실에 대한 해명과정에서 초월자의 암호를 발견한다고 말한다. 그리고 이때 경험한 절대적 대상성을 체계적으로 분절하는 것이 곧 철학적 형이상학이라고 말한다.

한계상황 속에서 무제약적으로 행동하면서 실존은 초월자의 여러 암호들 속에 스스로의 방향을 세우는 일을 경험한다. 초월자의 여러 암호들은 세계의 모든 대상이 의식일반을 충족하는 것과 같이, 절대적인 대상성으로서 실존의 의식을 충족하는 것이다.

그러나 만약 우리가 형이상학 중에 초월자의 암호로서의 절대적 대상성을 향해 직접적으로 향하여 간다고 하면, 이 절대적 대상성을 파악할 수 없을 것이다. 거기에는 이 절대적 대상성의 실존적 근저와의 접촉이 추구되지 않으면 안 되기 때문이다. 이와 같은 접촉은 행동 고유의 한계상황과 고유의 무제약성의 해명을 통해 처음으로 일어나는 것이며, 이 접촉에 대해서는 상징의 대상성이 타당하다는 사실은 거기에서는 이 대상성의 구체적 내용이 느껴질 수 있는 것이 되기 때문이다. 절대적 대상성을 체계적으로 분절하는 것, 이 대상성을 나의 것으로 만드는 것, 그리고 - 이 대상성이 단순한 직관이나 사건으로서가 아닌 사유된 개념으로서 존재하는 한 - 이 대상성을 창조해 내는 것, 이런 것들이 철학적 형이상학이다.(야스퍼스, 『철학1』, 143-144)

나. 한계상황에서 주어지는 답

어떤 한계상황 속에서 우리의 일반의식으로는 그 답이 제시되지 않는다. 즉 내가 가진 것으로는 그 답이 제공되지 않는다. 그럼에도 불구하고 답이 제공되었다. 그렇다면, 이 답은 어디에서 온 것일까? 그것은 초월적인 곳으로부터 왔다. 그리고 우리는 여기에 귀의하는 것이다. 이때 그 대상은 실존을 향해 본래적 존재를 현재화하는 것이다.

의식일반으로가 아니라 한계상황에 있어서의 가능적 실존으로부터 발해진 물음에 대해서 나는 일반적 지식으로서 만인에 타당한 어떠한 답도 발견하지 못한다. 그러나 실존은 그것이 존재에로 향해진 시선 속에서 자기 자신을 역사적으로 이해할 때 답을 듣는다. 즉 모든 때에 유한한 대상으로서 상징인 형상들과 개념들 속에서 실존은 초월적인 근거의 깊이에 귀의하는 것이다. 상징으로서 존재하는 암호, 즉 일반적으로는 해독 불가능하며 실존적으로 판독되는, 타인의 필적이 의심스러워진 대상성 속에서 의식에 야기된다. 대상이 점점 그 객관성 속에서 그것 자체가 초월자인 것처럼 고집할 법한 것인 이상, 그것은 존립할 수 없는 것을 스스로 증명하고 붕괴한다. 그런데 대상 속에서 절대자가 실존을 향해 현상해 오는 것에는 그 대상은 비교할 수 없는 방법으로 현실적이다. 이때 그 대상은 스스로의 대상적 존재를 소멸시키는 것에 의해서 실존에 향해 본래적 존재를 현재화하는 것이다.(야스퍼스, 『철학1』, 144)

다. 실존론적 탐구에서 나타나는 대상성

실존론적 탐구에서는 이와 같은 존재개념들의 분절 속에서는 발견할 수 없었던 하나의 대상성이 나타난다. 이것들 모든 대상이 실존론적 탐구라고 하는 입장에서 부터 볼 때 의식의 막연한 공상일 수 있다. 그러나 이러한 대상들은 실존이 이러한 대상들 속에서 자기 스스로를 투시하며 스스로의 초월자를 확신하는 한, 의식 속의 실존에 있어 절대적인 대상들이다.

그리하여 존재개념들의 분절 속에서는 발견할 수 없었던 하나의 대상성이 나타난다. 이 대상성에 속하는 대상들은 경험적으로 어딘가에서 나에게 객관으로서 부여될 수 있다고 하는 의미에서는 어떠한 현실도 아니다. 이것들 모든 대상이 이와 같은 현실성으로서는 세계 내 현존의 실존론적 탐구라고 하는 입장에서부터 볼 때 의식의 막연한 공상이다. 이러한 대상들은 실존이 이것들 대상들 속에서 자기 스스로를 투시하며 스스로의 초월자를 확신하는 한, 의식 속의 실존에 있어 절대적인 대상들이다. 지성이 아닌 공상이, 그러나 의식의 변덕스러운 공상이 아니라 실존적 근거의 장난으로서의 공상이 그것을 통해 실존이 존재를 확인할 때 장치가 되는 것이다.(야스퍼스, 『철학1』, 145)

라. 대상성에 혼재하는 경험적 존재와 초월적 존재

실존적인 의식을 통하여 나타난 대상성으로서의 그 무엇은 분명히 초월자의 현상으로서의 절대적 대상들로 자명하게 현존하게 된다. 이제 상징은 암호로 의식되지 않는다. 그러나 아직 거기에는 경험적 존재와 초월적 존재의 분리는 이루어져있지 않다. 이제 객관적인 반성을 통하여 이 양자가 분리되는데, 결국은 초월자에 대한 신앙을 받아들일 것인지의 여부로 판가름 나게 된다. 이 초월적인 현상은 분명히 이성적인 이해 없이 일방적으로 받아들여야만 하는 신앙적인 요소이기 때문이다. 이것은 위기이다. 이 위기에 처해서 처음으로 자기존재에 있어서의 명석성과 진리가, 그리고 자기존재에의 물음과 시도가 생기는 것이다.

아직 의문을 품고 있지 않은 실존적인 의식에 대해서는 초월자의 현상으로서의 절대적 대상들은 완전히 자명하게 현존하며, 상징은 암호로서 의식되지 않는다. 거기에서는 경험적 존재와 초월적 존재의 분리가 아직 행해지지 않았다. 후에는 초월자일 것이 다른 현존들과 함께 현존으로서 의심의 여지없는 객관성 속에 있다. 이 객관성에 향해진 어떠한 반성도 없이는 주관성의 어떠한 의식도 없다. 신앙과 불신앙과는 아직 대립하지 않은 것이다. 의식 속에서의 실존의 큰 위기의 하나는 이와 같은 존재의 자명성이 거기에 있어서 소멸하는 순간이다. 이 순간에 의해 처음으로 경험적 실존적인 대상과 초월적 대상이 구별될 수 있게 된다. 이 위기는 - 객관적으로 생성되는 정신의 역사 속에서는 여러 모든 위대한 계몽의 시대에 누차 역사적으로 발생하는 - 어떤 개인이라고 해도 그것 없이는 끝낼 수 없는 것이다. 이 위기는 해소될 법한 것이 아니며, 사라질 것이라고 희망할 수 있는 것도 아니다. 이 위기에 처해서 처음으로 자기존재에 있어서의 명석성과 진리가, 그리고 자기존재에의 물음과 시도가 생기는 것이다.(야스퍼스, 『철학 1』, 145)

마. 형이상학적 대상들과의 조우

우리는 이와 같이 실존의식 속에서 형이상학적 대상들의 세계와 만나게 된다. 여기에서 마주치는 형이상학적 대상은 그것들의 의미에 적합한 어떠한 경험적 존재도 존재하지 않는다. 이러한 형이상학적 대상에는 대상적인 것 속에서 초월자를 잡으려고 하는 실존에 근거해 있다. 말을 거는 것으로서의 형이상학적 대상들은 상징이며, 사람이 움켜쥘 수 있는 현실이 아니며, 현실들로부터 이루어지는 암호이고, 이 암호를 언어로서 읽는 실존에 있어서만 이러한 것으로서 인지될 수 있다.

전승 속에서 객관적이 된 듯한 인간적 실존들의 역사성 속에서 형이상학적 대상들의 불가측의 세계가 나 그리고 우리와 조우한다. 이러한 형이상학적 대상은 그것들의 의미에 적합한 어떠한 경험적 존재도 존재하지 않는다. 이러한 형이상학적 대상에는 대상적인 것 속에서 초월자를 잡으려고 하는 실존에 근거해 있다. 이러한 객관적 대상들로서는 이것들 형이상학적 대상들도 또 의식일반에 대해 공허한 존재를 갖고 있다. 말을 거는 것으로서의 형이상학적 대상들은 이와 같은 객관적 대상들이 아니라 그 자체로서 결코 대상적이 될 수 없는 어떠한 것을 대표하고 있는 것이다. 따라서 이것들 형이상학적 대상들은 상징이며, 사람이 움켜쥘 수 있는 현실이 아니며, 사람이 강제적으로 사유하지 않으면 안 되는 타당성도 아니다. 이러한 형이상학적 대상들은 현실들로부터 이루어지는 암호이고, 이것들 암호는 사유된 현실들 속에 계시되어, 의식일반을 매개로 해 이 암호를 언어로서 읽는 실존에 있어서만 이러한 것으로서 인지될 수 있다.(야스퍼스, 『철학1』, 146)

6. 세 방식의 초월

가. 초월자와 초주관적인 것

대상에 대하여 인식이 우리 안에 주관으로서 존재한다. 이것은 초월에 대해서도 마찬가지이다. 우리가 가능실존을 통해 초월에 대한 의식이 생성되는데, 우리는 초월자의 본래적 개념과 구별해서 이러한 것들을 초주관적인 것이라고 이름 붙인다. 왜냐하면 모든 대상성의 저편에 있는 것은 초월적이라 칭해지게 될 것인 데 반해서, 이러한 것들을 객관이 나에 대한 대상으로서 나의 의식 속에 현재하며 눈앞이나 혹은 사유 앞에 서는 것인 한, 사람들이 내재적이라 불러도 될 객체이기 때문이다.

철학이란 본래적 존재를 사유하면서 확신하는 일이다. 탐구가능한 대상으로서 부여되는 어떠한 존재도 본래적 존재로서 유지될 수 없는 것이다. 이런 이유로 철학은 모든 대상성을 초월하지 않으면 안 된다.

내가 인식하고 있는 대상은 인식 속에서 생각되고 있는 것이지만, 이러한 인식작용의 구성부분은 아니다. 인식과 대상은 예를 들면 수학적 대상과 같은 관념적 대상을 생각하는 경우라도 서로 맞서 있다. 사람들이 논리적 초월자라고 부르는 어떤 하나의 사유만 된 것이 거리를 두고 맞서 있는 것인 그런 대상의 존재에서는 물론이고, 경험적 대상 그 자체가 비슷하게 맞서 있을 때처럼 실재적 초월자에서도 주관으로부터 독립된 하나의 것, 즉 임의로 변경할 수 없고, 도리어 눈앞에 발견된 것이고 파악된 것, 그리고 또 나 없이 존립하고 있는 것이 지향된다. 그러나 [철학함의 초월을 논하고 있는] 우리는 이 양자에 초월자라고 하는 명칭을 허락하지 않는다. 우리는 초월자의 본래적 개념과 구별해서 이러한 것들을 초주관적인 것이라고 이름 붙인다. 왜냐하면 모든 대상성의 저편에 있는 것은 초월적이라 칭해지게 될 것인 데 반해서, 이러한 것들을 객관이 나에 대한 대상으로서 나의 의식 속에 현재하며 눈앞이나 혹은 사유 앞에 서는 것인 한, 사람들이 내재적이라 불러도 될 객체이기 때문이다.(야스퍼스, 『철학1』, 150-151)

나. 초월함의 의미

내가 주관으로서 무언가 초주관적인 것을 생각하는 한, 우리는 이미 초월을 행한 것이다. 그리고 더 나아가 우리 안에 생성된 의식 속에서 존재의 비밀이 개시될 수 있는 것 같이 광채를 지닐 경우에 우리가 생각하는 그 실제적인 초월함이 발생한 것이다.

내가 주관으로서 무언가 초주관적인 것을 생각하는 한, 나는 모든 사유 작용 속에서 첫째 의미에 있어서 초월을 행한다. 하지만 본래적으로 초월함이란 대상적인 것을 넘어서 비대상적인 것 속으로 벗어남을 의미한다. 첫째 의미에서의 초월은 우리들이 의식이 있는 한, 항상 수행된다. 여기서 초월함이라는 말은 비록 경탄할 만하고 일상성에서는 결코 자명하지 않지만 일반적인 어떤 하나의 현존의 사실일 뿐이다. 둘째 의미에서 초월함은 이 말이 그 특유의 무게를 갖는 경우에, 즉 이 말 속에서 존재의 비밀이 개시될 수 있는 것 같이 광채를 지닐 경우에 우리가 생각하는 초월함인 것이다.(야스퍼스, 『철학1』, 151)

다. 현존과 초월함의 선택

초월함은 현존 속에 있는 자유의 가능성이다. 인간은 단지 현존할 뿐만 아니라 초월할 수도 있고 초월을 단념할 수도 있다. 예컨대, 의식으로서의 현존은 상실과 죽음에 대해 알고 있지만 현존은 당혹해하지 않는다. 단순한 현존으로서의 동물은 선택의 가능성을 갖고 있지 않기 때문에 어쨌든 순수하게 그것은 존재하는 그대로의 현존이다. 그러나 인간은 초월하면서 고양되든가, 그렇지 않으면 초월자를 상실하면서 가라앉는 것이다. 즉 현존으로서의 의식은 어떤 식으로든 그 자체로서 이미 초월하고 있는 것은 아니며, 이 의식에서 초월의 가능성은 자유에 근거해 있다. 그리고 이 가능성을 실현하는 것은 자기의 초월자를 향해 열려 있는 실존이다. 실존이 초월함 속에서 자기 자신에게 도달하는가, 그렇지 않으면 현존 곁으로 가서 혼란한 현존 속에 자신을 상실해버리는가는 실존에 달려 있다. 단지 현존으로만은 존재할 수 없다는 것이 실존의 본질이다.

초월함은 현존과 함께 부여됐을 사실이 아니라 현존 속에 있는 자유의 가능성이다. 인간은 가능적 실존이 그 안에 나타나는 현존으로서 존재한다. 인간은 단지 현존할 뿐만 아니라 초월할 수도 있고 초월을 단념할 수도 있다.

생명으로서 자신의 세계 속에 결정된 채 현존을 확장하려 하는 노력과 현존을 유지하려 하는 걱정 속에서만 만족하거나 불만을 느끼고 있는 현존에게는 초월자가 없다. 의식으로서의 현존은 상실과 죽음에 대해 알고 있지만 현존은 당혹해하지 않는다. 현존은 흡사 죽음이 존재하지 않는 것처럼 산다. 파멸이 현존을 덮쳐온다. 현존은 사실상 자기 스스로부터 존립해 있지 않다. 그럼에도 불구하고 현존은 이 현존에 침투해 있는 충동에 대한 의식을 결여하고 있다. 자신의 유한성 속에 있는 현존은 초월함으로부터 되돌아보면서 처음으로 자신을 순수하게 보는 것이 가능해진다. 현존의 유한성 속에 완전히 몸을 둘 때 나는 맹목적으로 즐기고, 야만적으로 손아귀에 쥘 수 있지만, 또 나는 손실 속에서 어찌할 바를 몰라 하고, 권태 속에서 황량한 기분이 되고, 하루하루 의지할 곳도 없는 상태이다.

…단순한 현존으로서의 동물은 선택의 가능성을 갖고 있지 않기 때문에 어쨌든 순수하게 그것은 존재하는 그대로의 현존이다. 하지만 인간은 단순한 현존으로서의 동물이 될 수 없다. 인간은 단순한 현존으로서의 동물 이하의 것이 될 것이기 때문이다.… 인간은 단순히 현존할 수 없다. 인간은 반드시 초월하면서 고양되든가, 그렇지 않으면 반드시 초월자를 상실하면서 가라앉는 것이다.

…즉 현존으로서의 의식은 어떤 식으로든 그 자체로서 이미 초월하고 있는 것은 아니며, 이 의식에서 초월의 가능성은 자유에 근거해 있다. 그리고 이 가능성을 실현하는 것은 자기의 초월자를 향해 열려 있는 실존이다. 실존이 초월함 속에서 자기 자신에게 도달하는가, 그렇지 않으면 현존 곁으로 가서 혼란한 현존 속에 자신을 상실해버리는가는 실존에 달려 있다. 단지 현존으로만은 존재할 수 없다는 것이 실존의 본질이다.(야스퍼스, 『철학1』, 152-153)

라. 초월함

초월함은 현실적 현존 속 움직임으로서 존재한다. 철학함은 초월함들 속에 현존하고 있는 이 사유를 말한다. 따라서 사유가 초월함을 수행하지 않는 곳에는 어떠한 철학도 존재하지 않으며, 학문들에 의한 내재적이며 개별적인 대상적 인식이나 지적인 유희가 있을 뿐이다. 철학함 속에서 사유되는 것은 자유이며, 철학함은 자유에 대해서만 존재한다. 철학함은 현존들의 소멸에 대한 불안에서 생겨나는데, 이 불안은 초월함이 없이는 지양될 수 없는 것이다.

> 초월함은 현실적 현존 속 움직임으로서 존재한다. 이 움직임은 결코 사유를 결여하고 있는 것은 아니다. 철학함은 초월함들 속에 현존하고 있는 이 사유를 말한다. 이 사유가 실존으로부터 실존으로 전달과 교환을 목적으로 구체적 실존으로부터 풀려서 어떤 하나의 일반적인 것을 매개로 하는 언표가 되는 한, 언어적으로 고정화된 형상으로서의 철학이 성립한다. 하지만 이 언어적으로 고정화된 형상으로서의 철학은 그것이 구체적인 초월함으로 전환되거나 혹은 구체적인 초월함으로부터 유래하는 경우에만 그 진리성을 갖는다. 따라서 언표하는 철학함은 그것을 듣는 자가 함께 사유하는 것에 의해서 이 사유의 움직임 속에서 이미 그 자신의 고유한 초월함을 수행한다고 하는 극한의 경우에만, 초월함을 적절하게 전달하는 것이 가능한 것이다. 본래적인 초월함과 철학적 언표 사이의 거리가 현저해지는 경우의 대부분은 존재했거나 일깨워질 수도 있는 어떤 하나의 현실적인 초월함을 의도하며 내가 이야기할 때이다. 이러한 철학함은 상기이거나 선취이다. 철학은 그 언어적 표현 속에서 초월함을 직접적으로 수행하든가 어떤 하나의 초월함을 바라보며 사유하는 것이다.
> 사유가 초월함을 수행하지 않는 곳에는 어떠한 철학도 존재하지 않으며, 학문들에 의한 내재적이며 개별적인 대상적 인식이나 지적인 유희가 있을 뿐이다.…철학함 속에서 사유되는 것은 자유이며, 철학함은 자유에 대해서만 존재한다.
> …철학함은 현존들의 소멸에 대한 불안에서 생겨나는데, 이 불안은 초월함이 없이는 지양될 수 없는 것이다.(야스퍼스, 『철학1』, 153-155)

마. 초월함의 방식들

칼 야스퍼스는 과학과 다르게 철학은 특별한 대상이 없는 사유이지만 사유가 대상 없이는 수행될 수 없다. 이런 이유로 철학은 학문들의 세계정위 속에서 단순한 객관성으로서 나타나는 모든 것을 자신의 재료로 삼는다. 이에 따라 그는 초월함을 세계정위 속에서 초월함, 실존조명 속에서 초월함, 형이상학 속에서 초월함으로 구별한다.

과학과 다르게 철학은 특별한 대상이 없는 사유이지만 사유가 [아무런] 대상 없이는 수행될 수 없다. 이런 이유로 철학은 학문들의 세계정위 속에서 단순한 객관성으로서 나타나는 모든 것을 자신의 재료로 삼는다.…

우리는 초월함을 세계정위 속에서 초월함, 실존조명 속에서 초월함, 형이상학 속에서 초월함으로 구별한다. 초월함의 이러한 세 방식 중 하나는 다른 것들을 따를 뿐만이 아니라 되돌아가서 다른 것에 새로운 의미를 부여한다는 사실이 드러날 것이다. 초월함의 이러한 세 방식은 이것들 중에서 어느 하나도 다른 것이 없다면 상실되지 않을 수 없을 정도로 서로에게 침투해 있다. 그런 까닭으로 초월함의 이 세 방식을 분리하는 일은 초월함의 사실적 수행을 반성에 의해 명석하게 할 철학적 사유를 정리하기 위한 하나의 상대적인 분리일 뿐이다.(야스퍼스, 『철학1』, 161-162)

4절 포괄자 - 칼 야스퍼스의 존재론

칼 야스퍼스의 『철학Ⅰ,Ⅱ,Ⅲ』을 좀더 체계적으로 이해하기 위해서는 먼저 그의 '포괄자론'을 이해하는 것이 필요하다. 이 내용은 그의 『*Der philosophische Glaube angesichts der Offenbarung*(1962)』(철학적 근본작용), 『*Existenzphilosophie*(1974)』(실존철학),『*Vernunft und Widervernunft in unserer Zeit* (1952)』(현대의 이성과 반이성),『*Vernunft und Existenz*(1960)』(이성과 실존) 등에 잘 나타나 있다. 여기에서는 이 내용 전체를 복합적으로 알아보도록 한다.

1. 철학적 근본작용

칼 야스퍼스의 '철학적 근본작용'이란, 우리의 사유 가운데에는 어떤 철학적 본능(센스)이 내재해 있는데, 그것은 우리 자신이 어떤 실존적인 사건을 만났을 때, 스스로 자신을 발견하기 위해서 대상적인 것으로부터 비대상적인 것에로의 사유의 전환을 수행한다는 것이다. 그리고 이러한 사유가 발생하는 이유는 우리의 의식 안에는 '포괄자'(필자: 세계내의 모든 존재를 포괄하고 있는 초월자)의 여러 양태가 내재해 있기 때문이다. 칼 야스퍼스는 『철학적 근본작용』 그것을 다음과 같이 설명한다.

우리가 이 세계 내에서 어떻게 우리 자신을 발견하는 지를 포괄자의 여러 양태들을 통해 확인하기 위해 사유 가운데서 이루어지는 과정으로서, 대상적인 것으로부터 비대상적인 것에로의 사유의 전환을 수행하도록 강요하는 우리의 철학적 센스(Sinn)에 의해서 이루어진다.(『철학적 근본작용』, PGaO, S.132f.)

우리는 앞에서 우리의 의식 속에는 대상의식과 아울러서 초월적 의식이 함께 내재해 있다는 것을 살펴보았다. 이것은 초월자가 세계 내의 모든 존재를 포괄하는 포괄자이기 때문이다. 한편, 야스퍼스(Jaspers, K.)는 우리가 대상적으로 인식할 수가 없지만, 모든 대상을 포괄하고 그 안에 내재하고 있는 초월자가 존재하는데, 이것의 암호를 해독(解讀)하는 것이 철학의 사명이라고 하였다.[필자해설]

한편, 우리 안에 내재된 이와 같은 '철학적 근본작용'은 어떤 세계 속에서의 실존적 인식이 발생하였을 때, 이제는 본능적으로 비대상적 존재에로 향한다. 그리고 여기에서 우리가 발견하는 것은 지평선 너머에 존재하는 포괄자이다. 우리는 초월자로 향하게 하는 암호만을 우리의 실존의식 속에서 발견했던 것이다. 즉 포괄자 자체는 결코 대상이 될 수 없으며, 각각의 존재에게 그의 지평으로서만 존재한다. 칼 야스퍼스는 이와 같이 '지평선 너머에 존재하는 포괄자'를 다음과 같이 말한다.

각각의 지평이 우리를 둘러싸고 있다. 각 지평은 우리가 더 넓은 방향으로 시선을 돌리기를 허용하지 않는다. 따라서 우리는 각각의 지평을 넘어서고자 하는 충동을 갖는다. 그렇지만 우리가 어디에 도달하건 그 때마다 도달된 것을 둘러싸는 지평이 따라 다닌다.(『현대의 이성과 반이성』-VW, 37)
우리는 언제나 하나의 지평 안에서 살고, 하나의 지평 안에서 사유한다. 하나의 지평이 존재한다는 사실, 그리하여 끊임없이 이미 획득한 지평을 다시 포괄하는 더 넓은 지평이 나타난다는 사실로부터 포괄자에 대한 의문이 생긴다. 포괄자는 그 안에서 우리들에게 현실적인 것과 진리 존재의 일정한 양식이 나타나도록 하는 지평이 아니다. 오히려 모든 각각의 개별적 지평들이 이미 지평으로서 자격을 상실한 전적인 포섭자(Umfassendes)에 포함되는 것과 마찬가지로 포괄자는 각각의 개별적 지평들을 포함한다.(『이성과 실존』, VE, 43.)
하나의 지평이 있다는 것, 그리고 이 지평의 피안에 모든 획득된 지평을 포괄하면서도 그 자신은 지평이 아닌 하나의 더 넓은 지평이 나타난다는 것에 의하여 우리는 포괄자를 감득한다.(『현대의 이성과 반이성』-VW, 38)

2. 포괄자인 존재 자체

[필자해설] 칼 야스퍼스의 '포괄자론'은 기독교의 '존재론'과 대동소이하다. 기독교의 존재론에 의하면, 존재 자체는 초월자이면서 내재자이다. 즉, 최초의 존재로서 초월자인 존재 자체가 모든 만물들에게 존재를 나누어주어서, 모든 존재하는 것들이 현존하게 되었다. 우리에게 나타나는 바로는 이것 전체를 합하여서 존재 자체이며, 동시에 이 존재 자체는 초월자로 여전히 있다. 따라서 인간이나 사물이나 할 것 없이 그 모든 만물들은 존재를 분유 받고 있다. 이 모든 개별적 존재자들은 존재 자체를 현상한다. 이때 인간이라는 존재는 여기에 더 하여서 이성을 가지고 있는데, 이 이성은 존재자적 이성으로서 이 존재를 인식하기까지 한다.

한편, 기독교에서의 존재 자체는 먼저 초월자이면서 존재를 세계(만물)에 분유한다. 이에 반하여 야스퍼스의 경우, 포괄자가 먼저 언급되며, 이 포괄자의 양태로서 초월자와 세계를 말한다. 칼 야스퍼스의 존재론이 이와 같이 전개되는 이유는 인식론적 접근을 따르기 때문이다. 인식론적으로 보면, 우리 주관이 먼저 나서며, 이 주관이 객관을 인식하기 때문이다.

따라서 존재 자체는 전체로서 객관일 수도 주관일 수도 없으며, 포괄자가 아니면 안 된다. 그런데 이 포괄자가 대상적 존재를 통해 인간의 이성 속에 나타날 때, 인간의 이성은 포괄자적 존재로서 주관이 되며, 대상존재는 인간의 의식 속에서 객관이 된다. 이렇게 포괄자는 주관과 객관으로 분열되어서 우리에게 나타난다. 이것은 칼 야스퍼스의 『철학입문』에서 다음과 같이 표현되고 있다. 그리고 강갑회는 이것을 그의 논문에서 다음과 같이 부연설명하고 있다.

존재 자체는 전체로서 객관일 수도 주관일 수도 없으며, 포괄자가 아니면 안 된다는 것, 따라서 이 포괄자는 이 분열 가운데서 나타나게 된다고 하는 것은 분명한 것이다.(『철학입문』, EP. 25)
인식에 있어서 주-객의 분열은 우리 의식의 근본구조이다. 인간이 의식적인 한 주-객의 분열은 필연적이다. 그리고 또한 주-객의 분열에서 주체와 객체는 타자 없이 존재 할 수 없다. 이 경우 타자로서 존재 자체는 단순한 주관도, 또 단순한 객관도 아닌 주관.객관 양자를 포괄하지 않으면 안 된다.… 이런 사실에서 존재 자체는 대상이 아니라는 것이 분명하다. 나에게 대상이 되는 모든 것은 포괄자로부터 나온 것으로 나는 그것을 인식할 수 있다. 대상은 자아에 대해서 일정한 존재이다. 포괄자는 나의 의식에 있어서는 인식 불가능한 불명확한 것이다. 대상적인 것이 명확하게 인식될수록 포괄자는 인식으로부터 더욱 멀어진다. 철학의 근본적 과제인 포괄자에 접근하기 위한 철학적 근본작용은 인식에 있어서는 피할 수 없는 주-객의 분열을 넘어서 인간의 사유가 주-객을 포괄하고 있는 一者에로 비약하는 것을 의미한다. 포괄자는 대상이 되지는 않지만 주-객 분열에서는 주-객을 포괄하는 것으로서 나타난다. 즉 포괄자는 자신이 대상이 되지 않고 자아와 대상의 분열에 있어 그 배경으로서 나타난다. 그 자신은 배경으로 남아서, 이 배경으로부터 끝없이 현상하는 가운데 자신을 드러내지만, 그러나 그것은 여전히 포괄자이다. 포괄자는 주-객 분열을 포괄하는 배경인 바 전체로서 존재 자체이다.[10)]

3. 포괄자의 양태

가. 포괄자에 대한 사유형식

칼 야스퍼스는 존재를 분유 받아 함유하고 있는 자로서의 인간을 포괄자의 양태 중의 하나라고 말한다. 칼 야스퍼스는 우리 인간이 가진 이성의 인식능력 때문에 우리를 포괄자의 한 양태라고 부른 것으로 보인다.

내가 포괄자를 그 내용에 쫓아 해명하려고 하는 즉시, 하나인 포괄자는 포괄자의 여러 양태로 분열된다. 유일하고 언표 할 수 없는 것이 우리에게 규정될 수 없고 충만 될 수 없는 한계로 머물러 있는 동안, 포괄자는 말하자면 여러 공간에서 분열된다.(『현대의 이성과 반이성』; VW, 47)

칼 야스퍼스는 『진리에 관하여』(1947)에서 포괄자에 대한 사유의 형식으로서 주-객의 분열(Subject-Object Spaltung)을 말한다. 즉, 전체로서의 존재 자체는 객관일 수도 주관일 수도 없고 이 양자를 포괄하는 포괄자가 아니면 안 된다는 것이

---

10) 강갑회, "칼 야스퍼스에 있어서 초월자의 암호해독을 통한 실존해명," 동아대학교대학원, (2002, 박사), 16-17.

다. 한편 이와 같은 것의 목표는 분열을 지양, 합일하는 데 있다.[11]

포괄자는 주관만도 객관만도 아닌 주·객의 분열 안에서 그 양측이 모두 나타나는 존재이다. 다시 말해서 주·객의 양축을 통일하는 일자가 주·객의 포괄자이다. 『철학적 신앙』에서 야스퍼스는 다음과 같이 말한다.

존재는 모든 것이 직관과 사유형식을 통해서 우리에게 대상화되며 현상이 된다. 존재는 우리가 아는 방식대로 존재하는 것이지 그 자신이 그대로 나타나는 것이 아니다. 우리가 존재를 지각하든, 사유하든 간에 그 존재는 객체만도 아니고 주체만도 아니다.(『철학적 신앙』, 신옥희 역, 26)

나. 포괄자의 양태

Wisser R.은 『Karl Jaspers: Philosophie in der Bewährung-Vorträge und Aufsätze, 』(Würzburg : Königshausen & Neumann, 1995)에서 칼 야스퍼스가 구분한 포괄자의 양태를 다음과 같이 소개한다.[12]

	우리 자신으로서의 포괄자	존재 자체로서의 포괄자
내재적인 것	현존, 의식일반, 정신	세계
초월적인 것	실존	초월자
이성 (포괄자의 여러 양태의 유대)		

위의 표를 김호범은 다음과 같이 설명한다.

이러한 포괄자를 존재 자체로서의 포괄자와 우리 자신인 포괄자로 나누고, 다시금 우리를 둘러싸고 있는 존재 자체로서의 포괄자를 세계(Welt)와 초월자로 구분하고, 우리 자신인 포괄자를 현존재(Dasein), 의식일반, 정신, 그리고 실존으로 구분한다. 그리고 존재 자체로서의 포괄자나 우리들 자신으로서 포괄자가 불가분의 관계에 있고, 이러한 포괄자의 여러 양태를 연결하는 유대가 이성이라고 한

---

11) 김호범, "칼 야스퍼스의 실존주의에 있어서 '사귐'에 관한 연구," 동아대학교교육대학원, 석사(1997), 20.
12) 재인용: 강갑회, "칼 야스퍼스에 있어서 초월자의 암호해독을 통한 실존해명," 18.

다.13)

포괄자는 우리 자신과 존재자체가 포괄자이며, 그 안에 있는 구성요소들도 모두 포괄자의 양태로 불린다. 이때 존재 자체는 초월자로서 이 세계 속의 존재들에게 현상한다. 이것이 우리의 의식 속에서는 객관으로 등장한다. 한편, 우리 자신에게 초월적인 것은 우리 안의 실존이며, 이것이 주체가 되어 현존, 의식일반, 정신 가운데에 현상한다. 이때 여기에서 초월적인 것은 실존과 초월자이다. 따라서 우리는 실존을 통해서 초월자와 관계를 맺는다. 그것은 우리의 이성 가운데에 포괄자적 이성이 존재하기 때문으로 보인다.(필자해설)

3. 존재 자체로서의 포괄자

가. 세계

존재 자체로서의 포괄자가 드러내는 양태에는 세계와 초월자가 있다. 이때 세계는 세계정위의 입장에서 본다면, 세계는 영원하다. 그러나 이것을 실존론적 혹은 초월적 입장에서 보면, 세계는 자체적으로 존재하지 않으며, 오히려 현상인바 현존재이다. 세계는 실존이 현상할 수 있는 시간적인 장소이며, 나아가 실존과 초월자가 만나는 장소이다. 김호범은 이것을 그의 논문에서 다음과 같이 정리한다.

존재 자체로서의 포괄자의 첫 번째 양태인 세계는 우리를 둘러싸고 있는 존재로서 야스퍼스 사상에서 "세계는 존재 그것이 현상하는 포괄자"이며, 세계 전체는 대상이 아니라 이념이다. 포괄자로서의 세계는 세계정위의 입장과 초월의 입장에서 볼 때 각각 다른 의미를 지닌다. 전자의 경우 "세계는 지속적인 존립자로서 시종이 없으며, 변화가 없으며, 오직 세계 내에 있는 모든 존재자만이 변화하여 시종을 가질 따름이다. 그러므로 세계는 자체적으로 존재했으며 끝없는 시간 속에 존재하는 바의 것이다."(『철학1』, PH 1, 55) 그러나 후자의 입장에서 볼 때의 세계는 "자체적으로 존재하지 않으며, 오히려 현상인바 현존재이다. 세계는 실존이 현상할 수 있는 시간적인 장소이며, 나아가 실존과 초월자가 만나는 장소이다." 우리가 알 수 있는 모든 대상은 세계 내에 존재하는 것이며, 세계 자체는 아니다. 그리고 이 세계는 우리가 존재하지 않아도 존재하기 때문에 우리와

---

13) 김호범, "칼 야스퍼스의 실존주의에 있어서 '사귐'에 관한 연구," 20.

무관할 수 있다.[14]

나. 초월자

한편, 초월자는 모든 존재의 근원이며, 존재 자체이다. 초월자는 세계가 아니며, 세계가 될 수 없고, 세계를 초월하여 있으나, 세계 성립의 근거이며, 다만 세계를 통하여 나타날 뿐이다. 초월자가 존재한다면 이 세계는 초월자를 지시하는 암호가 될 수 있다. 김호범은 이것을 그의 논문에서 다음과 같이 정리한다.

둘째로, 초월자는 모든 존재의 근원이며, 존재 자체이다. 초월자는 세계가 아니며, 세계가 될 수 없고, 세계를 초월하여 있으나, 세계 성립의 근거이며, 다만 세계를 통하여 나타날 뿐이다. 그것들의 관계는 다음과 같이 말할 수 있다. "세계가 전부라면 초월자는 존재하지 않는다. 그러나 초월자가 존재한다면 이 세계는 초월자를 지시하는 암호가 될 수 있다."(『철학적 신앙』, 33)[15]

4. 우리 자신으로서의 포괄자

우리 자신인 포괄자는 현존재, 의식일반, 정신, 그리고 실존 등으로 나누어진다.

가. 현존재

칼 야스퍼스에게 현존재란 우리 자신인 포괄자의 한 양태로서 생존에 필요한 자기보존과 자기확장의 본능과 관련한 물리적인 모든 것을 지칭한다. 따라서, 이 현존재는 '시간 내의 존재'(Sein-in-der-Zeit)이며, '상황 내의 존재'(Sein-in-der-Situation)이다. 그러므로 현존재는 세계와 분리해서 생각할 수 없다. 바로 존재 현실이 상황이며, 세계이기 때문이다. 이 현존재의 진리개념은 모든 것이 생존을 위한 수단과 목적을 위해 존재한다. 그런데, 인간의 '철학함' 자체는 이 현존재에서부터 시작된다.

우리 자신인 포괄자로서의 현존재인 나에게 있어 대상이 되는 세계는 환경이고 지각세계이며, 행위세계이고, 유용세계이다. 그러므로 현존재인 나는 생존에 필

---

14) 김호범, "칼 야스퍼스의 실존주의에 있어서 '사귐'에 관한 연구," 21.
15) 김호범, "칼 야스퍼스의 실존주의에 있어서 '사귐'에 관한 연구," 21.

요한 감각, 감정, 기억, 구성력, 생식 등의 자기 보존과 자기 확장의 본능을 지닌다. 이에 따라 현존재의 진리는 현존재의 보존과 현종재의 확장을 실천하는데 필요한 유용성과 사용 가능성 뿐이며 어디까지나 자명하게 의식되는 것만이 참된 것이다. 다시 말해서 현존재에 있어서 진리 개념이란 존재하는 모든 것은 소재로서 존재하며, 또 수단과 목적을 위해 존재한다는 실용주의의 진리개념이다.(Jaspers, *Existenzphilosophie*, s. 57, 『실존철학』)

인간은 상황-내-존재이다. 인간은 항상 일정한 처지 다시 말해서 자기 주위의 일정한 사물 즉 환경으로서의 자연 내에 존재한다. 인간이 자신을 둘러싼 상황 내에 존재하고 있다는 사실을 지각하는 것에서 철학적 물음이 시작되고 그것이 '철학함' 자체이다.(PHⅡ, s, 203)

이 현존재가 접하는 세계는 자연세계에 그 무엇이 추가된 것이다. 그리고 그 무엇인 곧 우리의 의식 속에서 실존의식을 일으킨다.

나. 의식일반

실존철학에서의 현존재는 의식에 의해 인식될 때, 비로소 존재를 갖는다. 의식에 들어오지 않는 대상은 그 존재의미를 상실한다. 의식에 의해 인식됨이 없이 단지 자기 스스로 현존하는 존재는 참도 아니고 거짓도 아니다. 이때 의식일반은 모든 만인에게 공통된 의식이다. 따라서 의식일반은 보편타당한 규칙과 사유의 범주에 근거해서 어떤 사태에 대하여 다른 사람들과의 일치에 도달한다.

다른 존재나 자기 자신에 의하여 인식됨이 없이 단지 자기 스스로 현존하는 존재는 참도 아니고 거짓도 아니다.(VW. 606)

의식 일반은 개인적으로 차이가 있는 체험적 현실적인 의식 속에서의 만인에 공통적인 의식이다.(PGaO, 112)

의식 일반은 대상을 보편타당하게 인식하고자 하는 주관성이다. 어떤 존재자를 보편타당하게 인식한다는 것은 그것이 의식 일반에 의해서 인식된다는 의미이다. 의식 일반은 확실성, 전달가능성, 논증가능성, 보편타당성의 진리를 추구하며, 이를 보증한다. 다시 말하면 보편타당한 규칙과 사유의 범주에 근거해서 어떤 사태에 대하여 다른 사람들과의 일치에 도달한다.(정영도, 『야스퍼스철학의 근본문제』, 53)[16]

의식일반으로서의 우리들에 맞서 존재하는 것은 다음과 같은 조건을 갖추어야 한다. 어떠한 방식으로든지 대상적 존재로 알려져야 하고, 의식의 시간적 실현에 나타나 있어야 하고, 사유 가능한 형태에 있어서 언어가 되어야 하며, 전달 가능성의 형태를 획득해야 한다.(야스퍼스, 『이성과 실존』, 황문수 역, 402)

다. 정신

칼 야스퍼스의 정신은 칸트의 순수이성과 유사하다. 우리 안에 있는 자연사물들에 대한 의식을 통일시키고 이념화한다. (필자: 야스퍼스는 칸트의 실천이성을 실존에 연결시키는 듯하다.) 따라서 정신은 '상상력'으로 의식들을 통일시키고, 더 나아가 여러 가지 형상으로 창조하고 현실화하는 포괄자의 한 양태이다. 우리는 정신의 양태를 통하여 의식으로 우리가 이해하는 모든 것에 관계하여, 세계와 우리 자신을 전체성에 일치되는 이해 가능한 것으로 이념화한다.

정신은 모든 전체성을 용해하고 재구성하는 과정으로서 결코 완결되지 않으며, 현존재의 가능한 완성에 이르는 길에 언제나 충만된 현재이며, 이러한 현재에 있어서 보편은 전체가 되며 특수는 각각 전체의 구성요소가 될 것이다.(야스퍼스, 『이성과 실존』, 황문수 역, 403)
정신의 주체는 상상력이다.(PGaO. 115)
정신의 객관적인 존재 형식은 질서를 만들고 한계를 긋고 기준을 만들어 나가는 작용을 하는 총괄적인 전체자의 힘이다.(PGaO. 115)
정신은 무시간적인 의식 일반의 추상성과는 구별된다는 점에서 다른 한편으로는 시간적인 생기이다.(VE, 49)[17]

라. 실존

철학적 진리와 과학적 진리는 분명히 다르다. 따라서 포괄자로서의 우리가 위의 세 양태(현존, 의식, 정신)의 기능만을 가지고 있다면, 우리는 우리의 본래적인 자기실현을 할 수 없을 것이다. 그러나 우리는 삶을 살면서 우리에게 주어지는 의식 중에 이 세 가지 기능 외에 '실존의식'이 존재하고 있다는 것을 발견한다. 이것은

---

16) 재인용: 강갑회, "칼 야스퍼스에 있어서 초월자의 암호해독을 통한 실존해명," 22.
17) 재인용: 강갑회, "칼 야스퍼스에 있어서 초월자의 암호해독을 통한 실존해명," 23.

분명히 우리의 현존재를 통해서 들어온 의식이지만, 그 의식은 자연세계로 말미암지 않았다. 이 실존의식은 분명히 실존에서 생성된 것인데, 야스퍼스에 의하면, "이 실존은 객체가 될 수 없다. 따라서 과학의 대상이 될 수 없다"(PGaO. 117)고 말한다. 그것은 우리의 현실과 관련해서 온 '초월자의 암호'이다.

초월자가 없으면 실존은 결실이 없고 사랑이 없는 악마적 반항이 된다. 실존은 이성에 의존하면서 이성의 밝음에 의해 비로소 본래적인 운동을 벌이게 된다. (『이성과 실존』, 황문수 역, 397)
이성은 그 어떤 것도 산출해 내지 않으며 다른 어느 포괄자와는 다르게 자기 자신의 근원도 아니다. 다만 이성은 일치에로의 의지와 비역사적·절대적인 일자에로의 의지로서 오성의 모든 고정과 논리를 넘어서는 사유이다. 이와 같이 이성은 일자를 탐구하는 철학함의 추진력이 되며, 그 방법적 수행은 초월함이다.[18]

칼 야스퍼스는 우리 안에 실존의식이 생성된 것을 보았을 때, 실존 그 자체는 분명히 존재하는 데, 그것은 어떤 직관에 의해서도 관찰되지 않으며, 자기 자신의 것으로서 파악 가능한 객관성을 지니고 있지 않다. 다만, 자신을 현상하기 위하여 포괄자의 세 양태에 의존하고 있을 뿐이다. 따라서 실존은 이 세 양태를 매개로 한 간접적인 방식으로서의 전달만 가능하고 직접적 전달은 불가능하다. 따라서 실존해명에 있어서 척도로 삼을 수 있는 진리의 객관적 기준은 없다.

실존 그 자체는 어떤 직관에 의해서도 관찰되지 않는다. 현존은 생물학적인 현상의 실재로 나타나며, 의식 일반은 과학의 성과를 통하여 지시 가능한 사유의 범주와 방법이라는 형태로 나타나고, 정신은 그것의 창조물의 형태로 나타난다. 그러나 실존은 자기 자신의 것으로서 파악 가능한 객관성을 지니고 있지 않다. "실존은 객체가 될 수 없다. 따라서 (삶이나 사유나 정신과 마찬가지로) 과학의 대상이 될 수 없다." 다만 실존과 앞서 언급한 포괄자의 세 양태는 실존이 자신을 현상하기 위하여 포괄자의 양태에 의존하는 것에서 관계가 맺어져 있다.
포괄자의 세 양태에서는 명확한 진리 규정과 그것의 객관적인 전달이 가능하다. 실존에 있어서는 이들 세 양태를 매개로 한 간접적인 방식으로서의 전달만 가능하고 직접적 전달은 불가능하다. 따라서 실존해명에 있어서 척도로 삼을 수 있

---

18) 김호범, "칼 야스퍼스의 실존주의에 있어서 '사귐'에 관한 연구," 28.

는 진리의 객관적 기준은 없다.[19)]

그러다 보니 실존해명을 위해서는 '상호소통'이 요청된다. 여기에서 가능적 실존이 현실적 실존으로 나타난다.

이러한 점에서 각 실존은 독특하고 대체 불가능하다. 실존의 영역에서는 한 실존에 대하여 참으로 분명한 개념이 다른 실존에 대해서도 역시 통용된다는 보증이 있을 수 없다. 진리란 궁극적으로 하나이지만 이 유일의 절대적인 진리는 인간에게 직접적으로 나타나지 않는다. 그러므로 실존에 있어서 진리는 인식과 내용에 있는 것이 아니라 행동에 있다.

실존의 진리 전달에는 분명히 어떤 한계가 있다. 실존에 있어서의 진리전달은 실존적 '상호소통'(Kommunikation)에서만 가능하다. 따라서 가장 신뢰할 수 있는 상호소통은 실존적 상호소통이며, 그것에서 실존이 해명되어 가능적 실존은 현실적 실존으로 된다.[20)]

마. 실존의 특성들

그렇다면, 이제 이 실존의 정체성은 무엇인가? 초월자처럼 원래적으로 존재하는 것이었나? 칼 야스퍼스의 개념에 의하면, 그렇지 않다. 오히려 실존은 초월자에 의해서 전개된 것이다. 우리가 현존재를 통해서 시간 속에서의 상황을 접한다. 이것이 의식 속으로 전해진다. 이때 실존의식이 나타나는데, 그것은 사물과 삶의 현상으로 나온 것이 아니다. 그것은 우리 안에 초월적으로 존재하는 실존이 초월자의 암호를 해독하여 현상한 것이다.(필자해설)

따라서 실존은 단순하게 먼저 존재하는 것이 아니라, 그 실존 자체가 초월자의 관계성 속에서 상황을 고려하여 끊임없이 만들어낸 것이다. 따라서 실존은 자유로운 존재이다. 그리고 이 자유는 초월자에 의해서 증여 받은 것이다. 따라서 실존은 초월자 없이는 존재할 수 없다. 강갑회는 그의 논문에서 이러한 실존의 특성을 다음과 같이 열거한다.

---

19) 강갑회, "칼 야스퍼스에 있어서 초월자의 암호해독을 통한 실존해명," 25.
20) 강갑회, "칼 야스퍼스에 있어서 초월자의 암호해독을 통한 실존해명," 26.

① 존재론적 특성

"실존이란 단순히 '이러저러하게 존재함(Sosein)'이 아니라 오히려 그것은 '존재할 수 있는 능력(Seinkönnen)'이다."(PGaO, 118) 따라서 실존은 단순히 존재하는 것이 아니라 끊임없이 어떤 선택의 결단을 감행해야 하는 엄숙한 상황 속에서 존재한다. 인간은 현존으로서, 의식 일반으로서, 정신으로서 존재할 뿐만 아니라, 이들 모든 존재 양식들 속에서 본래의 자기가 될 수도 있고 자신을 상실할 수도 있다. 그러나 실존은 자기가 자신과 관계하고 동시에 자기 자신을 조정하는 어떤 힘, 즉 초월자와 자기가 관계되어 있음을 아는 자기이다.

실존은 자유로운 존재로서, 자신의 자유가 초월자에 의해서 자기에게 증여되었다는 것을 알고 있다. 따라서 초월자는 일체를 포괄하는 것이며 은폐된 것으로, 실존이 자유를 경험하는 가운데 그 실존에 대하여 그리고 오직 실존에 대해서만 본래적 현실성으로서 존재한다. 따라서 "실존은 초월자 없이는 존재할 수 없다."(PGaO, 118)

② 단독자로서의 특성

실존은 '제각기 단독자' 또는 특정한 자기로서, 다른 무엇에 의해 대리되거나 대체될 수 없는 존재이다. 실존은 원칙적으로 범주에 의해서 파악되는 것이 아니다. 그러나 범주에 의한 인식에 비유하자면 실존은 '보편자'가 아닌 '개별자', '본질성'이 아닌 '실존성'이다. 따라서 실존의 의미는 '유일성'과 '대체불가능성'이다. 실존은 '본래적인' 자기가 되는데 필요한 결단 능력을 자각하게 되는 것을 통하여 가능적 실존을 확신하게 된다. 요컨대 나의 결단을 통하여 나는 본래적인 나 자신이 된다. 실존이 유일하고 대체불가능하다고 하더라도 절대적인 것은 아니다. 실존이 본래적 자기가 되는 것으로서의 결단의 자유를 자기에게서 유래한 것으로 생각해서는 안 된다. 왜냐하면 실존이란 무로부터가 아니라 초월자로부터 증여된 존재로서 결단을 통해 존재가능하게 되기 때문이다.

③ 역사성에 근거한 실존

실존은 역사적이다. 실존은 항상 자신만의 시간-공간의 현실이라는 옷을 입고 있기 때문에 역사적이다. 인간은 세계로부터 떨어져서, 또 역사로부터 분리되어 살 수 없다. 실존은 새가 공기 없이 날 수 없는 것과 마찬가지로 현존하는 특별한 대상에 의해서 주어지는 저항 없이는 자기 자신을 실현시킬 수 없다. 역사성이란 시간성과 영원의 일치이다. 따라서 "실존은 영원한 것으로부터의 현재화로

서, 시간 속에서 자기 자신에 도달함이다."(PGaO., 120)

④ 실존의 실현으로서의 상호소통

실존은 다른 실존과의 상호소통 속에서 존재한다. 그리고 실존은 다른 실존과의 상호소통 속에서 자기 자신을 실현할 수 있다. 따라서 실존의 실현은 '다투는 사랑'(die kämpfende Liebe)이다. 사랑을 아는 사람은 극단적인 자기주장을 하지 않고 모든 노여움에서 자신을 돌이켜보며 타자를 해치는 사랑을 하지 않는다. 타자로부터 고립된 진리는 진리가 아니다.

실존하고 있다는 것을 아는 지식에 의해서 내가 현실적 실존일 수는 없다. 내가 나 자신의 실존을 인식하려고 하는 경우, 실존으로서의 나는 소멸하고 만다. 실존과 관련하여 말하여진 것, 행하여진 것, 나타내어진 것은 모두 항상 간접적인 것으로 남아 있다. 언제나 간접적인 것은 초극할 수 없는 것으로 내 앞에 존재한다.

실존은 자기가 초월자로부터 증여된 것이라는 것을 알고 있으므로 자신의 근거에 있어서는 은폐되어 있다. 실존의 현실을 인식으로서 확증할 수는 없다. 본래적인 것은 은폐되어 있기 때문에 오직 철학적 사유에 의해서만 개현할 수 있다. 본질적인 것은 영원하며 다만 사유에 의해서 파악되고, 근원적인 것은 사유를 통하여서만 더욱 현실적인 것이 된다.[21]

5절 세계정위 : 『철학 Ⅰ』

1. '철학적 세계정위'의 목적

칼 야스퍼스는 그의 서론에 해당하는 글에서 『철학 1: 철학적 세계정위』는 우리를 초월자에 대한 한계에 직면하게 하는 것이 목적이라고 말한다. 그러나 이러한 사실에 대한 경험과 깨달음은 우리로 하여금 그 세계의 존재를 인식하게 하여, 그만큼 환하게 세계를 초월할 수 있게 한다. 따라서 세계 없이는 어떠한 초월자도 없는 것이다.

초월함으로서 철학적 세계정위는 모든 지식을 조화롭고 완전한 하나의 세계상으

---

21) 강갑회, "칼 야스퍼스에 있어서 초월자의 암호해독을 통한 실존해명," 26-27.

로 정리한 것인 하나의 백과전서적인 과제를 그 어디서도 갖지 않고, 한계들에 직면하여 비약을 수행하려고 시도한다. 현존하는 세계는 철학적 세계정위 앞에서 무너진다.…

칸트적 사상 속에서 초월함은 우리의 철학함의 기본적인 작용에 속한다. 하지만 우리는 칸트적 사상 속에 있는 초월함을 단순히 반복함으로써 심화시키지 않는다. 단순한 반복 속에서의 초월함은 오히려 공허한 형식 속에서 아무것도 말하지 않는 것이 될 것이다.… 즉 우리는 우리가 기대했던 한계들에 맞닥뜨리고자 시도하는 것이다. 왜냐하면 현상으로서 자신 속에 안주하지 않는 세계는 자체적으로 근거 지어진 불변의 것을 갖지 않기 때문이다.… 나는 오직 경험적 현실 자체를 통해서 이러한 한계를 깨달을 뿐이다. 즉 이론적이고 실ㅈ천적인 세계경험이 충족될수록 그만큼 환하게 세계를 초월할 수 있게 되는 것이다. 세계 없이는 어떠한 초월자도 없는 것이다.(야스퍼스, 『철학1』, 162-163)

『철학 1, 철학적 세계정위』의 번역자인 이진오·최양석은 "야스퍼스는 이 세계는 어떤 근거도 가지고 있지 못하며, 객관적 연구의 방법은 우리에게 세계의 통일을 보증하지 않으며, 통일적인 세계관을 제공하지도 않는다는 것을 나타내고자 시도하고 있다"고 한다. 따라서 우리는 그 내용의 윤곽만 살펴보고자 한다. 다음은 이진오·최양석이 요약한 내용이다.

2. 과학적인 세계정위와 철학적인 세계정위

칼 야스퍼스는 세계정위를 과학적 세계정위와 철학적 세계정위로 나눈다. 칸트의 오성의 수준에서 진행하는 과학적 세계정위는 널리 알려진 대상들의 세계들을 공동세계와 합일하게 한다. 이에 반하여 철학적 세계정위는 오히려 과학적 인식의 한계가 어떻게 영원히 유지되지 못하는가를 상세하게 보여주는 데 있다. 그것은 또한 과학에 의존하지 않고 진리를 향해 나갈 수 있는 길을 지시하는 데 있다. 이에 대해 이진오·최양석은 다음과 같이 요약한다.

칸트의 오성의 수준에서 진행하는 과학적 세계정위는 널리 알려진 대상들의 세계, 즉 피타고라스 정리 및 중력법칙과 같은 이상적인 대상들, 지구 및 로제타석과 같은 현실적인 대상들의 공동세계와 합일하고자 하고 있다. 그러나 철학적 세계정위는 일반적 세계정위 및 과학적 세계정위와는 전혀 다르다. 철학적 세계 정위의 목적은 자기 충족적이며 자명한 자연세계를 포괄하는 데 있는 것이 아니 다. 그것은 과학적 인식의 한계가 어떻게 영원히 유지되지 못하는가를 상세하게 보여주는 데 있다. 그것은 또한 과학에 의존하지 않고 진리를 향해 나갈 수 잇 는 길을 지시하는 데 있다. 『철학1』에서는 이러한 한계의식이 탐구되고 있다.(이 진오·최양석, 『철학1』역자해제, 644)

철학적 세계정위는 과학이 가지고 있는 가장 중요한 두 가지 한계를 드러내고자 한다. 첫째, 보편타당한 진리를 추구하는 과학은 오류의 근원으로서 간주되는 주 관을 배제하지 않으면 안 된다. 과학은 감정과 욕망, 원근법적인 왜곡, 변덕스러 운 평가, 독단적인 관점 등을 피하고자 할 경우에 이러한 그릇된 사상들을 제거 하여 사회과학에로 이관해버린다. 이러한 사상들은 경험적 탐구의 대상들로 남는 다. 둘째, 철학적 세계정위는 순수한 객관성에 있어 그 지향성이 결코 완전히 실 현될 수 없는 그런 한계에 부딪힌다.(이진오·최양석, 『철학1』역자해제, 645)

3. 철학과 과학의 대비

야스퍼스는 『철학1』에서 "철학은 과학이 아니고, 오히려 과학에서 자기를 구별 하는 가운데서 명석하게 된다"고 말한다. 다시 말해서 야스퍼스는 철학과 과학의 이질성을 강조한다.(이진오·최양석, 『철학1』역자해제, 645) 그 내용은 다음과 같 다.

가. 대상의 차이

과학은 하나의 대상을 가진다고 말할 수 있는데, 철학은 일체의 대상성의 근거 로서 전체를 대상으로 가진다. 이진오·최양석은 다음과 같이 이것을 요약한다.

과학이 하나의 대상을 가지는 데 반하여 철학은 일체의 대상성의 근거로서 전체 를 대상으로 가진다. 과학은 의심할 여지 않는 정확하고 엄밀한 인식을 가지는 데 반하여 철학은 절대적인 진리, 즉 무제약적인 진리를 가지고자 한다. 과학은 몰인격적인 상호소통 및 논의의 양식을 취하는 데 반하여 철학은 실존적인 상호 소통 및 논의의 양식을 취한다.(Ph.I 320)(이진오·최양석, 『철학1』역자해제, 646)

나. 추구하는 인식의 차이

과학은 모든 사람이 승인하지 않을 수 없는 인식을 추구한다. 그러나 과학의 이러한 지식은 나의 고유한 삶이나 결단에 대하여 결정적인 의미를 갖지는 않는다. 이와는 반대로 철학이 탐구하는 진리는 개별적이고 보편성이 없기는 하지만, 전체적으로 통일된 것이며, 그리고 나에 대하여 무제약적이다. 이진오·최양석은 다음과 같이 이것을 요약한다.

과학은 보편타당적, 강제적 객관적 지식, 즉 모든 사람이 승인하지 않을 수 없는 인식을 추구한다. 과학이 추구하는 이러한 지식은 만인에 대하여 동일하게 타당하다. 그러나 과학의 이러한 지식은 만인에 대하여 동일하게 타당하다. 그러나 과학의 이러한 지식은 나의 고유한 삶이나 결단에 대하여 결정적인 의미를 갖지는 않는다. 이와는 반대로 철학이 탐구하는 진리는 개별적이고 보편성이 없기는 하지만, 전체적으로 통일된 것이며, 그리고 나에 대하여 무제약적이다.(이진오·최양석, 『철학1』역자해제, 646)

다. 과학의 한계성

야스퍼스는 자신의 전 저작을 통해 과학의 한계성을 지적하고 있다. 첫째, 과학적 사물인식은 존재인식이 아니다. 존재 자체를 지향하고 있지 않다. 둘째, 과학적 인식은 삶에 대해서 어떠한 목표도 줄 수 없다. 과학적 인식은 어떤 타당한 가치도 정립하지 않는다. 셋째, 과학은 자기 자신의 의미에 대한 물음에 대하여 아무런 해답도 주지 못한다. 그 내용을 이진오·최양석은 다음과 같이 요약한다.

첫째, 과학적 사물인식은 존재인식이 아니다. 과학적 인식은 특수목적이고 특정의 대상을 지향하고 있고 존재 자체를 지향하고 있지 않다. 그러므로 과학은 철학적으로 바로 지(知)를 통해서 알지 못함을, 즉 존재자체가 무엇인지에 대한 알지 못함을 가장 결정적으로 알도록 해준다.

둘째, 과학적 인식은 삶에 대해서 어떠한 목표도 줄 수 없다. 과학적 인식은 어떤 타당한 가치도 정립하지 않는다. 과학적 인식 그 자체로서는 삶을 이끌어갈 능력이 없다. 과학적 인식은 그 명석성과 확고부동성에 의하여 우리의 삶의 다른 또 하나의 근원을 지시하고 있다.

셋째, 과학은 자기 자신의 의미에 대한 물음에 대하여 아무런 해답도 주지 못한다. 과학이 존재한다는 것은 충동에 그 근거를 두고 있다. 충동 자체는 과학적으로 참되고 반드시 존재해야 하는 것으로서는 증명될 수 없다.

야스퍼스에게 과학이 과학일 수 있는 까닭은, 과학이 자기의 한계를 자각하는 데 있다. 이것이 과학적 태도의 불가결한 요인이 된다.(이진오·최양석, 『철학1』 역자해제, 646)

4. 철학과 과학의 상호관계

가. 과학과 철학의 상호의존

야스퍼스는 과학과 철학 간의 상호의존을 간과해서는 안 된다고 말한다. 어떤 관념이 과학적 탐구의 냉철한 검토를 받지 않는다면 그 관념은 감정과 격정의 불꽃 속으로 사라져 버리거나, 아니면 무미건조하고 편협한 광신주의로 빠져들고 말 것이다. 그것을 이진오·최양석은 다음과 같이 요약한다.

야스퍼스는 과학과 철학 가운데 어느 것도 배제해서는 안 되고 어느 한 쪽을 다른 한 쪽에 동화시켜서도 안 되며, 다른 한 쪽의 이익을 위해 어느 한 쪽을 비하시켜서도 안 된다고 강조하고 있다. 요컨대 과학과 철학 간의 상호의존을 간과해서는 안 된다. 철학은 과학을 무시할 수 없다.

과학적 방법을 교육받지 못하고 과학적 관심을 부단히 생동감 있게 가지지 못하는 철학자는 불가피하게 실수를 저지르거나 오류를 범하고 말 것이다. 어떤 관념이 과학적 탐구의 냉철한 검토를 받지 않는다면 그 관념은 감정과 격정의 불꽃 속으로 사라져 버리거나, 아니면 무미건조하고 편협한 광신주의로 빠져들고 말 것이다.(이진오·최양석, 『철학1』역자해제, 647)

나. 철학에 대한 과학의 불가결성

야스퍼스는 철학에 대한 과학의 적극적인 의의와 불가결성을 다음과 같이 말한다. 그것을 이진오·최양석은 다음과 같이 요약한다.

첫째, 최근 수 세기 동안 방법적, 비판적으로 순화된 과학은 철학과 대조됨으로써 철학과 과학의 모호한 혼합을 처음으로 인식하고 이것을 극복할 수 있는 가능성을 가져다주었다. 이 인식은 곧 철학이 사물인식의 영역으로 파고드는 그 월권을 막는 것이 되므로 그와 같은 과학의 길이 철학을 위하여 불가결한 것이다.

둘째, 연구하고 또 그것에 의해서 대상에 관한 강제적 인식을 제공해주는 과학들만이 모든 현상의 진상 앞에 우리를 직면시킨다. 과학이 있어야만 나는 비로소 어디에 서고 그것은 이렇다는 명백한 지식을 습득하게 된다. 철학하는 자가 과학과의 끊임없는 접촉을 결여할 때는 마치 장님과도 같기에 언제까지나 밝은 세계인식을 얻지 못하게 될 것이다.

셋째, 철학하는 것은 두말할 것도 없이 몽상이 아니라 진리탐구이므로 과학적 태도나 사고방식을 받아들여야 한다. 다시 말해서 철학은 과학이 인간의 세계 정위를 도와주는 데 그 의의가 있는 한 과학에 의존하지 않으면 안 된다. 왜냐하면 철학은 현실성, 즉 상식적인 사실들을 충분히 가지고 있지 못하기 때문이다. (이진오·최양석, 『철학1』역자해제, 647)

6절 실존조명22) : 『철학Ⅱ』

1. 상황과 한계상황

가. 한계상황을 통한 실존의 자기실현

칼 야스퍼스에 의하면, 현존에게는 실존해명으로 이끌어주는 '계기'(Motiv)가 필요하며, 그 계기들로서 상호소통, 역사성, 무제약적 행위 등 여러 가지가 있으나 이들 중 한계상황이 가장 결정적이다. 현존이 접한 한계상황 속에서 실존이 자신의 무기반성을 인식하고, 초월자를 향하여 비약을 감행하므로써 자기자신을 실현한다. 이것을 강갑회는 다음과 같이 말한다.

현존에게는 실존해명으로 이끌어주는 '계기'(Motiv)가 필요하며, 그 계기들로서 상호소통, 역사성, 무제약적 행위 등 여러 가지가 있으나 이들 중 한계상황이 가장 결정적이다. 한계상황의 경험은 일상에서는 숨겨져 있는 인간 현존의 '무기반성'을 드러내므로, 한계상황이란 인간이 어떤 것에도 의지할 수 없으며 모든 유

---

22) 강갑회의 논문 요약

한한 것은 참된 존재가 아니라는 점을 깨닫게 하는 계기이다. 실존해명은 한계 상황의 경험에서 가능하다. 인간의 현존은 한계상황에 직면하면 좌절하지 않을 수 없으며, 이 좌절이 인간 자신으로 하여금 실존에의 비약을 감행하게 한다. 즉 인간은 한계상황에서의 불가피한 좌절을 통해서 실존을 실현할 수 있게 된다. 그러므로 야스퍼스에 있어서 한계상황은 현존에서 실존으로, 실존에서 초월자에로의 이중의 초월을 가능하게 한다.[23]

나. 상황 내적 존재

칼 야스퍼스는 인간은 항상 일정한 '처지', 자신의 주위의 일정한 사물들과 환경으로서의 자연 내에 존재한다. 이런 사실에서 야스퍼스는 인간을 '상황-내-존재'(In-der-Situation-Sein)라고 말한다. 야스퍼스의 철학적 사유에서 상황은 실존과 결부된 철학적 물음이 시작되는 곳이다.

인간은 항상 일정한 '처지'(die Lage), 자신의 주위의 일정한 사물들과 환경으로서의 자연 내에 존재한다. 이런 사실에서 야스퍼스는 인간을 '상황-내-존재'(In-der-Situation-Sein)라고 말한다. 야스퍼스의 철학적 사유에서 상황은 실존과 결부된 철학적 물음이 시작되는 곳이다. 그리고 그는 인간이 상황 내에 존재하고 있다는 사실에 대한 자각이야말로 곧 철학함의 근본이 라고 생각하고 있다.

이처럼 인간의 삶과 관련된 모든 것이 상황이라면 그것이 우리의 삶에 주는 영향에 따라서 우호적인 것과 비우호적인 것으로 나누어질 수 있으며, 그것은 공간적 차원에서뿐만 아니라 오히려 삶과 관련된 일체의 것에 의해서 의미가 규정되어야 한다.

"상황은 자연 법칙적인 현실성뿐만 아니라 어떤 '의미 연관적인 현실성'을 의미한다. 상황은 정신적인 것도 아니고 물질적인 것도 아니다. 상황은 이 양자가 동시에 나의 현존에 대하여 이익 또는 손해, 행운 또는 제한을 뜻하는 구체적인 현실성을 의미한다."(PH Ⅱ, 202)[24]

---

23) 강갑회, "칼 야스퍼스에 있어서…," 33.
24) 강갑회, "칼 야스퍼스에 있어서…," 34.

다. 현존의 역사성

인간은 상황-내-존재이다. 따라서 인간은 그러한 상황을 벗어나서 존재할 수 없다. 즉 끝없이 상황 속에서의 그 무엇이 삶의 상황으로서 등장한다는 것이다. 이렇게 상황에서 상황으로 이어지는 것이 모든 인간 개개인들의 역사이다. 그래서 인간이 상황 내에 구속되어 있는 존재라는 사실이 실존에게 역사적인 것을 의식하게 한다. 이렇게 현존의 상황이 역사적인 사실로서 나에게 다가올 때, 우리는 한계상황에 도달하게 된다. 이것이 곧 '현존의 역사성'이다. 즉, 현존은 상황을 피할 수 없다.

인간은 상황-내-존재이다. 이 때 "상황은 규정된…상황이다."(PH Ⅱ, 210) 따라서 인간은 규정된 상황 속에서 존재할 수밖에 없으므로 하나의 상황에서 벗어나면 즉시 다른 하나의 상황 속으로 들어가게 된다. 그러므로 인간이 상황 내에 구속되어 있는 존재라는 사실이 실존에게 역사적인 것을 의식하게 한다. 내 자신이 그 속에 존재할 수밖에 없는 규정되고 제한된 상황이 내 자신의 역사적 의식이 확고해 지는 순간에 내가 벗어날 수 없는 나의 운명이 되어 한계상황으로서 나에게 다가오는 것이다. 이런 의미에서 야스퍼스는 다음과 같이 말한다. "규정적인 것의 '협소성'(Enge)이 한계상황으로서 그 현존의 현상 내에서 가능적 실존을 깨우쳤다면, 비교할 수 없는 근원성의 역사적 의식에 기초하여 규정적인 상황은 능동적으로 나의 상황으로서 분명한 의의를 가질 수 있다."(PH Ⅱ, 210)
모든 상황은 특정의 상황으로서 규정되고 제한된 상황이다. 왜냐하면 모든 상황은 특정의 순간에 특정의 현존이 그 속에 존재하고 있기 때문이다.
"현존은 규정된 상황 속에 있는 것과 동시에 그것에 의해 존재한다."(PH Ⅱ, 210)[25]

라. 현존의 이율배반적 구조

현존이 역사성을 띄게 되고, 더 나아가 이 현존은 현 상황에 대한 인간의 한계로서의 불가해한 이율배반으로 나타난다. 자신의 힘만으로는 이 상황을 어떻게 모면할 길이 없다. 야스퍼스는 이와 같은 한계상황들에 관한 분석을 통해서 "각각의

---

25) 강갑회, "칼 야스퍼스에 있어서…," 38-39.

한계상황에 있어서 이른바 내 발 밑의 지반이 없어진다."(PH Ⅱ, 249)는 사실을 확인한다. 이것은 그에게 있어서 한계상황들에 관한 숙고의 최종적인 의의가 현존의 이율배반적 구조를 드러내는 데 있다는 것을 의미한다. 이때 인간은 초월자를 생각할 수 밖에 없다. 이것이 현존의 본질이며, 정체성이다.

다른 한편, "일체의 다른 한계상황을 자기 속에 포함하는 최후의 不可解한 이율배반으로서의 한계상황이 있다. 그것은 '현존이 존재하는 경우에만 존재가 존재한다'는 것이며, '그러나 현존은 그 자체로서는 존재가 아니다.'라는 것이다."((PH Ⅱ, 253) 여기서 보는 것처럼 현실적으로 현실과 존재에 관한 이러한 이율배반이 나타난다는 사실에서 우리는 그 이율배반의 피안, 일반적으로 '존재 그 자체' 혹은 '초월자'라고 할 수 있는 그 무엇을 생각할 수 있다.26)

야스퍼스는 한계상황들에 관한 분석을 통해서 "각각의 한계상황에 있어서 이른바 내 발 밑의 지반이 없어진다."(PH Ⅱ, 249)는 사실을 확인한다. 이것은 그에게 있어서 한계상황들에 관한 숙고의 최종적인 의의가 현존의 이율배반적 구조를 드러내는 데 있다는 것을 의미한다. 즉 어떠한 현존이라도 한계상황들에 직면하게 되면 그 자체로 불안정하고 불완전한 것으로서 현상하는 존재방식을 드러낼 수밖에 없는데, 이것을 야스퍼스는 '현존의 이율배반적 구조'라고 한다.

일반적으로 우리는 극복할 수 없는 불일치, 해결되지 않고 오히려 더욱더 깊어지는 모순, 전체로 통합될 수 없는 극단적인 대립 등을 '이율배반'이라고 한다. 따라서 현존의 이율배반이라고 하는 것은 현존의 존재방식에 있어서 그러한 이율배반적 특성을 결코 떨쳐버릴 수 없다는 것을 의미한다.27)

2. 죽음

한계상황으로서의 죽음에는 '가까운 이의 죽음' 또는 '나의 죽음'이 있다. 그리고 우리 현존재가 이것을 피할 수 없다면, 이 죽음은 한계상황에서 역사적 의식으로 내게 자리 잡는다. 야스퍼스는 '가까운 이의 죽음'에 대해서 다음과 같이 말하고 있다.

---

26) 강갑회, "칼 야스퍼스에 있어서…," 40-41.
27) 강갑회, "칼 야스퍼스에 있어서…," 45-46.

나와 얽혀있는 가까운 이의 죽음, 나와 상호소통하고 있는 가장 사랑하는 사람의 죽음은 현실적인 생활에 있어서의 가장 심각한 단절이다.((PH Ⅱ, 221) '가까운 이의 죽음'도 나에게는 어떤 계기로서 작용하지만, 나에게 있어 더욱 결정적인 한계상황은 나의 죽음이다. "결정적인 한계상황은 나의 것으로서의 죽음이다.…((PH Ⅱ, 222)

그러나, 칼 야스퍼스에 의하면, 죽음에 의해서 없어지는 것은 현상이지 존재 자체는 아니다. 이러한 사실을 알게 되면 죽음에의 불안과 고통은 실존에의 확신으로 바뀌게 된다. 이에 대해 강갑회는 다음과 같이 말한다.

인간이 실존하기 위해서는 질적으로 다른 불안을 느껴야 한다. 구체적으로 말해서 인간은 단순한 생존에의 불안이 아니라 오히려 죽음을 대면하여 아직 실존하지 못한, 즉 아직 본래적 자기를 실현하지 못했다는 사실을 인정하고 이러한 사실 때문에 나타나는 불안을 감지하지 않으면 안 된다. 야스퍼스는 이러한 불안을 '실존적 비존재의 불안'이라고 규정하고, 이것이 바로 가능적 실존이 현실적 실존으로 될 수 있는 가능성이라고 말한다. 따라서 절망과 좌절 속에서 자기 자신에 대한 자각과 본래적 존재에로의 비약에 대한 확신이 생긴다. 즉 실존으로의 비약이 가능해진다. 야스퍼스는 "죽음의 아픔은 항상 다시 경험되지 않으면 안 되고, 실존적 확신은 항상 새롭게 획득될 수 있다."(PH Ⅱ, 227)고 말한다. 한계상황의 진정한 체험은 이러한 긴장이 반복 될 경우에만 가능하다. 한계상황으로서의 죽음은 인간의 현존에게는 결정적인 종말이 되고 실존에게는 '초월자 앞의 본래적 자기'로 비약 할 수 있는 근거가 된다.[28]

3. 고통

인간은 항상 고통의 위협을 받고 있다. 현존인 인간은 육체적.정신적 고통을 받고 있다. 이것은 나의 삶에 제약을 가한다. 그래서 야스퍼스는 "고통은 현존의 제한이며, 부분적 파멸이다."라고 말한다. 야스퍼스는 현존과 고통의 관계를 다음과 같이 규정하고 있다. 그러나 현존이 고통을 한계상황으로 파악하기만 한다면 그것을 실존을 실현하는 본질적인 계기로 삼을 수 있다.

---

28) 강갑회, "칼 야스퍼스에 있어서…," 50.

내가 고통을 결정적인 것이 아니라 회피할 수 있는 것인 듯한 태도를 취한다면, 나는 아직 한계상황 내에 있지 않다. 나는 고통을 數에 있어서는 무수한 것으로 파악하고 있으나 현존에 필수적인 것으로 파악하고 있지 않다. 이 경우 고통은 개별적인 것이고, 현존 전체에 관계하지 않는다.(PH Ⅱ, 227)

그러나 현존이 고통을 한계상황으로 파악하기만 한다면 그것을 실존을 실현하는 본질적인 계기로 삼을 수 있다. 현존이 불가피한 고통을 자신의 고통으로 받아들여서 그것과 싸우는 현실적 태도에서 고통은 한계상황으로서의 의의를 가지며, 인간에게는 본래적 존재에 이르는 길이 열린다. 즉 나의 고통을 나에게 주어진 몫으로 파악하여 그 고통을 기꺼이 감수하고 그것과 싸우는 태도에서 나는 하나의 근원에서 초월자와 함께 있는 존재로 비약 가능하게 된다.(Vgl. PH Ⅱ, 232)

4. 투쟁

현존재는 자신의 생존과 관련하여 투쟁을 하지 않고는 존재할 수 없다. 따라서 상황-내-존재로서의 현존재의 투쟁은 불가피한 한계상황이다. 투쟁은 개인뿐만 아니라 국가에 의해서도 일어난다. 투쟁은 인간 생활의 물질적인 것을 위한 것도 있고, 정신영역 나아가 사랑에 있어서도 투쟁이 일어난다. 야스퍼스는 삶 자체를 곧 투쟁으로 보고 있다.

존재한다는 것은 바로 투쟁하는 것을 의미하며, 투쟁은 모든 존재의 기본적인 형식이다.(PH Ⅱ, 233)

한편, 투쟁에는 '현존을 위한 폭력적 투쟁'과 '실존을 위한 사랑의 투쟁'이 있다. 그 내용을 강갑회는 다음과 같이 소개하고 있다.

현존을 위한 폭력적 투쟁은 물질적 투쟁으로서 인간 자신의 생활권과 물질적 조건을 위한 투쟁이다.

실존을 위한 사랑의 투쟁은 자신과 타자 모두의 실존을 위한 투쟁으로서, 이것은 실존 상호간의 근원을 찾고자 하는 '실존적 상호소통'에서 비로소 가능하다. 실존을 위한 사랑의 투쟁은 어떠한 폭력도 동반하자 않고 어느 한 쪽의 승리나 패배도 없다. 승리와 패배는 공동의 것이다. 승리는 어느 한 쪽의 우월에 의해서가 아니라 서로에게 자신을 완전히 열어 젖혀 개방함으로서 가능하기 때문에 공동의 승리이며, 패배는 힘의 부족에 의해서가 아니라 서로의 회피에서 초래된다. 그러므로 사랑하는 투쟁은 연대성에서 성립된다. 타자와 나 자신을 함께 문제의 중심에두어 '사랑하는 투쟁'(liebender Kampf)49)을 통하여 나 자신과 타자의 실존을 현실화시키고자 한다.29)

5. 죄책

모든 인간은 양심을 가지고 있으며, 이 양심에 의해서 자신의 잘못한 것에 대해서 죄책을 느낀다. 어떤 사람들은 여기에 반응하여 신앙에서 그의 실존을 찾는다.

모든 행위는 그 행위자가 알지 못했던 어떤 결과를 세계 내에 초래한다. 행위자는 자신의 행위의 결과에 놀란다. 왜냐하면 그것들의 결과에 생각이 미치지 않았다 하더라도, 그는 그 자신이 그 일의 장본인이라는 사실을 알기 때문이다.(PH Ⅱ, 246)

7절 실존해명 통한 형이상학적 초월 :『철학Ⅲ』

1. 좌절과 존재경험

가. 좌절

인간은 한계상황에 직면하여 좌절할 수 밖에 없다. 그런데, 인간에게는 이 좌절, 혹은 이 한계상황의 근원은 존재에의 길을 얻을 수 있는 근본충동을 가져온다. 한계상황이 이것을 불러온다. 우리의 자유가 한계상황을 회피하지도 않고 망각하지도 않으며 오히려 적극적으로 체험하는 실존적 태도에서 비로소 인간은 본래적 자기를 실현할 수 있게 된다. 이에 대해 야스퍼스는 다음과 같이 말한다

인간이 이 좌절을 어떻게 경험하는가는 인간에게 있어서 결정적인 것이다.(EP, 20)

한계상황에 있어서의 근원은 좌절 가운데서 존재에의 길을 얻을 수 있는 근본충동을 가져온다.(EP, 20)

---

29) 강갑회, "칼 야스퍼스에 있어서…," 51-52.

'한계'라는 것은 어떤 타자가 존재하지만 이 타자가 현존 내의 의식에 대해서
는 존재하지 않는다는 것을 나타낸다. 한계상황은 더 이상 의식 일반에 대한 상
황이 아니다.(PH Ⅱ, 203)
현존으로서의 우리는 한계상황 앞에서 눈을 감아버림으로써 그것을 회피할 수는
있다. 세계 속에서 우리는 우리의 현존을 계속 확대함으로써 우리의 현존을 보
존하려고 한다. 우리는 어떠한 의심도 없이 한계상황을 지배하고 향유하거나 또
는 그것으로 인하여 고통받고 그것에 굴복하면서 한계상황에 관여한다. 그러나
그것은 궁극적으로 우리를 포기하는 것 이외의 다른 것이 아니다.(PH Ⅱ, 204)
우리는 눈을 뜨고 한계상황에 들어감으로써 우리 자신이 된다.(PH Ⅱ, 204)

나. 좌절의 의미

좌절은 인간으로 하여금 그에 대한 어떤 태도를 취하게 한다. 그리고 해답이 없
을 때, 인간은 초월자를 향하며, 영원화를 추구한다.

좌절은 인간으로 하여금 자기가 좌절에 대해 어떤 태도를 취하도록 도발한
다.(PH Ⅲ, 220)
본래적 자기 존재는 그것이 자기의 자기 자신에 충족되어 있으려고 하는 의욕에
서 좌절할 때 그것의 타자 즉, 초월자에 대해 준비되어 있는 것이다.(PH Ⅲ,
220)
사람들은 경험적인 모든 현상들이 무상하다는 것을 이미 알고 있기 때문에 본래
적인 존재를 추구하면서 객관적으로 타당한 것에 관심을 갖는다. 그러나 만약
객관적으로 타당한 것이 있다면 그것은 시간성에 제약받지 않는 무시간적인 것
이어야 할 것이다. 그런데 무시간적인 것은 그 자체로 비현실적인 것, 공허한 것
일 수밖에 없다. 이 때문에 우리는 이러한 비현실성과 공허함을 극복하기 위해
그것에 충실함을 더할 수 있는 주관적인 것으로 관심을 돌린다. 그러나 우리는
곧 현실에 있어서의 충실함이 단순한 삶의 흐름속에서 녹아 없어져버린다는 사
실을 알게 된다. 그리하여 우리는 '영원화'를 추구한다.(PH Ⅲ, 222)

다. 존재경험으로의 전도

좌절에 대한 능동성의 자유 속에서 현존의 절멸로부터 존재경험에로의 전도가

일어난다. 그리고 이때 존재의 암호문자가 나타난다.

> 실존은, 첫째로는 자기 자신이 좌절을 감행하려는 능동성 속에서, 그 다음으로는 실존 그 자체를 좌절하게 함에 있어서 스스로를 좌절 속으로 밀어 넣지 않으면 안 된다.(PH Ⅲ, 223)

여기서 현존의 절멸로부터 존재경험에로의 전도가 일어난다. 이러한 전도는 현상이 무상할 뿐만 아니라 무관심하게 되는 곳에, 즉 내가 본래적이기 때문에 어떠한 세계현존을 건설하지 않고 오히려 모험에 내맡기는 곳에 존재한다.(PH Ⅲ, 224)

모험가는 모든 존립하는 것을 경멸하듯이 모든 삶의 질서를 경멸한다. 자기 자신의 파멸을 환호하거나 웃으면서 감내하는 모험가에게 있어서는 터무니없는 것, 모든 인연을 푸는 것, 오만불손을 가장하는 것, 깜짝 놀랄만한 것, 예상 밖의 것이 진실한 것이다.(PH Ⅲ, 224)

가능적 실존의 존재의식에 있어서 세계는 본래적인 것을 경험하는 공간이다. 나는 사회에 의지하고, 그 속에서 나는 내가 나에게 가능한 활동범위를 장악함으로써 생활하고 또한 협동한다. 나는 가족과 친구관계에 있어서 상호소통의 지속에 의지하고, 자연의 법칙성과 자연을 기술적으로 지배할 수 있는 가능성에 대한 그것의 객관성에 의지한다. 현존으로서 나는 하나의 세계 속에서 숨쉬고 있다. 사람들과 같이 존재하는 인간으로서 나는 현존의 어떤 성취를 낳는다. 가령 모든 성취가 무상한 것에 지나지 않는다고 하더라도, 거기에서 그 성취를 통해 존재의 암호문자가 존재한다.(PH Ⅲ, 225)

2. 비약을 통한 형식적 초월

가. 비약

야스퍼스는 "한계상황을 경험하는 것과 실존하는 것은 동일하다."(PH Ⅱ, 204)라고 말한다. 현존이 한계상황에 대해 물러서지 않고, 주체적으로 체험할 때 세 가지의 비약이 일어난다. 첫째 현존으로부터 실존인 고독자로의 비약, 둘째 자기 자신을 가능성으로서 해명하는 실존에로의 비약, 셋째 현실적인 실존에로의 비약이 그것이다.

첫째의 비약은 세계를 대상으로 하여 보편적으로 인식해 가는 고독한 자기에로의 비약이다.… 두 번째의 비약은 자기 자신을 가능성으로서 해명하는 실존으로의 비약이다.… 세 번째의 비약은 가능적 실존으로부터 현실적 실존에로의 비약이다.… 한계상황의 체험을 통하여 현존의 내부에 비약이 가능해짐으로써 진정한 한계상황이 된다. 이러한 대체 불가능한 특별한 비약을 통해서 실존이 자기를 확신하고 그 특징을 나타낸다. 야스퍼스는 이러한 비약을 본래적인 비약이라고 한다.[30]

나. 탈존적 비약으로서의 좌절

만일 존재가 우리의 실존을 지배하고, 우리에게 자유가 존재한다면, 좌절로서의 타당성과 지속성은 파괴되어야 한다. 그것은 이율배반이기 때문이다. 이것이 곧 존재의 암호이다.

자유가 존재한다면 타당성과 지속성은 파괴되지 않으면 안 된다. 존재의 진리가 무모순적인 사유가능성의 타당함에 놓여있다면, 죽음의 존재와 같은 단조로운 '자기동일존재'(Sichgleichsein)가 확고부동하게 존립하고 있어야 할 것이다.(PH Ⅲ, 227)

인식할 수 없는 어떤 존재의 진리가 나를 허물어뜨리기 위해서는, 논리적인 일관성이 이율배반들 속에서 깨어지지 않으면 안 된다. 그러므로 존재의 진리는 논리적인 무모순성을 본질로 하는 사유의 타당함에 있는 것이 아니다. 오히려 존재의 진리는 논리적인 사유에 있어서의 비약이 이루어지는 지점에서 나타난다. 이 때문에 야스퍼스는 존재의 암호를 말하고 있는 것이다.[31]

다시 말하면 존재는 그것이 현존하는 장소인 바의 것의 좌절에서 나타나게 된다. 결국 존재는 현존의 기만을 폭로함에 있어서 즉, 좌절에 있어서 현실에서 生起하는 충실을 통해 우리에게 스스로를 드러낸다.[32]

3. 초월자의 암호

---

30) 강갑회, "칼 야스퍼스에 있어서…," 56.
31) 강갑회, "칼 야스퍼스에 있어서…," 69.
32) 강갑회, "칼 야스퍼스에 있어서…," 59.

가. 좌절에서 나타나는 존재의 암호

칼 야스퍼스에 의하면, 현존에게 있어서 좌절은 본래적인 자기를 회복하는 탈존적 비약으로서의 의미를 갖는다. 초월적 관점에서는 현존의 이율배반에 수반되는 좌절이 암호가 된다. 그러므로 좌절은 암호 자체이다. 우리는 좌절의 암호를 상세하게 해독하여야 한다.

현존에게 있어서 좌절은 본래적인 자기를 회복하는 탈존적 비약으로서의 의미를 갖는다. 우리가 현상만을 보게 되면 그 안에 있는 모순을 배제할 수 없지만, 초월적 관점에서는 현존의 이율배반에 수반되는 좌절이 암호가 된다. 그러므로 좌절은 암호 자체이다. 우리는 좌절의 암호를 상세하게 해독하여야 한다. 참된 좌절 속에는 영원화가 들어 있고 초월자와의 접촉이 들어있다.(PH Ⅲ, 232)
좌절은 단순히 無를 가리키는 것이 아니라 초월자의 존재를 가리키는 하나의 암호로서 나타날 수 있다.[33]

나. 실존 안에서 청취되는 초월자의 암호

야스퍼스에 있어서 철학의 궁극적인 목적은 초월이었는데, 이 초월행위를 통해 나 자신의 실존으로서의 참 모습을 밝혀낼 뿐만 아니라, 인간을 넘어선 숨겨져 있는 어떤 존재까지도 해명한다. 그가 바로 존재 자체인 포괄자로서의 초월자이다.[34]

암호는 초월자 자체가 아니라 초월자의 현실성을 나타내는 언어이다. 그것은 보편타당한 언어가 아니라 多義的인 언어이다. 암호의 언어는 우리의 오성에 의해서는 청취되지 않고 오직 가능적 실존으로서의 우리 자신에 의해서만 청취될 수 있다.(PGaO, 430)
초월자 자체는 현상하지 않는다. 초월자의 현상 대신에 암호 언어가 나타난다.(PGaO, 156)
암호의 진리는 실존과의 관계에 있다. 실존을 압도하는 초월자의 견인력은 암호 속에서 언어로 된다.(PGaO, 153)

초월자의 암호해독을 통해서 실존을 해명하고자 하는 것이 철학적 신앙이고, 철

---

33) 강갑회, "칼 야스퍼스에 있어서…," 74.
34) 강갑회, "칼 야스퍼스에 있어서…," 62.

학적 신앙은 은폐된 신에 대한 신앙이다. 지적 인식에 대해서는 무한히 먼 곳에 숨어 있는 신이 자기를 실존으로서 실현해 가는 인간에게는 그 암호를 통해서 감득된다는 의미에서 철학적 신앙은 실존에 의한 신앙이다. 철학적 신앙은 초월자가 존재한다는 사실을 자유롭게 체득하고자 하는 신앙이다.[35]

다. 해석 불가능한 암호

그렇다고 해서 이 초월자의 암호가 해석된다는 것은 있을 수 없다. 또한 내가 실존적 암호를 이용해서 형이상학적 명상에 몰두하는 것은 결코 도움이 되지 않는다. 그러나 우리 유한적 현존은 철저한 좌절의 경험 속에서 초월자의 존재를 붙잡을 수 있다. 그러나 그것은 좌절 속에서 경험될 수는 있지만 어떤 말로 표현될 수 있는 것은 아니다.

현존에게 있어서는 광범위한 좌절에 직면하여 존재 앞에서 사유와 동시에 언어가 멈추어진다. 현존에 있어서의 침묵에 대해 그저 침묵만이 있을 뿐이다.(PH Ⅲ, 233)

초월함의 성과가 언표될 수 있는 명제는 부정에서 성립한다. 사유 가능한 것은 모두 초월자에 의하여 타당하지 않은 것으로서 거부되고 있다. 초월자는 어떤 술어에 의해서도 규정되어서는 안 되고 어떤 표상에 있어서도 대상이 되어서는 안 되고 어떤 추론에 있어서도 안출되어서는 안 된다. 그러나 초월적인 것이 양도 아니고 질도 아니며 관계도 없고 근거도 없으며 일자(一者)도 아니고 다자(多者)도 아니며, 존재도 아니고 무도 아니다라고 말하기 위해서는 모든 범주가 사용될 수 있다.(PH Ⅲ, 38)

초월자에 대한 사유는 필연적으로 난파할 수 밖에 없다. 왜냐하면 초월자에 대한 사유는 언제나 다시금 초월자에 대해 어떤 것을 말하기 때문이다. 일자라고도 말하고 타자라고도 말한다. 그러나 그것이 이미 하나의 범주를 필요로 하는 한 그것은 언제든지 초월자를 합리적이고 유한하게 만드는 것이다.(PGO 395)

라. 현실에서의 안도감

우리는 현실상황에 있어서 불안을 떨쳐버릴 수 없었다. 그러나 존재를 이와 같이 만나면, 신기하리만치 불안이 떠나간다. 존재의 심적 상태가 우리 안에 실현된

---

35) 강갑회, "칼 야스퍼스에 있어서…," 62.

다. 야스퍼스는 이것을 '불안에서 안심에로의 비약'이라는 말로 표현한다.

불안에서 안심으로의 비약은 인간이 할 수 있는 가장 거대한 비약이다. 인간이
그것에 도달한다는 것은 자기존재의 실존을 넘어서서 그 근거를 갖지 않으면 안
된다. 인간의 신앙은 불명확하기는 하지만 그 자신을 초월자의 존재에 결부시키
는 것이다."(PH Ⅲ, 235)

이렇게 나 자신의 것으로 경험되는 불안은 이제 비로소 나로 하여금 안심으로의
가장 어렵고 가장 불가해한 비약을 가능하게 한다.(PH Ⅲ, 235)

오직 이 최종적인 안심에 있어서만 속임이 없이 소실하는 순간에서의 완성의 비
젼(Vision)이 가능한 것이다."(PH Ⅲ, 236)

마. 신앙으로 비약하는 초월자의 암호

이 실존적 만남은 신화나 신앙으로 비약하기도 한다. 모든 신화나 신앙은 이러
한 실존적 만남에서 유래하였다.

암호는 명상의 대상들을 나타내는 표현만이 아니다. 본래적인 행위는 나에게 초
월자의 암호가 될 수 있다.(*Diskussion*, 106)

왜냐하면 나는 이미 더 이상 가능성이 없고 결정적으로 실재적인 존재하는 바로
그곳에 이르려고 하기 때문이다. 결정적으로 실재적인 것은 존재 자체 이외에
아무것도 아니기 때문에 단지 존재할 뿐이다. 시간적 현존 내에서는 나는 존재
자체를 결코 만날 수 없다. 그러나 존재 자체의 암호를 해독하는 것은 다른 모
든 행동과 경험의 의미가 된다.(PH Ⅲ, 226)

암호 가운데서 포착하는 존재를 사유하고자 하는 시도는 존재의 제2언어와 제3
언어로, 즉 신화와 사변으로 안내한다. 암호는 단순하게 현존에게는 나타나지 않
고 실존에게만 나타난다.(*Diskussion*, 106)

도그마, 체계, 신화에 있어 모든 객관화는 순간의 내용을 그 실존적 근거들로부
터 분리하고 나를 확고한 권위에 직면하여 부자유하게 만든다. 자유롭고 명상적
상상에 의한 암호해독에 있어 시간에의 충실은 단지 의식이 사라지는 순간에 있
어서만 가능해진다.(PH Ⅲ, 154)

8절 평 가

철학의 역사에서 "나 자신은 누구인가? 나는 어디에서 와서 어디로 가는가?"라는 '나 자신'에 관한 원초적이고 본질적인 질문을 가지고 철학을 시작한 최초의 사람은 칼 야스퍼스인 것으로 보인다. 이 질문은 모든 사람들에게 존재하는 원초적인 질문이다. 우리는 시작과 끝 사이에서 시작과 끝에 대해 묻고 있는 것이다. 이것은 살아가면 살아갈수록 물음은 깊어진다.

칼 야스퍼스는 우리에게 주어진 존재에 대한 단서는 '상황'이 유일하다고 말한다. 따라서 우리의 철학함은 상황을 밝히는 것으로 출발해야 한다. 우리의 철학의 출발점은 분명히 우리에게 주어진 '상황'인데, 그렇다고 해서 이에 대한 검토를 통해서 그 존재가 밝혀지는 것은 아니다. 그에 의하면, 오히려 그 존재를 인식하는 방법은 초월함이었다.

실존은 분명히 비대상적인 것이지만, 우리가 그것에게 나아갈 때, 그것이 이야기되어질 수 있는 것이라면, 그것도 또한 대상화된 것이라고 말해야 한다. 이와 같이 우리의 사유는 실존을 객체로 만들어낸다. 그것은 실존이 실제로 존재하기 때문에 그렇다. 그러나 '실존'은 개념이 아니라 모든 대상성 너머를 지시하는 지표이다. 칼 야스퍼스에 의하면, 실존철학의 본질적인 방향은 형이상학이다. 그리고 실존철학의 방법은 조명을 통한 철학이다. 빛이 던져지는 곳을 사유함을 통해서 성립된다.

칼 야스퍼스의 '철학적 근본작용'이란, 우리의 사유 가운데에는 어떤 철학적 본능(센스)이 내재해 있는데, 그것은 우리 자신이 어떤 실존적인 사건을 만났을 때, 스스로 자신을 발견하기 위해서 대상적인 것으로부터 비대상적인 것에로의 사유의 전환을 수행한다는 것이다. 그리고 이러한 사유가 발생하는 이유는 우리의 의식 안에는 '포괄자'의 여러 양태가 내재해 있기 때문이다. 이것은 초월자가 세계 내의 모든 존재를 포괄하는 포괄자이기 때문이다. 한편, 야스퍼스는 우리가 대상적으로 인식할 수가 없지만, 모든 대상을 포괄하고 그 안에 내재하고 있는 초월자가 존재하는데, 이것의 암호를 해독하는 것이 철학의 사명이라고 말한다.

야스퍼스는 이와 같이 '지평선 너머에 존재하는 포괄자'를 다음과 같이 인식된다고 말한다. 인간은 한계상황에 직면하여 좌절할 수 밖에 없다. 그런데, 인간에게는 이 좌절, 혹은 이 한계상황의 근원은 존재에의 길을 얻을 수 있는 근본충동을 가져온다. 한계상황이 이것을 불러온다. 좌절은 인간으로 하여금 그에 대한 어떤 태도를 취하게 한다. 그리고 해답이 없을 때, 인간은 초월자를 향하며, 영원화를 추구한다. 야스퍼스는 "한계상황을 경험하는 것과 실존하는 것은 동일하다."라고 말한다. 현존이 한계상황에 대해 물러서지 않고, 주체적으로 체험할 때 세 가지의 비약이 일어난다. 첫째 현존으로부터 실존인 고독자로의 비약, 둘째 자기 자신을 가능성으로서 해명하는 실존에로의 비약, 셋째 현실적인 실존에로의 비약이 그것이다. 야스퍼스에 의하면, 현존에게 있어서 좌절은 본래적인 자기를 회복하는 탈존적 비약으로서의 의미를 갖는다. 초월적 관점에서는 현존의 이율배반에 수반되는 좌절이 암호가 된다. 그러므로 좌절은 암호 자체이다. 우리는 좌절의 암호를 상세하게 해독하여야 한다.

초월자의 암호해독을 통해서 실존을 해명하고자 하는 것이 철학적 신앙이고, 철학적 신앙은 은폐된 신에 대한 신앙이다. 지적 인식에 대해서는 무한히 먼 곳에 숨어 있는 신이 자기를 실존으로서 실현해 가는 인간에게는 그 암호를 통해서 감득된다는 의미에서 철학적 신앙은 실존에 의한 신앙이다. 철학적 신앙은 초월자가 존재한다는 사실을 자유롭게 체득하고자 하는 신앙이다. 그렇다고 해서 이 초월자의 암호가 해석된다는 것은 있을 수 없다. 그러나 우리 유한적 현존은 철저한 좌절의 경험 속에서 초월자의 존재를 붙잡을 수 있다. 우리는 현실상황에 있어서 불안을 떨쳐버릴 수 없었다. 그러나 존재를 이와 같이 만나면, 신기하리만치 불안이 떠나간다. 존재의 심적 상태가 우리 안에 실현된다. 야스퍼스는 이것을 '불안에서 안심에로의 비약'이라는 말로 표현한다. 이 실존적 만남은 신화나 신앙으로 비약하기도 한다. 모든 신화나 신앙은 이러한 실존적 만남에서 유래하였다.

3장 하이데거

1절 마르틴 하이데거의 생애와 저술 등

1. 마르틴 하이데거(1889~1976)의 생애

가. 하이데거의 초기생애

하이데거는 1889년 카톨릭 교회지기의 아들로 태어났으며, 일찍이 종교에 관심을 보였고, 고등학교를 마치고 곧 예수회 수련수도자가 되었다. 그는 프라이부르크 대학교에서 가톨릭 신학과 중세 그리스도교 철학을 공부했는데, 이때 접하게 된 브렌타노의 철학을 알고부터 철학에 집중하기 시작했다. 그는 평생토록 "있다(존재)"라는 동사의 기본적인 의미를 탐구하였다. 그는 그리스 철학자들, 생철학자들, 그리고 후설의 영향을 크게 받았다. 『다음백과』에서는 다음과 같이 말한다.

카톨릭 교회지기의 아들로 태어나 일찍부터 종교에 관심을 보였으며 고등학교를 마치고 곧 예수회 수련수도자가 되었다. 프라이부르크대학교에서 가톨릭 신학과 중세 그리스도교 철학을 공부했다. 그러나 실제로 철학에 대한 그의 관심은 '기술' 심리학의 창시자로 『아리스토텔레스에 의거한 존재자의 다양한 의미에 관하여』(1862)를 쓴 19세기말의 가톨릭 철학자 프란츠 브렌타노를 중학교시절부터 집중적으로 연구하면서 시작되었다.

그 후 평생 동안 하이데거는 다양하게 쓰이는 "있다"라는 동사의 바탕에 하나의 기본적인 의미가 깔려 있을 가능성에 대해 심사숙고했다. 또 일찍이 브렌타노를 연구하면서 그리스인들, 특히 소크라테스 이전 철학자들에 대해 깊은 관심을 가지게 되었다. 그들의 사상은 사유가 아직 시·철학·과학으로 갈라지기 이전에 이루어진 통찰력 있는 성찰이었다. 하이데거의 철학은 소크라테스 이전의 철학자들과 플라톤·아리스토텔레스·그노시스파에 의존하고 있다. 그러나 긍정적이든 부정적이든 그에게 각별한 영향을 준 인물들은 19-20세기초의 철학자들, 예를 들어 덴마크의 신학사상가 쇠렌 키에르케고어, 실존주의를 세운 디오니소스적 생기론자 프리드리히 니체, 철학자들의 관심을 인문과학과 역사과학으로 돌린 역사 생기론자 빌헬름 딜타이, 현상학의 창시자 에트문트 후설 등 이었다.

20대에 하이데거는 프라이부르크대학교에서 나중에 가치론적 칸트주의의 서남학
파를 창시한 하인리히 리케르트와 당시에 이미 유명해져 있던 후설과 함께 공부
했다. 청년 하이데거의 박사학위 논문(1914)은 인간에 대한 본질적 연구 속으로
심리학이 침투하는 데 맞선 그의 투쟁(그는 철학적 수준에서 이 연구를 해야 한
다고 생각했음)과 후설의 현상학을 배경으로 씌어졌다. 따라서 하이데거가 나중
에 불안·사유·망각·호기심·염려·공포 등에 대해 말하고 쓴 것들은 심리학을 의도
한 것이 아니었다. 또 그가 인간·공공성·타자지향성 등에 대해 말한 것도 사회학·
인간학·정치학 따위를 지향한 것이 아니었다. 그의 주장은 존재의 방식을 밝히기
위한 것이었다.(『다음백과』)

나. 중기의 하이데거

그는 1915년부터 프라이부르크대학교에서 강의를 시작했으며, 중세 철학자 둔스
스코투스에 대한 연구로 교수 자격을 취득했다. 그는 후설의 동료로서 그의 현상학
에 큰 영향을 받았다. 그는 현상학의 방법론을 통해 『존재와 시간』을 저술하였는
데, 여기에서 처음으로 '존재'와는 의미가 다른 '실존'이라는 개념을 분명히 하였
다.

하이데거는 1915년 겨울 학기부터 프라이부르크대학교에서 강의를 시작했으며,
13세기 프란체스코 수도회 소속 영국의 철학자 둔스 스코투스에 대한 연구로 교
수 자격을 취득했다. 그는 후설의 동료였기 때문에 전임자인 후설의 정신에 따
라 현상학 운동을 더 진척하리라는 기대를 모았다. 그러나 종교 쪽으로 기운 이
청년은 자기 나름의 길을 갔고 1927년에는 『존재와 시간(Sein und Zeit)』을 펴
내어 독일 철학계를 놀라게 했다. 이 저작은 매우 읽기 힘든 글이었고 후설과의
관계도 분명하지 않았지만 즉시 대단한 저작으로 여겨졌다.···
하이데거에 따르면 『존재와 시간』의 목표는 인간이 있다는 것이 무엇을 뜻하는
지, 더 정확히 말하면 인간은 '어떻게' 존재하는가를 밝히는 데 있다. 이 물음은
더 근본적인 물음, 즉 "존재의 의미가 무엇인가?"를 묻는 것이 도대체 무엇을
의미하는가라는 물음으로 귀착된다. 이러한 물음은 명백한 일상생활 뒤에, 따라
서 자연과학의 경험적인 문제들 뒤에 놓여 있다.···(『다음백과』)

그는 1923년 마르크부르크 대학교의 정교수가 되었으며, 1928년 후설의 후임자

로서 프라이부르크대학으로 돌아갔으며, 1929년 『형이상학이란 무엇인가?』를 저술하였다.

『존재와 시간』에 포함되어 있는 사상의 풍성함은 『형이상학이란 무엇인가?』(1929)라는 짤막한 글에서 전개된 사상과 연관해서 살펴볼 수 있다. 『존재와 시간』을 출판할 당시 하이데거는 1923년부터 몇 년째 마르부르크대학교의 정교수직을 맡고 있었다. 그는 그 직위를 사임하고 1928년 후설의 후임자로 프라이부르크대학교로 돌아갔다. 『형이상학이란 무엇인가?』는 하이데거의 교수 취임 강연이었다. 이 강연은 그가 좋아하는 주제들 중 하나인 무(無)를 다루고 있다. 하이데거가 후설에게 배운 바에 따르면, 인간의 존재 방식의 비밀을 벗기는 길은 과학적 방법이 아니라 현상학적 방법이었다.… (『다음백과』)

다. 하이데거의 후기생애

그는 1933년에 프라이부르크대학의 총장으로 취임하면서 나치즘에 대한 긍정의 뜻을 표하였다. 그는 그 이듬해인 1934년에 총장에서 물러났다. 그후 그의 나치즘에의 가담은 비교적 심각한 편은 아니어서 교수직을 박탈당하지는 않았다.

1930년대초 하이데거의 사상에는 학자들이 '전환'이라 부르는 사건이 일어났다. 이 전환을 몇몇 전문가들은 『존재와 시간』의 문제에 등을 돌리는 것이라고 말한다. 하이데거는 이를 부인하고 자기가 젊은 시절부터 똑같은 질문을 던져왔다고 주장하지만, 분명한 사실은 그가 말년에는 이렇게 주장하기를 점점 더 꺼리게 되었다는 것이다.

그는 『존재와 시간』의 기본적인 문제에 대한 답을 찾는 길을 넌지시 암시한 적도 없었다. '전환'이 일어났을 무렵, 그는 잠시 동안 제3제국의 문화정책에 관여했는데, 이는 상당한 논란거리가 되었다. 1933년 11월 아돌프 히틀러가 권력을 잡기 전에도 독일 대학들은 심한 압력을 받고 있었다. 독일 대학들은 '민족 혁명'을 지지하고 유대인 학자와 학설(예를 들면 상대성이론)을 제거하라는 압력을 받았다. 당시 프라이부르크대학교 총장이던 반나치 과학자가 항의 사직을 하자, 교수진은 만장일치로 하이데거를 후임자로 선출했다.

그의 총장 취임 연설인 〈독일 대학의 자기 확인〉은 나치즘에 대한 긍정으로 널리 공표되었다. 그는 대학생들의 과제를 노력봉사와 군사봉사와 학문봉사로 나누었다. 그러나 이는 플라톤의 권위주의적 교육정책 영역에 속하는 것이었으며, 그 연설은 '하일 히틀러'가 아니라 플라톤의 『국가 Republic』에서 인용한 문장, 즉 "위대한 것들이 모두 위험에 빠져 있다"로 끝맺었다.

그 연설은 과학적 전문화에 반대하면서 "있다는 것이 무엇이냐?"는 질문을 던질 것을 촉구했으며 '존재자들'(Seiendes : 존재[das Sein]의 대립어) 속에서 자아를 상실할 위험을 경고했다. 그러나 하이데거가 분명히 친(親)히틀러적인 발언을 한 경우도 있다. 그는 "지도자 자신이, 그리고 오직 그만이 독일의 실체이고 현재이자 미래이며 법이다"라고 말했다. 간단히 말해서, 하이데거는 히틀러주의에는 굴복했지만 나치의 문화정책이나 철학에는 굴복하지 않았다.

하이데거는 상당한 압력을 받아서 나치와 결탁했지만, 그로부터 벗어나려고 애쓰지는 않았다. 그러나 당과 친나치 분위기와의 관계는 빠르게 나빠져갔다. 그는 1934년초 총장직에서 물러났다.

제2차 세계대전이 끝난 후, 하이데거는 히틀러주의란 인류 전체 속에 있던 구조적 질병이 역사적으로 폭발한 것이라면서, 그 독을 없애는 데에는 매우 긴 시간이 걸릴 것이라고 우려를 표명했다. 1944년 11월 하이데거는 고별 강의를 했으며, 1945년 점령군은 그가 일체의 공식 강연을 하지 못하도록 조치했다. 그는 조사를 받았지만, 1933~34년 사이의 히틀러 지지가 심각하고 적극적인 것이 아니었음이 밝혀짐에 따라 교수 자격을 박탈당하지는 않았다. 그러나 그의 교수 자격은 1959년 사임할 때까지 계속 논란거리였다. 그는 1951~58년에 걸쳐 영향력 있는 정규 강의를 했다. 1933~34년 동안의 그의 처신은 국제 현상학 운동에서 그의 강력한 위치에 영향을 주지 못했다. (『다음백과』)

2. 실존주의의 종합

2-1. 개 념

국어사전에서는 "개별자로서 자기의 존재를 자각적으로 물으면서 존재하는 인간의 주체적인 상태"라고 하며, 브리태니커 사전에서는 "실존주의는 세계 내의 인간 실존에 대한 해석에 힘쓰며, 인간 실존의 구체성과 문제적 성격을 강조하는 철학이다."고 한다.

그리고, 실존주의자들은 보다 좀더 전문적으로 접근하여서, 키에르케고어는 "나의 구체적인 현존재"라고 정의하고, 칼 야스퍼스는 "모든 껍질을 벗겨 내고 어떤 다른 것과 혼동될 수 없는 알맹이로서의 나"라고 말한다.[36] 그리고, 위의 개념들을 종합하여 가장 쉽게 표현한다면, 하이데거가 말하는 바와 같이 "실존은 인간의 현 사실적 삶을 가리킨다"는 개념이 보편적 정의라고 말할 수 있다.

한편, 이러한 개념을 좀더 형이상학적으로 표현한다면, 하이데거가 표현한 바와 같이 "존재자와 단절된 개별자"라는 개념이 가장 적절하다. 실존주의의 선구자라고 할 수 있는 키에르케고어는 "인간 정신의 위대성"을 말하는 헤겔을 반박하면서, 그러한 개념이 보편자에게는 타당하지만, 타락한 인간 개별자의 정신을 그렇게 말할 수 없다고 하면서, 존재자부터 단절된 개별자의 비참함을 인간의 현실이라고 말하였다. 이것이 인간의 현실에 대한 가장 적절한 표현이며, 이것이 "인간의 현 사실적인 삶"인 것이다.

2-2. 실존주의의 출현과 그 의의

과학의 발견 이후에 인간의 정신은 한껏 고양이 되었다. 과연 이 과학의 근원은 어디일까를 탐구하던 철학자들은 데카르트와 칸트에 이르러서 인간의 정신에 이미 자연의 법칙이 새겨져 있음을 알게 되었다. 그러면서, 칸트는 그럼에도 불구하고, 인간의 순수이성으로는 형이상학의 세계에 대해서는 알 수 없다는 한계를 말하였다. 그런데, 헤겔은 오히려 이것을 뒤집었으며, 하나님의 정신으로부터 개별화된 어떤 것으로서의 인간의 정신을 말하기에 이르렀다. 이것은 국가정신으로까지 이어졌으며, 결국 그 종말은 세계대전이었고 파국이었다. 이에 대해 브리태니커 사전에서는 다음과 같이 말하고 있다.

19세기의 낭만주의 성향의 낙관주의는 인간 운명이 무한한 힘(이성·절대자·마음 등)에 의해 확실히 보장되어 있고 불가항력의 진보를 향해 나아간다고 믿었다. 그러나 2차례의 세계대전을 겪으면서 이러한 낙관주의는 더 이상 받아들이기 어려워졌다. 실존주의는 모든 인간 현실의 불안정과 위험을 강조하고 인간은 '세계에 던져져 있다'는 점과 인간의 자유는 그것을 공허하게 만들 수 있는 한계에 의해 제한되어 있다는 점을 인정했다. 고통·타락·질병·죽음 등과 같이 19세기 낙관주의가 진지하게 고려하지 않았던 실존의 부정적 측면들이 인간 현실의 본질적 특징이 되었다.(『브리태니커 사전』)

---

36) 『청소년을 위한 서양철학사』, p229, 279

그러한 가운데에서 키에르케고어는 헤겔의 정신을 논박하며, 비참한 인간실존의 현주소를 말하였던 것이다. 이것이 실존주의 철학이 대두되게 된 배경이었다.

그리하여 19세기에 이런 부정적 현실을 강조한 사상가들은 실존주의의 선구자가 되었다. 키에르케고어는 헤겔의 필연주의에 반대하여 실존을 가능성과 관련지어 해석했다. 불안은 '가능적인 것에 대한 감정'이다. 불안은 인간이 모든 것을 계산하고 아무리 조심해도 인간에게 일어날 수 있는 어떤 것에 대한 느낌이다. 한편 절망은 가능성에서 유일한 치유책을 발견한다. 왜냐하면 '인간이 가능성 없이 머물러 있다면 공기가 없는 것과 마찬가지이기' 때문이다.

한편, 학문적으로는 칸트의 <순수이성비판>은 인간의 순수이성으로는 형이상학의 세계를 알 수 없으며, 물자체를 알 수 없다는 이론은 인간의 학문적 연구에 한계를 긋는 것과 다름이 없었다. 이러한 영향은 신학계에서는 인간의 정신이나 "이성을 의존하여 수행하던 신학적 방법론"을 칼 바르트와 같은 이를 통하여서 "말씀을 통한 계시"의 방법으로의 전환을 이루었다. 그렇다면, 철학의 세계에서는 어떠하였는가? 이곳에서는 칸트를 극복하기 위한 일환으로 현상학이 출현하게 되었다.
현상학은 사물자체를 우리가 인식할 수는 없으나, 우리의 의식 안에는 지향성이 있으며, 그것이 곧 사물의 본질을 지향하고 있다는 것이다. 우리 마음에 있는 그 지향성은 물자체와 접하여 있어서, 그 물 자체의 무엇을 전달한다는 것이다. 그리고, 이러한 학문적 방법론이 인간의 실존에 적용이 되면서 실존주의의 탄생을 보게 된다.

이러한 가운데 하이데거는 이것을 인간의 현존재에게 적용하였다. 세상에 많은 존재자들이 있는데, 이러한 존재자들을 인식하는 행위를 하는 존재는 유일하게 인간이다. 지금까지는 우리가 이 존재자들을 인식할 때, 대상으로 바라봄을 통해서만 인식하였는데(분리된 상태에서의 인식), 이제는 이 대상들이 우리 안에 자신의 존재들을 현상하고 있으며, 이렇게 우리 안에 현상된 것을 통해서 세상의 모든 존재자들을 해석하는 것이 바른 세계에 대한 이해라는 새로운 방법론이었다. 곧 현존재인 인간이 접하고 있는 실존이 곧 세계에 대한 바른 이해라는 사고였다. 이러한 사고에는 사실은 칸트의 범주에 대한 이해에서 싹텄다. 칸트는 세계의 법칙이 우리

안의 범주에 이미 디자인되어 있다고 하였던 것이다. 그렇다면, 이제 우리 인간이 접하고 있는 실질적인 세계를 통해서 세계를 인식하는 것이 타당하게 된 것이다.

이러한 것을 주장하는 하이데거의 <존재와 시간>은 실존주의의 존재론을 형성하게 된 것이다. 실존주의가 시작되었고, 그의 영향을 받은 이들에 의해서 실존주의가 형성이 되었다.

이렇게 하여서 실존주의는 20세기 철학의 시발점이 되었고, 현대 철학의 주제가 되었다. 실존주의 철학의 존재론을 제공해준 마르틴 하이데거는 20세기에 가장 큰 영향을 끼친 인물이 되었다. 이후에 주로 20세기의 실존주의 철학운동의 대표자는 독일의 마르틴 하이데거와 카를 야스퍼스, 프랑스의 가브리엘 마르셀, 장 폴 사르트르, 모리스 메를로-퐁티, 스페인의 호세 오르테가 이 가세트, 러시아의 니콜라이 베르댜예프, 이탈리아의 니콜라 아바냐노 등이다.

한편, 이후에 일어난 구조주의도 사실은 실존주의의 연장선에 있다. 실존주의는 인간 개인 자신(현존재)에게 현상된 세계를 중심으로 하여 세계를 설명하고, 세계에 참여한다. 그런데, 구조주의에서는 이러한 개개인의 실존이 그 주체인줄 알았는데, 개개인의 실존 이면의 또 다른 주체가 발견된 것이었다. 언어학의 소쉬르, 인류학의 레비-스트로우스, 심리학의 프로이드와 라캉 등의 이론이 인간 개별자의 구조주의적 본질을 증명하였다. 구조주의는 인간의 언어를 통해서 이러한 구조를 분석한다. 그리고, 이후에 나타난 분석철학도 이 구조주의의 연장선에 있다. 분석철학은 언어철학인데, 인간의 언어에 선험성이 있어서 언어를 통해서 우리 이면의 형이상학 체계와 이 세계를 이해할 수 있다는 입장이다.

이렇게 현대철학의 주제가 과거의 자연에서 인간실존으로 변화가 이루어졌는데, 이에 대한 시발점이 곧 실존주의 철학이었던 것이다.

그리고, 이러한 실존주의는 신학에도 엄청난 영향을 주었다. 칼 바르트를 중심으로 한 신정통주의는 철학에서의 실존주의의 물음에 대한 신학적 답변으로서의 역할을 하였다. 이제는 신학이 인간 실존을 해결하는 차원으로 연구되기 시작한 것이다. 에밀 브룬너의 "나와 너"의 신학이나, 불트만의 "케리그마"신학이나, 폴 틸리히의 신학은 모두 실존주의적 질문에 대한 답변으로서 이루어진 신학으로서 현대신학의 큰 주제를 이루고 있다.

2-3. 실존주의 방법론

브리태니커 사전에 의하면, 실존주의자들이 실존 해석에서 사용하는 방법은 "해석자와 해석되는 것, 존재 문제와 존재 자체 사이의 관계가 직접적이라고 전제하는 것이다"(현상학의 영향 : 편집자)고 한다. 그리고, "이 두 가지 항은 실존 속에서 일치한다. 왜냐하면 '존재란 무엇인가'라고 묻는 인간은 이 물음을 자신에게 제기하지 않을 수 없고 또 자신의 존재에서 출발하지 않고서는 이 물음에 대답할 수 없기 때문이다." 그리고, 이런 공통적 배경에서 출발하면서도 실존주의 사상가들은 각기 실존 해석의 독자적 방법을 발전시켰다. 이에 대해 브리태니커 사전은 다음과 같이 말한다.

하이데거는 후설의 현상학을 이용한다. 하이데거에서 현상은 단순한 가상이 아니라 존재 자체의 현현이다. 현상학은 존재의 구조를 드러낼 수 있으며 따라서 존재론이다. 다만 이때의 존재는 존재에 대한 물음을 제기하는 존재, 곧 인간이다.

야스퍼스는 실존의 합리적 해명방법을 채택한다. 그에 따르면 실존은 존재에 대한 추구로서 인간의 합리적 자기이해 노력 또는 의사소통 노력이다. 그의 방법은 실존과 이성이 인간 존재의 두 기둥이라는 것을 전제한다. 이성은 가능적 실존이다.

사르트르에서 철학의 방법은 실존적 정신분석 즉 인간 실존을 구성하는 '근본기투'에 관한 분석이다. 마르셀에 따르면 철학의 방법은 존재의 신비 대한 인식에 의존한다. 다시 말해서 객관적·합리적 분석이나 증명을 통해서는 존재를 발견할 수 없다. 아바냐노와 메를로 퐁티 등의 인문주의적 실존주의는 실존을 구성하는 구조 즉 인간을 다른 존재와 연결해주는 관계를 과학을 비롯한 모든 이용 가능한 기술을 사용하여 분석하고 규정한다.(『브리태니커 사전』)

2절 '존재'의 의미에 대한 물음

1. '존재물음'과 '현존재'의 '실존'

가. '존재'의 의미에 대한 세 가지 선입견

하이데거는 그의 『존재와 시간』의 집필 목적은 '존재'의 의미에 대한 물음에 대해 구체적으로 정리하는 작업이라고 한다. 그리고 추가적으로 모든 개개의 존재 이해를 '시간' 속에서 '해석'하고자 한다고 말한다.

"당신들은 분명히 이미 오래 전부터, 당신들이 '존재하는'이라는 표현을 사용할 때 그 표현이 본디 무엇을 의미하는지를 잘 알고 있다. 우리도 전에는 그것을 이해하는 것으로 믿었는데, 지금은 당혹스러움에 빠져 있다."(플라톤, 『소피스트』 244 a) 오늘날 우리는 우리가 '존재하는'이라는 낱말로 본디 무엇을 의미하는가 라는 물음에 대답할 수 있는가? 결코 그렇지 못하다. 그렇다면 존재의 의미에 대한 물음을 새롭게 제기해야 할 필요가 있다. 그런데 오늘날 우리는 '존재'라는 표현을 이해하지 못해서 당혹스러움에라도 빠져 있는가? 결코 그렇지 않다. 그렇다면 우선 무엇보다도 다시금 이 물음의 의미에 대한 이해를 일깨워야할 필요가 있다. '존재'의 의미에 대한 물음을 구체적으로 정리작업하는 일이 이 책이 의도하고 있는 것이다. 시간을 모든 개개 존재이해 일반의 가능한 지평으로 해석하는 것이 이 책의 잠정적인 목표이다.(『존재와 시간』1)

하이데거에 의하면, '존재'의 의미가 이와 같이 그 의미를 알고 있는 듯하지만, 확실하게 말할 수 없는 '존재'의 의미는 요즘 망각 속에 빠졌다고 말한다. 그리스 철학자들에 의해 나타난 이 '존재'의 의미에 관한 문제는 지속적으로 이어져오며, 헤겔의 『대논리학』에 이르고 있지만, 그들에 의한 개념정의는 이미 오래 전에 진부한 것이 되어버렸다. 그러면서 사람들의 인식 속에는 "'존재'는 가장 보편적이고 가장 내용 없는 개념이다"는 생각을 하게 하였다. 대체로 세 가지 선입견에 빠지게 하였는데, 하나는 존재는 가장 보편적인 개념이다. 두 번째, 존재라는 개념은 정의될 수 없다. 세 번째, 존재는 자명한 개념이라는 선입견이었다.

앞에서 언급된 [존재에 대한] 물음은 오늘날 망각 속에 묻혀 버렸다. 비록 우리의 시대가 '형이상학'을 다시 긍정한 것을 자신의 공에 의한 진보로 치고 있지만 말이다.… 여기에서 문제가 되는 물음은 분명히 어떤 하나의 임의의 물음이 아니다. 그 물음은 플라톤과 아리스토텔레스를 숨 가쁘게 몰아대며 연구를 하도록 만들었지만, 그 후로는 [불행히도] 실제 탐구의 주제가 되는 물음으로서는 침묵 속에 빠져버리고 만다. 그 두 철학자가 이룩해놓은 것은 여러 변경과 '덧칠' 속에서도 헤겔의 『대논리학』에까지 견지된다. 그리고 그 두 철학자가 최대의 긴장

된 사유의 노력 속에 일찍이 현상에서부터 획득된 것이 이미 오래 전에 진부한 것이 되어 버렸다.

이것뿐만이 아니다. 존재의 해석을 위한 그리스식 단초의 위에서 다음과 같은 독단적인 경향이 형성되었다. 즉 존재의 의미에 대한 물음은 불필요하다고 설명할 뿐만 아니라 나아가서 그러한 물음을 소홀히 하는 것을 재가해주는 하나의 독단이 생긴 것이다. 사람들은 "'존재'는 가장 보편적이고 가장 내용 없는 개념이다"라고 말한다. 이러한 개념으로서의 존재개념은 그것에 대한 그 어떠한 개념 정의의 시도도 거부한다. 이러한 가장 보편적인 개념, 따라서 정의할 수 없는 개념은 또한 어떠한 정의도 필요로 하지 않는다. 모두가 그 개념을 항상 사용하고 있으며 또한 그 개념이 그때마다 무엇을 의미하는지를 이미 이해하고 있다. 따라서 은닉되어 있으면서 고대의 철학함을 동요 속에 몰아넣었고 그 속에 붙들어 놓았던 그것이 일종의 태양과 같은 명백한 자명성이 되어버렸을 뿐만 아니라, 그것에 대해서 아직도 묻는 사람은 방법적인 오류를 저질렀다고 해서 문책 받게 되었다.… 이러한 선입견들에는 세 가지가 있다.

첫째, 존재는 가장 보편적인 개념이다. 존재는 모든 것들 중에서 가장 보편적이다. 존재에 대한 이해는 사람이 존재자에게서 파악하고 있는 그 모든 것들 속에마다 이미 함께 포함되어 있다. 그런데, 존재의 보편성은 유의 보편성이 아니다.…

둘째, 존재라는 개념은 정의될 수 없다. 사람들은 '존재' 개념의 보편성에서부터 이와 같은 귀결을 끄집어내었다.…(그런데) 실제로 '존재'는 존재자로서 개념 파악될 수 없다. 존재에는 어떤 다른 본성이 덧붙여질 수 없다. '존재'는 거기에 존재자가 서술되는 식으로는 규정될 수 없다.…

셋째, 존재는 자명한 개념이다. 모든 인식함에, 발언함에, 존재자에 대한 모든 개개의 행동관계에, 자기 자신에 대한 모든 개개의 관계맺음에 '존재'는 사용되고 있으며, 거기에서 그 표현은 '아무 문제없이' 이해되고 있다.…(『존재와 시간』 2-4)

나. '존재물음'의 형식구조 - 존재자와 존재, 및 현존재[37]

---

37) Dasein(현존재) : 이 개념은 본래 한 존재자의 실재, 있음, 현실 등을 뜻하는 중세의 용어 existentia를 볼프가 독일어로 옮긴 낱말이다. 또한 이것의 상관개념인 essentia (한 존재의 본질)를 그는 Sosein(그리 있음)이라고 번역했다. 이때 Da는 '거기에'를 의미하며, sein은 '있음'을 의미한다. 예컨대, '현-존재(Da-sein)'은 '거기에-있음'이다.

결국 하이데거가 집중하고자 하는 바는 '존재'의 의미들을 규명하는 것이다. 하이데거는 "존재의 의미에 대한 물음이 제기되어야 한다"고 말한다. 그리고 그는 이 것을 인식하고 찾아 나서고자 하는데, 그는 그 '존재 물음'은 우선 이미 '존재'하고 있는 '존재자' 그 자신에게 묻게 된다. 이때 하이데거는 '물어지고 있는 것'은 '존재'이며, '물음이 걸려있는 것'은 '존재자'라고 말한다. 즉, 이제 '존재자'가 이미 존재하고 있기 때문에 '존재'를 말하여야 한다. 그런데 존재자는 이미 자신은 존재하고 있으면서도 존재가 무엇을 의미하는지 알지 못한다. 존재이해의 이러한 무규정성에 대한 현상은 하나의 해명을 필요로 한다.

존재자는 자신에게서 물어지는 것, 곧 존재를 가지고 있다. 따라서 존재자에게는 "존재의 의미가 무엇이냐"라는 '존재 물음'이 걸려있다. 그런데, 존재자는 자신이 존재하고 있음에도 불구하고, 존재의 의미에 대해서 매우 무규정적이다. 이러한 현상은 해명되어야 한다. 한편, 존재의 개념은 존재자의 개념과 다를 것이다. 존재자들은 여럿이기 때문이다. 우리는 존재하고 있는 이 존재자에게서 그것의 존재를 캐묻는 셈이다.

또한, 우리는 이 물음을 묻고 있는 자이기도 한 존재자이다. 즉, 우리들 자신이 각기 존재자들이며 여러 다른 것들 중 물음이라는 존재가능성을 가지고 있는 그런 존재자를 우리는 현존재라는 용어로 파악하기로 하자. 이들이 그 존재에 대해 설명하여야 한다. 이때 후설의 '판단중지'의 방법론에 의한 현상학적 개념에 의하면, 현존재의 존재 파악은 직관적이다. 여기에는 전제가 필요하지 않으며, 순환논증에 빠지지도 않고 "뒤로 또는 앞으로 연관되어" 있다.

존재의 의미에 대한 물음이 제기되어야 한다.…

모든 물음은 일종의 찾아나섬이다.… 물음은 어떤 것에 대한 물음으로서 자신에게서 물어지고 있는 것을 가지고 있다. 모든 어떤 것에 대한 물음은 어떤 방식으로건 어떤 것에 물음을 거는 것이다. 물음에는 물어지고 있는 것 외에 물음이 걸려 있는 것이 속한다.… 물음 자체는 한 존재자, 즉 질문자의 행동관계로서 나름의 고유한 존재 성격을 가지고 있다.…

존재의 의미에 대해서 물음이 제기되어야 한다.… 우리는 존재가 무엇을 말하는지 알지 못한다. 그러나 "존재가 무엇이냐?"고 묻고 있을 때 이미 우리는 "이다(있다)"에 대한 이해 속에 머물고 있는 것이다. 이 "이다(있다)"가 무엇을 뜻하는지 개념적으로 확정할 수 없으면서도 말이다. 우리는 거기에서부터 그 의미를 파악하고 확정해야 하는 그 지평마저도 모르고 있다. 이러한 평균적이고 모호한 존재이해는 하나의 현사실이다.… 존재이해의 이러한 무규정성은 그 자체가 곧 하나의 긍정적인 현상이다. 이 현상은 해명을 필요로 한다.…

정리작업 해야 할 물음에서 물어지고 있는 것은 존재이다. 즉 존재자를 존재자로서 규정하고 있는 바로 그것, 즉 존재자가 각기 이미 그리로 이해되어 있는 바로 그것이다. 존재자의 존재는 그 자체가 또 하나의 존재자가 아니다.… (따라서) 물어지고 있는 것으로서의 존재는 따라서 존재자의 발견과는 본질적으로 구별되는 나름의 고유한 제시의 양식을 요구한다. 이렇게 되어 물음이 꾀하고 있는 것, 즉 존재의 의미도 나름의 독특한 개념성을 요구하게 된다. 이 개념성 또한 존재자가 자신의 의미에 맞는 규정성에 이르게 되는 그 개념들과는 본질적으로 구별된다.

존재가 물어지고 있는 것을 형성하고 있고 존재가 존재자의 존재를 말하고 있는 한, 존재 물음에서 물음이 걸려 있는 것은 존재자 자체라는 것이 귀결되어 나온다. 이 존재자에게서 흡사 그것의 존재를 캐묻는 셈이다.…

그래서 그 자체가 한 특정한 존재자, 즉 묻고 있는 우리들이 각기 그것인 그런 존재자의 존재양태들이다. 그러므로 존재물음의 정리작업이란, 한 존재자(즉, 묻고 있는 자)를 그 존재에서 투명하게 만드는 것을 말한다. 이러한 물음을 묻는 일은 한 존재자 자체의 존재양태로서 그 존재자에게서 물어지고 있는 그것(즉, 존재)에서부터 본질적으로 규정된다. 이러한 존재자, 즉 우리들 자신이 각기 그것이며 여러 다른 것들 중 물음이라는 존재가능성을 가지고 있는 그런 존재자를 우리는 현존재라는 용어로 파악하기로 하자. 존재의 의미에 대한 분명하고 투명한 물음제기는 한 존재자(현존재)를 그 존재에 있어 앞서 먼저 적합하게 설명할 것을 요구한다.…

존재에 대한 이러한 주도적인 관점취득은 우리가 항상 이미 그 안에서 움직이고 있는 바로 그 평균적인 존재이해에서 자라나온다. 그리고 그 존재이해가 결국에는 현존재 자신의 본질 구성틀에 속한다. 이러한 '전제'는 거기에서부터 명제추론을 연역해내는 어떤 한 원칙의 정립과는 아무런 연관이 없다. 존재의 의미에 대한 물음제기에는 도대체 '순환 논증'이 놓여 있을 수가 없다. 왜냐하면 그 물음의 대답에서 문제가 되는 것은 연역적인 근거제시가 아니라 근거를 밝게 파헤쳐 제시함이기 때문이다.

존재의 의미에 대한 물음에는 '순환논증'과 같은 것은 놓여 있지 않다. 그러나 물어지고 있는 것(존재)이 한 존재자의 존재양태로서의 물음을 기이하게 "뒤로 또는 앞으로 연관되어" 있다. 물음이 물어지고 있는 것에 의해서 본질적으로 관련되어 있음은 존재물음의 가장 고유한 의미에 속한다. 이것이 말하고 있는 것은 단지 이것이다. 즉 현존재의 성격을 띤 존재자는 존재 물음 자체와 하나의 연관(아마 탁월하기까지 한)을 맺고 있다. 그럼으로써 벌써 한 특정 존재자의 존재우위가 증명되었으며 존재물음에서 물음이 걸려있는 것의 역할을 해야 할 범례적인 존재자가 앞에 주어진 것인가?… 그러나 분명히 현존재의 우위와 같은 어떤 것이 알려진 셈이다.(『존재와 시간』5-8)

다. 존재물음의 존재론적 우위

하이데거는 존재는 그때마다 한 존재자의 존재이며, 존재자의 총체가 그것의 상이한 권역에 따라서 특정한 사태분야의 규명과 제한규정의 장이 될 수 있다고 한다. 그리고 그 각각의 분야들이 곧 각각의 학문영역이다. 이것을 그는 '근본개념들'이라고 한다. 따라서 학문의 구성에 있어서는 이러한 형태의 탐구가 실증과학을 앞서가야 한다. 존재론적 물음은 분명히 실증과학이 던지는 존재적 물음과 대비해 볼 때 더 근원적이다.

존재는 그때마다 한 존재자의 존재이다. 존재자의 총체가 그것의 상이한 권역에 따라서 특정한 사태분야의 규명과 제한규정의 장이 될 수 있다. 이 사태분야들은 또한 그편에서, 예컨대 역사, 자연, 공간, 삶, 현존재, 언어 등은 그에 상응하는 학문적 탐구에서 대상들로서 주제화될 수 있다. 학문적 탐구는 사태분야의 구별 및 일차적인 고정을 소박하고 거칠게 수행한다. 분야를 그 근본구조에 있어 정리작업하는 일은 어떤 방식으로 이미 존재구역(이 안에서 사태분야가 제한되는 것이다)에 대한 학문 이전의 경험과 해석에 의해서 주도되어 있다. 이렇게 자라난 '근본개념들'은 우선 분야를 처음으로 구체적으로 열어 밝히는 실마리로 남아 있게 된다.…(『존재와 시간』9)

근본개념들은, 그 안에서 한 학문의 모든 주제적인 대상의 밑바탕에 놓여 있는 사태영역이 선행적이며 모든 실증적인 탐구를 주도하는 이해에 이르게 되는 그러한 규정들이다. 따라서 이러한 개념들은 오직 그에 상응하는 사태영역 자체를 선행적으로 철저히 탐구할 때에만 참되게 증명되고 근거 제시될 수 있다. 그런데, 이러한 영역들이 모두 다 존재자 자체의 구역에서부터 획득되고 있는 한, 그러한 근본개념들을 길어내는 선행연구는 다른 것이 아니라 그 존재자를 그 존재의 근본구성틀에 있어 해석하는 것을 말한다. 그러한 탐구가 실증과학을 앞서가야 한다.(『존재와 시간』10)

존재론적 물음은 분명히 실증과학이 던지는 존재적 물음과 대비해 볼 때 더 근원적이다.(『존재와 시간』11)

한편, 위와 같은 관점에서 볼 때, 학문 일반의 정의는 완전하지도 않으며 학문을 그 의미에서 적중시키지도 못하고 있다. 학문들은 인간의 행동관계로서 이 존재자(인간)의 존재양식을 가지고 있다. 하이데거는 이러한 존재자를 '현존재'라는 용어로 파악하고자 한다. 학문적인 탐구는 이 존재자의 유일한 존재양식도 아니고 가장 가까운 가능한 존재양식도 아니다. 그럼에도 불구하고 현존재 자신은 그 외에도 다른 존재자들에 비해 뛰어나다.(『존재와 시간』12)

라. 현존재와 실존

하이데거는 현존재는 존재에 대한 이해를 하고 있다고 말한다. 이것을 그는 "존재론적으로-존재한다"고 표현한다. 그리고 현존재가 이와 같이 존재를 이해하는 방식으로 존재하는데, 이러한 현존재가 관계 맺고 있는 존재 자체를 '실존'이라고 말한다. 즉, 현존재가 이해하고 관계를 맺고 있는(필자: 범위 만큼의) 존재가 곧 실존인 것이다. 따라서 현존재는 언제나 자기 자신을 그의 실존으로부터 이해한다. 이러한 이해는 하이데거는 '실존적 이해'라고 말한다. 이 실존성이 곧 존재자의 존재틀을 구성하고 있다. 그리고 다른 학문분야들도 또한 현존재의 존재방식으로 이해되어야 한다. 현존재는 그러한 존재자와도 관련을 맺고 있기 때문이다. 따라서 모든 존재자들의 기초 존재론은 현존재의 실존론적 분석에서 찾아져야 한다.

현존재는 단지 그저 여러 다른 존재자들 아래에서 발견되는 그런 존재자의 하나가 아니다. 현존재는 오히려 그 존재자에게 그 존재함에서 바로 이 존재함 자체가 문제가 된다는 그 점으로 존재적으로 뛰어나다.… 현존재는 어떤 방식과 명확성에서건 자신의 존재를 이해하고 있다. 이 존재자에게 고유한 점은 자신이 존재와 더불어 자신의 존재에 의해서 그 자신에게 그의 존재가 열어 밝혀져 있다는 그것이다. 존재이해는 그 자체가 곧 현존재의 규정성의 하나이다. 현존재의 존재적인 뛰어남은 현존재가 존재론적으로 존재한다는 거기에 있다.

"존재론적으로-존재한다"는 말은 여기에서 아직 존재론을 형성한다는 것을 말하는 것이 아니다.… "존재론적으로-존재함"은 존재론 이전의 그것이라고 지칭해야 할 것이다. 그렇지만 그것은 예컨대 단순히 "존재적으로-존재하는" 정도를 의미하는 것이 아니라 존재를 이해하는 방식으로 존재함을 의미한다.

현존재가 그것과 이렇게 또는 저렇게 관계를 맺을 수 있고 또 언제나 어떻게든 관계 맺고 있는 존재 자체를 우리는 '실존'이라고 이름한다. 그리고 이 존재자의 본질규정이 어떤 사태내용적인 무엇(본질)을 제시해서 이루어질 수 있는 것이 아니고 오히려 그의 본질은 그 존재자가 각기 자신의 존재를 자기의 것으로 존재해야하는 거시에 있기에, 현존재라는 칭호는 순전히 이 존재자를 지칭하기 위한 수수한 존재표현으로서 선택된 것이다.

현존재는 언제나 자기 자신을 그의 실존에서부터, 즉 그 자신으로 존재하거나 그 자신이 아닌 것으로 존재하거나 할 수 있는 그 자신의 한 가능성에서부터 이해한다. 현존재는 이러한 가능성들을 그 스스로 선택했든가, 아니면 그 가능성들 안으로 빠져들게 되었든가, 아니면 각기 이미 그 안에서 성장해 왔다. 실존은 오직 그때마다의 현존재에 의해서 장악하거나 놓치는 방식으로 결정된다. 실존의 문제는 언제나 오직 실존함 자체에 의해서만 처리될 수 있다. 이때의 주도적인 자기 자신에 대한 이해를 우리는 실존적 이해라고 이름한다. 실존의 물음은 현존재의 존재적 '용건'이다. 그것을 위해서 실존의 존재론적 구조가 이론적으로 투명해야 할 필요는 없는 것이다. 이러한 존재론적인 구조에 대한 물음은 실존을 구성하고 있는 그것을 풀어헤쳐 보이는 것을 목표로 한다. 이러한 구조의 연관을 우리는 실존성이라고 이름한다.…

그런데, 이제 실존이 현존재를 규정하고 있는 한, 이 존재자에 대한 존재론적인 분석학은 각기 이미 언제나 실존성에 대한 선행적인 관점취득을 필요로 한다. 우리는 이 실존성을 실존하고 있는 존재자의 존재구성틀이라고 이해한다. 그러한 존재구성틀이라는 이념 안에 이미 존재 일반에 대한 이념이 놓여 있다.… (『존재와 시간』12-13)

학문은 현존재의 존재방식이다. 이 존재방식에서 현존재는 그 자신으로 존재할 필요가 없는 그런 존재자와도 관계를 맺는다.… 따라서 거기에서부터 다른 모든 존재론이 비로소 발원할 수 있는 기초존재론은 현존재의 실존론적 분석론에서 찾아져야 할 것이다.(『존재와 시간』13)

2. 실존론적 분석론과 시간성

가. 가깝고도 먼 현존재와 존재의 관계

지금 자신이 존재하고 있는 자는 존재 자체와 가장 직접적으로 대면하고 있으며, 자신의 존재를 묻고 있는 자이다. 그래서 그가 이에 대한 가장 가까운 존재자이면서 또한 가장 잘 설명할 수 있는 자이다. 그런데, 하이데거에 의하면, 그럼에도 이 현존재는 존재와 멀리 있는 존재라고 말한다. 오히려 그가 속해 있는 존재양식에 의하면, 그는 자신과 우선 관계를 맺고 있는 또 다른 '존재자'와 관계를 맺고 있다. 여기에서 대표적인 그 존재자는 그가 접하고 있는 그의 눈앞에 있는 '세계'와 관련을 맺고, 이에 따라 존재를 해석하려 한다. 그런데, 그 현재의 세계는 또다시 '역사'라는 다른 존재자와 연관을 맺는다. 그리고 그 '역사'라는 다른 존재자는 또 다른 근원적인 존재자와 관련을 맺을 것이다. (필자: 그리고 그것은 신화적인 사건과 존재들이며, 그 이후에는 종교적인 신이 등장한다.) 이로써 이 존재자에 대한 해석은 아주 독특한 어려움 앞에 서 있다.

현존재가 가지고 있는 것으로 증명된 존재적-존재론적 우위는, 이 존재자는 존재자 자체를 '직접적으로' 포착한다는 의미에서뿐만 아니라 그의 존재양식이 또한 똑같이 '직접적으로' 앞에 주어져 있다는 관점에서도, 존재적-존재론적으로 일차적으로 주어져 있어야 한다는 견해로 오도할 수도 있다. 현존재는 분명히 존재적으로 가까운 것이 아니라 가장 가까운 것이다. 우리가 바로 각기 그것인 것이다. 그럼에도 불구하고 바로 그렇기 때문에 존재론적으로는 가장 먼 것이다. 분명히 그의 가장 고유한 존재에 그 존재에 대한 이해를 가지고 있고 각기 이미 자신의 존재에 대한 일정한 해석[되어 있음] 속에 머물고 있다는 것이 속한다. 그러나 그렇다고 해서 마치 이러한 존재이해가 가장 고유한 존재구성틀에 대한 주제적 존재론적 성찰에서 발원한 것처럼, 이러한 자기 자신에 대한 가장 가까운 존재론 이전의 존재해석이 합당한 실마리로 떠맡아질 수 있다고 말하는 것은 아니다. 오히려 현존재는 그에 속해 있는 존재양식에 따라서, 자신의 고유한 존재도 그가 본질적으로 끊임없이 우선 관계 맺고 있는 그 존재자에서부터, 즉 '세계'에서부터 이해하려는 경향을 가지고 있다. 현존재 자신 안에 그리고 그로써 그의 고유한 존재이해 안에, 우리가 나중에 세계이해가 현존재 해석에 존재론적으로 되반영된다고 제시하게 될 그것이 놓여 있다.

그러므로 현존재의 존재적-존재론적 우위는, 현존재에게 그만의 특이한 존재구성들(그에게 귀속하는 '범주적' 구조의 의미로 이해된)이 은폐된 채 암아 있게 되는 데에 대한 근거이다. 현존재는 그 자신에 대해서 존재적로는 '가장 가깝고' 존재론적으로는 가장 멀지만 존재론 이전으로는 그래도 낯설지 않다.

이로써 이 존재자에 대한 해석은 아주 독특한 어려움 앞에 서 있음을 잠정적으로 소개만 한다. 그 어려움이란 주제적인 대상 및 주제화하는 행동관계 자체의 존재양식에 근거하고 있는 것이지, 예를 들면 우리 인식능력이 결함투성이의 장비이기 때문이 아니며 또는 얼핏 보아서 쉽게 제거할 수 있는, 적합한 개념서의 결여에 근거하고 있는 것이 아니다.(『존재와 시간』15-16)

나. 현존재의 실존론적 존재이해 : 실존론적 분석론

우리의 존재이해는 부득이 우리 '현존재'와 현실적으로 접해 있는 다른 존재자에 대한 이해에서부터 시작하여야 한다. 우리는 존재 이해를 각종 존재 혹은 학문의 각영역에서부터 시작할 수 있다. 그런데, 그것이 그에게 첫 번째 관심거리의 '범주' 인가이다. 이 '범주'는 올바로 선정되어야 한다. 따라서 그것은 일상성에서 제시되어야 한다. 이러한 요구를 만족시켜야 실존론적인 정당화를 얻게 된다. 따라서 '현존재'의 분석론은 '실존론적 분석론'이라야 한다.

그러나 이러한 형태의 '현존재 분석론', 즉 '실존론적 분석론'은 잠정적이어야 한다. 왜냐하면, 그 이면의 다른 존재자가 또 다시 추구될 때, 현재의 다른 존재자의 개념이 재조정되어야 하기 때문이다.(필자: 이것이 실존주의의 한계이다.) 따라서 이것은 가장 근원적인 존재해석을 위한 지평을 드러내 보이는 예비적 분석론이다.

이제 현존재에게 존재이해만이 속하는 것이 아니라, 또한 이 존재 이해가 현존재 자신의 그때그때마다의 존재양식과 더불어 형성되기도 하고 붕괴되기도 한다면, 현존재는 아주 풍부한 해석[되어 있음]을 구사할 수 있을 것이다. 철학적 심리학, 인간학, 윤리학, '정치학', 시작(詩作), 전기(傳記) 그리고 역사기술 등은 각기 상이한 방법으로 규모를 달리하면서 현존재의 행동관계, 능력, 역량, 가능성과 역운들을 추적했다. 그러나 여전히 물음으로 남는 것은, 과연 이러한 해석들이 그것들이 아마도 '실존적'으로 근원적이었듯이 그렇게 똑같이 '실존론적'[38]으

---

38) 인간 현존재가 그 있음에서 이렇게 또는 저렇게 관계 맺을 수 있고 또 언제나 이미 어떻게든 관계 맺고 있는 있음(존재)을 하이데거는 '실존'이라고 이름한다. 실존은 현존

로 수행되었는가이다. 그 두 가지가 함께 가야 할 필요는 없지만 그렇다고 또한 서로 배척하지도 않는다. 실존적 해석은, 철학적 인식이 그 가능성과 필연성에 있어 개념 파악되어 있다면, 실존론적 분석론을 요청한다. 현존재의 근본구조들이 존재물음 자체에 명시적으로 방향을 잡아 충분하게 부각되어야 비로소 현존재 해석이 지금까지 획득한 것은 그 실존론적인 정당화를 얻게 될 것이다.

따라서 현존재의 분석론은 존재에 대한 물음에서 첫 번째 관심거리가 되어야 한다. 그럴 경우 현존재로 이끄는 주도적인 접근양식을 획득하여 확보하는 것이 더욱 시급한 일이 될 것이다. 소극적으로 말한다면, 어떠한 임의의 존재와 현실의 이념(그것이 아무리 자명하다고 하더라도)도 이 존재자에게 구성적으로 독단적으로 갖다 붙여서는 안 되며, 그러한 이념에 의해서 윤곽 잡힌 '범주들'은 어떤 것도 현존재에 존재론적으로 조사하지도 않고 강제로 덮어씌워서는 안 된다. 오히려 접근양식과 해석양식은 이 존재자가 자신을 그 자신에 있어 그 자신에서부터 내보여줄 수 있게끔 그렇게 선택되어야 한다. 분명히 그 양식은 존재자를 그것이 우선 대개 존재하고 있는 그대로, 즉 그것의 평균적인 일상성에서 제시해 주어야 한다. 이러한 일상성에서 임의의 우연적인 구조들이 아니라, 현사실적인 현존재의 모든 존재양식 속에서 존재를 규정하고 있는 구조로 관철되고 있는 그런 본질적인 구조들이 산출되어야 한다.…

이렇게 파악된 현존재의 분석론은 전적으로 존재물음을 정리작업해야 하는 주도적인 임무에 방향이 잡힌 채 남아 있다. 그렇게 이 분석론은 자신의 한계에 규정받는다. 이 분석론은 현존재에 대한 하나의 완벽한 존재론을 제시하려고 할 수 없다. 그런 존재론은 '철학' 인간학과 같은 것이 철학적으로 충분한 토대 위에 서 있어야 한다면 물론 구축되어 있어야 할 것이다. 가능한 인간학 또는 그것의 존재론적 기초부여라는 의도에서 볼 때 다음의 해석은 단지(비록 본질적이기는 해도) 몇몇 '단편들'만을 제공한 뿐이다. 현존재의 분석론은 완벽하지도 않을 뿐 아니라 또한 우선은 '잠정적'이다. 그것은 단지 처음으로 이 존재자의 존재를(그 의미를 해석하지 않은 채) 두드러지게 할 뿐이다. 가장 근원적인 존재해

재의 독특한 존재양식을 지칭하는 것으로서 현존재가 각기 자신의 존재를 존재해야 하는 그점을 부각시키기 위해서 택해진 개념이다. 현존재만의 독특한 있음을 차원을 설명할 때, '실존적'이라는 용어를 사용한다.… 실존의 존재론적 구조연관을 우리는 실존성이라고 이름한다. 실존성을 탐구하려는 시도는 실존적인 이해의 차원에서사 만족할 수 없고 실존의 구조에까지 파고 들어가는 실존론적 이해여야 한다. (이기상, 『존재와 시간』 역자 해설, 572)

석을 위한 지평을 파헤쳐 드러내 보이는 일을 이 분석론은 예비해야 한다. 그 지평이 획득된 뒤에 비로소 현존재의 예비적인 분석론은 더 구차의 본래적인 존재론적 토대 위에서 반복될 것을 요구할 것이다.(『존재와 시간』16-17)

다. '존재의 의미'로서의 '시간성'

현존재의 존재의미는 어떻게 설명될 수 있을까? 그것의 존재하여온 모든 과정을 통해서 그것을 설명할 수 있을 것이다. 즉 그 존재자의 역사적인 시간이해를 통해서 그 존재자의 존재를 설명하는 것이다. 한편, 베르그송 등에 의하면, 현재의 시간 속에 과거의 모든 시간이 기억으로서 지금 존재하며 동시에 미래의 예상마저도 현재의 사실로 끌어온다. 베르그송의 시간은 차원을 달리하는 현존재의 위 단계의 차원에 존재하는 공간이다. 하이데거는 베르그송의 이와 같은 시간이 현존재의 실존을 결정한다고 말하며, 이렇게 존재자의 근원적인 의미를 시간에서부터 규정한 것을 존재시적인 규정이라고 부른다. 이렇게 존재자체의 의미가 함축하고 있는 존재의 시간적 성격을 '존재시성'이라고 한다. 존재가 각기 그때마다 오직 시간에 대한 관점에서부터만 파악 가능하기 때문이다.

우리가 현존재라고 이름 짓는 그 존재자의 존재의 의미로서 시간성이 제시될 것이다. 이러한 제시는 잠정적으로 드러내 보인 현존재의 구조들을 시간성의 양태로 반복하여 해석함으로써 자신이 참되다는 것을 입증해야 한다. 그러나 현존재를 이렇게 시간성으로 해석하더라도 아직 여전히 존재 일반의 의미를 찾아 나선 주도적인 물음에 대한 대답이 주어진 것은 아니다. 그렇지만 분명히 그 대답을 얻기 위한 토대는 마련된 셈이다.

현존재에는 존재적 구성들로서 일종의 존재론 이전으로 존재함이 속한다는 것이 암시적으로 지적되었다. 현존재는 존재하면서 존재와 같은 어떤 것을 이해하는 그런 방식으로 존재한다. 이러한 맥락을 확고하게 견지하면서 보여주어야 할 것은, 거기에서부터 현존재가 도대체 존재와 같은 어떤 것을 드러나지 않게 이해하고 해석하는 그것은 바로 시간이라는 점이다. 시간이 모든 존재이해 및 모든 존재해석의 지평으로서 밝혀져야 하며 진정으로 개념 파악되어야 한다. 이것이 통찰될 수 있도록 하기 위해서는 시간을 존재이해의 지평으로서 존재를 이해하는 현존재의 존재인 시간성에서부터 근원적으로 설명하는 일이 필요하다. 이러한 모든 과제의 전체 속에는 동시에, 획득된 시간이라는 개념을 통속적인 시간이해와 구별해서 한정해야 하는 요구가 놓여 있다. 그런 통속적인 시간이해는 아리스토텔레스 이래 베르그송을 넘어서까지 견지되어오고 있는 전통적인 시간개념 속에 침전된 그런 시간해석에서 명시적으로 드러난다.…(『존재와 시간』17-18)

…우리는 존재와 그 성격 그리고 그 양태의 근원적인 의미를 시간에서부터 근원적으로 규정한 것을 존재시적인 규정이라고 명명한다. 그러므로 존재 그 자체를 해석해야 하는 기초적 존재론적 과제는 자체 안에 존재의 '존재시성'을 산출하는 일도 포함하고 있다. 존재시성의 문제틀을 개진했을 때 가장 처음으로 존재의 의미에 대한 물음에 대해서 구체적인 답이 주어질 것이다.

존재가 각기 그때마다 오직 시간에 대한 관점에서부터만 파악 가능하기 때문에, 존재물음에 대한 대답은 하나의 격리된 맹목적 문장 속에 담겨질 수 없다.…(『존재와 시간』19)

3. 현존재의 역사성에 대한 해석학적 현상학

가. 현존재의 역사성

현존재의 존재는 자신의 의미를 시간성에서 발견한다. 그런데 이때의 시간은 일차적으로 현존재는 시간적 존재양식인 '역사성'이라는 '생기'의 존재 구성틀 속에 존재한다. 그가 '무엇'으로 존재해왔는가가 바로 그의 현사실적 존재이다. 그렇다고 하여서 현존재는 이와 같이 자신의 과거로서만 존재하는 것은 아니다. 그것은 자신의 미래에서부터 '일어나고 있는' 그의 존재 방식에서의 그의 과거이다. 현존재는 이러한 해석에서부터 자신을 우선 이해하며, 그의 과거를 앞서간다. 이것이 현존재의 기초적인 '역사성'이다.

현존재의 존재는 자신의 의미를 시간성에서 발견한다. 그런데 이 시간성이 또한 동시에 현존재 자신의 한 시간적 존재양식인 역사성의 가능조건인 것이다. 역사성의 규정은 사람들이 역사(세계사적인 사건)라고 지칭하는 그것에 앞서 놓여 있다. 역사성이란 현존재 그 자체가 일어나는 '생기'의 존재구성틀을 의미한다. 이것을 바탕으로 해서 이제 비로소 처음으로 '세계사'와 같은 어떤 것이 가능해져 역사적으로 세계사에 속하게 된다. 현존재는 각기 그가 이미 그렇게 '무엇'으로 존재해온, 자신의 '현사실'[39]적인 존재 속에 존재한다. 두드러지게이건 그렇지

---

39) 사물들이나 사건들이 시공간 안에 놓여 있거나 그 안에서 일어나고 있는 것을 '사실'

않게이건 현존재는 자신의 과거로서 존재하고 있다. 그의 과거는 흡수 그의 '배후에서' 그에게 끼어들고 그래서 그는 지나간 것을 때때로 그의 안에서 남아 영향을 미치는 그런 현전하는 속성으로 소유한다는 식으로만 '일어나고 있는' 그의 존재의 방식에서 자신의 과거이다. 현존재는 그의 그때마다의 존재방식에서 존재하며 그렇기에 그에게 속한 존재이해와 함께 하나의 전승된 현존재 해석 속에서 태어나며 그 안에서 성장한다. 현존재는 이러한 해석에서부터 자신을 우선 이해하며 어떤 범위에서는 끊임없이 그렇게 이해한다. 이러한 이해가 그의 존재의 가능성들을 열어 밝히며 그것을 규제한다. 그 자신의 고유한 과거는 현존재를 뒤따라오지 않으며 오히려 각기 그때마다 이미 그를 앞서간다.

현존재의 이러한 기초적인 역사성이 이 현존재 자신에게는 은닉된 채로 남아 있을 수 있다.… 현존재는 이렇게 스스로를 역사학적인 물음과 탐구의 존재양식 안으로 보낸다.… (『존재와 시간』20)

나. 탐구의 현상학적 방법

하이데거는 후설의 제자로서 그의 '현상학적' 방법론을 고스란히 이어받았다. 어떤 사태를 이해할 때, 그 사태 자체로 돌아가기 위해 표면화된 그 사태에 대해서 '판단중지'를 실행한다. 그리고 그 이면의 또 다른 사태를 파악하는 것이다. 우리의 '현존재'의 이면에 자리 잡은 또 '다른 존재자'는 그 존재자(현존재)의 '역사성'이었다.

탐구의 주제적인 대상(존재자의 존재 또는 존재 일반의 의미)을 잠정적으로 특징 지음으로써 또한 이미 그 방법도 윤곽 잡힌 것처럼 보인다. 존재자의 존재를 부각시키고 존재 자체를 설명하는 일은 존재론의 과제이다.…

존재의 의미에 대한 주도적인 물음과 함께 탐구는 철학 자체의 기초적인 물음에 서게 된다. 이러한 물음의 취급양식은 현상학적인 그것이다.… '현상학'이라는 표현은 일차적으로 일종의 방법개념이다. 그것은 철학적 탐구 대상들이 사태 내용적으로 무엇인가가 아니라 오히려 철학적 탐구의 어떻게[방법]을 특징짓고 있다.…

이라고 할 때, 인간 현존재의 세계 안에 있음이라는 '사실'을 그것과 구별하여 '현사실'이라고 부른다. 이 개념은 무엇보다도 인간의 내던져져 있음과 인간이 이 내던져져 있음을 떠맡는다는 것을 동시에 강조하고 있다.(이기상, 『존재와 시간』 역자 해설, 570)

'현상학'이라는 칭호가 표현하고 있는 준칙은 따라서 "사태 자체로!"라고 정식화될 수 있다.··· 이러한 준칙은 너무나 자명하며 게다가 모든 과학적 인식의 원칙을 표현한 것에 불과하지 않은가? 사람들은 왜 이러한 자명성이 두드러지게 하나의 탐구를 지칭하기 위한 표제로서 채택되었어야 했는지를 통찰하지 못한다. 실제로 문제가 되는 것은 바로 이 '자명성'이며, 우리는 그것을 이 논구의 진행을 밝히는 데에 중요한 범위 내에서만 가까이에서 고찰하려고 한다. 우리는 단지 현상학의 예비개념만을 제시할 것이다. 그 표현은 현상과 로고스라는 두 구성요소를 가지고 있다. 그 둘은 그리스 용어 파이노메논(φαινομενον)과 로고스(λογος))로 소급해 올라간다. (『존재와 시간』27-28)

다. 현상학의 예비개념 : 현상과 로고스

현상학의 개념을 이해하기 위해서는 먼저 '현상'의 개념을 이해할 필요가 있다. '현상'이란 "자신을 내보여주고 있는 그것"이라는 의미를 지니고 있다. 그런데, 이것은 또한 "···처럼 보인다"를 의미하는 '가상'이라는 의미도 또한 포함하고 있다. 즉, 그것 자체가 본질은 아니라는 의미이다. 따라서 이것은 무엇을 지시해주는 개념이지 그것 자체로서 그 개념이 아니다. 여기에는 하나의 탐구와 해석이 필요하다.

'현상(現象, 본질이나 객체의 외면에 나타나는 상)'이라는 용어가 소급해 올라가는 그리스의 표현 '파이노메논(φαινομενον)'은 '자신을 내보여준다'를 의미하는 동사 파이네스타이(φαινεσθαι)에서 나왔다. 따라서 파이노메논(φαινομενον)은 "자신을 내보여주고 있는 그것", "스스로를 내보여 주는 것", "드러나는 것"을 말한다.···

이제 존재자는 그것으로 가는 접근양식에 따라서 각기 상이한 방식에서 자신을 그것 자체에서부터 내보여줄 수 있다. 심지어 존재자가 그것이 그 자체에서 그것이 아닌 바로 그것으로서 자신을 내보여줄 수 있는 가능성도 성립한다. 이러한 자신을 내보여줌에서는 존재자는 "~처럼 보인다." 그러한 자신을 내보여줌을 우리는 가상이라고 칭한다. 이렇듯 그리스어에서도 파이노메논(φαινομενον), 즉 현상이라는 표현은 '그렇게 보이는 것', '겉보기의 것', '가상' 등의 의미를 지니고 있다. (『존재와 시간』28-29)

현상(그것-자체에서-자신을- 내보여주는 것)은 어떤 것을 만나는 탁월한 만남의

양식이다. 그에 반해서 나타남은 존재자 자체 안에 있는 지시의 연관을 의미한
다. 그래서 지시하는 것(알려주는 것)은 오직 그것이 그것 자체에서 자신을 내보
여줄 때에만, 즉 '현상'일 때에만 자기의 가능한 기능을 충족시킬 수 있다. 나타
남과 가상은 그 자체 상이한 방식으로 현상에 기초하고 있다. '현상'의 혼란스럽
기만 한 다양함(현상, 가상, 나타남, 순전한 나타남이라는 칭호로 명명되는)은 처
음부터 "그것 자체에서 자신을 내보여줌"이라는 현상개념이 이해될 때에야 비로
소 해결될 수 있다.…(『존재와 시간』31)

'현상학'에서 '학'이라는 용어에는 로고스(λογος)라는 의미가 담겨 있다. 이 로고
스(λογος)가 기존의 전통철학에서는 "이성, 판단, 개념, 정의, 근거, 관계" 등으로
번역 또는 해석되었다.(『존재와 시간』32) 하이데거는, 이에 반하여 오히려 로고스
(λογος)의 어원적인 의미는 '아포타시스'의 의미로서의 로고스(λογος)의 개념이
더 근원적이라고 말한다. 말(로고스, λογος)은 그것에 관해서 이야기되고 있는 그
것을 "그것 자체로부터 보이도록 해준다"는 의미라고 한다. 그리고 이 로고스(λογ
ος)에는 그 본질과 연관 혹은 관련되어 있음의 의미도 내포되어 있다고 한다.

오히려 말로서의 로고스(λογος)는 '델룬(δηλοῦν)'과 같은 것으로서, '말'에서 그
것에 관하여 '말'이 되고 있는 그것을 드러나게 함을 뜻한다. 아리스토텔레스는
'말'의 이러한 기능을 더 날카롭게 '아포파이네스타이(ἀποφαινεσθαι)'라고 설명
한다. 로고스(λογος)는 어떤 것을 보이게끔 해준다(파이네스타이). 즉 그것에 대
해서 이야기되고 있는 그것을 이야기하는 사람에게 또는 서로 이야기를 나누는
사람들에게 보이도록 해준다. 말은 그것에 관해서 이야기되고 있는 그것을 "그것
자체로부터(아포, ἀπο…)" "보이도록 해준다." 말에서는(그 말이 진정한 말인
한) 이야기된 그것[내용]이 그것에 대해서 이야기되는 그것[대상]에서부터 길어내
져야 하며, 그래서 이야기하는 함께 나눔이 그것의 말함 속에서 그것에 대하여
이야기되고 있는 그것을 드러나게 하여 접근 가능하게 해야 한다. 이것이 아포
판시스(ἀποφανσις)로서의 로고스(λογος)의 구조이다.…
구체적인 수행에서 말함(보이게 해줌)은 이야기함, 즉 낱말을 음성으로 발설하는
특징을 가지고 있다. 로고스(λογος)는 포네(φωνη, 소리)이며, 그것도 포네 메타
판타지아스(φωνη μετα φαντασιας), 즉 거기에서 그때마다 각기 어떤 것이 보
여지는 음성적인 발설이다.…(『존재와 시간』32-33)

그리고 로고스(λογος)의 기능은 어떤 것을 단적으로 보이게 해줌에, 즉 존재자를 인지하게 함에 있기에, 로고스(λογος)가 이성을 의미할 수 있다. 그리고 다시금 로고스(λογος)가 레게인(λεγειν)의 의미로뿐만 아니라 레고메논(λεγομενον, 제시된 것 그 자체)으로도 사용되기 때문에,… 근거.합리를 뜻할 수 있다. 그리고 마지막으로 레고메논(λεγομενον)으로서의 로고스(λογος)가 또한 어떤 것이라고 말해진 것으로서, 그것의 어떤 것과의 연관 속에서, 다시 말해서 "연관되어 있음"에서 드러나는 그것을 뜻할 수 있기 때문에, 로고스(λογος)는 '연관과 관계'의 의미도 얻게 된다. "서술적인 말"에 대한 이러한 해석이 로고스(λογος)의 일차적인 기능을 분명히 하기에 충분할 것이다.(『존재와 시간』34)

현상학의 개념은 이제 '현상'과 '로고스(λογος)'의 합성어이다. 따라서 이것을 합해서 현상학을 정의해 본다면, 그것은 자신을 내보이고 있는 그것을 탐구하는 방법을 말한다. 이것은 "사태 자체로!"가 표현되고 있는 것에 다름 아니다. 그것은 아주 심하게 은닉되어 있는 존재자의 존재이다. 현상학은 존재론의 주제가 되어야 할 그것[곧 존재]으로 나가는 접근양식이며 그것을 증명하며 규정하는 양식이다. 존재론은 오직 현상학으로서만 가능하다.

'현상'과 '로고스'에 대한 해석에서 밖으로 끄집어낸 것을 구체적으로 떠올려볼 때 그러한 칭호로써 의미되고 있는 것들 사이의 내적 연관이 눈에 확 들어온다. 현상학이라는 표현을 그리스어로는 이렇게 정형화할 수 있겠다. 레게인 타 파이노메나(λεγειν τα φαινομενα). 그런데, 레게인(λεγειν)은 아포파이네스타이()를 말한다. 그러니 현상학은 아포파이네스타이 타 파이노메나(άποφαινεσθαι τα φαινομενα)를 말하는 것이 된다. 즉 자신을 내보이고 있는 그것을, 그것이 자신을 그것 자체에서부터 내보이고 있듯이, 그렇게 그것 자체에서부터 보이게 해줌이다. 이것은 현상학이라는 이름으로 불리는 탐구의 형식적 의미이다. 이렇듯 여기에서는 앞에서 정형화시킨 준칙 "사태 자체로!"가 표현되고 있는 것에 다름 아니다.…

이러한 형식적인 현상개념이 현상학적인 현상개념으로 탈바꿈되어야 한다면, 이제 어떠한 점을 고려해야 하며, 이러한 현상 개념은 통속적인 그것과 어떻게 구별되는가? 현상학이 "보이게 해 주어야"할 그것은 무엇인가? 탁월한 의미로 '현상'이라고 지칭되어야 할 그것을 무엇인가? 무엇이 그 본질상 필연적으로 명시적 제시의 주제인가? 분명히 우선 대개는 바로 자기 자신을 내보이지 않고 있는 그러한 것, 우선 대개 자기 자신을 내보이고 있는 그것에 비추어볼 때 은폐되어 있는 것이지만, 그럼에도 동시에 우선 대개 자기 자신을 내보이고 있는 그것에 본질적으로 속하여 있는 그런 어떤 것으로서 그것의 의미와 근거를 이루고 있는 그런 것이다.

특이한 의미로 은폐된 채 남아 있거나, 또는 다시 은닉 속에 되떨어지거나, 또는 오직 '위장되어서'만 자신을 내보이는 그것은 이 존재자 또는 저 존재자가 아니라 앞의 고찰에서 보여준 바처럼 존재자의 존재이다. 존재자의 존재는 아주 심하게 은닉되어 그것이 망각되고 그것 또는 그것의 의미에 대한 물음조차 제기되지 않을 수 있다.…

현상학은 존재론의 주제가 되어야 할 그것[곧 존재]으로 나가는 접근양식이며 그것을 증명하며 규정하는 양식이다. 존재론은 오직 현상학으로서만 가능하다.…(『존재와 시간』34-35)

3절 현존재의 실존론적 구조

1. 현존재 분석론

가. 현존재 분석론의 주제 : '본질'로서의 '실존'

하이데거에 의하면, "분석의 과제로 주어진 존재자는 각기 우리들(나) 자신이다. 이러한 존재자의 존재는 각기 나의 존재이다. 이러한 존재자의 존재에서 이 존재자 자체는 자기의 존재와 관계를 맺고 있다. 이러한 존재의 존재자로서의 그 존재자에게는 그의 고유한 존재가 떠 맡겨져 있다. 이러한 존재자에게 그때마다 각기 그 자체 문제가 되고 있는 것은 존재이다. 현존재의 이러한 특징부여에서부터 두 가지가 귀결되어 나온다."(『존재와 시간』41) 따라서, 그 특징 두 가지는 현존재로서의 '나 자신'의 존재의 특징을 의미한다.

우리의 과제는 '존재자'의 '본질(무엇)'을 아는 것인데, 하이데거에 의하면, '존재자의 존재'가 그것의 본질이다. 앞에서 우리는 '존재자의 존재'는 곧 그 현존재가 지금 접하고 있는 그의 세계(현실)이라고 말하였으며, 그것을 그의 '실존'이라고 했다. 하이데거에 의하면, 이것이 곧 그의 '본질'이다. 그 동안 전수된 철학(혹은 신학)에서는 인간의 본질은 '이성'이라거나 혹은 '하나님의 형상'이라고 말해왔다. 하이데거는 이에 반하여 "인간의 본질은 실존이다"고 말하고 있는 것이다.

그리고 여기에서 자연스럽게 또 하나의 특징이 나타나는데, 그것은 모든 각각의 인간들이 자신들이 접하고 있는 세계가 각각이다. 그리고 그들은 자신에게 접한 사태들을 선택할 수도 있고 자신의 가치관에 따라 해석할 수도 있다. 이와 같이 모든 실존들은 그들 스스로에 의해서 결정된다. 하이데거는 이러한 현존재의 특징을 다음과 같이 말한다.

첫째, 이 존재자의 '본질'은 그의 존재해야 함에 있다. 이 존재자의 무엇임(본질, essentia)은 - 도대체 그것에 대해서 이야기 될 수 있는 한 - 그의 존재(실재, existentia)에서부터 개념파악 되어야 한다. 이때 존재론적인 과제가 제시해야 할 것은 바로 이것이다. 즉 우리가 이 존재자의 존재를 지칭하기 위해서 실존을 선택할 때, 이 칭호는 전수된 용어 실재와 같은 존재론적인 의미를 가지고 있지 않으며 가질 수 없다. 왜냐하면 실재는 존재론적으로 눈앞의 존재 정도를 말하며, 따라서 현존재와 같은 성격의 존재자에게는 속하지 않는 그러한 존재양식을 말하기 때문이다. 우리가 실재라는 칭호 대신 언제나 눈앞에 있음이라는 해석하는 표현을 사용하고 실존은 존재 규정으로서 오직 현존재에게만 배정한다면 혼란은 피할 수 있을 것이다.

현존재의 본질은 그의 실존에 있다. 따라서 이 존재자에서 끄집어내올 수 있는 성격들은 어떤 이렇게 저렇게 '보이는' 눈앞의 존재자의 눈앞에 있는 '속성들'이 아니고 오히려 그때마다 각기 그에게 가능한 존재함의 방식들이며 오직 이것일 뿐이다. 이 존재자의 모든 그리 있음은 일차적으로 존재이다. 그러기에 우리가 이 존재자를 지칭하고 있는 '현존재'라는 칭호는 (책상, 집, 나무와 같이) 그의 무엇을 표현하고 있는 것이 아니라 존재를 표현하고 있다.

둘째, 이 존재자에게 그의 존재함에서 문제가 되고 있는 그 존재는 각기 나의 존재이다. 그러기에 현존재는 결코 존재론적으로 눈앞에 있는 것인 존재자의 한 유에 속하는 경우나 표본으로 파악될 수 없다. 눈앞에 있는 존재자에게는 그것의 존재가 "아무래도 좋은" 것이다. 정확하게 고찰하면 그것은 그것에게 그의 존재가 아무래도 좋은 것일 수도 그렇지 않은 것일 수도 없는 식으로 '존재하고' 있다. 현존재의 말 건넴은 그 존재자의 각자성의 성격에 맞추어 언제나 인칭대명사를 함께 말해야 한다. 즉 "나는 이렇고", "너는 저렇다"라고.

그리고 현존재는 다시금 각기 그때마다 이런 또는 저런 존재함의 방식에서 나의 현존재이다. 현존재는 그가 어떤 방식으로 각기 나의 현존재인가하는 것을 이미 언제나 어떻게든 결정했다. 그의 존재함에서 바로 이 존재함 자체가 문제가 되고 있는 그 존재자는 그의 존재에 대해서 그의 가장 고유한 가능성으로 관계한다. 현존재는 각기 그의 가능성으로 존재하며 현존재는 그 가능성을 일종의 눈앞의 것으로 그저 속성으로 '가지고' 있는 것이 아니다. 그리고 현존재가 본질적으로 각기 그의 가능성으로 존재하기에, 이 존재자는 그의 존재에서 자기 자신을 '선택할' 수 있고 획득할 수 있다.

현존재는 자기 자신을 상실할 수도 있으니, 다시 말해서 결코 획득하지 못하고 그저 '겉보기에만' 획득할 수도 있다. 현존재가 자기 자신을 상실했을 수도 있거나 자기 자신을 아직 획득하지 못했을 수도 있음은 오직 그가 그의 본질상 가능한 본래적인 존재인 한, 다시 말해서 자기 자신을 자기 것으로 하는 한에서 가능하다. 본래성과 비본래성이라는 두 존재양태는 현존재가 도대체 각자성으로 규정되어 있다는 데에 근거하고 있다. 그런데, 현존재의 비본래성이 예컨대 '모자라는' 존재나 '낮은 차원의' 존재등급을 의미하는 것이 아니다. 비본래성은 오히려 현존재를 그의 가장 완전한 구체성에 맞추어 그의 분주함[일처리], 흥분, 관심, 향락력에서 규정할 수 있다.(『존재와 시간』42-43)

나. 평균적인 일상성 : 실존범주

현존재가 그의 존재를 알아갈 때, 그의 존재 범주는 "현존재의 일상의 무차별성" 곧 '실존 범주'라야 한다. 그 이상을 넘어서는 분야이거나, 다른 분야일 경우 그것은 그의 본질이 아직은 아니다. 기존의 철학에서의 인간 범주를 범주로 삼고 인간의 본질을 규명해서는 안 된다. 즉, 존재자는 '누구'(실존)이거나, 또는 '무엇'(가장 넓은 의미의 눈앞에 있음)인데, 전자라야 한다는 것이다.

현존재는 자신을 존재자로서 각기 그때마다, 그가 그의 존재에서 어떻게든 이해하고 있으며 그것으로 존재하고 있는 그런 하나의 가능성에서부터 규정한다. 이것이 현존재의 실존구성들이 지니고 있는 형식적 의미이다. 그런데 바로 거기에 이 존재자를 존재론적으로 해석하는 데에 필요한 지침이, 그의 존재의 문제들을 그의 실존의 실존성에서부터 전개시키라는 지침이 놓여 있다. 그러나 이 말은 현존재를 실종의 한 구체적인 가능한 이념에서부터 구성하라는 것을 뜻하지 않는다. 현존재는 분석의 출발에서 한 특정한 실존함의 차별성에 있어 해석하지 말고 오히려 그의 무차별적인 우선 대개에 있어 열어보여야 한다. 현존재의 이러한 일상성의 무차별성은 아무것도 아닌 것이 아니며 오히려 이 존재자의 한 긍정적인 현상적 특징이다. 모든 실존함은, 그것이 존재하는 것을 볼 때, 이러한 존재양식에서부터 그리고 그 안으로 되돌아가서 존재한다. 우리는 이러한 현존재의 일상의 무차별성을 평균성이라고 이름한다.

평균적인 일상성이 이제 이 존재자의 존재적 우선을 형성하고 있기 때문에, 그것은 언제나 거듭 현존재의 설명에서는 건너 뛰어져왔고 지금도 건너뛰어지고 있다. 존재적으로 가장 가까운 것, 잘 알려진 것이 존재론적으로는 가장 먼 것이며 잘 안 알려진 것이고 그것의 존재론적인 의미가 끊임없이 간과되고 있는 것이다.…

현존재를 그의 평균적인 일상성에서 설명하는 일은 예컨대 모호한 비규정성의 의미에서 그저 평균적인 구조들을 내주고 있는 것만은 아니다. 존재적으로 평균성의 방식으로 존재하는 그것이 존재론적으로는 충분히 중요한 구조에서 파악될 수 있다. 이때 이 구조는 이를테면 현존재의 본래적인 존재의 존재론적인 구조와 구조적으로 구분되지 않는다.

현존재의 분석론에서부터 발원한 모든 설명내용들은 그의 실존구조를 고려하여 획득된 것들이다. 그것들이 실존성에서부터 규정되고 있기에 우리는 현존재의 존재성격을 실존범주라고 이름한다. 이것을 우리는 현존재적이지 않은 존재자의 존재규정 -이것을 우리는 범주라고 이름한다- 과는 날카롭게 구분해야 한다.

이때 이 표현을 그것의 일차적인 존재론적 의미에서 받아들이고 확고하게 잡아야 한다. 고대 존재론은 자신의 존재해석을 위한 범례적인 토대로 세계 내부에서 만나는 존재자를 택했다.… 그러한 봄에서 보여지고 드러난 것이 바로 카테고리아(범주)이다. 범주는 로고스에서 여러 상이한 방식으로 말해지고 논의될 수 있는 존재자의 선험적인 규정들을 포괄한다. 범주와 실존범주는 존재성격의 두 가지 근본 가능성이다. 거기에 상응하는 존재자는 일차적인 캐물음의 각기 상이한 방식을 요구한다. 즉 존재자는 누구(실존)이거나 또는 무엇(가장 넓은 의미의 눈앞에 있음)이다. 존재성격의 이 두 양태에 대해서는 존재물음의 지평이 해명된 뒤에야 비로소 다루어질 수 있을 것이다.(『존재와 시간』43-45)

현존재를 그의 일상성에서 해석하는 일은 원시적 현존재의 단계를 기술하는 것과 동일하지 않다. 그런 단계에 대한 지식은 인간학에 의해서 경험적으로 매개될 수 있을 것이다. 일상성은 원시성과 일치하지 않는다. 오히려 일상성은 현존재가 고도로 발달되고 세분화된 문화 속에서 움직이고 있을 때라도, 아니 바로 그 경우에 현존재의 한 존재양태이다.…(『존재와 시간』50)

다. 현존재 분석론과 인간학 등과의 관계

하이데거는 현존재 분석론을 인간학, 심리학, 생물학과 구별 지어서 한정을 하였다. 예컨대, 인간학적으로 말하면 인간의 본질은 이성적 동물이다. 그리고 이것을 신학적으로 말하면 인간은 하나님의 형상이다. 이러한 것은 결정적인 존재론적 기초에서 규정되지 않은 채 남아 있다. 그러므로 하이데거는 현존재 분석론을 기존의 인간학 등과 구별하여 한정 하고 있다.

제시되어야 할 것은, 지금까지의 현존재를 목표로 삼은 물음제기와 탐구들이 본래적인 철학적인 문제를 놓치고 있다는 것, 그것들은 따라서 그것들이 근본적으로 추구하고 있는 그것을 성취할 수 있다고 요구주장해서는 안 된다는 것이다. 실존론적 분석론을 인간학, 심리학, 생물학과 구별 지어서 한정함은 오직 원칙적인 존재론적 물음과만 관계가 있다. 그 학문들은 "학문 이론적으로", 열거한 분과들의 학문구조가 오늘날 철두철미하게 의문스러운 것이 되었고, 존재론적인 문제틀에서 발원되어야 할 새로운 자극을 필요로 한다는 이 이유 하나만으로도 이미 필연적으로 충분치 못하다.…
전통적인 인간학이 자체 안에 지니고 있는 것은 다음과 같다. 먼저, 이성적 동물, 이성적 생명체로 해석되고 있는 초온 로곤 에콘. 그런데 초온(생명체)의 존재양식이 여기서 눈앞에 있음과 앞에 존재함의 의미로 이해되고 있다. 로고스는 일종의 고차원의 자질인데, 그것의 존재양식도 그렇게 결합된 존재자의 존재양식과 마찬가지로 어둠 속에 남아 있다.… 두 번째, 인간의 존재와 본질을 규정하기 위한 다른 실마리는 신학적인 실마리이다. 그리고 하나님은 말씀하셨다. "우리 모습을 닮은 사람을 만들자."… 전통적 인간학의 중요한 근원들인 그리스의 정의와 신학적인 실마리가 보여주고 있는 것은, '인간'이라는 존재자의 한 본질규정 안에서 인간의 존재에 대한 물음은 망각된 채로 남아 있으며,… 그것의 결정적인 존재론적 기초에서 규정되지 않은 채 남아 있는 것이다.(『존재와 시간』48-49)

2. 현존재의 근본구성틀로서의 "세계-내-존재"

가. 세계-내-존재(In-der-Welt-sein, Being-in-the-world)[40]

하이데거는 현존재의 존재규정들이 '세계-내-존재'라고 이름하고 있는 존재 구성
틀에 근거하여 고찰되고 이해되어야 한다고 말한다. 현 존재 분석론의 올바른 단초
는 이 구성틀의 해석에 달려있다. 우리가 전체 현상을 확고히 견지하면서 그 현상
적 실상을 추적한다면 다음의 세 가지를 끄집어 낼 수 있다. 먼저, '세계-내'와 관
련지어서는 '세계'의 존재론적인 구조를 탐문해야 한다. 두 번째, 각기 그때마다 세
계-내-존재의 방식으로 존재하는 그 존재자. 우리가 "누구인가?"라고 캐물을 때
묻는 바로 그것이 존재하여야 한다. 세 번째, 내-존재(안에-있음) 그 자체, 즉, '안'
자체의 규정이 끄집어내져야 한다.

현존재는 그의 존재함에서 이 존재[실존]와 관계를 맺는 그런 존재자이다. 이로
써 실존의 형식적 개념이 게시되었다. 현존재는 실존한다. 그 외에도 현존재는
각기 내 자신이 바로 그것인 그런 존재자이다.… 현존재의 이러한 존재규정들이
이제는 선험적으로, 우리가 '세계-내-존재'라고 이름하고 있는 존재 구성틀에 근
거하여 고찰되고 이해되어야 한다. 현 존재 분석론의 올바른 단초는 이 구성틀
의 해석에 달려있다. '세계-내-존재'라는 합성된 표현이 이미 그것의 형태에서
그것으로써 일종의 통일적인 현상을 의미하고 있음을 보여준다. 이러한 일차적인
실상이 전체적으로 고찰되어야 한다.… 우리가 전체 현상을 선행적으로 확고히
견지하면서 그 현상적 실상을 추적한다면 다음의 세 가지를 끄집어 낼 수 있을
것이다.
1. '세계-내'. 이 계기와 관련지어서는 '세계'의 존재론적인 구조를 탐문해야 하
고 세계성 그 자체의 이념을 규정해야 할 과제가 생긴다.
2. 각기 그때마다 세계-내-존재의 방식으로 존재하는 그 존재자. 그것으로써 모
색되어야 할 것은 우리가 "누구인가?"라고 캐물을 때 묻는 바로 그것이다. 현상
학적 제시에서 규정되어야 할 것은 누가 현존재의 평균적인 일상성 속에서 존재
하는가이다.
3. 내-존재[안에-있음] 그 자체. '안' 자체의 규정이 끄집어내져야 한다. (『존재

---

40) In-der-Welt-sein : "안에(in)-세계(der Welt, the World)-존재(sein)"는 "세계-안에-
   존재함"의 의미이다. 따라서 영어로는 "Being-in-the-world"로 번역된다. 영어를 한글
   로 직역한다면, "존재-내-세계"일 것이다. 독일어 "In-der-Welt-sein"은 "내-세계-존
   재"로 직역되는데, 한국어로는 이것을 "세계-내-존재"로 번역하고, "세계 안에 있음"이
   라고 이해한다. 따라서 "세계 안에 있음"에는 하이픈이 없는 것이 더 적절하다.(필자)

와 시간』53)

먼저, 위에서 '내-존재[안에-있음]'이 설명되어야 한다. 이 '안에-있음'은 우주 공간적인 의미로서의 '안에'가 아니다. 오히려 '거주하다'는 의미의 '안에'이다. 다시 말해 실존범주로서 이해된 Sein은 "…에 거주하다", "…과 친숙하다"를 뜻한다. 따라서 '안에-있음'은 세계-내-존재라는 본질적인 구성틀을 가지고 있는 현존재의 존재에 대한 형식적 실존론적 표현이다. 그리고 이것은 "나란히 함께 있다"를 의미하는 세계 "곁에-있음"과 다르다. 모든 현존재가 그때마다 그것으로 존재하는 바로 그 현존재라는 현사실의 사실성을 우리는 그의 현사실성이라고 칭한다.

내-존재[안에-있음]는 무엇을 말하는가? 우리는 우선 이 표현을 "세계 안에"에 추가하는 "안에 있음"이라고 생각하여, 이러한 안에 있음을 "… 안에 있음"이라고 이해하려는 경향이 있다.… 우리는 '안에'라는 낱말로써 공간 '안에' 자리를 잡고 있는 두 개의 존재자가 이 공간 안에서의 그것들의 자리와 관련지어 서로 연관되어 있는 그런 존재자가 이 공간 안에서 그것들의 자리와 관련지어 연관되어 있는 그런 존재관계를 의미한다.… 이런 식의 존재관계는 계속 확대될 수 있다. 예를 들면 강의실 안에 의자, 대학 안에 강의실, 도시 안에 대학 식으로 해서 "우주 공간 안에" 의자라고까지 말이다. 그것들의 서로서로 '안에' 있음이 이런 식으로 규정될 수 있는 존재자들은 세계 '내부에서' 발견되는 사물들로서 다들 똑같이 눈앞에 있음이라는 존재양식을 가지고 있다. 어떤 하나의 눈앞의 것 '안에' 눈앞에 있음, 하나의 특정한 장소 연관의 의미로 동일한 존재양식의 어떤 것이 함께 눈앞에 있음은 우리가 범주적이라고 칭하며 현존재적이지 않은 존재양식의 존재자에 속하는 것으로 보는 그런 존재론적 성격들이다.
'내-존재(안에-있음)'는 이와는 다르게 현존재의 존재 구성틀의 하나이며, 실존범주의 하나이다. 따라서 그것으로써 우리는 하나의 육체적 물건이(인간 신체가) 어떤 눈앞에 있는 존재자 '안에' 있는 그런 눈앞에 있음을 생각해서는 안 된다. 안에-있음은 눈앞에 있는 것들의 공간적인 연관을 의미하지 않는다. 'in'은 '거주하다, 체류하다'를 의미하는 innan-에서 유래한다. 그 어근에서 'an'은 "나는 습관이 되었다"와 "나는 사랑한다"는 의미의 "나는 돌봐준다"라는 의미를 가지고 있다. 이러한 의미의 안에-있음이 귀속되고 있는 그 존재자를 우리는 내가 각기 그것 자체인 그 존재자라고 특징짓는다. 'bin(나는 있다)'이라는 표현은 'bei(…곁에)'와 결부되어 있다. "ich bin(나는 있다)"는 다시금 "나는 거주한다, 나는 …
에 머문다, 이러저러한 친숙한 것으로서의 세계에 머문다"를 말한다. "ich bin"
의 부정형으로서의 Sein(존재), 다시 말해 실존범주로서 이해된 Sein은 "…에 거
주하다", "…과 친숙하다"를 뜻한다. 따라서 '안에-있음'은 세계-내-존재라는 본
질적인 구성틀을 가지고 있는 현존재의 존재에 대한 형식적 실존론적 표현이다.
(『존재와 시간』54)

세계 '곁에-있음'은 '안에-있음'에 기초하고 있는 실존범주의 하나이다.… 실존범
주로서의 세계 '곁에-있음'이 의미하는 것은 결코 앞에 발견되는 사물들이 나란
히 함께 눈앞에 있음과 같은 것이 아니다. '현존재'라고 이름하는 한 존재자가
'세계'라고 이름하는 다른 존재자와 함께 '나란히 옆에' 있는 것과 같은 것이 아
니다.… 건드릴 수 있기 위한 전제는, 벽이 의자에게 만나질 수 있는 그것이리
라. 존재자가 세계 내부에 있는 존재자를 건드릴 수 있는 것은 오직 그 존재자
가 그 본성상 안에-있음의 존재양식을 가지고 있을 때뿐이다.…

세계 내부에 존재하고 거기에다 그것들 자체가 무세계적인 그런 두 존재자는 결
코 서로를 '건드릴' 수 없으며, 어떤 것도 다른 것에 '곁에' '있을' 수 없다. "거
기에다 무세계적이다"라는 추가문장이 빠져서는 안 되는데, 그 까닭은 무세계적
이 아닌 존재자도, 이를 테면 현존재 자신도 세계 '안에' 눈앞에 있는 식으로 있
을 수 있기 때문이다. 더 정확히 말해서, 그런 존재자도 일정한 권한과 일정한
한계에서는 단지 눈앞의 것으로 파악될 수 있기 때문이다.… '현존재'를 하나의
눈앞의 것으로 또는 그저 눈앞의 것으로만 보는 이러한 가능한 파악을 우리는
현존재에게 고유한 방식의 "눈앞에 있음"고 혼동해서는 안 된다.… 현존재는 자
기의 가장 고유한 존재를 일종의 "사실적인 눈앞의 존재"의 의미로 이해하고 있
다. 그렇지만 고유한 현존재의 사실의 '사실성'은 하나의 암석류가 사실적으로
앞에 있음과는 존재론적으로 근본적으로 다르다. 모든 현존재가 그때마다 그것으
로 존재하는 바로 그 현존재라는 현사실의 사실성을 우리는 그의 현사실성이라
고 칭한다.(『존재와 시간』55-56)

또 하나, 하이데거에 의하면, 이 '현존재'의 '세계-내-존재'는 그것의 현사실성과
더불어 각기 이미 '안에-있음'의 특정한 방식들로 분산되었거나 갈기갈기 찢겨 있
다. 이에 반응하여 현존재는 '세계-내-존재'는 그 안에서 최선을 다하여 그들과 함
께 살며 행하고 있다. 하이데거는 이러한 모든 행위를 '배려함' 혹은 '염려'라고 부

른다. 이것은 '세계-내-존재'의 모든 행위를 의미한다.

'현존재'의 '세계-내-존재'는 그것의 현사실성과 더불어 각기 이미 '안에-있음'의 특정한 방식들로 분산되었거나 갈기갈기 찢겨 있다. 안에-있음의 이러한 방식들의 다양성은 범례적으로 다음과 같이 열거하여 제시할 수 있다: 어떤 것에 관여하다, 어떤 것을 제작하다, 어떤 것을 경작하고 가꾸다, 어떤 것을 사용하다, 어떤 것을 포기하여 잃어버리도록 놔두다, 시도하다, 관철하다, 알아보다, 캐묻다, 고찰하다, 논의하다, 규정하다. 이러한 안에-있음의 방식들은 앞으로 더 상세하게 특징지어야 할 '배려함'의 존재양식을 가지고 있다. 이행하지 않음, 소홀히 함, 체념함, 휴양함 등의 결여적 양태들도 배려함의 방식들이며, 배려함의 가능성과 관련하여 '그저 그냥' 있음의 그 모든 양태들도 마찬가지이다. '배려함'이라는 칭호는 우선은 학문 이전의 의미를 간직하고 있으며 '어떤 것을 수행하다', '처리하다', '끝내다' 등을 뜻할 수 있다. 그 표현은 또한 "자신에게 어떤 것을 조달하다"라는 의미로 자신에게 어떤 것을 배려해줌을 의미할 수도 있다. 그 외에도 우리는 그 표현을 다음과 같은 특색 있는 어법에서도 사용한다: 나는 그 시도가 실패할까 걱정했다. 이 경우 '배려함'은 걱정함과 같은 것을 뜻한다. 이러한 학문 이전의 존재적 의미들에 대비하여 이 책의 연구에서는 '배려함'이라는 표현을 존재론적인 용어(실존범주)로서 가능한 세계-내-존재의 존재를 지칭하기 위해서 사용한다. 이 명칭을 선택한 이유는 현존재가 우선 대체적으로 경제적이고 '실천적'이기 때문이 아니라, 현존재 자체의 존재를 염려로서 드러내야 하기 때문이다. 이 용어도 다시금 존재론적인 구조 개념으로 파악되어야 한다. 이 표현은 각각의 현존재에게서 모두 존재적으로 발견될 수 있는, '고난', '우울', '생활걱정' 등과는 아무 연관이 없다. 그러한 것들은 '무사태평'이나 '쾌활'과 마찬가지로 오직 현존재가 존재론적으로 이해될 때 염려이기 때문에만 가능한 것이다. 현존재에게 본질적으로 세계-내-존재가 속하기 때문에, 세계에 대한 그의 존재는 본질적으로 배려이다.(『존재와 시간』56-57)

마지막으로, '안에-있음'은 "인간은 자신의 주위세계를 가지고 있다"는 말에서의 이 '가짐'이 존재론적으로 규정되어야 한다. 이것이 바로 현존재의 '세계인식'이다. 보통 정신을 가진 현존재를 우리는 '주체'라고 말하고, 그의 대상을 '객체'라고 말하는데, 하나의 '주체'가 하나의 '객체'에 관계한다는 것이 곧 세계인식이다. 이러한 '주체-객체-연관'은 전제되어야 한다.

안에-있음은 지금까지 말한 것에 따르면 현존재가 때로는 '가지다'가 때로는 가지지 않을 수도 있는 그런 '특성'이 아니다. 인간은 '존재하다'가 거기에 덧붙여, 그가 때때로 마련하기도 하는 그런 '세계'에 대해서 하나의 존재관계를 가지는 것이 아니다.… 오늘날 널리 사용되고 있는 말, "인간은 자신의 주위 세계를 가지고 있다"는 이 말은 이 '가짐'이 규정되지 않고 있는 한, 존재론적으로 아무것도 말하는 바가 없는 것이다. '가짐'은 그 가능성을 따라서 볼 때 안에-있음이라는 실존론적 구성틀에 기초하고 있다. 이러한 방식으로 본질적인 존재자로서 현존재는 주위 세계적으로 만나는 존재자를 분명하게 발견할 수 있고, 그것에 대해서 알 수 있고, 그것을 다룰 수 있고, '세계'를 가질 수 있다.…(『존재와 시간』 57-58)

현존재 자체에서 그리고 현존재에게 이러한 존재구성들은 언제나 이미 어떻게든 알려져 있다. 그런데 그것이 이제 인식되어야 한다면, 이 경우 그러한 과제에서의 명시적인 인식함은 바로 자기 자신을 '영혼'이 맺게 되는 세계와의 범례적인 연관으로서, 즉 세계를 인식함으로서 간주한다. 그러기에 세계에 대한 인식(노에인) 또는 '세계'에 대해서 이야기함과 논의함(로고스)은 세계-내-존재의 일차적인 양태로 기능하고 있는 것이다.… 도대체 하나의 '주체'가 하나의 '객체'에 관계한다는 것 또한 그 역보다 더 자명한 것이 무엇이란 말인가? 이러한 '주체-객체-연관'은 전제되어야 한다.… 세계-내-존재가 세계인식의 관점 아래에서 더 날카롭게 부각되어야 하고, 그것 자체가 안에-있음의 실존론적인 '양태성'으로 드러나도록 만들어야 한다.(『존재와 시간』59)

나. '세계-내-존재'의 존재양식, '세계인식'

세계-내-존재가 현존재의 근본 구성틀의 하나이고, 그 안에서 현존재가 있으며 또한 일상성의 양태에서 주로 움직이고 있다. 더구나 현존재는 자기 자신에 대한 존재이해를 가지고 있다. 인식함이 이제 이 존재자에게 속하고는 있는데 외적인 성질이 아닌 이상, 그것은 분명히 '내면에' 있다. 인식함은 세계-내-존재에 기초한 현존재의 한 양태이다. 그러므로 세계-내-존재는 근본 구성틀로서 일종의 선행적인 해석을 요구한다.

만일 세계-내-존재가 현존재의 근본 구성틀의 하나이고 그 안에서 현존재가 도
대체 움직이고 있을 뿐만 아니라 또한 일상성의 양태에서 주로 움직이고 있다
면, 그것은 또한 언제나 이미 존재적으로도 경험되어 있어야 할 것이다. 전적으
로 완전히 파묻혀 은닉된 채 남아 있다는 것은 이해될 수 없을 것이다. 더구나
현존재가 자기 자신에 대한 존재이해를 가지고 있다고 하니 말이다.…

도대체 인식함이 '존재한다면', 그것은 유일하게 인식하고 있는 그 존재자에게만
속하는 것이다. 그러나 이 인간사물이라는 존재자에게도 인식함은 눈앞에 있지
않다.… 인식함이 이제 이 존재자에게 속하고는 있는데 외적인 성질이 아닌 이
상, 그것은 분명히 '내면에' 있어야 한다. 인식함이 우선 그리고 본래적으로 '내
면에' 있고, 아니 도대체 일종의 물리적이고 심리적인 존재자의 존재 양식과 같
은 것은 전혀 가지고 있지 않다고 명백하게 견지하면 할수록, 사람들은 인식의
본질에 대한 물음과 주체와 객체 사이의 관계에 대한 해명을 그만큼 더 전제 없
이 진행하고 있는 것으로 믿는다. 왜냐하면 이제 비로소 하나의 문제가 생기기
때문이다. 즉 이러한 물음들이 제기된다. 어떻게 이 인식하는 주체가 그의 내면
의 '영역'에서 나와 '다른 외부 영역'으로 가는가, 어떻게 도대체 인식함이 하나
의 대상을 가질 수 있는가, 결국에 가서 주체가 다른 영역으로 뛰어들 필요가
없이 대상을 인식할 수 있기 위해서는, 대상 자체가 어떻게 생각되어야 하는
가?…

인식함 자체라는 현상적 실상에서 스스로를 내보이고 있는 것이 무엇인지에 대
해서 우리가 이제 물음을 제기한다면, 이 경우 확고하게 견지해야 할 것은 이것
이다. 즉 인식함 자체는 선행적으로 일종의 이미-세계-곁에-있음 안에 근거하고
있는데, 현존재의 존재는 그 사실에 의해서 본질적으로 구성되어 있다. 이러한
이미-…곁에-있음은 우선 단순히 어떤 순수한 눈 앞의 것을 움직이지 않고 멍하
니 바라보는 것이 아니다. 세계-내-존재는 배려함으로서 배려되고 있는 '세계'에
의해서 마음을 빼앗기고 있다.…(『존재와 시간』59-61)

인식함은 세계-내-존재에 기초한 현존재의 한 양태이다. 그러므로 세계-내-존재
는 근본 구성틀로서 일종의 선행적인 해석을 요구한다.(『존재와 시간』62)

4절 '세계-내-존재'에서의 '세계'

하이데거의 핵석학적 현상학은 후설의 현상학을 고스란히 승계한 것이다. '존재'

에 대한 물음을 제기하는 '존재자'가 곧 '현존재'인데, '그 존재자(현존재)'의 '존재'에 대한 설명이 곧 '세계-내-존재'이다. 이것은 또한 인간 실존에 대한 설명이다. 현존재 하나하나를 모두 합하면 인간이다. 따라서 인간의 본질은 실존이다. 하이데거는 그것을 '세계-내-존재'를 다음과 같이 부연하여 설명함을 통해서 그 실존의 개념을 정의하고자 한다.

1. '세계-내-존재'에서의 '세계'

하이데거의 '세계-내-존재'에서 '세계'는 현존재와 관련된 현상학적 세계로서 실존세계를 의미한다. 하이데거는 '세계'라고 불리는 것들을 '자연'으로서의 '세계'로부터 '실존'으로서의 '세계'에 이르기까지 다양하게 제시한다. 그리고 '세계-내-존재'에서의 '세계'는 '실존적 세계'를 일차적으로 의미하며, 여기에서 출발하여 다른 '자연세계'가 규명되어야 한다.

'세계'를 현상으로서 기술한다는 것이 무엇을 말할 수 있는가? 세계 내부의 '존재자'에서 자신을 내보이고 있는 그것을 보이게 해 줌이다. 이 경우 첫걸음은 세계 '안에' 있는 것들, 즉 집, 나무, 사람, 산, 별 등을 열거하는 것이다.… 그러나 그러한 일은 분명히 현상학 이전의 '일'로서 현상학적으로는 하나도 중요치 않을 수 있다.… 추구되고 있는 것은 존재이다. 현상학적인 의미에서 '현상'은 자신을 존재와 존재구조로서 내보이고 있는 그것이라고 형식적으로 규정되었다.

따라서 '세계'를 현상학적으로 기술한다고 함은 "세계 내부에 눈앞에 있는 존재자의 존재를 제시하고 개념적-범주적으로 고정함"을 말한다. 세계 내부의 존재자들은 사물들, 자연 사물들, '가치 있는' 사물들이다. 그것들의 사물성이 문제이다. 후자('가치 있는 사물들')의 사물성이 자연사물성 위에 구축되어 있기에, 자연사물의 존재가, 즉 자연 그 자체가 일차적인 주제이다. 자연 사물의, 즉 실체의 모든 것에 기초를 부여하는 존재성격은 곧 실체성이다. 그것의 존재론적인 의미를 구성하고 있는 것은 무엇인가? 이로써 우리는 연구를 하나의 명백한 물음의 방향으로 이끌고 왔다.

그러나 이때 우리는 과연 존재론적으로 '세계'에 대해서 묻고 있는 것일까? 특징지은 문제 틀은 의심의 여지없이 존재론적이다.… 이 존재론은 결코 '세계'의 현상을 적중시키지 못한다. 자연은 그 자체가 세계 내부에서 만나게 되는 그리고 여러 상이한 길[방법]과 단계에서 발견될 수 있는 존재자의 하나이다.

그렇다면 우리는 현존재자가 우선 대개 그 곁에 체류하고 있는 그 존재자, 즉 '가치 있는' 사물들에 머물러 있어야 하는가? 그것들이 그 안에서 우리가 살고 있는 그 세계를 '본래적으로' 드러내주지 않는가? 아마도 그것이 실제로 '세계'와 같은 어떤 것을 더 철저하게 제시해줄지도 모른다. 그로나 그럼에도 이 사물들은 세계 '내부'의 존재자들이다.

세계 내부적 존재자에 대한 존재적 묘사도, 그 존재자의 존재에 대한 존재론적인 해석도 그 자체로는 '세계'의 현상을 적중시키지 못한다. '객관적 존재'로 가는 이 두 접근양식들은 이미 상이한 방식으로 '세계'를 '전제하고' 있다.…(『존재와 시간』63-64)

지금까지의 숙고에서 '세계'라는 낱말을 자주 사용하면서 그것의 다의성이 눈에 띄었다. 이러한 다의성을 풀면 여러 상이한 의미들에서 말해지고 있는 현상들과 그것들의 연관이 제시될 수 있을 것이다. ①세계는 존재적 개념으로 사용되며 이 경우 세계 내부에[눈앞에] 존재할 수 있는 존재자의 총체를 의미한다. ②세계는 존재론적인 용어로서 기능하며 ①에서 언급된 존재자의 존재를 의미한다. '세계'는 각기 나름의 존재자의 다양성을 포괄하는 영역에 대한 명칭이 될 수 있다. 예컨대 세계는 수학자의 '세계'라는 이야기에서와 같이 수학의 가능한 대상들의 영역을 의미한다. ③세계는 다시금 존재적인 의미에서 이해될 수 있는데, 이제는 현존재가 본질적으로 그것이 아닌, 세계 내부적으로 만날 수 있는 그런 존재자가 아니라, 오히려 현사실적인 현존재가 이 현존재로서 '그 안에서' '살고 있는' 그곳으로 이해될 수 있다. 세계는 여기서 존재론 이전의 실존적 의미를 가지고 있다. 여기에는 다시금 여러 상이한 가능성들이 성립한다. 세계는 '공적인' 우리-세계 또는 자신의 '고유한' 가장 가까운 (가정적) 주위 세계를 의미한다. ④세계는 마지막으로 세계성이라는 존재론적-실존론적 개념을 지칭한다. 세계성 자체는 특수한 '세계들'의 그때마다의 구조 전체로 변양될 수 있지만 자체 안에 세계성 자체의 선험적 토대를 포함하고 있다. 우리는 세계라는 표현을 용어상 ③에서 고정시킨 의미로 사용할 것을 요구한다. 세계라는 표현이 때때로 ①에서 언급한 의미로 사용될 경우 이런 의미는 ' '로 싸서 표시하기로 한다.

'세계적'이라는 [형용사적] 변화는 용어상 현존재의 존재양식의 하나를 의미하지, 결코 세계 '안에'[눈앞에] 있는 존재자의 존재양식의 하나를 의미하지 않는다. 이 후자의 경우 우리는 세계 귀속적 또는 세계 내부적이라고 칭한다.

지금까지의 존재론에 대한 일별에서 드러나는 것은 세계-내-존재라는 현존재구성들의 결여와 세계성이라는 현상의 건너뜀이 같이 가고 있다는 사실이다. 그 대신에 사람들은 세계를, 세계 내부적으로 눈앞에 있는 존재자의 존재에서부터, 자연에서부터 해석하려고 시도했다. 자연은(존재론적-범주적으로 이해해서) 기능한 세계 내부적 존재자의 존재의 한계경우이다. 이러한 의미의 자연으로서의 존재자를 현존재는 오직 그의 세계-내-존재의 한 특정한 양태에서 발견할 수 있을 뿐이다.… '자연'은 결코 세계성을 이해하도록 만들 수 없다. 그리고 또한 예컨대 낭만파의 자연개념이라는 의미에서의 '자연'이라는 현상도 비로소 세계개념에서부터, 다시 말해서 현존재의 분석론에서부터 존재론적으로 파악될 수 있다.…

이를 위한 방법적인 지침은 이미 주어졌다. 세계-내-존재 그리고 따라서 세계도 현존재의 가장 가까운 존재양식으로서의 평균적인 일상성의 지평에서 분석론의 주제가 되어야 한다. 일상적인 세계-내-존재를 뒤밟아야 하며, 그것을 현상적인 발판으로 삼아 세계와 같은 것이 시야에 들어와야 한다. 일상적인 현존재의 가장 가까운 세계는 주위세계이다. 이 연구는 평균적인 세계-내-존재의 실존론적인 성격에서부터 세계성 자체라는 이념으로 가는 길을 취할 것이다. 주위세계의 세계성(주위 세계성)을 우리는 가장 가까이 만나게 되는 주위세계 내부적 존재자에 대한 존재론적인 해석을 거쳐 통과하여 찾는다.…(『존재와 시간』64-66)

2. 주위세계에서 만나는 존재자의 존재 : 사물

우리 각자는 존재자이다. 이 존재자가 자신의 존재를 알고자 할 경우, 자신이 '살고 있는' '일상성' 중에서 가장 우선적인 '배려(마음 씀)' 혹은 '왕래'가 쏟아지는 존재로서의 존재자를 살펴보아야 한다. 이것이 그에게 맨 앞에 있는 실존이며, 또한 그 실존이 그의 본질의 일부를 이룬다. 이것이 현상학적인 '판단중지(괄호침)'의 방법이며, 존재를 열어 밝히고 설명하는 행위이다. 이러한 존재자의 존재로서 가장 가까운 존재자를 '우선적으로 주어진 존재자', 혹은 '가치 있는 사물'이라고도 생각할 수 있지만, 하이데거는 오히려 '실용적인 사물'이라고 한다.

이것은 또한 '순전한 사물' 혹은 '도구'라고도 불린다. 즉, 이것은 "무엇을 하기 위한 어떤 것"이다. 이 도구는 그것의 '자체 존재'를 가지고 있어서 그것이 그 자리에 있는 것이 아니다. 그것은 우리의 손에서 마음대로 사용될 수 있다. 이러한 존재자의 존재양식은 손안에 있음이다. 이것은 '하기 위한'의 지시의 다양성 아래에 예속되어 있다. 거기에 맞추어진 시야가 곧 둘러봄이다.

그리고 이것은 안지 도구적 존재로만 머물지 않는다. 이 도구는 자연을 가공하는 데에 사용된다. 이 도구 안에서 자연이 함께 발견된다. 자연도 결국은 손 안의 것으로서의 존재양식이 되는 것이다. 결국 이러한 존재자의 존재양식은 손안에 있음이다.

가장 가까이 만나게 되는 존재자의 존재에 대한 현상학적 제시는 일상적인 세계-내-존재를 실마리로 삼아서 달성될 것이다. 이 일상적인 세계-내-존재를 우리는 또한 세계 안에서의 세계내부적인 존재자와의 왕래라고도 이름한다. 이 왕래는 이미 배려함의 방식의 다양성 안으로 분산되었다. 왕래의 가까운 양식은 그저 인식하기만 하는 인식함이 아니라, 오히려 자기의 고유한 '인식'을 가지고 있는, 다루며 사용하는 배려함이다. 현상학적인 물음은 우선 그러한 배려함에서 만나게 되는 존재자의 존재로 쏠린다. 여기에서 요구되고 있는 시각을 확보하기 위해서는 방법적인 예비가 필요하다.

존재를 열어 밝히고 설명하는 데에서 존재자가 그때마다 앞서 주제가 되고 함께 주제가 되고는 있지만 본래적인 주제는 존재이다. 지금의 분석의 영역에서는 앞선 주제의 존재자로서 주위 세계적 배려함에서 자신을 내보이고 있는 그런 것이 단초로 설정되었다. 이때 이러한 존재자는 어떤 이론적인 '세계'-인식 대상이 아니라 사용된 것, 제작된 것 등이다. 그것은 그렇게 만나게 되는 존재자로서 앞선 주제로 '인식'의 시야에 들어오는데, 이 인식은 현상학적인 인식으로서 일차적으로 존재를 보며 이러한 존재에 대한 주제화에서부터 그때마다의 존재자를 함께 주제로 삼고 있다. 따라서 현상학적 해석은 존재자에 존재하는 성질을 인식함이 아니고 그 존재자의 존재의 구조를 규정함이다.… 일상적인 현존재는 이미 항상 이러한 방식에서 존재하고 있다.…

배려함에서 만나게 되는 존재자는 이러한 존재에서는 존재론 이전으로도 우선은 은닉되어 있다. 사물을 "우선적으로 주어진" 존재자로 칭함으로써, 사람들이 존재적으로 어떤 다른 것을 의미한다고 해도, 존재론적으로 실패한다. 또는 사람들이 이 '사물'을 '가치 있는 사물'로서의 성격을 부여하기도 한다. (그러나 실패한다.)…

그리스인들은 '사물'에 대한 적합한 용어를 가지고 있었다. 프라그마타, 즉 사람들이 배려하는 왕래(프락시스)에서 그것과 상관이 있는 그것이다. 그러나 그리스인들은 바로 이 특별한 '프라그마틱[실용적인]' 성격을 존재론적으로 어둠에 내버려두었으며 그것을 '우선' '순전한 사물'이라고 규정했다. 우리는 배려에서 만나게 되는 존재자를 도구라고 이름 한다. 주로 왕래하게 되는 것은 필기도구, 재봉도구, 작업도구, 운전도구, 측량도구 등이다. 도구의 존재양식은 끄집어 내어야 한다.… 엄밀히 말해서 하나의 도구는 없다.… 도구는 본질적으로 "무엇을 하기 위한 어떤 것"이다. 유용성, 기여성, 사용성, 편의성 등과 같은 "하기 위한"의 여러 상이한 방식들이 하나의 도구 전체성을 구성한다. "하기 위한"의 구조에는 일종의 어떤 것의 어떤 것으로의 지시가 놓여 있다.…(『존재와 시간』66-68)

각기 그때마다 도구에 맞추어진 왕래는, 예를 들면 망치를 들고 망치질을 함은 이 존재자를 주제적으로 앞에 놓여 있는 사물로서 파악하지도 않으며 예컨대 도구구조 그 자체의 사용을 알고 있지도 않다. 망치질은 순전히 추가로 망치의 도구성격에 대한 지식을 더 가지고 있는 것이 아니다. 오히려 망치질은 이 망치를 더 적합하게는 가능하지 않을 정도로 그렇게 자기 것으로 만든다. 그러한 사용하는 왕래에서 배려는 그때마다 도구를 구성하는 '하기 위한'에 예속된다. 망치라는 물건을,… 도구로서 만나게 될 것이다. 망치질을 함 자체가 망치의 독특한 '편의성[손에 있음]'을 발견한다. 도구가 그 안에서 그것 자체에서부터 스스로를 내보이고 있는 도구의 존재양식을 우리는 손안에 있음이라고 부른다. 오직 도구가 이러한 '자체 존재'를 가지고 있어서 단지 그 자리에 있는 것이 아니기에, 그것은 가장 넓은 의미에서 손에 익을 수 있고 마음대로 사용될 수 있다.… 도구와의 왕래는 '하기 위한'의 지시의 다양성 아래에 예속되어 있다. 거기에 맞추어진 시야가 곧 '둘러봄'이다.(『존재와 시간』69)

… 제작함 자체가 각기 그때마다 일종의 어떤 것을 어떤 것을 위해서 사용함이다. 물품에는 동시에 '재료'에의 지시가 놓여 있다. 그것은 가죽, 실, 못 등에 의존하고 있다. 가죽은 다시금 표피[동물의 살가죽]에서 만들어진다. 이 표피는 짐승들에게서 벗겨낸 것이며, 이 짐승들은 다른 사람에 의해서 사육된 것이다.…따라서 주위세계에서는 그것 자체가 제작을 필요로 하지 않으며 언제나 이미 손안에 있는 그런 존재자도 접근 가능하다. 망치, 집게, 못 등은 그것들 자체가 강철, 쇠, 청동, 돌, 나무 등을 지시한다.[그것으로 만들어졌다] 사용된 도구에서 사용을 통해서 '자연'이 함께 발견된다. 그러나 여기에서 자연이 단지 그저 눈앞에 있는 것으로서 이해되어서는 안 되며 또한 자연의 힘으로 이해되어서도 안 된다. 숲은 삼림이며, 산은 채석장이며, 강은 수력이고, 바람은 '돛을 펼쳐주는' 바람인 것이다. 발견된 '주위 세계'와 함께 그렇게 발견된 '자연'도 만나게 된다. 손안의 것으로서의 자연의 존재양식을 도외시하여, 그것 자체를 단지 그것의 순

전한 눈앞에 있음에서 발견하고 규정할 수 있다.(『존재와 시간』70)

이러한 존재자의 존재양식은 손 안에 있음이다.… 손 안에 있음은 존재자가 '그 자체로' 존재하는 대로의 존재자에 대한 존재론적-범주적 규정이다.(『존재와 시간』71)

하이데거는 '현존재'를 '세계-내(안에)-존재(있음)'라고 말한다. 여기에서의 '세계'는 '실존 세계'를 의미한다. 어떻게 보면 현존재는 "실존세계 안에 있는 존재"라는 의미이다. 그런데, 이때 그곳에 어떠한 형태로 있느냐면, 세계를 도구처럼 사용하는 자로 있다. 이것이 인간의 본질이다. 인간 안에 있는 "배려, 혹은 마음 씀"은 이러한 인간의 본질을 말해준다.

하이데거에 의하면, 우리의 '의식'에 대한 '판단중지'의 결과 나타나는 것은 '배려(마음 씀)'이다. 그는 이것을 우리 '의식'의 본질로 보는데, 그것은 이 세상의 모든 자연의 것들을 도구로서 사용하며, 더 나아가서 그것을 이용하여 각존 다른 존재자들로 제작하는 어떤 것이다. 이것이 현존재 혹은 의식의 본질이다.

3. 세계의 세계성

가. 세계 내부적인 존재자(用在者)에서 알려지는 주위세계의 세계적합성

세계 혹은 자연은 그 자체로는 하나의 세계 내부적 존재자는 아니다. 그래도 이 세계가 존재하여야만, 우리의 현존재는 그곳에서 도구나 제작행위를 통해 존재자를 발견해낼 수 있다. 더 나아가 이와 같이 세계가 현존재에게 '주어져 있을' 수 있다는 것은, 현존재가 존재론적으로 '세계 안에 있는 존재'이며, 현존재가 세계에 대한 이해도 가지고 있다고 볼 수 있다. 이와 같이 세계-내-존재의 일상성이란, 그가 세계 속에서 배려된 존재자들을 만나는 것을 의미하는데, 그것은 세계 속에서 세계 내부적인 것의 세계적합성[세계적 특성]이 전면에 드러나게 하는 역할을 한다. 현존재의 본질은 '세계 안에 있는 존재'인데, 그것의 역할은 세계 속에서 다른 세계 내부적인 존재자가 드러나게 하는 것이다.

세계는 그 자체로 하나의 세계 내부적 존재자는 아니지만, 그래도 세계는 이 존재자를 깊이 규정하기 때문에, 세계가 '있는'한에서만 이 존재자를 만날 수 있게 되고, 발견된 존재자가 그것의 존재에서 자신을 내보일 수 있게 된다. 그러나 어떻게 세계가 '주어져 있을' 수 있는가? 현존재가 존재적으로 세계-내-존재에 의해서 구성되어 있고 그의 존재에 똑같이 본질적으로 자기 자신에 대한 이해가 속하고 있다면(그 이해가 아무리 규정되어 있지 않다고 하더라도), 그렇다면 현존재가 세계에 대한 이해도 가지고 있는 것이 아닌가?… 세계 내부적으로 만나게 되는 존재자와 함께, 다시 말해서 이 존재자의 세계내부성과 함께 배려하는 세계-내-존재에게 세계와 같은 어떤 것이 스스로를 내보이지 않을까?…

세계-내-존재의 일상성에는, 배려된 존재자를 만나게 하면서 이때 세계 내부적인 것의 세계적합성[세계적 특성]이 전면에 드러나게 하는 그러한 배려함의 양태들이 속한다.(『존재와 시간』72-73)

나. 지시와 기호

현존재는 그의 '손안의 것'(도구)을 통해 가리키고, 지시함을 통해서 존재들을 유와 종으로 연관 짓는다. 그래서 일반적인 존재들에 질서를 세운다.

우리는 다시 '손안의 것'(도구)의 존재에서 출발해 보자. 그러나 이제는 지시의 현상 자체를 더 날카롭게 파악하기 위한 의도에서이다. 이러한 목적을 위해서 우리는 그 안에서 다중적인 의미로 '지시들'이 발견될 수 있는 그러한 도구의 하나를 존재론적으로 분석해보기로 한다. 그러한 '도구'를 우리는 기호에서 발견한다. 이 낱말로써는 많은 것이 지칭되고 있다. 여러 상이한 양식의 기호뿐 아니라, '…에 대한 기호가 됨'은 그 자체 하나의 보편적인 연관의 양식으로 형식화될 수 있어서, 기호구조 자체가 모든 존재자 일반의 '성격규정'을 위한 존재론적 실마리를 내주고 있다.

그러나 기호는 우선 그 자체 도구이며, 이 도구의 특별한 도구 성격은 가리킴에 성립하고 있다. 이와 같은 기호로는 이정표, 경계석, 항해를 위한 폭풍 경보용 공, 신호, 깃발, 장례표지 등이 있다. 가리킴은 지시함의 한 '양식'[종]으로 규정될 수 있다. 지시함은 하나의 연관 지음이다.… 모든 지시는 다 연관이다. 그러나 모든 연관이 다 지시는 아니다. 모든 '가리킴'은 다 지시이다.… 이로써 연관의 형식적-보편적 성격이 밝게 드러난다.… 결국에 가서는 심지어 '연관' 자체가 그것의 형식적-보편적 성격 때문에 그 존재론적인 근원을 하나의 지시에 두고 있다는 것이 제기되어야 한다.…(『존재와 시간』77)

다. 사용사태와 유의미성, 세계의 세계성

세계는 현존재의 손안에 있다. 세계는 현존재의 도구적 사용과 지시활동으로 말미암아 존재하게 된 바로 그것이다. 세계는 손안의 것으로서 이미 거기에 존재하였다. 세계는 현존재의 발견으로 인하여 존재하게 된 것이다. 손안의 것(도구들)의 존재성격은 '사용사태'로서, 어떤 것을 가지고 어디에 사용하도록 하려는 현존재의 의도가 있다. 즉, "어떤 것을 가지고 어디에"라는 현존재의 지시가 그곳에는 이미 존재한다.

지시함에 속하는 이러한 연관들의 연관성격을 의미부여라고 파악하자. 이러한 연관들과의 친숙함 속에서 현존재는 그 자신에게 '의미부여'한다. 현존재는 자기 자신에게 자신의 존재와 존재가능을 자신의 세계-내-존재와 관련하여 이해하도록 해준다. 그래서 궁극적으로 이러한 연관들은 그것들끼리 근원적인 전체성으로 서로 얽혀 있으며, 그것들은 이러한 의미부여들이다. 우리는 이러한 의미부여의 연관 전체를 유의미성이라고 칭한다.

현존재가 간직한 유의미성은 그가 어떤 것을 열어 밝힐 수 있는 그 자체 안에 간직하고 있는 존재론적 가능조건이다. 열어 밝혀진 유의미성은 현존재의 실존론적 구성틀로서 하나의 사용사태 전체성이 발견될 수 있는 존재적 가능조건이다. 따라서, 존재는 세계내부적인 존재자의 존재(손 안에 있음), 발견되고 규정될 수 있는 그런 존재자의 존재(눈 앞에 있음), 그리고 세계 내부적인 존재자 자체를 발견할 수 있는 존재적 가능조건의 존재, 세계의 세계성[41]이 있다. 여기서 마지막으로 언급한 존재는 세계-내-존재, 다시 말해서 현존재의 실존론적 규정의 하나이다. 그 앞의 두 존재개념들은 범주들이고, 현존재적이지 않은 존재의 존재자에 해당된다. 세계성의 구성요소로서의 이러한 '관계체계'는 세계 내부적인 손안의 것의 존재를 절대로 사라져버리게 하지 않으며, 오히려 세계의 세계성을 근거로 해서 이 존재자가 그것의 '실체적인' '자체로 있음'에서 이제 처음으로 발견될 수 있다.

손안의 것은 세계 내부적으로 만나게 된다. 따라서 이러한 존재자의 존재, 즉 손안에 있음은 세계 및 세계성과 그 어떤 존재론적인 관련을 가지고 있다. 세계는

---

41) 하이데거는 '세계성'에 대한 정의를 별도로 내리지 않고, 계속 그 용어를 사용한다. 이것은 아마 "모든 존재자 일반(세계)의 성격규정"(『존재와 시간』 77, 필자의 私見) 정도로 보인다. 역자 이기상은 '세계의 성함'이라고 해설한다. 하이데거는 전반적으로, 별다른 의미가 없는데도 불구하고 굳이 전문적 신조어를 만들어 무차별적으로 사용하는 경향이 있다.

모든 손안의 것 안에 언제나 이미 '거기에' 있다. 세계는 모든 만나게 되는 것과 함께 선행적으로 이미 발견되어 있다. 그러나 세계는 또한 주위세계적인 왕래의 일정한 방식에서도 빛날 수 있다. 세계는, 거기에서부터 손안의 것이 손안의 것으로 존재하는 바로 그것이다.…

손안의 것의 존재성격은 '사용사태'[42]이다. 사용사태에는, 어떤 것을 가지고 어떤 것에[어디에] 사용하도록 함이 깔려 있다. "어떤 것을 가지고 어디에"라는 연관이 지시라는 용어로써 제시되어야 한다. 사용사태는 세계내부저긴 존재자의 존재이며, 이 존재자는 각기 그때마다 이미 우선 그리로 자유롭게 주어져 있다. 세계내부적인 존재자는 존재자로서의 그것과 함께 각기 그때마다 사용사태를 가지고 있다.…(『존재와 시간』83-84)

지시함에 속하는 이러한 연관들의 연관성격을 의미부여라고 파악하자. 이러한 연관들과의 친숙함 속에서 현존재는 그 자신에게 '의미부여'한다. 현존재는 자기 자신에게 자신의 존재와 존재가능을 자신의 세계-내-존재와 관련하여 이해하도록 해준다. '그 때문에'는 하나의 '하기 위한'에 의미를 부여하고, '하기 위한'은 하나의 '그것을 위하여'에 그리고 '그것을 위하여'는 사용케 함의 '어디에'에 그리고 '어디에'는 사용사태의 '그것을 가지고'에 의미를 부여한다. 이러한 연관들은 그것들끼리 근원적인 전체성으로 서로 얽혀 있으며, 그것들은 이러한 의미부여로서 그것들이 무엇인 바로 그것이다. 이 의미부여 속에서 현존재는 그 자신에게 선행적으로 자신의 세계-내-존재를 이해할 것으로 내준다. 이러한 의미부여의 연관 전체를 우리는 유의미성이라고 칭한다.(『존재와 시간』87)

이 유의미성이 세계의 구조를, 즉 현존재 그 자체가 그때마다 이미 그 안에 있는 그것의 구조를 형성하고 있는 바로 그것이다. 하나의 세계 안에서 사용사태의 존재양식(손 안에 있음) 안에서 만나게 되며 그렇게 자신을 그것의 자체로 있음에서 알려올 수 있는 그런 존재자가 발견될 수 있는 존재적 가능조건은 유의미성과의 친숙함 속에 있는 현존재이다.… 현존재가 그때마다 이미 그것과 친숙해 있는 그 유의미성 자체는 이해하는 현존재가 해석하는 현존재로서 '뜻들'과 같은 어떤 것을 열어 밝힐 수 있는 존재론적 가능조건을 자체 안에 간직하고 있다. 열어 밝혀진 유의미성은 현존재의, 즉 세계-내-존재의 실존론적 구성틀로서 하나의 사용사태 전체성이 발견될 수 있는 존재적 가능조건이다.…

---

42) 사용사태는 "어떤 것을 가지고 어디에" 사용하는 도구사용연관의 전체를 가리키는 존재론적 표현이다. 사용의 사태라는 의미이다. (이기상의 주해)

지금 여기에서의 연구의 장 내에서는 되풀이해서 명백히 한 존재론적 문제틀의 구조와 차원의 차이들을 원칙적으로 구별해서 견지해야 한다. ①우선 만나게 되는 세계내부적인 존재자의 존재(손 안에 있음), ②우선 만나게 되는 존재자들을 거치는, 독자적으로 발견하는 통과에서 발견되고 규정될 수 있는 그런 존재자의 존재(눈 앞에 있음), ③세계 내부적인 존재자 자체를 발견할 수 있는 존재적 가능조건의 존재, 세계의 세계성. 마지막으로 언급한 존재는 세계-내-존재, 다시 말해서 현존재의 실존론적 규정의 하나이다. 그 앞의 두 존재개념들은 범주들이고, 현존재적이지 않은 존재의 존재자에 해당된다. 유의미성으로서 세계성을 구성하고 있는 지시연관을 사람들은 형식적으로 하나의 관계체계의 의미로 파악할 수도 있다.··· 세계성의 구성요소로서의 이러한 '관계체계'는 세계 내부적인 손안의 것의 존재를 절대로 사라져버리게 하지 않으며 오히려 세계의 세계성을 근거로 해서 이 존재자가 그것의 '실체적인' '자체로 있음'에서 이제 처음으로 발견될 수 있다.(『존재와 시간』88)

이와 같이 현존재의 친숙함과 그것에 대한 유의미성은 '세계' 안의 존재자들의 존재양식과 그들의 존재 자체를 열어 밝힌다.

현존재가 그때마다 이미 그것과 친숙해 있는 그 유의미성 자체는 이해하는 현존재가 해석하는 현존재로서 '뜻들과 같은 어떤 것을 열어 밝힐 수 있는 존재론적 가능조건을 자체 안에 간직하고 있다.(『존재와 시간』88)

5절 '세계-내-존재'에서 '내-존재'

1. '더불어 있음' 등으로서의 '세계-내-존재'

가. 현존재의 '일상적인(일상성의) 주체'로서의 '그들'

현존재의 존재는 '세계-안에-있음'으로 표현될 수 있다. 여기에서 우리는 여기에서 말하는 '세계'와 '현존재'와의 관련성을 현상학적으로 살펴보았다. 그런데, 이것은 '세계-안에-있음' 전체에 대한 고찰이 아니다. 이제는 '안에-있음'을 살펴보아야 한다. 현존재는 우선 그 자신들의 세계에 사로잡혀 몰입되어 있다. 일상성 속에서 존재하고 있는 현존재 그는 누구인가 라는 물음은 우리를 현존재의 구조로 인도하는데, 그것은 '더불어 있음'과 '공동현존재'[함께 거기에 있음]이다. 이 존재양식에 대한 설명은 우리가 일상성의 '주체'라고 이름 해도 될 '그들'을 드러내 보인다. 즉 현존재의 실존적 세계에는 도구적 존재들만 존재하지 않으며, 그들 자신과 동일한 현존재들이 함께 존재한다.

세계의 세계성에 대한 분석은 끊임없이 세계-내-존재라는 현상 전체를 시야에 데려왔는데, 이때 그 모든 구성 계기들을 세계 현상 자체처럼 똑같이 현상학적인 명확성에서 부각시키지는 못했다. 세계에 대한 존재론적인 해석은 세계 내부적으로 손안에 있는 것에 대한 고찰을 먼저 행했는데, 그 이유는 현존재가 그의 일상성에서 도대체 하나의 세계 안에 있을 뿐만 아니라 또한 그 세계에 대해서 하나의 지배적인 존재양식으로 관계 맺고 있기 때문이다. 현존재는 우선 대개 그의 세계에 사로잡혀[마음 빼앗기고] 있다. 세계에 몰입되어 있는 이러한 존재양식 그리고 그것과 함께 그 밑바탕에 깔려 있는 안에-있음 자체가 본질적으로, 우리가 지금 다음과 같은 물음으로 뒤밟아보려는 현상을 규정하고 있다. 일상성 속에서 존재하고 있는 현존재 그는 누구인가? 현존재의 그 모든 존재구조들, 따라서 이러한 누구인가라는 물음에 대답할 현상까지도 현존재의 존재방식들이다. 이것의 존재론적인 성격 규정은 일종의 실존론적인 그것이다. 그러기에 물음의 단초를 올바르게 정립하는 것과 그 밖의 현존재의 일상성의 현상적 권역을 시야로 데리고 올 방법에 대한 윤곽이 필요하다. 누구인가라는 물음에 대답할 수 있는 현상의 방향에 대한 탐문은 현존재의 구조로 우리를 인도할 것인데, 그 구조는 세계-내-존재와 동일하게 근원적인 것으로 더불어 있음과 공동현존재[함께 거기에 있음]이다. 이 존재양식 안에 일상적인 자기 자신으로 있음의 양태가 근거하고 있으니, 그 양태에 대한 설명은 우리가 일상성의 '주체'라고 이름 해도 될 그것, 즉 '그들'을 드러내 보일 것이다.(『존재와 시간』113-114)

나. "현존재는 누구인가"의 실존론적 물음

현존재는 '세계' 안의 존재자들의 존재양식과 그들의 존재 자체를 열어 밝히는 존재이다. 그래서 그는 그 자신이 주체이다. 이것이 그의 본질이다. 인간은 이러한 본성을 통해서 이 세계의 문명을 발전시켜왔다. 그런데, 그는 이제 현존재들 사이에서 함께 있다. 그 안에서도 그의 본성이 발현될 수 있을까? 내가 현존재이다는 발언을 존재적인 자명성을 가지고 말할 수 있는가?

현상학에서는 현사실적인 현존재에 대한 실존론적인 분석을 행하여야 한다. 그럴 경우, 앞에서 말한 자아의 줌의 방식이 현존재를 그의 일상성에서 열어 밝히고 있는가? '나[자아]'는 그것이다 라고 말할 수 있을지 모르겠다. 그렇지만 그런 발언을 사용하고 있는 존재론적인 분석론은 그 발언을 원칙적으로 유보해야 한다. '나'는 본질적으로 '자아성'을 결여하고 있는 '자기상실'을 의미한다. 우선 현존재의 주체가 누구인가가 존재론적으로 문제일 뿐만 아니라 존재적으로도 은폐된 채로 남아 있다. 어쨌든 인간의 '실체'는 영혼과 육체의 종합으로서의 정신이 아니고 실존이다.

현존재는 그때마다 각기 나 자신인 그런 존재자이며, 존재는 각기 나의 존재이다. 이 규정은 일종의 존재론적인 구성틀을 제시하고는 있지만 그것이 전부일 뿐이다. 이 규정은 동시에 존재적인 면도 제시하고 있으니, 그때마다 각각의 내가 바로 그 존재자이지 다른 사람이 아니라는 점이다. '누구인가'는 나 자신에서부터, '주체'에서부터, '자기 자신'에서부터 대답되고 있다.… 그러한 것을 우리는 존재론적으로, 하나의 닫힌 영역 안에 그리고 이 영역을 위해서 그때마다 이미 끊임없이 눈앞에 있는 것으로서, 즉 탁월한 의미에서 밑바탕에 놓여 있는 것으로서, 주체로서 이해한다. 이 주체는 다양한 상이함 속에서도 동일한 것으로서 자기 자신이라는 성격을 지니고 있다.…

현존재는 암암리에 애초부터 눈앞의 것으로 개념파악 되고 있다. 어쨌거나 그의 존재가 규정되지 않고 있음은 언제나 이러한 존재의미를 함축하고 있다. 그런데 눈앞에 있음은 현존재적이지 않은 존재자의 존재양식이다.

"내가 바로 현존재가 그때마다 각기 그것인 그로다"라는 발언의 존재적인 자명성을, 그로써 그렇게 '주어진 것'에 대한 존재론적인 해석의 길이 오해의 여지없이 윤곽 잡혀졌다는 견해로 오도해서는 안 된다. 여기에서는 심지어, 앞의 발언의 존재적 내용이 과연 일상적 현존재에 대한 현상적 상태라도 적합하게 제시해 주고 있는지조차 의심스럽다. 일상적 현존재의 주체는 그때마다 각기 나 자신이 아닐 수도 있다.…

현사실적인 현존재에 대해서 실존론적인 분석을 행하고 있는 지금 여기의 문맥에서 다음과 같은 물음이 제기된다. 즉 앞에서 말한 자아의 줌의 방식이 현존재를 그의 일상성에서(만일 그것이 도대체 현존재를 열어 밝히기라도 한다면) 열어 밝히고 있는가?…

이러한 통찰은 심지어 일종의 독자적인 현상학적인 문제틀로 이끄는 통로를 열어주기까지 한다. 그 문제틀은 "의식에 대한 형식적 현상학"으로서 원칙적이며 테두리를 마련해주는 의미를 가지고 있다.

현사실적인 현존재에 대해서 실존론적인 분석을 행하고 있는 지금 여기의 문맥에서 다음과 같은 물음이 제기된다. 즉 앞에서 말한 자아의 줌의 방식이 현존재를 그의 일상성에서(만일 그것이 도대체 현존재를 열어 밝히기라도 한다면) 열어 밝히고 있는가?…

'나[자아]'는 그것이다 라고 말할 수 있을지 모르겠다. 그렇지만 그런 발언을 사용하고 있는 존재론적인 분석론은 그 발언을 원칙적으로 유보해야 한다. '나'는 아마도 그때마다의 현상적인 존재연관 속에서 자신을 자신의 '반대'로서 드러내고 있는 그런 어떤 것에 대한 구속력이 없는 형식적인 제시의 의미로만 이해되어야 한다. 이때 '비-자아'는 본질적으로 '자아성'을 결여하고 있는 그런 존재자와 같은 것을 말하는 것이 아니고 오히려 '자아' 자신의 한 특정한 존재양식, 예를 들면 '자기상실'을 의미한다.…

세계내부적인 존재자의 자체 존재의 존재적 자명성이 이 존재의 의미에 대한 존재론적인 자명성으로 오도하여 세계의 현상을 간과하도록 만들 듯이, 현존재가 그때마다 각기 나의 것이라는 존재적 자명성도 거기에 속해 있는 존재론적인 문제틀을 잘못 인도할 수 있는 가능성을 자체 안에 간직하고 있다. 우선 현존재의 주체가 누구인가가 존재론적으로 문제일 뿐만 아니라 존재적으로도 은폐된 채로 남아 있다.… (『존재와 시간』114-116)

어쨌든 인간의 '실체'는 영혼과 육체의 종합으로서의 정신이 아니고 실존이다. (『존재와 시간』117)

다. 공동 현존재와 더불어 있음

따라서 현존재의 세계는 도구와 사물들의 세계와는 아주 다르다. 현존재가 접하고 있는 존재자는 세계를 밝혀내는 자신과 똑같은 그런 현존재들이다. 즉 그러한 존재자들도 존재하며 그들과 함께 거기에 있다.

그런데 현존재는 자기 자신을 우선 그의 '세계-내-존재'에서부터 이해하고 있다. 타인의 공동 현존재에 대해서도 인격사물로 만나지 않고, 손안의 것으로 간주하고 만나기 시작한다. 그냥 그들을 '세계-내-존재'의 '세계' 차원에서 만난다.

현존재들 간의 공동세계 내에서의 이러한 행위는 현존재의 존재 자체가 배려가 아니라 염려로 규정될 수 있다. 배려하는 마음은 현존재의 자기구현이었다. 그런데, 이러한 존재는 오히려 배려의 대상이 아니라, 심려의 대상이 된다.

따라서 현존재의 세계는 도구와 사물들 자체와는 아주 다를 뿐만이 아니라, 현존재로서의 그의 존재양식을 볼 때에 그 자체가 세계-내-존재의 방식으로 세계 '안에' 존재하며 그 세계 안에서 동시에 세계 내부적으로 만나게 되는 그런 존재자도 자유롭게 내어준다. 이러한 존재자는 눈앞에 있는 것도 손안에 있는 것도 아니며 자유롭게 내어주고 있는 현존재 자신과 똑같이 그렇게 존재하고 있다. 즉 그 존재자도 존재하며 함께 거기에 있다. 그런데 만일 사람들이 벌써부터 세계를 도대체 세계내부적인 존재자와 동일시하려고 든다면 '세계'는 또한 현존재이기도 하다고 말해야 할 것이다.

그러나 이렇게 타인을 만나게 됨을 성격 규정함이 분명히 다시금 각기의 고유한 현존재에 방향을 잡고 있다. 이러한 성격규정도 '자아'의 특징과 고립에서부터 출발하며 그래서 이 경우 이러한 고립된 주체에서부터 타인에게로 가는 넘어감이 찾아져야 하는 것은 아닌가? (『존재와 시간』118)

현존재는 자기 자신을 우선 대개 그의 세계에서부터 이해하고 있으며, 타인의 공동현존재는 세계내부적인 손안의 것에서부터 다양하게 만나고 있다. 타인이 비록 그들의 현존재에서 흡사 주제가 되고 있을 때라도 타인을 눈앞에 있는 인격 사물로서 만나지 않고 오히려 우리는 타인을 '작업 중에', 자시 말해서 일차적으로 그들의 세계-내-존재에서 만난다. 우리가 타인이 "그냥 서성거리며 있는 것"을 볼 때라도 그는 결코 눈앞에 있는 인간사물로서 파악되고 있는 것이 아니라 그 "서성거리고 있음"이 곧 일종의 실존론적인 존재양태이다. 즉 배려 없이 둘러봄 없이 모든 것 곁에 체류하고 있음이며, 따라서 어떤 것 곁에도 머물러 있지 않음이다. 타인은 그의 세계 내에서의 공동현존재 안에서 만나게 된다.

"현존재는 본질적으로 공동존재이다"라는 현상학적인 발언은 하나의 실존론적-존재론적 의미를 지니고 있다.··· 공동존재는 타인이 한 사람도 현사실적으로 눈앞에 없고 지각되지 않을 때라도, 현존재를 실존론적으로 규정하고 있다. 현존재의 혼자 있음도 세계 안에 더불어 있음인 것이다.(『존재와 시간』120)

현존재의 존재 자체가 바로 이 염려로서 규정될 것이다. 배려함의 존재성격이 더불어 있음의 고유함일 수는 없다. 비록 더불어 있음이라는 존재양식이 배려함과 같이 세계 내부적으로 만나게 되는 존재자를 향한 존재이기는 하지만 말이다. 그러나 더불어 있음으로서의 현존재가 그것과 관계를 맺고 있는 그 존재자는 손안에 있는 도구의 존재양식을 가지고 있지 않다. 그 존재자 또한 현존재이다. 이러한 존재자는 배려되는 것이 아니라 오히려 심려의 대상이 된다. (『존재와 시간』121)

라. 일상적 현존재의 자기, "그들-자기"

일상적 현존재의 자기는, 우리가 본래적인 자기, 다시 말해서 고유하게 장악한 자기와 구별하고 있는 그들-자기이다. 현존재는 '그들' 속에 흩어져 있는 자기 자신을 발견해야 한다. 이러한 흩어짐이 우리의 존재양식의 '주체'를 성격규정하고 있다. 현존재의 세계는 만나게 되는 존재자를 '그들'에게 친숙한 사용사태 전체성으로 자유롭게 내어주며 '그들'의 평균성과 더불어 고정된 한계 안에서 내어준다. 우선 현사실적인 현존재는 평균적으로 발견된 공동세계 속에 존재한다. 이것을 '평균성'이라고 한다.

일상적 현존재의 자기는, 우리가 본래적인 자기, 다시 말해서 고유하게 장악한 자기와 구별하고 있는 그들-자기이다. 그들-자기로서 그때마다의 현존재는 '그들' 속에 흩어져 있어서 이제 비로소 자기 자신을 발견해야 한다. 이러한 흩어짐이 우리가 우선 만나게 되는 세계 속에 배려하면서 몰입함으로 알고 있는 그러한 존재양식의 '주체'를 성격규정하고 있다. 만일 현존재가 그들-자신으로서의 자기 자신에 친숙해 있다면, 이것은 동시에 '그들'이 세계 및 세계-내-존재에 대한 우선적인 해석을 앞서 윤곽 짓고 있음을 말하고 있는 것이다. 현존재가 일상적으로 그것 때문에 존재하고 있는 '그들' 자신이 유의미성의 지시연관을 분류파악하고 있다. 현존재의 세계는 만나게 되는 존재자를 '그들'에게 친숙한 사용사태 전체성으로 자유롭게 내어주며 '그들'의 평균성과 더불어 고정된 한계 안에서 내어준다. 우선 현사실적인 현존재는 평균적으로 발견된 공동세계 속에 존재한다. 우선 '나'는 고유한 자기의 의미에서 '존재하지' 않고 오히려 '그들' 방식으로 타인으로 존재한다. 이러한 '그들'에서부터 그리고 이러한 '그들'로서 내가 나 '자신'에게 우선 '주어지게' 된다. 우선 현존재는 '그들'이고 대개 그렇게 머물러 있다.…
'그들' 안에서의 더불어 있음과 자기 자신으로 있음을 해석함으로써 서로 함께 있음에서의 일상성의 주체가 누구인가 하는 물음은 대답이 되었다. 이 고찰은 동시에 현존재의 근본 구성틀에 대한 구체적인 이해의 하나를 가져다주었다. 세계-내-존재가 그것의 일상성과 평균성에서 드러났다.(『존재와 시간』129)

2. '안에-있음(거기에)'의 실존론적 구성

가. '안에-있음'으로서의 '거기에'

하이데거는 현상학적 분석을 계속한다. 그는 맨 먼저 세계-내-존재에서 '사물'들과 관련하여 '세계 곁에 있음'(배려)을 발견하였고, 공동세계와 관련하여 '더불어 있음'(심려)과 '자기 자신으로 있음'(누구인가)을 발견하였다. 이제 그는 더 깊은 '기초 존재론적인 것'으로 나아간다. 그는 '안에-있음(Sein-in~)'을 성격적으로 규정하기 위해서 '거기'로 나아간다. 현-존재(Da-sein)는 '거기-있음'으로 직역된다. 내 있음의 현장이다. 사물들과 관련된 것, 공동세계와 관련된 것에서 나온 '배려'나 '심려'는 일단 추론적인 요소들이다. 이러한 것을 또 다시 괄호로 칠 경우, '기초 존재론적인 것'이 나타날 것이다. 하이데거는 이것을 Da-sein(거기-있음)에서 찾고자 하는 것이다. 하이데거의 Da는 '거기에'를 의미하는 데, 이것은 '여기에'와 '저기에'를 의미한다. 여기서 '여기에'가 자신을 의미한다면, '저기에'는 손안에 있는 것을 의미한다. 따라서 '거기에'는 이 양자의 결합이므로, 이것은 어떤 존재자가 존재로서 공간성을 열어 밝힌 것을 의미한다. '거기에'라는 표현은 이러한 본질적인 열어 밝혀져 있음을 의미한다.43) 따라서 현-존재(Da-sein)는 공간을 열어 밝히는 존재임을 의미한다. 하이데거는 이제 이 '열어 밝히는 장소'를 규명함을 통해서 '기초 존재론적인 것'을 찾고자 하는 것이다.

세계-내-존재에서 세계 곁에 있음(배려), 더불어 있음(심려) 그리고 자기 자신으로 있음(누구인가) 등의 본질적 연관들을 넘어서서 또 제시될 수 있는 것으로서 무엇이 있는가? 어쨌든 남아 있는 것은, 배려함 및 그 둘러봄, 심려 및 그 고려(뒤돌봄)가 변화할 수 있는 성격들을 비교하여 분석의 폭을 넓히고, 모든 가능한 세계내부적인 존재자의 존재를 더욱 철저하게 설명함으로써 현존재를 현존재적이지 않은 존재자와 구별하여 부각시키는 가능성이다. 의문의 여지 없이 이러한 방향으로는 아직 처리 되지 않은 과제들이 남아 있다.… 이 탐구의 의도는

---

43) 현존재는 오직 실존할 뿐이다. 따라서 실존(Existenz)은 '거기에'의 열려있음 안으로 나가서 있음, 즉 탈-존(Ek-sisitenz)을 말한다.(역자 이기상의 주해)

기초존재론적인 것이다.… 그러한 존재성격들이 내보여진다면, 그것들은 실존론적으로 똑같이[동일] 근원적이다. 구성적 계기들을 가지는 동일근원성이라는 현상이 존재론에서는 흔히 모든 개개의 것들을 하나의 단순한 '원초근거'에서부터 유래하는 것으로 입증하려는 절제 없이 방법적 경향으로 인해서 경시되고 있다. 그렇다면 안에-있음 그 자체를 현상적으로 성격규정하기 위해서는 어떤 방향으로 시야를 돌려야 하는가? 우리는 이에 대한 대답을, 그 현상을 제시할 때 현상학적으로 견지한 시야에 친숙했던 그것을 기억하면 얻게 될 것이다. 그것은 어떤 하나의 눈앞에 있는 것이 다른 어떤 것 '안에' 들어 있는 그러한 눈앞에 있는 내부성과는 구별되는 안에-있음이고, '세계'의 눈앞에 있음에 의해서 작용 받거나 또는 야기되기라도 한, 어떤 주체가 가지는 속성이 아닌 안에-있음이며, 오히려 이러한 존재자(주체) 자신의 본질적인 존재양식으로서의 안에-있음이다.…

본질적으로 세계-내-존재에 의해서 구성되고 있는 존재자는 그 자체가 그때마다 각기 자신의 '거기에'로서 존재한다. 친숙한 낱말의 뜻에 따를 것 같으면 '거기에'는 '여기에'와 '저기에'를 의미한다. '나 여기에'의 '여기에'는 언제나 손안에 있는 '저기에'에 대해서 거리 없애며 방향 잡으며 배려하며 존재한다는 의미에서 어떤 그러한 손안에 있는 '저기에'에서부터 이해되고 있다. 이렇게 현존재['거기에-있음']에게 그러한 식으로 그의 '자리'를 규정해주는 현존재의 실존론적 공간성은 그 자체 세계-내-존재에 근거하고 있다. '저기에'는 어떤 한 세계 내부적으로 만나게 되는 것의 규정성이다. '여기에'와 '저기에'는 오직 하나의 '거기에' 안에서만 가능하다. 다시 말해서 '거기에'의 존재로서 공간성을 열어 밝힌 그런 어떤 존재자가 존재하여야만 가능하다. 이 존재자는 그의 가장 고유한 존재에 닫혀 있지 않음이라는 성격을 지니고 있다. '거기에'라는 표현은 이러한 본질적인 열어 밝혀져 있음을 의미한다. 이 열어 밝혀져 있음에 의해서 이 존재자(현존재)는 세계의 거기에-있음과 함께 그 자신을 위해서도 '거기에' 존재한다.

…현존재는 처음부터 [본성상] 자신의 '거기에'를 가지고 있어서, 그것을 결한다는 것이 현사실적으로 가능하지 않을 뿐만 아니라, 만일 그렇게 된다면, 그는 도대체 이러한 본질의 존재자가 아닌 셈이 된다. 현존재는 그의 열어 밝혀져 있음으로 존재한다.

이러한 존재의 구성이 끄집어내어져야 한다. 그런데, 이 존재자의 본질이 실존인 한, "현존재는 그의 열어 밝혀져 있음으로 존재한다"라는 실존론적 문장은 동시에, 이 존재자에게 그의 존재함에서 문제가 되고 있는 바로 그 존재는 그의 '거기에'를 존재함이라는 것을 말한다. 열어 밝혀져 있음이라는 존재의 일차적 구성을 성격규정하는 것 외에도 분석의 전개에 맞추어 이 존재자가 일상적으로 그의 '거기에'로 존재하고 있는 존재양식에 대한 해석이 필요하다.(『존재와 시간』 132-133)

나. '처해 있음'[44]으로서의 '거기에-있음(Da-sein, 현-존재)'

하이데거는 '거기에-있음'을 '기분 잡혀 있음'이라고 표현한다. 이것은 하이데거의 무의식적 감정의 발견일 수 있다. 현존재는 본능적으로 그의 눈에 보이는 것들을 열어 밝히려고 한다. 그리고 이때의 보이지 않는 실상이 그의 감정에 전달되고 있는 것이다. 이것이 하이데거가 말하는 '기분'이다. 이것이 현존재의 의식의 출발점이다. 이것이 가장 '기초 존재론적인 것'이다. 하이데거는 여기에 집중한 것으로 보인다. 그리고 그는 여기에서 또 다른 사실을 발견하는데, 우리 각각의 존재자가 "그의 '거기에'로 내던져져 있음"을 발견한다. 그러나 그는 이것을 부정적으로만 보지 않는다. "떠맡음의 현사실성"이라고 말한다. 이러한 현사실성이라는 '있음의 사실'을 직관에서는 결코 발견될 수 없다. 오직 '기분'에 의해서만 발견될 수 있다.

우리가 존재론적으로 처해 있음이라는 명칭으로 게시하고 있는 것은 존재적으로는 가장 잘 알려져 있고 일상적인 것인 기분, 기분잡혀 있음이다. 그 모든 기분에 대한 심리학(이 심리학은 더구나 아직도 전혀 연구되어 있지 않은 미개척 분야이다)에 앞서 이러한 현상을 기초적인 실존범주로서 보고 그 구조를 윤곽짓는 것이 중요하다.…
기분이 잡혀질 수 있고 뒤바뀌어버릴 수 있다는 사실은 단지 현존재가 그때마다 각기 이미 언제나 기분잡혀 있음을 말하고 있을 뿐이다.… 왜 그런지를 사람들은 알지 못한다. 그리고 현존재는 그와 같은 것을 알 수는 없는데, 그 까닭은 인식의 열어 밝힘의 가능성은 그 미치는 범위가 그 안에서 현존재가 '거기에'로서의 그의 존재로 데려와지는 그런 기분의 근원적인 열어 밝힘에 비할 때 너무나 짧

---

44) 처해 있음(Befindlichkeit) : 인간 현존재가 세계-내에-존재하는 존재방식의 하나로서 어떤 규정된(분위기 잡힌) 구체적인 상황에 내던져져 있음을 표현하고 있다. 그래서 그는 그가 처해 있는 분위기, 기분에 따라서 만나는 존재자를 일차적으로 그렇게 내하고 있음을 의미한다.(역자 이기상의 주해)

기 때문이다. 그리고 고조된 기분이 드러난 존재에 대한 부담감을 다시 없애버 릴 수도 있다. 그러나 이 기분의 가능성도 현존재의 부담성격을 열어 밝히고 있 다. 기분은 "사람이 어떤 상태에 있으며 어떤 상태로 되는가"를 드러내 준다. 이 러한 "사람이 어떤 상태에 있음"에서 기분잡혀 있음은 존재를 그것의 '거기에'로 데려온다.

기분잡혀 있음 속에서 현존재는 언제나 이미 기분에 따라서 현존재가 그의 존재 에서 그 자신이 실존하면서 존재해야 하는 그 존재로서 떠맡겨진 그런 존재자로 서 열어 밝혀져 있다.(『존재와 시간』134)

순전한 "현존재가 존재하고 있다는 사실"이 내보여지지만 그가 어디에서 와서 어디로 가는지는 어둠 속에 남아 있다.… 그의 '어디에서'와 '어디에로'는 은폐되 어 있지만 그럴수록 더욱더 그것 자체에 있어서는 은폐되어 있지 않고 열어 밝 혀진 현존재의 존재성격을, 즉 이러한 "현존재가 존재하고 있다는 사실"을 우리 는 이 존재자가 그의 '거기에'로 '내던져져 있음'이라고 칭한다. 이 존재자가 그 렇게 내던져져 있기에 그것이 세계-내-존재로서 바로 그 '거기에'인 것이다. 내 던져져 있음이라는 표현은 '떠맡음의 현사실성'을 암시해야 한다.… 현사실성은 어떤 한 눈앞에 있는 것의 거부될 수 없는 사실의 사실성이 아니라 오히려 처음 에는 비록 밀쳐 내지기는 하지만 "실존 속으로 받아들여진 현존재의 존재성격" 이다. 현사실성이라는 '있음의 사실'은 직관에서는 결코 발견될 수 없다.(『존재와 시간』135)

다. 처해 있음의 한 양태로서의 '공포'

하이데거는 현존재의 근본적 처해 있음의 하나를 '불안'과 '공포'라고 말하는데, 그는 이 공포의 이유에 대해서 '반대증명'이 있는 것은 아니라고 한다. 이것은 단 지 현존재가 세계-내-존재로서 그때마다 각기 어떤 것 곁에 배려하며 존재함이기 때문이다고 한다. 대개 우선 현존재는 그가 배려하는 그것에서부터 존재한다. 즉, 존재에 대한 위협의 가능성이 조금만이라도 존재하면, 특히 존재의 열어 밝힘에 대 한 불확정성이 조금이라도 존재하면, 이것은 불안과 공포의 기분으로 작용한다. 따 라서 이 공포는 현존재의 본질인 '열어 밝힘'에 대한 위협으로서, 이것은 그러한 결여적인 방식으로 현존재를 열어 밝힌다. 현존재의 그러한 본질을 회복할 때 비로 소 공포는 해소되어 진다.

둘러봄은 두려운 것을 보게 되는데, 그 까닭은 둘러봄이 두려움의 처해 있음 안에 있기 때문이다. 처해 있는 세계-내-존재의 졸고 있는 가능성으로서의 두려워함이, 즉 "공포스러움"이 세계를 이미, 두려운 것과 같은 어떤 것이 세계에서부터 가까워올 수 있음에로 열어 밝혔다. 가까워 올 수 있음 자체는 세계-내-존재의 본질적인 실존론적 공간성에 의해서 자유롭게 내어졌다.

그 때문에 공포를 두려워하는 그 이유는 두려워하는 존재자 자체, 즉 현존재이다. 그의 존재에서 바로 이 존재 자체가 문제가 되고 있는 그런 존재자만이 구려워할 수 있다. 두려워함은 이 존재자를 그가 당면한 위험에서, 그 자신에게 내맡겨져 있음에서 열어 밝힌다. 공포는 언제나, 비록 그 명료성이 바뀌기는 해도, 현존재를 그의 '거기에' 있음에서 드러내준다. 우리가 집이나 저택 때문에 두려워할 경우에도 거기에 앞에서 규정한 공포의 이유에 대한 반대증명이 있는 것은 아니다. 왜냐하면 현존재가 세계-내-존재로서 그때마다 각기 어떤 것 곁에 배려하며 존재함이기 때문이다. 대개 우선 현존재는 그가 배려하는 그것에서부터 존재한다. 현존재가 위험에 당면하고 있다는 것은 어떤 것 곁에 있음이 위협받고 있는 것이다. 공포는 현존재를 주로 결여적인 방식으로 열어 밝힌다.… 두려워함은 언제나 위협해오는 세계내부적인 존재자와 위협받고 있는 안에-있음을 똑같이 근원적으로 열어 밝힌다. 공포는 처해 있음의 한 양태이다. (『존재와 시간』 141)

다. '이해'로서의 '거기에-있음': 기획투사

현존재는 '처해 있음' 속에서 '공포'라는 기분을 느끼며, 이제 본능적으로 그것을 '이해'하려 한다. 그리고 이해되어 질 때, 평안과 더불어 '열어 밝힘'이 나타난다. 즉, '이해' 자체가 곧 '열어 밝히는 행위'인 것이다. 이것이 바로 세계가 '유의미성'을 갖는 이유이다. 이 '이해'의 행위를 자신의 가능성과 더불어서 미래를 향하여 할 경우, 그것을 '기획투사'라고 한다. 현존재는 언제 어디서건 기획투사하면서 존재한다.

처해 있음은 '거기에'의 존재가 그 안에 머물고 있는 실존론적 구조 가운데 하나이다. 처해 있음과 더불어 똑같이 근원적으로 '이해'가 그 존재를 함께 구성하고 있다. 처해 있음은, 비록 그것이 단지 이해를 억누르고 있는 상태로서 일지라도, 그때마다 나름의 이해를 가지고 있다. 이해는 언제나 기분[분위기]잡힌 이해이다.

우리가 이해를 기초적 실존범주로 해석할 경우, 그로써 게시되고 있는 것은 우리가 이 현상을 현존재의 존재의 근본양태로 개념 파악해야 된다는 것이다.…

현존재가 실존하면서 그의 '거기에'로서 존재한다는 말은 일단 세계가 '거기에' 있다는 말이다. 세계의 거기에-있음이 곧 안에-있음인 것이다. 그리고 이 안에-있음 역시 '거기에' 있는데 그것도 현존재가 '그 때문에' 존재하는 그것으로서 있다. 이 '그 때문에' 안에서 실존하는 세계-내-존재가 그 자체로서 열어 밝혀져 있으며, 이 열어 밝혀져 있음이 이해라고 명명 되었다. '그 때문'의 이해 속에 그 안에 근거하고 있는 유의미성이 함께 열어 밝혀져 있다. 이해의 열어 밝혀져 있음은 '그 때문에'와 유의미성의 열어 밝혀져 있음으로서 똑같이 근원적으로 전체 세계-내-존재에 관계된다. 유의미성은 세계 그 자체가 그리로 열어 밝혀져 있는 그것[지평]이다. '그 때문에'와 유의미성이 현존재 안에서 열어 밝혀져 있다는 말은 현존재란, 세계-내-존재로서 그에게 바로 이 세계-내-존재 자체가 문제가 되고 있는 그런 존재자라는 말이다.(『존재와 시간』142-143)

이해는 열어 밝힘으로서 언제나 세계-내-존재의 전체 근본 구성틀에 관계된다. 존재가능으로서 안에-있음은 그때마다 세계-내-존재-가능이다. 이 세계는 세계로서 가능한 유의미성으로 열어 밝혀져 있을 뿐만 아니라 세계 내부적인 것들에 자유롭게 내어주는 것 자체가 곧 이 존재자를 그것의 가능성들에로 자유롭게 내어주는 것이다.…

이해가 그 안에서 열어 밝혀질 수 있는 것의 그 모든 본질적인 차원을 고려해 볼 때 언제나 가능성 안으로 밀치고 들어가는 것은 무슨 까닭일까? 이해가 그 자체 안에 우리가 기획투사[45]라고 이름 하는 그런 실존론적인 구조를 가지고 있기 때문이다. 이해는 현존재의 존재를 그의 그때마다의 세계의 세계성인 유의미성에로와 마찬가지로 근원적으로 그의 '그 때문에'에로 기획투사 한다. 이해의 기획투사 성격은 하나의 존재가능의 '거기에'에로서 현존재의 '거기에'가 열어 밝혀져 있다는 점에서 세계-내-존재를 구성하고 있다,. 기획투사는 현사실적인 존재가능의 여지를 지칭하는 실존론적 존재구성틀이다. 그리고 현존재는 내던져진 현존재로서 기획투사의 존재양식으로 내던져져 있다.… 그가 존재하는 한 기획투사하면서 존재한다.… 그의 가능성으로 존재하는 현존재의 존재양식이다.(『존재

---

45) 기획투사: 그 자신의 존재가능에서부터 이해하며 파악한다. 이것을 존재가능에로 기획투사라고 말한다. 즉 현존재를 그 자신의 고유한 기능에로 던지며 세계내부의 것을 그것의 '무엇을 위하여'에로 자유롭게 내주는 것이 '기획투사'이다. (역자 이기상의 주해)

와 시간』145)

라. 거기에 있음과 말(언어) : 현상학적 해석학

하이데거는 만일 '실존'이 인간의 본질이라면, 이 인간의 본질과 밀접하게 연결되어 있는 '언어'도 여기에서 파생되어 나왔을 것이라고 말한다. 그는 '해석'은 '이해'에 근거한다고 말한다. 그리고 '해석의 파생양태'가 곧 '발언(말)'이라고 말한다. 한편, 여기에서의 '이해'는 앞에서 살펴본 '실존론적 이해'이다. 하이데거는 언어의 기원을 여기에서 찾고자 한다.

> 모든 해석은 이해에 근거한다.…다음에서 우리는 발언이라는 명칭에 세 가지 뜻을 부여한다.… ①발언은 일차적으로 제시를 의미한다.… ②발언은 서술과 같은 뜻이다.… ③발언은 함께 나눔[전달], 밖으로 말함을 의미한다.… [함께] "나누어지는 것"은 공동으로 바라보면서 제시된 것으로 '향해 있음'이다.…(『존재와 시간』153-154)

'거기에'의 존재, 즉 세계-내-존재의 열어 밝혀져 있음을 구성하고 있는 기초적 실존범주는 처해 있음과 이해이다. 이해는 자체 안에 해석의 가능성을 간직하고 있는데, 그것은 이해된 것을 자기 것으로 만드는 가능성이다. 처해 있음이 이해와 똑같이 근원적인 한에 있어서, 처해 있음은 일정한 이해 속에 머물고 있다. 처해 있음에는 또한 마찬가지로 일정한 해석가능성이 상응한다. 발언과 더불어 해석의 한 극단적인 파생태가 두드러졌다. 발언의 세 번째 뜻을 함께 나눔(밖으로 말함)으로 설명함으로서 말함과 이야기함이라는 개념으로 오게 되었는데, 이 개념이 지금까지는 주목되지 않은 채 남아 있었지만 그것은 의도적이었다. 이제야 비로소 언어가 주제가 되고 있는 사실로써, 이 현상이 현존재의 열어 밝혀져 있음이라는 실존론적 구성틀에 뿌리를 두고 있다는 점이 잘 드러나야겠다. 언어의 실존론적-존재론적 기초는 말이다. 우리는 지금까지 처해 있음, 이해, 해석 그리고 발언 등을 해설하면서 끊임없이 이미 이 현상을 사용해왔지만, 주제적 분석에서는 그것을 은폐해 온 셈이다.

말은 처해 있음과 이해와 실존론적으로 똑같이 근원적이다. 이해가능성은 내 것으로 하는 해석에 앞서 언제나 이미 분류되어 있다. 말은 이해가능성의 분류파악이다.… 세계-내-존재의 처해 있는 이해가능성이 말로서 밖으로 말해진다. 이해가능성의 의미부여 전체가 낱말로 오게 된다. 뜻들이 자라서 낱말들이 된다.

단어라는 물건에 뜻들이 부착되는 것이 아니다.

… 말이 실존론적으로는 언어인데, 그 까닭은 말이 뜻에 맞추어 그것의 열어 밝혀져 있음을 분류파악하고 있는 그 존재자가 내던져진, '세계'에 의존하는 세계-내-존재를 가지고 있기 때문이다.(『존재와 시간』160-161)

마. 퇴락(빠져있음) : 잡담, 호기심, 애매성

하이데거에 의하면, 말함의 본질적 가능성의 하나인 '침묵함'도 동일한 실존론적 기초를 가지고 있다. 서로 함께 말하는 가운데 침묵하고 있는 사람이 말을 끝없이 하는 사람보다 더 본래적으로 '이해하게끔 할' 수 있다. 다시 말해서 이해를 형성할 수 있다.(『존재와 시간』164)

그런데, 우리의 말 중에 '대중의 말'은 본래적인 존재 가능성을 개시하지 못한다. 이것은 그는 '잡담'(혹은 '빈말')이라고 하는데, 이것은 단순한 '호기심'에 불과하다. 이 호기심은 현존재에게 자기 존재의 망각을 유도하며, 거짓된 자기이해로 이끌어 간다. 이러한 거짓된 자기 이해의 현상을 현존재의 애매성이라고 부른다. '잡담, 호기심, 애매성'은 서로 상호작용하면서 일상적 존재를 비본래적인 존재의 '세계'로 들어가게 한다. 하이데거의 이 말을 김경배는 다음과 같이 요약한다.

요컨대 빈말(잡담)은 일상성에서 대중에 의해 해석된 것을 상호 전달한다. 그리고 사람들은 평균적인 '함께 있음'에서 자기의 말이 자기의 진정한 존재 목적성에 부합하는지에 관심을 두지 않는다. 그들은 단순히 이야기되는 사실 자체에만 관심을 기울인다. 즉 빈말은 존재자가 진정으로 발견되는 것을 방해한다. 그리고 호기심은 일상적 세계에 몰입하게 한다. 호기심은 우리의 시선을 어느 한 곳에 머무르지 못하게 하고 늘 새로운 것을 찾아 헤매게 함으로써 우리의 관심을 더욱 분산시킨다. 이러한 빈말과 호기심의 상호 촉진 현상이 현존재를 이해의 애매성으로 몰아간다. 이 애매성은 다른 인간들과 사물들에 대한 이해와 함께 자기에 대한 이해를 음영 지워 규정한다. 따라서 현존재는 일상적으로 누구나 말하고 통용하는 것을 진리로 간주하지만, 그 말은 엄밀한 의미에서 존재가 본래적으로 개현된 진리가 아니다.46)

---

46) 김경배, "시간구조에 대한 현존재의 실존론적 연구," 충남대학교 대학원, 석사(2016), 72.

하이데거는 위의 상태에 있는 것을 '퇴락'이라고 한다. 실존의 세계가 아닌 자연의 '세계'에 빠져있는 것이라고 한다. 이것은 현존재가 자신에게 제시된 세계의 '앞에 있음'이 아니라, '곁에 있음'이며, 그의 비본래성에 빠져있는 것이다.

잡담, 호기심 그리고 애매함은 현존재가 일상적으로 자신의 '거기에'를… 성격규정하고 있다. 이러한 성격들은 실존론적 규정으로서 현존재의 눈앞에 있는 것이 아니다. 그것들은 현존재의 존재를 함께 구성하고 있다. 그 성격들 안에서 그리고 그것들의 존재적인 연관 안에서 일상성의 존재의 근본양식이 드러나는데, 우리는 그것을 현존재의 '빠져 있음'(퇴락)이라고 이름 한다.
이 명칭은 어떤 부정적인 평가를 표현하는 것이 아니라, 현존재가 우선 대개 배려된 '세계' 곁에 존재함을 의미한다. 이러한 '…곁에 몰입해 있음'은 대개 '그들'의 공공성 속에 상실되어 있음이라는 성격을 띠고 있다. 현존재는 우선 언제나 이미 본래적인 자기존재가능에서부터 떨어져 나와 '세계'에 빠져(퇴락)있다. '세계'에 빠져 있음은, 서로 함께 있음이 잡담, 호기심 그리고 애매함에 의해서 이끌리고 있는 이상, 그 서로 함께 있음이 잡담, 호기심 그리고 애매함에 의해서 이끌리고 있는 이상, 그 서로 함께 있음에 몰입해 있음을 의미한다. 우리가 앞에서 현존재의 비본래성이라고 이름 했던 그것이 이제 빠져 있음에 대한 해석으로 인해서 보다 정확한 규정을 얻게 된다.(『존재와 시간』175)

3. 현존재의 존재는 '염려(마음 씀, cura)'

가. 불안 : 퇴락에서 실존으로

현존재는 선험적으로 자신의 존재를 이해한다. 즉, 존재하면서 자신의 존재(혹은 본질)를 이해하면서 존재한다는 것이다. 그리고 이때 이 현존재의 존재는 '열어 밝히는' 존재이다. 그래서 '처해 있음'과 '이해가' 이러한 열어 밝혀져 있음의 존재양식을 구성한다. 현존재가 자신의 '기초 존재론적 기능'에 대해서 명확히 알고 있다면, 현존재는 "자신에게 놓여 있는 가장 근원적인 열어 밝혀져 있음의 가능성을 찾아야 한다." 그리고 그러한 방법적인 요구를 충족시킬 수 있는 처해 있음으로는 '불안'이라는 현상이 분석의 밑바탕에 놓인다. 불안은 공포[두려움]과는 구별된다. 불안은 현존재의 존재가능성으로서, 근원적인 존재 전체성을 파악하기 위한 현상적 토대를 제공한다. 그리고 이것을 깊이 연역적으로 추적해보면, 현존재의 존재는

'염려'로서 밝혀진다. 이와 비슷한 것으로서 의지, 소망, 성향, 충동 등이 있는데, 염려는 이러한 곳들을 통해서는 연역되지는 않는다.

현존재의 존재론적 구조에는 존재이해가 속한다. 현존재에게는 존재하면서 그 자신에게 그의 존재가 열어 밝혀져 있다. 처해 있음과 이해가 이러한 열어밝혀져 있음의 존재양식을 구성한다. 현존재가 그 자신에게 탁월한 방식으로 열어 밝혀져 있는 그런 이해하는 처해 있음이 현존재에게 있는가?

현존재의 실존론적 분석론이 자신의 기초 존재론적 기능에 대해서 원칙적인 명확성을 유지하고 있어야 한다면, 이 분석론은 자신의 잠정적인 과제를 성취하기 위해서, 즉 현존재의 존재를 산출하기 위해서, 현존재 자신에게 놓여 있는 가장 폭넓고 가장 근원적인 열어 밝혀져 있음의 가능성을 찾아야 한다. 현존재가 자신을 자기 자신 앞으로 데려오는 열어 밝힘의 방식은 그 안에서 현존재 자신이 어떤 방식에서는 아주 단순화되어 접근될 수 있는 그런 방식이어야 한다. 그럴 경우 거기에서 열어 밝혀져 있는 것과 더불어 찾고 있는 존재의 구조전체성이 기본적으로 밝게 드러날 것임에 틀림없다.

그러한 방법적인 요구를 충족시킬 수 있는 처해 있음으로는 불안이라는 현상이 분석의 밑바탕에 놓인다. 이러한 근본적 처해 있음을 정리작업하는 일과 그 안에서 열어 밝혀진 것 그 자체를 존재론적으로 성격규정하는 일은 그 출발점을 빠져 있음의 현상에서 취하며 불안을 전에 분석한 유사한 현상인 공포[두려움]와 구별한다. 불안은 현존재의 존재가능성으로서, 그 안에서 열어 밝혀진 현존재 자신과 더불어 함께 현존재의 근원적인 존재 전체성을 파악하기 위한 현상적 토대를 제공한다. 현존재의 존재는 염려로서 밝혀진다. 이 실존론적 근본현상을 존재론적으로 정리작업하는 일은 그것을 우선 염려와 동일시되기 쉬운 현상들과 제한 구별할 것을 요구한다. 비슷한 현상들로는 의지, 소망, 성향, 충동 등이 있다. 염려는 이것들로부터 연역될 수 없다. 왜냐하면 이것들 자체가 염려에 기초하고 있기 때문이다.(『존재와 시간』182)

따라서 하이데거에 의하면, 불안은 현존재의 본질에 속한다. 그래서 불안은 스스로 불안해하는 것이며, 오히려 그 불안의 대상은 '세계-내-존재' 자체이다. 그런데, 이 불안에서 근원적인 세계의 개시가 일어난다.

앞에서 우리는 '세계'에 '빠져 있음'(퇴락)은 자기 존재의 본래성이 닫혀 버리고,

열어 밝혀져 있음의 결여태라고 하였다. 이것은 일종의 자신의 본질적인 존재로부터의 도피이다. 그리고 우리는 이곳으로부터 또 다시 돌아서는데, 그것은 현존재의 존재로서의 '불안'에 근거한다. 따라서 이 '불안'의 대상은 '공포'와는 달리 존재하지 않는다. '그것 앞에서'가 의미하는 '불안'은 세계-내-존재 자체를 의미하지, '그것'이라는 세계내부적인 존재자들이 불안의 대상인 것은 전혀 아니다. 그것은 열어 밝힘을 당하는 존재자들일 뿐이다.

빠져 있음에서는 분명히 실존적으로 자기 존재의 본래성이 닫혀버리고 내몰려버리지만, 이러한 닫혀 있음은 단지 일종의 열어 밝혀져 있음의 결여태일 뿐이다.…(『존재와 시간』184)

현존재가 '그들'과 배려된 '세계'에 빠져 있는 것을 우리는 그 자신 앞에서 '도피하는' 것이라고 이름했다.…(『존재와 시간』185)

그러기에 빠져 있음의 돌아섬은 또한, 세계내부적인 존재자 앞에서의 공포에 바탕을 둔 도피가 아니다. 공포에 바탕을 둔 도피의 성격은, 돌아섬이 세계내부적인 존재자 속에 몰입하면서 그것에로 돌아옴인 이상, 더더욱 돌아섬에 해당되지 않는 셈이다. 빠져 있음의 돌아섬은 오히려 불안에 근거하고 있으며 불안이 그 편에서 공포를 비로소 가능케 하고 있다.

현존재가 자기 자신 앞에서 빠져 있으면서 도피한다는 말을 이해하기 위해서 우리는 이 현존재라는 존재자의 근본구성틀로서의 세계-내-존재를 상기해야 한다. 불안의 '그것 앞에서'는 세계-내-존재 그 자체이다. 그렇다면 불안이 '그것 앞에서' 불안해하는 그것과 공포가 '그것 앞에서' 두려워하는 그것은 어떻게 현상적으로 구별되는가? 불안의 '그것 앞에서'는 세계내부적인 존재자가 아니다. 따라서 그것은 세계내부적인 존재자와 아무런 유사성을 가질 수 없다.…

그러기에 불안은 또한 거기에서부터 위협스러운 것이 가까이 다가오는 특정한 '여기'나 '저기'를 '보지' 못한다. 위협하고 있는 것이 아무데에도 없다는 것이 불안의 '그것 앞에서'를 특징짓고 있다. 불안은 그것 앞에서 자시가 불안해하는 그것이 무엇인지를 '알지 못한다.'…(『존재와 시간』186)

… 이것은 불안이 '그것 앞에서' 불안해하는 그것은 세계-내-존재 자체임을 말하는 것이다.(『존재와 시간』187)

나. 염려 : 실존에서 현사실로

하이데거에 의하면, 현존재의 기초적 존재론적 성격은 '실존성', '현사실성', 및 '퇴락존재'이다. 이 세 가지의 실존론적 규정이 서로 맞물려서 현존재의 통일적인 구조를 형성한다.

불안의 대상은 내던져진 세계-내-존재이다. 이때 불안의 그 이유('그 때문에')는 세계-내-존재-가능 때문이다. 현존재는 현재의 사실(현사실성) 속에서 자신의 열어 밝힘의 실존을 실현할 수 있는 지의 가능성(실존성)을 본다. 그리고 여기에서 나타나는 것이 '염려(마음 씀)'이다.

여기에서 현존재는 항상 자신의 한 '가능성'과 '현사실성'을 결부시키는데, 현존재는 그의 존재에서 항상 이미 '자기를-앞질러-있음'으로 나타난다. 현존재는 언제나 이미 "자기 자신을" 넘어서 있다. 현존재는 이미 "하나의 세계 안에 내던져져" 있는데, 동시에 그는 "자기를-앞질러-이미-하나의- 세계-안에-있음"을 말한다. 이것을 '기획투사'라고 한다. 그리고 이때 현상학적으로 나타나는 것이 바로 '염려'이다.

불안해함은 처해 있음으로서 세계-내-존재의 한 방식이다. 불안의 '그것 앞에[대상]'는 내던져진 세계-내-존재이다. 불안의 '그 때문에[이유]'는 세계-내-존재-가능이다. 따라서 불안의 전체 완전한 현상은 현존재를 현사실적으로 실존하고 있는 세계-내-존재로서 내보여준다. 이러한 존재자의 기초적 존재론적 성격은 실존성, 현사실성, 그리고 빠져있음(퇴락 존재)이다. 이러한 실존론적 규정들은 하나의 복합적 합성체에 속하는 부분요소들로서 때로는 하나가 결여될 수 있는 그런 것이 아니다. 오히려 그것들 안에는 추구되고 있는 구조 전체의 전체성을 이루고 있는 하나의 근원적인 연관이 살아 움직이고 있다. 언급한 현존재의 존재 규정들의 단일성 안에서 현존재의 존재 그 자체가 존재론적으로 파악될 수 있을 것이다. 이 단일성 자체는 어떻게 특징지을 수 있는가?

현존재는 그의 존재에서 바로 이 존재 자체가 문제가 되고 있는 그러한 존재자이다. "…이 문제가 된다"는 이것은, 가장 고유한 존재가능으로 자신을 기획투사하며 존재하는 이해의 존재 구성틀 안에서 분명해졌다. 이 가장 고유한 존재가능이 그 때문에 현존재가 각기 그때마다 그가 존재하고 있듯이 그렇게 존재하고 있는 바로 그 이유이다. 현존재는 그의 존재에서 각기 그때마다 이미 자신을 자기 자신의 한 가능성과 결부시켰다. 가장 고유한 존재가능에 대해서 자유로운 존재 그리고 그로써 본래성과 비본래성에 대해서 자유로운 존재라는 것이 불안 속에서의 한 근원적이고 기본적인 구체화 속에서 드러난다. 그런데 가장 고유한 존재가능을 향한 존재란 존재론적으로, 현존재가 그의 존재에서 그때마다 이미 자기 자신을 앞질러 있음을 말한다. 현존재는 언제나 이미 "자기 자신을 넘어서" 있다.… 이러한 본질적인 "…이 문제가 되고 있다"는 존재구조를 우리는 현존재의 자기를-앞질러-있음이라고 파악한다.… 자기를-앞질러-있음은 좀더 완전하게 파악하면, 자기를-앞질러-이미-하나의-세계-안에-있음을 말한다. (『존재와 시간』191-192)

…이러한 존재는 염려라는 명칭의 의미를 충족시키고 있다.…(『존재와 시간』192) 세계-내-존재가 본질적으로 염려이기 때문에, 앞의 분석에서 손안의 것 곁에 있음을 배려로, 세계 내부적으로 만나게 되는 타인들의 공동현존재와 더불어 있음을 심려로 파악할 수 있었던 것이다. '…곁에-있음'은 배려인데, 그 까닭은 그것이 안에-있음의 방식으로서 그 안에-있음의 근본구조, 즉 염려에 의해서 규정되기 때문에 그렇다. 염려는 예컨대 현사실성과 빠져있음으로부터 때 내어서, 실존성만을 성격규정하고 있는 것이 아니라, 그러한 존재규정들의 단일성을 포괄한다.… (『존재와 시간』192-193)

다. 실존론적 존재론

전통적인 형이상학에서의 존재 개념은 '실재성'인데, 하이데거는 이것을 '앞에 펼쳐져 있음'(前在者)이라고 부르며, 이것을 '사물존재론'이라고도 부른다. 이에 반하여 하이데거의 관점에서는 이러한 사물존재론은 퇴락의 존재양식에 해당할 뿐이다. 하이데거에 의하면, 이러한 존재론은 크게 두 가지의 오류를 범한다.

하이데거의 대안은 결국 이러한 것을 극복하는 실존론적-존재론을 새롭게 정초한 셈이 되었다. 이에 의하면, 실재성은 현존재의 존재인 염려로 소급된다. 이 염려로 인해 세계가 개시되는 한에서만, 이 세계의 실재성이 발견된다. 따라서 현존재가 실존하는 한에 있어서만 세계는 존재한다. 그리고 이러한 세계가 있는 한에서만, 세계 내부적 존재자도 발견될 수 있거나 혹은 은폐될 수 있다. 그 내용을 이선일은 다음과 같이 정리한다.

첫째, '외적 세계의 문제'는 기본적으로 우리의 밖에 있는 사물이나 객관에 그 시선을 고정시켜 놓고 있다. 이럴 경우 주관과 '세계'는 분리된다. 주관은 애초부터 무세계적 주관이 되고 만다. 그러나 우리가 앞서 살펴보았듯이, 인간 현존재는 세계-내-존재이다. 세계란 우리의 밖에 있는 어떤 실체가 아니라 오히려 우리 인간 현존재의 자기 지시적 이해가 펼쳐지는 지평이다. 우리는 그러한 지평으로서 세계를 적소 전체성과 유의의성(유의미성)으로 확인한 바 있다.

현존재와 다른 존재자와의 만남은 세계를 전제한다. 인간 현존재가 아닌 존재자는 원칙적으로 세계 내부적 존재자이다. 또한 우리가 세계 안에서 우선 대개 만나는 세계 내부적 존재자는 용재자(用在者, 손안의 것)이며, 용재자가 도구적 성격을 탈색하고 과학적 관찰 대상으로 변양되었을 때 비로소 전재자(前在者, 눈앞에 있는 것)가 출현한다. 그러니까 종래의 존재론이 문제 삼던 전재성으로서의 실재성은 실존론적-존재론적으로 보자면, 다른 존재양식 가운데 하나일뿐더러, 이미 현존재, 세계, 그리고 용재성과 일정한 정초 연관을 맺고 있다. 그러나 종래의 사물존재론은 처음부터 '세계'를 인간의 의식 밖에 위치시켜 놓고 실재성을 존재론적으로 증명하려 시도하였기에 미궁에 봉착할 수 밖에 없었다.

둘째, 종래의 사물 존재론은 우리의 의식 밖에 있는 '외적 세계'의 실재성을 문제 삼고 있으나, 이 '우리'에 대한, 다시 말해 현존재에 대한 존재론적 해석을 결여하고 있다. 그러나 앞서 논의했듯이, 현존재의 자기 지시적 이해로부터 세계는 비롯되며, 따라서 세계-내-존재라는 현존재의 틀 안에는 이미 현존재의 마음 씀(염려)이라는 더 근원적인 존재 틀이 자리 잡고 있다. 그러나 종래의 존재론은 인간 현존재를 '세계'와 대립한 무세계적 주관으로 보았기에 현존재의 존재가 갖는 근원적 의미를 외면하고 말았다.

실존론적-존재론적 정초 연관에서 보자면, 실재성은 현존재의 존재인 마음 씀(염려)로 소급된다. 마음 씀으로서의 현존재로부터 세계가 개시되는 한에서만, 실재적인 것도 이 세계를 근거로 발견될 수 있다. 실재성은 실존론적-존재론적으로 현존재의 존재에 근거한다. 그러나 이렇다고 해서 현존재가 실존하는 한에서만 실재적 존재자가 그 자신에 즉해 존재할 수 있다는 것은 아니다. 만약 그런 식으로 이해한다면, 그것은 현존재의 실존이 갖는 실존론적-존재론적 의미를 오해한 결과이다. 우리가 말하고자 하는 것은 그런 존재자적 차원의 논의가 아니다. 우리의 논의는 실존론적-존재론적 차원의 논의이다. 현존재가 실존하는 한에서만, 다시 말해 유일하게 존재이해를 갖는 현존재라는 존재자가 존재하는 한에서만, 다시 말해 유일하게 존재이해를 갖는 현존재라는 존재자가 존재하는 한에서만, 존재는 '있다'. 역으로 말하면, 현존재가 실존하지 않는다면, 세계 내부적 존재자가 발견되었다거나 혹은 은폐되었다 라고도 거론될 수 없다. 현존재가 실존하지 않을 경우 실재적 존재자가 존재하느냐의 물음은 애당초 존재론적 물음이 될 수 없다. 현존재가 실존하는 한에서만, 세계는 있다. 그리고 세계가 있는 한에서만, 세계 내부적 존재자도 발견될 수 있거나 혹은 은폐될 수 있다. 이로써 전통적 형이상학에서 논란거리였던 실재성의 문제는 실존론적-존재론적으로 새롭게 정초된 셈이다.[47]

라. 실존론적 진리관

진리 개념도 마찬가지이다. 진리의 물음에서 전통적인 형이상학에서의 진리 개념은 지성(혹은 판단)과 그것의 대상의 일치를 의미한다. 더 나아가서는 명제와 그것의 사태와의 일치를 의미하였다. 그런데, 실존론적 진리관에서는 현존재의 의식이 실존세계를 결정하며, 이 양자의 일치가 곧 진리이다. 따라서 현존재가 개시될 때, 그 현존재는 진리 가운데 있는 것이며, 현존재가 퇴락 가운데 있을 때, 그 현존재는 비진리 가운데 처하게 된다.

진리의 문제에서도 우리는 하이데거의 독특한 사유 구조를 만나게 된다.… "현존재가 '진리 가운데' 있다"라는 진술은 현존재가 본질적으로 진리의 근원적 현상이라는 형식적 구조만을 말하고 있다. 이 진술은 존재론적 차원에서만 이해되어야 한다. 문제는 현존재가 어떤 양상의 개시성으로 있는가의 여부이다. 즉 현존재가 본래적 개시성이라면 현존재는 가장 근원적 진리 안에 있는 것이요, 현존재가 비본래적 개시성이라면 현존재는 비진리 안에 있는 것이다.
현존재의 본래적 개시성은…선구적 결의성이다. 죽음에 대한 불안 속에서 자기를 앞질러 본래적 자기를 회복하는 것이 선구적 결의성이다. 따라서 선구적 결의성은 본질적으로 기투와 관련된다. 하이데거는 선구적 결의성을 통해 현존재의 실존성이 확보됨을 감안하여, 선구적 결의성을 특히 실존의 진리라고도 명명한다. 이에 반해 비본래적 개시성은 우리가 앞에서 논의한 바와 같이 일상적 개시성이다. 일상적 개시성에서 피투성은 퇴락이 된다. 일상적 현존재는 이미 퇴락 속에 피투 되어 있다. 따라서 일상적 현존재는, 현존재가 본질적으로 진리-내-존재임에도 불구하고, 비진리 안에 있게 된다. 실존론적 비진리는 명제적 차원에서의 '거짓'과는 무관하다.…

---

47) 이선일, 『하이데거 존재와 시간』, (서울: 서울대철학사상연구소, 2003), 170-171.

이로서 우리는 하이데거가 말하는 실존론적-존재론적 진리 개념에 도달하게 된다. ①진리는 가장 근원적 의미로는 현존재의 개시성이다. 현존재는 진리 안에 있다. ②현존재가 본래적 개시성일 때, 현존재는 가장 근원적 진리에 도달한다. ③현존재가 비본래적 개시성일 때, 현존재는 비진리 안에 있게 된다. ④그러므로 "현존재는 진리 안에 있다"라는 명제의 완전한 실존론적-존재론적 의미는, 등근원적으로, "현존재는 비진리 안에 있다"를 함축한다. 즉 현존재는 진리와 비진리 가운데 등근원적으로 있다.[48]

6절 현존재와 시간성

1. 죽 음

가. 근원적인 실존론적 해석의 과제 : 죽음

현존재의 구조 전체는 '세계-내-존재'이다. 즉, 이와 같은 '세계-내-존재'로서의 현존재의 존재는 '염려(마음 씀)'이다. 이 '염려'는 "세계 내부적으로 만나는 존재자에 몰입해 있음으로서 자기를 앞질러 이미 세계-내에-존재한다." 현존재는 이렇게 이해하는 존재가능으로서 존재하는데, 현존재는 "실존-현사실성-퇴락(빠져있음)"이라는 근원적인 연관의 순환 속에 있다. 이때 "앞서 가 있음"의 궁극은 무엇인가? 그것은 '죽음'이다. 이 '죽음'이 포함되지 않으면, 그것은 전체가 아니며, 따라서 근원적인 해석이 될 수 없다. 근원적인 존재론적 해석을 위해서는 존재자의 전체를 가져와야 하는데, 그것을 위해서는 죽음을 가져와야 한다.

우리가 찾아낸 것은 주제가 된 존재자의 근본구성틀, 즉 세계-내-존재인데, 이 존재의 본질적인 구조는 열어 밝혀져 있음 안에 집결되고 있다. 이 구조 전체의 전체성은 염려로서 밝혀졌다. 이 염려 안에 현존재의 존재가 포함되어 있다. 이 존재에 대한 분석은 현존재의 본질로서 앞서 잡으며 규정한 그것, 즉 실존을 실마리로 잡았다. 이 칭호는 형식적 표시로서, 현존재가 그의 존재에서 바로 이 존재 자체가 문제가 되고 있는 그런 이해하는 존재가능으로서 존재함을 말한다. 이 존재자는 그렇게 존재하면서 각기 그때마다 나 자신이다. 염려라는 현상을 끄집어내면서 실존의 구체적인 구성틀을, 다시 말해서 실존이 현존재의 현사실성

---

48) 이선일, 『하이데거 존재와 시간』, 183-184.

및 빠져있음(퇴락)과 똑같은 근원적인 연관 안에 있음을 통찰하게 되었다.

우리가 추구한 것은 존재 일반의 의미에 대한 물음의 대답이며, 이에 앞서 모든 존재론의 근본문제를 근본적으로 정리 작업할 수 있는 가능성이다.⋯ 우리는 현존재를 염려라고 존재론적으로 성격 규정한 것을 이 존재자에 대한 근원적인 해석이라고 요구주장해도 좋은가?⋯ 이때 존재론적 해석의 근원성이란 도대체 무엇을 말하는가?

⋯개개의 모든 해석은 나름의 앞서 가짐, 앞서 봄 그리고 앞서 잡음을 가지고 있다. 해석이 [학문적] 해석으로서 탐구의 명시적인 과제가 될 경우, 우리가 해석학적 상황이라고 이름한 이 '전제들'의 전체[앞서 가짐, 앞서 봄, 앞서 잡음]는 열어 밝혀야 할 '대상'에 대한 근본경험에 의거해서 그리고 그러한 경험 속에서 선행적으로 해명되고 확보될 필요가 있다.⋯과연 그것이 주제가 되고 있는 존재자의 전체를 앞서 가짐으로 데려왔는지 아닌지를 명시적으로 확실히 해야 한다.⋯(『존재와 시간』231-232)

지금까지의 해석학적 상황의 앞서 가짐은 어떤 상태인가? 실존론적 분석은 그것이 일상성을 단초로 삼아서 전체 현존재를, 즉 이 존재자를 그의 '시작'에서부터 그의 '끝'에 이르기까지 주제로 삼는 현상학적 시야에 넣었다는 것을, 언제 그리고 어떻게 확신했는가?⋯ 일상성은 분명히 탄생과 죽음 '사이'의 존재이다.⋯ (『존재와 시간』233)

⋯세계-내-존재의 '종말'은 죽음이다. 존재가능, 다시 말해서 실존에 속하는 이 종말은 각기 그때마다 가능한 현존재의 전체성을 제한하며 규정한다. 그러나 죽음에서의 현존재의 종말에-와-있음(종말을-향한-존재)은 그리고 이 존재자의 전체존재는 오직 죽음에 대한 존재론적으로 충분한 개념, 다시 말해서 실존론적인 개념이 획득되어 있을 때에만, 현상적으로 적합하게 가능한 전체 존재에 대한 논의 속으로 끌어들여질 수 있다. 그러나 죽음은 현존재적으로 오직 실존적인 죽음을 향한 존재 안에만 있다. 이 존재의 실존론적인 구조는 현존재의 전체존재가능의 존재론적 구성틀임이 입증된다.(『존재와 시간』234)

나. 죽음의 실존론적 구조

하이데거에 의하면, 우리가 근원적인 존재론적 해석을 추구한다면, 죽음이 실존론적 구성틀에 의해 규정되어야 한다고 말한다. 아직-아님과 같이 현존재의 종말을 미완의 의미로 해석하는 것은 부적합하다. 우리의 의식의 시간성은 우리를 그리로 곧바로 데리고 간다. 그러므로 우리가 근원적인 존재론적 해석을 추구한다면, '앞질러 감'에 대한 전체성으로서 죽음의 현상으로 나아가야 하며, 그곳에서 "실존, 현사실성, 및 빠져있음(퇴락)"을 밝혀야 한다.

'실존'의 차원에서 바라보면 죽음은 가장 고유하고 무연관적이고 건너 뛸 수 없는 가능성으로 밝혀진다. 그리고 죽음에 내던져져 있음이라는 '현사실성'의 차원에서 바라보면, 그것은 현존재에게 더 근원적이고 더 절실하게 드러나는 것은 가장 고유한, 무연관적, 건너 뛸 수 없는 존재가능 '앞에서' 불안이다. 이에 반하여, 현존재는 실존하고 있는 동안 현사실적으로 죽고 있는데, 우선 대개 '빠져 있음'(퇴락)의 방식으로 그렇다. 그는 언제나 또한 이미 배려되고 있는 '세계' 속에 몰입해 있음이기 때문이다. 그는 '…곁에' 있음 속에서 섬뜩함에서부터의 도피, 다시 말해서 이제는 죽음을 향한 가장 고유한 존재 앞에서의 도피가 고시된다.

현존재의 근본 구성틀로서 염려가 밝혀졌다. 염려라는 표현의 존재론적 뜻은 다음과 같은 '정의' 안에 표현되고 있다: (세계 내부적으로) 만나게 되는 존재자 곁에 있음으로서 자기를 앞질러 이미 (세계) 안에 있음. 그로써 현존재의 존재의 기초적인 성격들이 표현된 셈이다. 즉 '자기를-앞질러'에서는 실존이, '이미…안에-있음'에서는 현사실성이, '…곁에-있음'에서는 빠져 있음(퇴락)이 표현되고 있다. 죽음이 탁월한 의미에서 현존재의 존재에 속한다면, 죽음(또는 종말을 향한 존재)은 이 성격들에서부터 규정되어야 한다.

우선 먼저 해야 할 것은 죽음의 현상에서 어떻게 실존, 현사실성 및 빠져 있음이 밝혀지고 있는지를 앞서 그려보며 명확하게 하는 일이다.

아직-아님 그리고 그로써 또한 극단적인 아직-아님인 현존재의 종말을 미완의 의미로 해석하는 것을 부적합한 것으로 퇴치했다. 왜냐하면 그 해석은 현존재를 존재론적으로 일종의 눈앞의 것으로 뒤바꾸는 것을 자체 안에 포함하기 때문이다. 종말에-와-있음은 실존론적으로 종말을 향한 존재를 말한다.… 종말은 현존재의 앞에 닥쳐 있다. 죽음은 아직 눈앞에 있지 않은 어떤 것이 아니며, 최소한으로 줄어든 최후의 미완도 아니요, 차라리 일종의 '앞에 닥침'이다.(『존재와 시간』249-250)

죽음은 현존재 자신이 각기 그때마다 떠맡아야 할 존재가능성이다. 죽음과 더불어 현존재 자신이 그의 가장 고유한 존재가능에서 자기 앞에 닥쳐서 있는 것이다.… 현존재는 존재가능으로서 죽음의 가능성을 건너뛸 수는 없다. 죽음은 현존재의 단적인 불가능성의 가능성인 것이다. 이렇듯 죽음은 가장 고유한, 무연관적, 건너뛸 수 없는 가능성으로 밝혀진다. 그러한 가능성으로서 죽음은 일종의 탁월한 앞에 닥침이다.…

오히려 현존재는 실존할 때, 이미 이 가능성 안으로 내던져져 있는 것이다. 현존재가 그의 죽음에 내맡겨져 있고 이 죽음이 이로써 세계-내-존재에 속한다는 사실에 대해서 현존재는 우선 대개 아무런 명시적인 지식을 갖추고 있지 않다. 죽음에 내던져져 있음이 현존재에게 더 근원적이고 더 절실하게 드러나는 것은 불안이라는 처해 있음에서이다. 죽음 앞에서의 불안은 가장 고유한, 무연관적, 건너 뛸 수 없는 존재가능 '앞에서' 불안이다.…

현존재는 실존하고 있는 동안 현사실적으로 죽고 있는데, 우선 대개 '빠져 있음'(퇴락)의 방식으로 그렇다. 왜냐하면 현사실적으로 실존함은 일반적으로 또 무차별하게 내던져져 있는 세계-내-존재-가능일 뿐만 아니라, 언제나 또한 이미 배려되고 있는 '세계' 속에 몰입해 있음이기 때문이다. 이러한 빠져있으며 '…곁에' 있음 속에서 섬뜩함에서부터의 도피, 다시 말해서 이제는 죽음을 향한 가장 고유한 존재 앞에서의 도피가 고시된다. 실존, 현사실성, 빠져 있음이 종말을 향한 존재를 성격규정하고 있으며 따라서 죽음의 실존론적 개념을 구성한다. 죽음[사망]은 그 존재론적 가능성의 관점에서는 염려에 근거하고 있다.(『존재와 시간』 250-252)

다. 죽음을 향한 실존론적 '기획투사'

현존재가 죽음에 직면해서 회피하는 것은 "죽음에 이르는 비본래적 존재"라고 칭해질 수 있다. 현존재는 "죽음에 이르는 존재"이다. 즉, "죽음에 이르는 비본래적 존재"의 근저에는 이미 "죽음에 이르는 본래적 존재"가 은폐되고 왜곡된 채 도사리고 있다. 다만 죽음에 대한 불안 속에서, 즉 '으스스함' 앞에서 일상적 현존재는 도피하고 있는 것이다.

탄생과 죽음 사이에 있는 현존재가, 마음속으로 죽음을 체험함으로써, 다시 말해 자신을 극단적으로 죽음을 향해 기투함으로써, 죽음의 완전한 실존론적 가능성을 비로소 자기의 가능성으로 받아들여 견디어 내는 것이다. 따라서 '죽음에 이르는 존재'가 본래적으로 의미하는 바는, 죽음의 완전한 실존론적 가능성에로의 '선구'이다.

탄생과 죽음 사이에 있는 일상적 현존재는, 죽음에로의 선구를 통해, 세인-자기로부터 벗어날 뿐더러 현존재의 가능한 전체 존재를 확보함으로써 자신의 본래적 가능성 앞에 직면할 단서를 마련한다. 따라서 죽음의 완전한 실존론적 가능성에로의 선구가 '죽음에 이르는 본래적 존재'이다. 하이데거의 이러한 논의를 이선일은 다음과 같이 요약한다.

죽음에 직면해서 회피하는 것이 '죽음에 이르는 비본래적 존재'이다. '죽음에 이르는 비본래적 존재'가 일상적 현존재의 존재양식을 특징짓는다. 그러나 이렇다고 해서 '죽음에 이르는 비본래적 존재'가 일상적 현존재의 존재양식을 필연적으로 규정짓는 것은 아니다. 오히려 일상적 현존재는 실존적 변양을 통해 본래적 현존재로서 실존할 수 있다. 하지만, 엄밀히 말하자면, 일상적 현존재의 실존적 변양이 가능한 까닭은, 비본래성이 이미 그 근저에 본래성을 가지고 있기 때문이다. 즉 '죽음에 이르는 비본래적 존재'의 근저에는 이미 '죽음에 이르는 본래적 존재'가 은폐되고 왜곡된 채 도사리고 있다. 다만 죽음에 대한 불안 속에서, 즉 그 '으스스함' 앞에서, 일상적 현존재는 도피하고 있는 것이다. 그렇다면 '죽음에 이르는 본래적 존재'는 구체적으로 무엇을 말하는가?

현존재는 '죽음에 이르는 존재'이다. 하지만 이렇다고 해서 현존재가 죽음의 실현을 배려하면서 추구한다는 것은 아니다. 죽음 이후에 현존재는 이미 현존재가 아니거늘, 죽음의 실현을 추구한다는 것은 자가당착이다. 오히려 '죽음에 이르는 존재'는 '가능성에 이르는 존재'를 의미한다. 즉 여기서 문제가 되는 것은, 탄생과 죽음 사이에 있는 현존재가, 마음속으로 죽음을 체험함으로써, 다시 말해 자신을 극단적으로 죽음을 향해 기투함으로써, 죽음의 완전한 실존론적 가능성을 비로소 자기의 가능성으로 받아들여 견디어 내는 것이다. 따라서 '죽음에 이르는 존재'가 본래적으로 의미하는 바는, 죽음의 완전한 실존론적 가능성에로의 '선구'이다.

죽음에로의 선구란, 가장 독자적이고 가장 극단적 존재 가능을 이해할 가능성이다. 탄생과 죽음 사이에 있는 일상적 현존재는, 죽음에로의 선구를 통해, 세인-자기로부터 벗어날 뿐더러 현존재의 가능한 전체 존재를 확보함으로써 자신의 본래적 가능성 앞에 직면할 단서를 마련한다. 따라서 죽음의 완전한 실존론적 가능성에로의 선구가 '죽음에 이르는 본래적 존재'이다. 그렇다면 죽음에로의 선구는 죽음의 완전한 실존론적 가능성을 어떻게 구체적으로 개시하는가?

1) 죽음은 현존재의 가장 독자적 가능성이다. 가장 독자적 가능성이기에 현존재

는 선구적으로 세인과 절연(絶緣)할 수 있다. 2) 가장 독자적 가능성은 몰교섭적이다. 몰교섭적 가능성에로 선구함으로써 현존재는 자기의 가장 독자적 존재를 자신의 편에서 스스로 인수하게 된다. 3) 가장 독자적이고 몰교섭적인 가능성은, 뛰어넘을 수 없는 가능성이다. 선구는, 죽음에 이르는 비본래적 존재와는 달리, 뛰어 넘을 수 없는 죽음의 가능성을 향해 자기를 열어 놓는다. 이로써 선구는 그 가능성 앞에 펼쳐진 모든 가능성을 함께 개시함으로써 현존재의 전체성을 실존적으로 선취할 가능성을 확보한다. 4) 가장 독자적이고, 몰교섭적이고, 뛰어넘을 수 없는 가능성은 확실한 가능성이다. 현존재가 죽음의 확실한 가능성을 가능성으로서 개시하는 방식은 오직, 현존재가 이 가능성을 향해 선구하면서, 이 가능성을 자기의 독자적 존재 가능으로 자기 자신에게 가능하도록 하는 것이다. 따라서 죽음의 확실성을 고수하기 위해선 현존재의 한 특정한 태도가 요구될 뿐더러, 현존재의 실존의 완전한 본래성이 요구된다. 5) 가장 독자적이고, 몰교섭적이며, 뛰어넘을 수 없고, 확실한 가능성은 확실성의 점에서는 무규정적이다. 무규정적이지만 확실한 죽음에로 선구함에 있어, 현존재는 자기의 '현' 자체에서 발원하는 부단한 위협에 대해 자기를 열어놓는다. 이처럼 현존재 자신에 대한 부단하고 단적인 위협을 개방적으로 지탱할 수 있는 정상성(情狀性)이 불안이다. 죽음에 대한 불안 속에서 선구는 현존재를 단적으로 단독화할 뿐더러, 현존재에게 그 자신의 존재 가능의 전체성을 확신시킨다.

죽음에 이르는 본래적 존재는 죽음의 완전한 실존론적 가능성에로의 선구이다. 죽음에로 선구함으로써 현존재는 세인의 환상으로부터 해방되어 죽음을 향해 자유로워진다. 이로써 현존재의 본래적 전체 존재 가능의 가능성이 확보된다. 그러나 이것은 아직 존재론적-실존론적 가능성에 불과하다. 현존재의 본래적 전체 존재 가능의 존재론적 가능성에 상응하는 존재자적 가능성이 현존재 자신으로부터 입증되어야 한다. 즉 현존재는 본래적인 실존적 가능성의 증거를 자기의 독자적 존재 가능으로부터 제시해야 한다. 그러한 증거가 바로 우리가 다음에서 논의할 양심이다.[49]

2. 양심

하이데거는 '죽음에로의 선구'를 현존재의 전체성이라고 하며, '양심'을 현존재의

---

49) 이선일, 『하이데거 존재와 시간』, 208-210.

본래성이라고 한다. 현존재가 자신의 전체 존재 가능 안에서 단독자로 나타났을 때, 양심의 현존재의 본래성이 회복된다. 이와 같이 하여서 현존재의 근원성이 입증된다. 현존재의 근원성은 이와 같이 현존재의 전체성과 본래성으로 구성되어 있다.

가. 염려의 부름

하이데거는 양심은 현존재에게 '어떤 것'을 알아차리게 한다고 말한다. 그리고 그것이 현존재의 개시이다. 이때 양심의 부름은 침묵이라고 말한다. 다만 양심의 부름은 세인-자기를 그의 가장 독자적 존재 가능을 향해 불러 세운다. 따라서 양심의 부름은 침묵의 양상으로만 말한다. 그렇다면 양심의 부름에서 부르는 자는 누구인가? 양심은 자기의 내면의 목소리이다. 양심의 부름에서는 부르는 자도, 부름을 받는 자도 모두 현존재이다. 즉 현존재가 양심 속에서 자기 자신을 부르고 있다. 양심의 부름은 분명히 (세인-자기인) 나의 내면으로부터 울려 나오지만 또한 (세인-자기인) 나를 초월한다. 여기에서 우리는 다시 근본 정상성(根本 情狀性)인 불안에 대한 해명으로 돌아간다. 그렇다면 양심의 부름이 알아차리게 하는 자기의 독자적 가능이 무엇인가를 해명한다면, 우리는 완전한 양심체험을 획득하게 될 것이다.[50]

나. 책임

양심의 부름은 독특한 구조를 가지고 있다. 양심의 부름은 아무런 사실적 정보도 말하지 않는다. 양심의 부름은 단지 현존재를 그의 독자적 존재 가능을 향해 앞으로 나가도록 지시한다. 현존재는 본래적으로 책임 존재이다. 양심은 선택 사항이 아니다. 선택 사항은 양심의 부름에 청종하는 현존재의 태도이다. 이러한 태도를 우리는 '양심을 가지려는 의지'라고 명명한다. 실로 '양심을 가지려는 의지'야말로 모든 법률적 윤리적 책임 존재의 가장 근원적 실존적 전제가 된다. 그러나 법률적 윤리적으로 책임 있는 행동이 타자와의 공동 존재 내에서 수행되는 한, 이미 그러한 행위는 몰양심적이다. 그 까닭은 현존재가 법률적 윤리적 범죄를 피할 수 없기 때문만이 아니라 더 근원적으로는 양심에서는 독자적 존재 가능만이 문제되기 때문이다. 즉 '양심을 가지려는 의지'는 본질적인 몰양심성을 인수하며 그런 조

---

50) 이선일, 『하이데거 존재와 시간』, 215-217.

건 하에서만 도덕적으로 선하게 존재할 실존적 가능성이 성립한다.[51]

다. 결의성

개시성의 구조 계기에서 보자면 양심의 부름은 말의 한 양상이며, '양심을 가지려는 의지'는 양심의 부름에 대응하는 이해의 한 양상이다. 즉, 실존적 이해가 가장 독자적 존재 가능을 향한 기투를 의미하는 한, '양심을 가지려는 의지'는 실존적 이해에 해당한다. 개시성의 3구조 계기는 서로 긴밀하게 맞물려 있는데, 이것을 이선일은 다음과 같이 요약한다.

양심은 불안을 전제한다. 세계의 무 앞에서 으스스함에 직면할 때 독자적 존재 가능을 회복하라는 양심의 부름은 비롯된다. 그렇다면 '양심을 가지려는 의지'는 불안에 대한 준비가 된다. '양심을 가지려는 의지' 역시 불안이라는 근본 정상성 (根本 情狀性) 속에서 가능하다. 또한 양심의 부름은 침묵으로만 말하고 있다. 침묵은 오직 묵언(黙言) 속에서만 적합하게 이해된다. '양심을 가지려는 의지'는 세인의 빈 말에 재갈을 물려야 한다. 따라서 '양심을 가지려는 의지' 속에 놓여 있는 개시성은 불안이라는 근본 정상성, 가장 독자적 책임 존재를 향한 자기 기투로서의 실존적 이해, 그리고 묵언으로서의 말에 의해 구성된다. '양심을 가지려는 의지' 속에 놓여있는 개시성은 "가장 독자적 책임 존재를 향해 말없이 불안에 대비하는 자기 기투"가 된다. 따라서 이러한 개시성은 현존재의 본래적이고 두드러진 개시성을 증거한다. 그래서 우리는 이러한 개시성을 특히 결의성이라고 명명한다.
결의성은 개시성의 한 두드러진 양상이다. 결의성은 자신의 가장 독자적 존재 가능을 회복한 현존재의 본래적 자기 존재를 개시한다. 따라서 우리는 결의성을 본래적 개시성이라고도 명명한다. 또한 결의성이 죽음에 대한 불안 속에서 확보된 현존재의 전체 존재 가능 안에서 현존재의 본래성을 증거하는 한, 우리는 결의성을 근원적 개시성이라고도 명명한다. 또한 앞서의 논의처럼 진리를 기초적 실존범주로 파악하여 근원적 진리를 개시성으로 해석하는 한, 결의성은 근원적 진리의 두드러진 양상인 '실존의 진리'라고도 불리운다.
실존적으로는 결의성은 '본래적 자기 존재'를 개시한다. 이로써 결의성은 '세계'

---

51) 이선일, 『하이데거 존재와 시간』, 226.

의 피발견성과 타자의 공동 현존재의 개시성을 등근원적으로 변양시킨다.····52)

3. 시간성

하이데거에 의하면, 현존재의 존재의 구조를 세계-내-존재로 보았다. 그리고 그 것의 의식 속에 나타난 현상 혹은 본질은 염려(마음 씀)였다. 그런데, 이 염려는 현재의 시간 속에 과거와 미래까지 끌어온다. 그렇기 때문에 염려는 시간이라고 볼 수도 있다. 즉, 전체를 엮어서 말해 본다면, 현존재의 '존재'는 '세계-내-존재'이며, '염려'이며, '시간'이다. 따라서 실존론적으로 보면, '존재'는 '시간'이다.

가. 존재와 시간

하이데거에게 존재는 기존의 형이상학적 의미에서의 존재가 아니라 실존론적인 존재이다. 그리고 이 실존론적인 존재는 현존재 자신의 본래성을 찾는 것을 의미한 다. 일반 사람들은 대체로 비본래성의 '퇴락 상태'에 빠져있다. 여기에서 현존재의 본능이라고 말할 수 있는 '염려'에서 나온 '불안'은 현존재로 하여금 '죽음'으로 앞 질러가게 한다. 그리고 이 '죽음' 앞에서 '결단'을 통하여 '세인'으로부터 탈출하여 '자기'를 회복하고 존재를 회복한다. 현존재는 결단성을 통해 시간을 앞질러가서 본래적인 존재를 회복한 것이다. 따라서 '현상학적 시간'이 그의 '본래적인 존재'를 창조 혹은 회복시켰다. 이것이 실존론적 존재 개념이며, 더 나아가서 시간의 개념 이다.

현존재의 본래적인 전체존재가능이 실존론적으로 기획투사 되었다. 그 현상을 풀어헤쳐 보이면서 본래적인 "죽음을 향한 존재"가 앞질러 달려가 봄으로서 밝혀졌다. 현존재의 본래적인 존재가능이 그 실존적인 증거에서 결단성으로 제시되었으며 동시에 실존론적으로 해석되었다.····(『존재와 시간』302)

진정한 방법은 열어 밝혀야 하는 '대상' 또는 대상분야의 근본구성틀에 대한 적합한 시야에 근거를 둔다. 그러기에 진정한 방법적인 숙고는 동시에 주제가 되는 존재자의 존재양식에 대한 해명도 제공한다. 실존론적 분석론 일반의 방법적인 가능성들, 요구들 그리고 한계들을 밝히는 것은 이 분석론의 근거를 놓는 발걸음에, 즉 염려의 존재의미를 밝혀 보이는 작업에 비로소 필요한 투명성을 확

---

52) 이선일, 『하이데거 존재와 시간』, 234-236.

보해준다. 그런데 염려의 존재론적인 의미에 대한 해석은 이제까지 끄집어낸 현존재의 실존론적인 구성틀을 온전하고 부단하게 현상학적으로 현재화하는 것을 근거로 해서 수행되어야 한다.

현존재는 존재론적으로 원칙상 모든 눈앞의 것과 실재적인 것과는 다르다. 현존재의 '존립'은 어떤 실체의 실체성에 근거를 두고 있는 것이 아니라 그것의 존재가 염려로 개념 파악된 실존하는 자기 자신의 '자립성'에 근거를 두고 있다. 염려에 함께 포함되어 있는 '자기'라는 현상은 비본래적인 실존론적 제한규정을 필요로 한다. 이 작업에는, 그 자기가 실체도 주체도 아닐진대, 어쨌거나 도대체 그 '자기'에 방향을 잡아야 하는 가능한 존재론적인 문제들을 확정하는 일도 병행된다.

그런 다음 우리는 그렇게 해서야 비로소 충분하게 해명되는 염려의 현상을 그 존재론적인 의미에서 탐문해 들어간다. 이 의미의 규정이 시간성의 구명이 될 것이다.… 시간성은 현상적으로 근원적으로 현존재의 본래적인 전체존재에서, 즉 앞질러 달려가 보는 결단성의 현상에서 경험된다. 만일 시간성이 여기에서 근원적으로 자기를 알려오고 있다면, 앞질러 달려가 보는 결단성의 시간성은 아마도 그 시간성 자체의 한 탁월한 양태일 것이다. 시간성은 여러 상이한 가능성들에서 그리고 여러 사이한 방식으로 자신을 시간화할 수 있다. 실존의 근본가능성, 즉 현존재의 본래성과 비본래성은 존재론적으로 시간성의 가능한 시간화에 근거를 두고 있다.(『존재와 시간』303-304)

나. 염려의 존재론적 의미로서의 시간성

하이데거에게 있어서, 존재자가 의미를 지닌다고 말할 때, 이것은 그 존재자가 그것의 존재에서 접근 가능하게 되었다는 것을 뜻한다. 이때 이 존재자의 존재가 그것의 '그리로' 기획투사되었다는 것을 뜻한다. 이때 비로소 그 존재가 열어 밝혀진다. 그리고 실존론적인 기획투사에서 기획투사된 것은 앞질러 달려가 보는 결단성임이 밝혀졌다.

존재자가 의미를 지닌다고 말할 때, 이것은 그 존재자가 그것의 존재에서 접근 가능하게 되었다는 것을 뜻한다. 이때 이 존재자의 존재가 그것의 '그리로' 기획투사되었다는 것을 뜻한다. 이때 이 존재자의 존재가 그것의 '그리로' 기획투사되어 비로소 처음으로 '본래적으로' '의미를 지니는' 것이다. 존재자는 그것이 애초부터 존재로서 열어 밝혀져서 존재의 기획투사에서, 다시 말해서 존재의 '그리로'에서부터 이해 가능해지기 때문에만 의미를 '지닐'뿐이다. 존재에 대한 일차적 기획투사가 의미를 '제공한다.' 존재자의 존재의 의미에 대한 물음은 존재자의 모든 존재의 밑바탕에 놓여 있는 존재이해의 '그리로'를 주제로 삼고 있는 것이다.

현존재는 그의 실존과 관련지어서 그 자신에게 본래적으로 또는 비본래적으로 열어 밝혀져 있다.… 이러한 존재, 즉 염려의 의미는 근원적으로 존재가능의 존재를 형성하고 있다. 현존재의 존재의미는 공중을 떠도는 타자이거나 그 자신의 '외부에 있는 것'이 아니라 자신을 이해하는 현존재 자체이다. 무엇이 현존재의 존재를 가능하게 하며 그로써 그의 현사실적 실존도 가능케 하는가? 실존에 대한 근원적이고 실존론적인 기획투사에서 기획투사된 것은 앞질러 달려가 보는 결단성임이 밝혀졌다.(『존재와 시간』324-325)

다. 염려 구조의 통일성으로서의 시간성 : 시간성의 탈자태들

염려로서의 현존재의 존재 전체성은 "(세계 내부적으로 만나게 되는 존재자의) '곁에'[퇴락상태] 있음으로서의 자기를 '앞질러'[실존상태] '이미'[현사실적 상태] 안에 있음"을 말한다. 이와 같이 염려구조의 근원적인 통일성은 시간성 안에 놓여 있다. 한편, 하이데거는 이것을 '실존-현사실성-퇴락'의 순서로 해서 다음과 같이 설명한다. 다음의 내용은 '시간성' 속에 그 동안의 모든 논의를 압축해 넣은 것이다.

만일 결단성이 본래적인 염려의 양태를 형성하고 있지만 그것 자체 또한 오직 시간성에 의해서만 가능하다면, 이 경우 결단성을 주목하여 획득한 현상 자체는 단지 도대체 염려 그 자체를 가능하게 하고 있는 바로 그 시간성의 한 양태성을 표현해야 할 것이다. 염려로서의 현존재의 존재 전체성은 "(세계 내부적으로 만나게 되는 존재자)'곁에' 있음으로서의 자기를 '앞질러' '이미' (하나의 세계) 안에 있음"을 말한다.… 염려구조의 근원적인 통일성은 시간성 안에 놓여 있다.
(첫 번째 구성계기는,) '자기를 앞질러'는 도래에 근거하고 있다. '…안에 이미 있다'는 그 자체로 기재를 알려주고 있다. '…곁에 있음'은 현재화에서 가능해진다. 이때 말해진 바에 따르면 '앞질러'의 '앞에'와 '이미'를 통속적인 시간이해에서 파악하는 것을 금한다는 것이 자명하다. '앞에'는 "지금은 아직 아니지만 그러나 나중에"라는 의미에서의 '그전에'를 의미하지 않는다. 마찬가지로 '이미'도

"이제 더 이상은 아니지만 그러나 전에는"을 의미하지 않는다. '앞에'와 '이미'라는 표현들이 이러한 시간적인 함축을 가졌다면, 이 경우 염려의 시간성으로써 얘기되는 것은 다음과 같은 것이다. 시간성은 동시에 '그전에'와 '나중에', '아직 아니'와 '더 이상 아니'인 어떤 것이다. 그럴 경우 염려는 '시간 안에서' 발견되고 흘러가는 그런 존재자로서 개념 파악되는 것일 것이다. 현존재의 성격을 지닌 존재자의 존재가 일종의 눈앞에 있는 것이 되고 마는 것일 것이다. 만일 그러한 일이 불가능하다면, 앞에서 언급한 표현의 시간함축적인 의미는 어떤 다른 의미여야 할 것이다. '앞에'와 '앞질러'는 도래를 가리키고 있으며, 그러한 것으로서 도래는, 현존재가 그에게 바로 그의 존재가능이 문제가 될 수 있는 식으로 존재할 수 있는 것을 비로소 가능하게 한다. 도래에 근거하고 있는 자기 자신을 "자기 자신 때문에"로 기획 투사함은 실존성의 본질성격의 하나이다. 실존성의 일차적 의미는 '도래'이다.

(두 번째 구성계기는,) 마찬가지로 '이미'도 그것이 존재하는 한, 각기 그때마다 이미 내던져져 있는 것인 그런 존재자의 실존론적 시간적인 존재의미를 뜻하고 있다. 염려가 오직 기재에 근거하고 있기 때문에만, 현존재는 그가 무엇인 내던져져 있는 존재자로서 실존할 수 있다. 현존재가 현사실적으로 실존하는 '한에서', 그는 결코 지나가 버리는 것이 아니라 "나는 존재해 왔다"는 의미로 언제나 이미 기재해온 것이다. 그리고 현존재는 오직, 그가 존재하고 있는 한, 기재해올 수 있는 것이다. 이와 반대로 우리는 더 이상 눈앞에 있지 않은 그런 존재자를 지나가버린[과거의] 것이라고 이름 한다. 그러므로 현존재는 실존하면서 자신을 결코 "시간과 더불어" 생성되어 소멸하며 부분적으로는 이미 지나가 버린 그런 눈앞의 사실로서 확정할 수 없다. 현존재는 '자신을' 언제나 내던져진 현사실로서 '발견한다.' 처해 있음에서 현존재는 그 자신에 의해서, 그것이 아직 존재하면서도 이미 존재했던, 다시 말해서 기재하면서[존재해오면서] 지속적으로 존재하는 그런 존재자로서 기습받고 있다. 현사실성의 일차적인 실존론적 의미는 기재성[존재해왔음]에 놓여 있다. 염려구조의 정식화 표현은 '앞에'와 '이미'라는 표현으로써 실존성과 현사실성의 시간적 의미를 지시하고 있다.

이에 반해서 염려의 세 번째 구성계기, 즉 "빠져 있으면서…곁에 있음"에는 그런 지시가 없다. 이것은 빠져 있음은 그러니까 시간성에 근거하고 있지 않음을 의미하는 것이 아니라, 배려되고 있는 '손안의 것'(용재자)과 '눈앞의 것'(전재자)에 빠져 있음이 일차적으로 그 안에 근거하고 있는 현재화는 시간성의 근원적인 양태에 있어 도래와 기재에 포함된 채 남아 있음을 암시할 뿐이다. 결단함으로써 현존재는 자신을 바로 빠져 있음에서부터 되찾아 왔으며, 그래서 열어 밝혀진 상황을 향한 '순간 눈빛' 속에서 그만큼 더 본래적으로 '거기에' 존재한다.

시간성은 실존, 현사실성 그리고 빠져 있음의 통일성을 가능하게 하며, 그렇게 염려구조의 전체성을 근원적으로 구성하고 있다. 염려의 계기들은 부분들을 긁어 모아서 한데 접합시키는 것이 아니며 시간성 역시 도래, 기재, 현재에서부터 비로소 '시간과 함께' 합성되는 것이 아니다. 시간성은 도대체 존재자가 '아니다.' 그것은 존재하는 것이 아니고 자신을 시간화 한다. 그럼에도 우리가 "시간성은 염려의 의미이다." "시간성은 이러저러하게 규정되어 있다"라고 말하지 않을 수 없는 이유는 존재와 '있음(임)' 일반의 이념을 해명할 때 비로소 이해될 수 있을 것이다.…

도래, 기재, 현재는 "자기를 향해", "…에로 돌아와", "…를 만나게 함"이라는 현상적 성격들을 보여준다. "…를 향해, …에로, …곁에"의 현상들은 시간성을 단적으로 엑스타티콘(탈자, 자기 밖에 나가 있음)으로서 드러낸다. 시간성은 그 자체에 있어 그 자체에 대해서 근원적인 '자기 밖에'이다. 그러므로 우리는 성격지은 도래, 기재, 현재라는 현상들을 시간성의 탈자태라고 이름한다. 시간성은 앞서 먼저 하나의 존재자이고 그 다음 자기에서부터 튀어 나오는 것이 아니라. 그 본질이 탈자태들의 통일성에서의 시간화인 것이다.…(『존재와 시간』327-329)

하이데거의 '시간'은 현재 속에 과거-현재-미래가 모두 존재한다. 그는 이러한 시간 개념을 베르그송에게서 가져온 듯하다.

7절 평 가

하이데거의 주요 사상은 후설의 현상학을 철학의 체계 속에 올려놓은 것이었다. 특히 그는 우리 의식의 본질을 밝힌다. 다만 그의 철학은 우리의 무의식이나 정신의 단계에 까지 이르진 못한다.

먼저, 하이데거는 후설의 현상학을 우리의 의식 속에 반영하여, 의식을 중심으로 한 존재론을 발전시켰다. 우리의 모든 생각들을 괄호로 칠 경우, 그 의식의 본질이 등장을 하는데, 그것은 곧 염려였다. 그리고 이 염려 속에는 모든 과거와 현재와 미래가 다 한 자리에 모여 있었다. 그리고 그것이 우리 현존재의 본질이었다.

한편, 후설이나 하이데거의 이러한 괄호침은 이제 그 의식에까지도 괄호침이 펼쳐져야 한다. 그럴 경우, 우리의 정신이 나타난다. 그리고 더 나아가 그 정신에서 또 다시 새로운 것이 펼쳐질 수 있다.

두 번째, 그는 우리의 최종적인 미래는 죽음이며, 이것을 향한 기획투사를 통해 우리 존재의 본래성이 드러난다고 말한다. 우리의 의식 속의 염려가 우리를 미래로 이끈다. 우리는 우리의 죽음을 경험함을 통해서 우리의 본래적인 실존을 회복한다.

한편, 이것은 기독교의 세례와 유사하다. 기독교에서는 예수 그리스도와의 연합을 통해서 이 죽음을 경험한다. 특히, 기독교에서는 단순한 결의성을 통해서 여기에 참여하는 것이 아니라, 자신의 생명과 소유와 소득을 헌신하여 드릴 때 그 죽음이 실현된다. 그리고 이 각오로 이 세상을 살게 한다.

세 번째, 우리의 결의성에 따라 미래가 현재화 된다. 결국 하이데거는 베르그송의 시간 개념을 그의 철학 전개에 깊이 도입한 것으로 보인다. 즉, 시간을 차원을 달리한 공간으로 본다. 그래서 현재 위에 과거와 현재와 미래가 모두 존재한다.

한편, 하이데거는 미래를 현재로 끌어온다. 이때 우리는 과거를 끌어와야 하며, 더 나아가서 역사적 과거를 끌어올 필요가 있다. 그럴 경우, 신화가 모두 현재화되는데, 이것이 곧 종교의 본질인 것으로 보인다.

4장 사르트르

1절 사르트르의 생애 등

1. 장 폴 사르트르(1905-1980)의 생애

가. 젊은 시절

사르트르는 1905년 파리에서 태어났으며, 일찍 아버지를 여의고 외조부모 밑에서 자랐다. 이 외할아버지는 독서가이자 엄청난 장서가였으므로 자연스럽게 사르트르도 책을 가까지 하게 되었다. 그는 10세 때 앙리 4세 고등중학교에 입학하였는데, 이곳에서 급우로서 훗날의 공산주의 작가 폴 니장을 만나 정신적인 영향을 크게 받았다. 19세 때 파리의 고등사범학교에 입학하였으며, 이곳에서 폴 니장, 레이몽 아론, 모리스 메를로퐁티, 조르주 폴리셰르, 시몬 드 보부아르 등을 만났다. 그중 보부아르는 사르트르와 계약결혼을 하여 평생을 함께 했다.

사르트르는 1905년 6월 21일 파리에서 태어나 15개월 때 해군 기술장교였던 아버지를 여의었다. 그 후 어머니와 함께 외조부모 밑에서 자란다. 외할아버지는 우수한 독일어 교사였고, 알베르트 슈바이처는 외할아버지의 조카였다. 외할아버지는 독서가이자 엄청난 장서가였으므로 어린 사르트르는 자연히 책을 가까이하게 되었다.

1915년(10세), 앙리 4세 고등중학교에 입학하였다. 급우 중에 훗날의 공산주의 작가 폴 니장이 있었는데 그에게 정신적으로 큰 영향을 받았다. 의붓 아버지의 근무처가 바뀌면서 라 로셸로 이사하고 그곳의 고등중학교로 전학했다.

1924년(19세) 파리의 고등사범학교에 입학했다. 이 고등사범학교는 문과계 학교로서는 프랑스에서 가장 우수한 학교로, 외교관.지식인 중에 뛰어난 선배가 많다. 로맹 롤랑도 그 학교 졸업생이다. 또 사르트르의 동기생 중에도 우수한 인재가 많다. 폴 니장, 레이몽 아론, 모리스 메를로퐁티, 조르주 폴리셰르, 시몬 드 보부아르 등이 있다.

…사르트르는… 지성과 자신에 어울리는 정념을 가진 여성을 보부아르에게서 찾았다. 그들은 같은 고등사범 학교에서 철학을 배우는 동급생으로 친하게 어울렸다. 사르트르는 니장, 엘보와 특히 친했고, 거기에 보부아르가 끼게 되자 모두가

보부아르에게 친절했다. 물론 니장과 엘보도 이미 결혼한 상태였으므로, 결국 사르트르가 전적으로 보부아르의 상대를 해야 했다.…

1929년(24세) 어느 날, 그들은 영화를 보고 정원을 걷다가 루브르 박물관 한쪽에 있는 돌벤치에 앉았다. 사르트르는 2년간 계약결혼을 하자고 제안했다. 그리고 이 계약결혼은 평생토록 이어졌다.(정소성, 『존재와 무』역자 해제, 1007-1012)

나. 교직생활 : 베를린 유학에서 세계 2차 대전까지

그는 프랑스의 마을 르아브로 고등중학교에 철학교수로 취직하였는데, 이 기간 중에 베를린에 유학을 하여 후설과 하이데거를 알게 되었다. 그의 논문은 『자아의 초월성』이었는데, 1937년(32세)에 발표되었다. 그리고 이듬해에 『구토』를 썼다. 그리고 1939년(34세)에 2차 세계대전이 일어났으며, 그도 또한 동원되어 전쟁에 참여하였다. 1940년(35세) 프랑스가 항복하자 그는 전쟁 포로가 되었다가 이듬해(36세)에 석방되어 파리로 돌아와 파스퇴르 고등중학교에 복직하였다. 그는 1943년에 『존재와 무』를 썼으며, 1944년에 파리가 해방을 맞이했고, 그 이듬해에 그는 교직에서 물러났다.

그는 1930년(26세), 병역을 마쳤으며, 프랑스 북부의 항구 마을 르아브르 고등중학교에 철학교수로 취직하였다. 그리고 1933년(28세)에 이르러서는 베를린에 유학해서 후설과 하이데거를 알게 되었다. 그리고 이듬해 1934년(29세) 유학을 마치고 다시 르아브르 고등중학교 철학교수가 되었다. 그리고 1936년(3세) 랑의 고등중학교로 옮겼다.…

1937년(32세)에 논문 『자아의 초월성』을 발표하였다. 그리고 파리의 파스퇴르 고등중학교로 옮겼다.…

1938년(33세)에 소설 『구토』를 펴냈다.…

1939년(34세)에 『후설 현상학의 기본 이념-지향성』『프랑수아 모리아크와 자유』『음향과 분노에 대하여-포크너의 시간성』을 발표하였다.

그리고 이때 제2차 세계대전이 일어나고, 사르트르도 동원되어 포병대에 배속받아 알자스에 주둔하였다.

1940년(35세)『장 지로두와 아리스토텔레스 철학-선민들의 선택에 대하여』를 발표하였다. 6월 1일 프랑스군이 항복하고, 사르트르도 포로가 되었다.

1941년(36세) 3월, 석방되어 파리로 돌아와서 파스퇴르 고등중학교에 복직하였다. 이때 희곡 『파리떼』를 썼으며, 레지스탕스에 참가하였다. 그리고 9월 콩도르세 고등중학교로 옮겨갔다.

1942년(37세), 『자유의 길』 1부 '철들 무렵'을 탈고했다.

1943년(38세), 카뮤를 알게 되어 『이방인』에 해설을 썼으며,… 대표작 『존재와 무』를 펴냈다.

1944년(39세)에 장 주네를 알게 되었고, 『침묵의 공화국』을 썼다.

1944년에 파리가 해방되었으며, 1945년(40세)에 교직에서 물러났다. (정소성, 『존재와 무』역자 해제, 1113)

다. 공산주의 활동의 시기

그는 교직을 내려놓고, 평생토록 공산주의 운동에 가담하였다. 그는 한때 노벨문학상 수상자로 선정되기도 했으나, 그는 거부하였다. 그는 노벨문학상이 서유럽 작가를 우선하는 것을 비난했다.

1945년(40세) 잡지 《현대》를 메를로퐁티, 장폴랑, 레이몽 아론 등과 함께 펴냈다. 그는 또한 "실존주의는 휴머니즘이다"는 제목으로 강연을 하였다. 1946년 『유물론과 혁명』, 1947년 『문학이란 무엇인가』, 1948년 희곡 『더럽혀진 손』 등을 발표했다. 본디 1951년 무렵까지 사르트르는 유물론이나 마르크스 주의 정당과는 선을 긋고, 그것과 다른 입장에서 비난하는 경향이 강했다. 개인적 자유와 역사적 현실이라는 이원론적 분열로 번민했다.

1952(47세)년 앙리 마르탱 석방운동, 반 리지웨이 데모, 공산당 부서기장 뒤클로 체포에 대한 항의운동, 이런 사건들을 통해 사르트르와 마르크스 주의와의 관계는 조금씩 깊어져 갔다. 같은 해에 오랜 벗 알레르 카뮈와 논쟁했다. 여기서 그는 어디까지나 역사에 의하여 역사 속에서 투쟁하는 자세를 고수했다. 1953년(48세) 좌파 입장에서 우파를 공격하기 위해 『공산주의자와 평화』를 쓰면서 마르크스 주의에 더욱 깊이 접근하게 되었다.

1957년(52세) 《현대》지에 헝가리 혁명 특집으로 "스탈린의 망명"을 발표했다.…

1959년(54세)에는 희곡 『알토나의 유폐자들』을 발표하여, 관헌에 대한 항의와 동시에, 역사적 사건에 대한 개인의 책임문제를 추궁했다.

1960년(55세)에는 대저 『변증법적 이성비판』을 펴냈다.…

1964년(59세) 노벨문학상 수상자로 사르트르가 선정되었으나, 그는 이를 거부했다.…

1966년, 러셀이 제창한 베트남 전쟁범죄 국제법정에 참여하여 대표로 비판했다. 그리고 일생동안 평화와 사회주의 입장을 끝까지 밀고 갔다.…

1980년 4월 15일 75세의 나이로 그는 파리에서 세상을 떠났다. 뒤이어 1986년 4월 14일 보부아르도 파리에서 세상을 떠났다. (정소성, 『존재와 무』역자 해제, 1012-1015)

2. 사르트르의 근거 없는 '유물론'

가. '정신'의 기원에 대하여

데카르트는 "생각하는 나"를 발견하고, 정신적인 존재로서의 '나'의 존재를 찾았다. 생각(의식)이 있다는 것은 곧 이것을 판단하는 주체로서의 '나'가 있다는 것이다. 이 발견은 근세철학의 시작을 알렸다. 칸트는 나라는 존재가 어떻게 이 의식 속에서 과학을 발견해 내는지의 구조를 탐색하였다.

현대철학의 선구자로서의 후설은 우리의 '의식의 지향성'을 발견함을 통해서 우리가 '물 자체'를 인식할 수 있음을 말한다. 이때 그는 '괄호 침'의 현상학적 방법을 활용하여 그것을 인식할 수 있는 근원적인 것으로서의 '정신'을 캐냄을 통해서 그 '인식 가능성'을 도출한다.

후설의 지대한 영향을 받은 하이데거는 '현존재'에 대한 탐구를 통해, '현존재'의 존재는 '세계-내-존재(세계 안에 있음)'임을 말하는데, 이 '세계-내-존재'는 현실적인 세계에 대한 '의식'을 말한다. 그리고 이제 그 '의식'을 괄호로 쳤을 때, 우리는 그 근원은 '염려'라는 것을 발견한다. 우리 의식의 가장 깊은 근저에 '염려'가 존재한다. 이 '염려'는 '세계-내-존재'로서의 주위 환경들의 장래와 현실을 바라보면서 나온 것이다. 어디로부터 나왔는가? 그 사물 자체에서 나온 것이 아니라, '나'의 판단으로부터 나온 것이다. 즉, 내 정신으로부터 나온 것이다. 따라서 이 '염려'를 괄호 쳐서 더 근원적인 것으로 파고들면, 그곳에서는 '정신'이 나온다. 즉, 그 '사물'을 바라보는 '나의 정신'으로부터 '염려'가 나온 것이다.

그런데, 사르트르는 정반대의 길로 간다. 그 '의식'이나 '염려'가 나온 것은 '즉자존재'로서의 '사물'이라는 것이다. 우리의 생각 속에서는 '의식'으로 가득 차 있다. '즉자존재'로서 가득 차 있다. 따라서 '즉자존재'가 주체이며, '나의 의식'과 각종 판단은 '우연의 산물'이다. 따라서 정신은 사물로부터 나온 것이다. 그리고 그는 자신의 유물론을 타당화 하려 한다.

어떤 사물로서의 '즉자존재'가 우리의 인식 속에 들어왔다고 하자. 이것을 판단하고 '의식'을 형성하는 것은 우리의 '정신'이다. 이것을 무시해버릴 수도 있고, 이것을 선하게 볼 수도 있고, 악하게 볼 수도 있고, 여러 형태의 판단이 등장한다. 만일 '물질'이 주인이라면, 획일적인 판단이 모든 사람들에게 서야 할 것이다. 그런데, 이 판단의 양태는 다양하다. 그 정신이라는 주체가 이미 가지고 있는 과거의 경험과 가치관과 양심에 기반하여 이루어진다. 하이데거가 발견한 '염려'의 출처는 우리의 정신이지, 사물이나 사태가 아니다.

하이데거는 우리의 '사물'에 대한 '의식'에 대해 괄호를 침을 통해서 더 근본적인 곳으로 나아갔는데, 그것은 '염려'였다. 그런데 사르트르는 의식의 근원으로서 왜 또 다시 사물로 나아가는가? '염려'의 근원을 알려면, 그보다 더 근원적인 곳으로 나아가야 한다. 그 근원을 찾을 때, 정상적인 것은 "사물-의식-염려-정신"의 순서를 갖는데 반해, 사르트르는 "사물-의식-염려-사물"로 회귀하고 있다.

나. '의식'의 출현 과정

사르트르는 이 의식이 우리의 본질이며, 이것을 우리가 결정한다고 말한다. 우리의 의식은 텅 비어 있다고 말한다. 이때 우리의 의식 속에 무엇으로 채우느냐가 우리의 본질을 형성한다고 말한다. 그는 우리가 이 의식을 풍성하게 가꾸고자 한다. 우리가 어떻게 이 의식을 채우느냐에 의해서 우리의 본질이 결정되기 때문이다. 그런데, 이때 이 의식을 풍성하게 채우는 자는 누구일까? 이렇게 의식을 새롭게 결정하는 우리의 자유의지는 어디에서 나온 것일까? 그것이 대상에서 나온 것인가?

의식은 분명히 대상으로부터 말미암는다. 그리고 그 대상은 우리의 의식을 가득 채우고, 또한 이 의식은 우리의 존재를 형성한다. 그런데, 이 의식은 어떤 주체의 판단에 의해서 가공된다. 우리의 정신은 이 의식을 결정한다. 어떤 사람이 큰 난관을 만났다고 하자. 어떤 사람은 이에 대해서 '극복'하려는 '의식'을 갖는다. 어떤 사람은 그와 정반대의 '낙담'의 '의식'을 갖는다. 이 의식이 그의 실존을 결정한다. 그런데, 그 결과는 정반대의 의식이다. 만일 그 사람의 판단력과 주체가 존재하지 않는다면, 획일적인 의식을 가져야 할 것이다. 후설은 '인상'과 '의식'을 구분하였다. 하이데거는 '자연 사물'과 '실존 사물'을 구분하였다. '자연 사물'은 도처에 널려 있어 우리의 인상을 형성할지 몰라도, 우리 안의 의식의 중심부에 들어올 수조차 없다. 사르트르는 '인상'이나 '자연사물'이 우리의 본질로서의 '의식'을 형성한다고 말하고 있다.

사르트르는 선하고 아름답게 우리의 의식을 채우자고 말한다. 그 실존적인 의식이 우리의 본질을 구성하기 때문이다. 우리는 동일한 사태를 만난다. 이때, 우리는 이것을 해석하여서 선하게 우리의 의식을 채워야 한다. 이것이 사르트르의 진정한 이야기이다. 그렇다면, 이것을 판단하는 주체로서의 정신은 존재한다.

다. '무화작용'에 대하여

우리의 정신은 어떤 대상에 대해 끝없이 '무화작용'을 한다. 우리의 정신은 끝없이 '사물'을 부정하고 '무화작용'을 한다. 그런데, 아무런 근거 없이 그렇게 하나? 그것은 정신의 판단력 때문이다. 우리의 정신은 그것의 결함을 안다. 그렇기 때문에 그 부족한 부분을 발견하고 '무화작용'을 하는 것이다. 우리의 정신은 더 좋은 것을 알고 있다. 그러한 '무화작용'은 정신이 아니면 할 수 없다. 우리의 본질이 '무'여서 '무화작용'이 나오는 것이 아니다. 그러면, 모든 것은 파국에 이를 것이다. 우리의 정신은 더 좋은 것을 알고 있기 때문에, 어떤 대상에 대해서 좀더 나은 것을 향하여 무화작용을 하는 것이다.

한편, 위의 근거 없는 유물론은 사르트르가 차용한 헤겔의 '즉자존재'와 '대자존재', 그리고 '즉자대자존재'를 비교해 봄을 통해서 명확하게 드러난다.

3. 헤겔의 "대상의식-자기의식-이성"과의 비교

사르트르는 헤겔의 『정신 현상학』에서 그의 '즉자 존재'와 '대자 존재'의 개념을 가져왔다. 한편, 헤겔은 『정신 현상학』에서 우리 '의식'이 어떻게 '자기 의식'으로 발전하며, 이것이 '이성'으로 발전하고, 더 나아가서는 '절대지'로서의 '정신'에 이르는 지를 밝힌다. 여기서의 '정신'은 '절대정신'과 그 본질이 같다. 사실 헤겔이 '대상의식-자기의식-이성-절대지(정신)'라고 했는데, 사실은 모두 '정신'의 다른 이름이다. 이러한 의식의 발전과정 속에 나타나는 '대상의식'이 곧 사르트르의 '즉자존재'이다. 그리고 다음에 나타나는 '자기의식'이 곧 '대자존재'이다. 그리고 이것의 결함을 극복한 '이성'이 곧 '즉자-대자존재'이다.

헤겔의 『정신현상학』에 의하면, 사르트르의 '즉자존재'에 해당하는 '대상의식'의 이면에 정신이 활동을 하여, 그것을 '대자존재'로서의 '자기의식'에 이르게 한다.

그리고 이 '자기의식'도 '즉자대자'로서의 '이성'에 이르게 한다.

   우리는 사르트르의 『존재와 무』를 알기에 앞서서 먼저 헤겔의 『정신현상학』에 대한 다음의 내용을 살펴볼 필요가 있다. 다음의 요약은 재환이라는 블로거의 "헤겔 정신현상학 개관"의 내용을 인용한 것이다. 사르트르는 헤겔의 논리를 자신의 것으로 발전시켰기 때문이다. 재환이라는 한 익명의 저자는 이것을 다음과 같이 요약한다.

가. 의식(대상의식)

①감각 : 인식의 시작

존재세계를 자신에게 외적인 대상으로 대면하는 영역이다. 인식은 대상에 대해 직접적이고 무반성적인 '감각적 확신'으로 부터 출발하며 이때의 인식은 비개념적 인식이다. 이 때의 인식은 여기(Hier), 지금(Jetzt)이라는 분절되고 단편적인 계기에 불과하며 범주가 개입되기 이전인 상태인 '현상'인 상태로 체류해있다. 이렇게 분절되어 들어와 있는 단편적인 앎들은 모두 모아 하나로 통일하는 '지각'작용으로 지양(Aufheben)된다.

②지각 : 구체적 사물로 인식

지각작용은 분절되어 들어와 있는 단편적 앎(사물이 지닌 모든 성질)들을 모아 하나로 통일하여 개별사물로 인식하려는 지양작용을 말한다. 이는 혼란을 통일시키려는 정신의 본성이며, 의식이 자기 안에서 내부적으로 통일을 마련하려는 단계이다. 지각 단계에서는 보편적인 개념(배타적 일자)을 갖고 가령 '책상'이라는 것을 책상 아닌 것과 구별해서 인식한다. 이는 사물에 여러 속성이 있기에 가능한데 이를 그는 또한, 역시라고 표현해서 사물의 다양한 속성을 말한다. 지각 단계에서의 주관 내부의 통일은 아직까지 감각적 확신의 잔영을 지닌 상태로 의식과 대상이 이원적으로 분리되어 대립되는 상태이다. 그렇기에 객체 그 자체가 스스로의 통일을 마련하고자 하는 힘(Kraft)에 다가가지 못한 상태이다.

③지성 : 현상과 물자체 사이의 매개

지성 단계에서는 객체 그 자체의 힘(Kraft)이 파악된다. 힘(Kraft)은 물질이 자신을 드러내고 유지하는 본질적 요소인데, 지성은 이런 대상을 살아있는 존재로 여기는 '객체가 주체가 되는 과정'으로 이해한다. 지성은 이 힘을 통해 감각적 현상계를 넘어 물자체로서의 초감각적인 진리의 세계를 경험하게 해준다. 다시 말해, 지성은 현상을 매개로 하여 현상의 배후를 투시할 수 있게 끔 초감각적 세계와 연결하는 기능을 가진다. 이렇게 주관에 의해 일방적인 규정으로 이루어진 대상의식은 의식주체에 대항하는 주체로 자리매김하게 된다. 이는 헤겔이 대상을 자기의식(대상의 주체화)으로까지 지양해 대상에서의 다양한 힘들의 갈등과 투쟁을 통해 행복과 의무를 변증법적으로 종합하려는 움직임을 내포하는 것이라 할 수 있다.

나. 자기 의식

사물의 힘을 파악한 지성은 마침내 대상의식을 의식하는 의식을 다시 반성하는 자기의식으로 이행한다. 의식은 "~에 대한 의식"이기에 대상의식에서 자기의식으로 발전하게 된다.

지성단계에서 파악이 불가능했던 무한의 개념(사물의 본질)은 자기의식의 활동의 결과에 의해서 파악할 수 있다. 사물들에 대해 끊임없이 알려고 하는 자기의식의 활동에 의해 의식은 무한할 수 있게 된다. 대상의식에서 인식되는 대상이 그렇게 대상을 인식하는 의식 자신의 활동성을 떠나 있는 것이 아니라는 것을 자각함으로써, 대상의식은 자기의식으로 지양하게 되는 것이다. 자기의식은 ~을 알려고 하는 무한한 욕구를 가진다.… 이렇게 자기의식은 이성으로 지양하게 된다.

다. 이성

이성은 자신의 개별성 속에서, 절대적으로 그 자신이 곧 전적으로 실재라는 것을 확실히 의식하는 것이다. 이성의 단계에서 비로소 이성과 현실과의 분열이 지양된다. 이 때에 이성은 타자 존재와의 부정적이었던 관계를 실재성이 곧 이성 자신이라는 것을 확신하게 됨으로서 긍정적 관계로 의식하게 한다. 이제 이성은 대상을 부정하는 것이 아니라 세계나 현실에 대해 그것이 의식 이외의 다른 것이 아니라는 확신을 갖게 되고, 일체 현실을 이성 자신으로 간주하는 관념론적 태도를 갖게 된다. 이는 나의 자기의식과 또 다른 자기의식이 결국은 하나라는 것, 특수와 보편은 개체 안에서 화해된다는 것을 의미하고, 이렇게 해서 이성은 모든 실재성을 이성 자신이라고 확신하게 되며, 이로써 관념론이 성립하게 된다.

라. 정신(절대지)

이성이 자신을 실재 모두라고 확실할 때 이성의 확실성은 진리로 고양된다. 자신이 실재 그 자체라고 확신하는 주체가 스스로를 세계로 의식하고, 세계를 자신으로 의식할 때 이성은 정신이 되는 것이다. 정신은 형식과 내용을 통일하고, 가능성과 현실성을 통일한다. 자신과 마주하는 존재가 대자적 존재라는 점을 유지하게 되면 정신은 '자기의식'에 머물 수밖에 없다. 그러나 정신이 타자(대상)를 즉자 대자적 존재로 인식하게 되면 정신은 이성을 지닌 의식이 된다. 정신의 단계에서는 형식적 보편성이 아닌 구체적 보편성의 산출이 비로소 가능하게 된다. 이성의 단계에서는 모든 실재성을 이성 자신으로 자각한 의식이나 아직 내용적 구체성에는 이르지 못하였다. 그러나 정신의 단계에서는 모든 실재성을 그 내용에 이르기까지 자기 자신으로 자각하게 된다. 이렇게 정신에 이르러 비로소 "나 즉 우리"의 진리가 확보된다. 형식상에서 뿐만 아니라 내용적으로도 모든 실재가 곧 자기자신이라는 것을 확신하는 의식이 바로 정신이다. 존재와 사유가 일치하는 단계이므로 절대지가 가능한 궁극적인 단계이다.
(출처: 재환, 헤겔「정신현상학」개관, 네이버 블로그)[53]

2절 존재의 탐구 : 즉자존재

1. 현상과 존재의 관계

가. 현상이라는 관념

'의식'이라는 현상을 분석할 때, 기존의 존재론에서는 그 '의식'을 인간의 의식으로 보기 때문에, 그 '의식'과 그 의식의 '주체'를 생각한다. 따라서 그 '현상'은 그 내면의 주체를 현상한다. 이렇게 내면과 외면이 구분되어 있다. 그런데, 사르트르는 이러한 구분을 처음부터 하지 않는다. '의식' 그 자체가 실체이지, 감추어진 실체는 존재하지 않는다. 따라서 그러한 '존재'를 나타내는 '나타남'은 외면도 아니고 내면도 아니다. 그것은 모두 서로가 같은 가치를 갖는다. 예컨대, '힘'이나 '전류'를 보면, 그것은 그 모든 효과의 총체인 것이다. 따라서 사르트르는 "존재와 현상의

---

53) 네이버 블로그 주소:
  http://blog.naver.com/PostView.nhn?blogId=tkdek1004&logNo=221690439467

이원론은 더 이상 고려되어선 안 된다"고 말한다. (필자: 무기물과 의식을 가진 인간은 다를 수 있다.

더 나아가 심지어 '전기' 이면에도 어떤 법칙이 존재할 수 있다.) 그리고 그는 '의식'이라는 '현상' 혹은 '나타남'도 '힘'이나 '전기'와 같이 하나의 존재로 보자고 말한다. '나타남'은 존재의 척도이지, 존재에 맞서는 것이 아니라고 한다. 사르트르는 '의식' 이면의 '정신'을 인정하지 않으며, 오히려 이것은 '의식'에 속하여 있다. 따라서 '의식'이 곧 나의 '전체'이다.

더 나아가, 그는 궁극적으로 '나타남'이 곧 본질 혹은 본질적인 것이다고 말한다. 그리고 이 '본질'의 원래적인 '존재'가 곧 그것의 '주체'라고 말한다. 따라서 우리 '의식'의 주체는 바로 그 '사물'이라는 '존재'이다. '사물'이라는 존재가 주체이고, 우리 안에 있는 '의식'이라는 현상은 그 '사물'의 '본질'일 뿐이다. 그리고 우리의 정신은 이 '의식'의 한 부분일 뿐이다. 이것이 사르트르의 유물론이다. 그 내용은 다음과 같다.

먼저 존재하는 것에 있어서 내면과 외면을 대립시키는 이원론에서 우리가 벗어났음은 확실하다. 만일 사람들이 외면이라는 말을, 대상의 참된 본성을 우리 시선으로부터 가려주는 껍데기를 의미하는 것으로 이해한다면, 존재하는 것의 외면이라는 것은 이미 존재하지 않는다. 그 참된 본성이라는 것 또한, 만일 그것이 고찰된 대상의 '내면에' 있으므로, 우리로선 예감하거나 상상할 수는 있어도 결코 이를 수는 없는 사물의 감추어진 실재라 이해된다면, 그런 것 또한 존재하지 않는다. 존재하는 것을 나타내는 이런 '나타남'은 내면도 아니고 외면도 아니다. 그것은 모두 서로 같은 가치를 지닌다. 그것은 모두 다른 수많은 나타남을 가리키는 것이고, 그 중 어떤 것도 특권이 주어진 것은 없다. 예를 들어 힘이라는 것만 해도, 그것의 수많은 효과(가속도, 치우침 등등)의 배후에 숨어 있는 형이상학적인 알 수 없는 작용을 말하는 것이 아니다. 힘은 모든 효과의 총체인 것이다. 마찬가지로 전류도 숨겨진 이면을 가지고 있는 것은 아니다. 전류는 그것을 나타내는 물리 화학적 작용의 총체, 바로 그것이다. 이런 작용 가운데 그것 하나만으로 전류를 나타내 보이는 데 충분한 것은 아무것도 없다. 그러나 그 작용은 "그것의 배후에 있는" 어떤 것도 가리키지 않는다. 그 작용은 그 자체와 전체적인 연쇄를 가리키는 것이다.

따라서 분명히 존재와 현상의 이원론은 더 이상 철학에서 시민권을 얻을 수 없을 것이다. 나타남은 수많은 나타남의 모든 연쇄를 가리키는 것이지, 존재하는 것의 전 존재를 독차지하는 숨은 실재를 가리키는 것은 아니다. 또 나타남도 이런 존재의 무기력한 나타남이 아니다. 우리가 사유적인 실재를 믿고 있었던 동안, 나타남은 순전히 소극적인 것으로 표현되었다. 나타남은 존재가 아닌 것이었다. 나타남은 착각의 존재, 오류의 존재와 같은 정도의 존재 밖에 갖지 않았다.⋯

그러나 일단 우리가 니체의 이른바 '배후 세계의 착각'에서 벗어나 나타남의 배후에 있는 존재를 더 이상 믿지 않는다면, 나타남은 반대로 충실한 확실성이 된다. 그 본질은 '나타나는 것'이고, 이것은 이미 존재에 맞서는 것이 아니라 오히려 존재의 척도가 된다. 왜냐하면 존재하는 것의 존재론 바로 그것이 '나타나는' 것이기 때문이다. 그리하여 우리는, 예를 들어 후설이나 하이데거의 '현상학'에서 볼 수 있는 '현상'의 관념에 이른다.⋯

나타남은 본질을 감추고 있지 않다. 나타남은 본질을 드러내 보인다. 나타남이 '본질인 것이다.' 어떤 존재자의 본질은 이미 존재자의 내부에 숨어 있는 하나의 능력이 아니다. 본질은 이 존재자의 여러 가지 나타남들의 계기를 지배하고 있는 분명한 법칙이며 그 연쇄의 도리인 것이다.⋯ 다시 말해서 본질은 그 자체가 하나의 나타남이다. 바로 그렇기 때문에 여러 가지 본질에 대한 하나의 직관(이를 테면 후설의 본질직관)이 있을 수 있는 것이다. 이리하여 현상적 존재는 자신을 나타낸다. 그것은 자기의 본질을 나타내는 동시에 자기의 현실존재를 나타낸다. 현상적 존재는 이런 현현이 곧게 결합된 연쇄 이외의 아무것도 아니다. (사르트르, 『존재와 무』, 23-25)

나. 존재현상과 현상의 존재

사르트르는 일단 '의식'이라는 '현상' 속에 '정신'을 예속시켜 버린 후, '의식'을 우리의 주체로 삼는다. (따라서 우리는 여기에서 사르트르를 이해하기 위해서는 더 이상 정신을 생각해서는 안 된다.) 그는 '나타남(현상, 혹은 의식)' 자체가 이미 어떤 '존재자'라고 말한다. 그리고 이것이 '최초의 존재'라고 말한다.

그러면서도 우리 안에 있는 '의식' '현상'은 어떤 '존재의 나타남'으로서 그것의 '본질'과 같은 '존재'라고 말한다. 즉, '현상'이라는 존재자는 그 자신을 모든 성질의 조직적 총체로서 가리킨다. 이것은 "드러내 보이기 위한 존재"이지 '개시된 존재'는 아니다고 말한다.

그렇다면, 어떤 존재의 나타남인가? '사물' 예컨대 탁자나 의자와 같은 사물의 나타남이다. 사르트르는 "나는 현상(의식 혹은 인상)으로서의 탁자에서 눈을 돌려 현상으로서의 존재에 시선을 보낸다"고 말한다. 즉. 우리는 현상을 통해서 본래적인 존재를 바라본다는 것이다. (필자: 이미 여기에서 사르트르는 '나는'이라는 용어를 사용하고 있다. 그는 '의식'의 주체로서의 '나'라는 보이지 않는 존재를 그는 이미 인정하고 있다.)

나타남은 그것과는 별개의 어떤 존재자에 의해서도 지탱되고 있지 않다. 나타남은 그 자신의 '존재'를 가지고 있다. 우리가 우리의 존재론적 연구에서 만나는 최초의 존재는, 그러므로 나타남의 존재이다. 이 나타남의 존재는 그 자신이 하나의 나타남인 것일까? 일단은 그렇게 생각된다. 현상은 자신을 나타내는 것이고, 존재는 무언가의 방법으로 모든 사람들에게 자신을 나타낸다. 왜냐하면 우리는 존재에 대해 말할 수 있고, 존재에 대한 일종의 이해를 하고 있기 때문이다. 따라서 이러저러한 것으로서 기술될 수 있는 하나의 '존재현상', 존재의 나타남이라고도 할 수 있는 것이 있어야 한다.…

존재는 그런 모든 성질의 존재이기도 하다. 존재자는 현상이다. 다시 말하면 존재자는 그 자신을 모든 성질의 조직적 총체로서 가리킨다. 더욱이 그것은 그 자체를 가리키는 것이지 그 존재를 가리키는 것이 아니다. 존재는 단순히 모든 드러내 보임의 조건에 지나지 않는다. 존재는 "드러내 보이기 위한 존재"이며, 개시된 존재는 아니다. 그렇다면 하이데거가 말하는 존재론적인 것에 대한 초월이란 과연 무엇을 의미하는 것일까?

확실히 나는 이 탁자, 이 의자를 넘어서 그 존재를 향하여, "탁자-존재", "의자-존재"를 문제로 삼을 수 있다. 그러나 그 순간에 나는 현상으로서의 탁자에서 눈을 돌려 현상으로서의 존재에 시선을 보낸다. 그러나 이 현상으로서의 존재는 이미 어떤 개시의 조건도 아니다. 오히려 그것은 그 자신이 하나의 개시된 것이고, 하나의 나타남이다. 그것은 이런 것으로서 이번에는 그것이 자신을 개시할 수 있기 위한, 근거가 되는 하나의 존재를 필요로 한다.…(사르트르, 『존재와 무』, 27-29)

한편, 사르트르의 위의 이야기에서 "그것이 자신을 개시할 수 있기 위한, 근거가 되는 하나의 존재를 필요로 한다"고 말한다. 이것은 '우리의 의식'에 관한 이야기이다. 즉, 이것은 헤겔의 '자기의식'으로서 사르트르는 '대자 존재'라고 말한다. 이것은 '의식'의 주체인 '정신'에 관한 이야기인데, 사르트르는 이 '정신'은 '의식'에게 예속된 본성일 뿐이다. (필자: 헤겔은 이것을 '자기 의식' 혹은 '나의 의식'이라고 말했다. 사르트르는 '나의' '자기'라는 표현을 감추기 위해서 '대자 존재'라는 말을 쓴다. 이것은 명백한 '숨김'이며, '거짓'이며, '위장 혹은 위선'이다. 사르트르는 막시즘의 신봉자였다.)

2. '자기'로서의 '대상 의식'

가. 반성 이전 코기토와 지각의 존재

우리에게 '정신'은 철저히 은폐되어 있다. 데카르트는 우리 안에 있는 '정신'은 '사유'를 통해서만 드러난다. 그리고 이 '사유'의 모든 내용은 '대상 의식'이다. 따라서 우리의 의식은 '…에 관한 의식'으로 가득 차 있다. 이것이 오히려 '정신'의 전체 내용물이다. 따라서 '정신=대상의식'의 관계가 성립된다. 이것이 곧 헤겔의 '대상의식'의 개념이다. 이에 대해 사르트르도 이것을 "반성 이전의 코기토"라고 표현하였다.

한편, 다음의 논의 속에서 사르트르의 말을 이해하기 위해서는 위의 사실에서 '정신'을 빼어야 한다. 그럴 경우, "의식=대상의식"이 되며, '대상의식'이 곧바로 '나'인 것이다. 그러나, 드러난 것으로는 전자의 정론이나 후자의 사르트르의 논의는 서로 일치한다. 다음의 논의에 의하면, 사르트르는 '나타남'이 '나타난다'고 말한다. 즉, '지각되는 것'이 '존재'이며, '지각하는 것'은 오히려 '비존재'라고 말한다. 이것은 우리의 의식을 채우고 있는 '그것들'이 곧 '나 자신'이라는 이야기이다. (필자: 예컨대, 우리 안에 어떤 사태에 대한 의식으로서 선함과 즐거움으로 가득하다고 하자. 그렇다면, 곧 그 의식이 나라는 것이다. 즉, 내 의식을 통해서 나는 나의 실존 혹은 본질을 결정한다.)

나타남의 존재를 측정하는 것은 사실, 나타남이 '나타난다'는 사실이다. 그리고 우리가 실재의 범위를 현상으로 한정한 이상, 현상에 대해 우리가 할 수 있는 말은, 현상은 그것이 '나타나는' 대로 있다는 것이다. 어째서 이 관념을 극한까지 밀고 나아가 나타남의 존재는 나타남이 나타나는 것이라고 말해서는 안 되는 것일까? 이것은 단순히 새로운 낱말을 골라서 버클리의 낡은 "존재한다는 것은 지각되는 것이다"라는 말에 옷을 입히는 것에 지나지 않는다. 그리고 그것은 사실 후설이 한 일이다. 왜냐하면 그가 현상학적 환원을 이룩한 뒤에 노에마(사람이 생각하는 것)를 '비실재적'인 것으로 다루며, 그것의 '존재'는 '지각되는 것'이라고 밝혔기 때문이다. (사르트르, 『존재와 무』, 30-31)

나의 현재의 의식 속에 지향적으로 존재하는 모든 것은 바깥 쪽으로, 탁자 쪽으로 향해져 있다. 그 순간의 나의 모든 판단적 또는 실천적 작용, 그 순간의 나의 모든 감정은 자기를 초월하여 탁자를 향하고 거기에 흡수된다. 모든 의식이 인식인 것은 아니지만, 모든 인식하는 의식은 자기의 대상에 대한 인식일 뿐이다. 그렇다 해도 어떤 인식하는 의식이 자기의 대상'에 대한' 인식이기 위해서 필요하고도 충분한 조건은, 이 의식이 이 인식인 동시에 자기 자신에 대한 의식이기도 해야 한다는 것이다. 이것은 다음과 같은 의미에서 하나의 필요조건이다. 만일 나의 의식이 탁자에 대한 의식인 것에 대한 의식이 아니라면, 나의 의식은 이 탁자에 대한 의식을 가지지만, 그것의 의식인 것에 대한 의식을 가지지 않는 것이 될 것이다. 또는, 말하자면 나의 의식은, 자기 자신을 모르는 의식, 즉 무의식적인 의식이 될 것이다. - 이것은 배리(背理)가 된다. 또 이것은 다음과 같은 의미에서 충분조건이다. 내가 이 탁자에 대해, 사실, 의식을 갖기 위해서는, 이 탁자에 대한 의식을 가지고 있는 것에 대한 의식을 내가 가지고 있으면 그것으로 충분하다.(사르트르, 『존재와 무』, 33)

나. 반성 이전의 코기토로서의 '대상의식'

사르트르는 데카르트의 코기토를 반성 이전의 코기토와 반성 이후의 코기토로 나눈다. 이것은 반성 이전의 코기토를 헤겔의 '대상 의식'에 결부시키고, 반성 이후의 코기토를 헤겔의 '자기 의식'에 결부시키려는 의도이다. 사르트르는 '담배를 헤아리는 사람'의 비유를 통해서, 먼저 나타나는 것은 '헤아리고 있소'라는 행위적 발언이 그의 일차적인 정체성, 곧 '대상 의식'으로서의 자아라는 것이다. 그리고 반성적으로 나타나는 '헤아리고 있는 자'라는 정체성의 발언은 반성적 발언이다. 그에 의하면, 일차적으로 나타나는 주체는 '대상 의식'이다.

나의 현재의 의식 속에 지향적으로 존재하는 모든 것은 바깥쪽을, 세계를 향하고 있다. 반대로 나의 지각의 이 자발적인 의식은 나의 지각적 의식에 있어서 구성적인 것이다. 다시 말하면, 대상에 대한 모든 정립적 의식은 동시에 그 자신에 대한 비정립적인 의식이다. 내가 이 케이스 속에 들어 있는 담배를 헤아릴 경우, 나는 이 한 통의 담배가 가진 하나의 객관적인 성질, 이를 테면 "열 두 개가 있다"는 것이 개시(開示)되는 것을 느낀다. 이 성질은 나의 의식에 대해, 세계 속에 존재하는 성질로서 나타난다. 나는 담배를 헤아리는 것에 대해서는 어떤 정립적 의식도 가질 필요가 없다. 나는 나를 "헤아리고 있는 자로서 인식하지" 않는다. 그 증거로는 저절로 덧셈을 할 수 있게 된 아이들은 자신들이 어떻게 그것을 할 수 있게 되었는지 설명하지 못한다. 이것을 증명한 피아제의 실험은 알랭의 "아는 것이란 자신이 알고 있다는 것을 아는 것이다"라는 명제에 대한 뛰어난 반박이 된다. 그렇다 해도 그런 담배가 열 두 개로서 나에게 개시될 때 나는 나의 덧셈 활동에 대해, 하나의 비조정적 의식을 갖는다. 사실, 만일 누가 나에게 "당신은 거기서 무엇을 하고 계시오?"하고 묻는다면, 나는 그 자리에서 "헤아리고 있소"라고 대답할 것이다. 그리고 이 대답은 단순히 내가 반성에 의해 이를 수 있는 순간적인 의식을 지향하고 있을 뿐만 아니라, 반성되지 않고 지나가 버린 의식상태, 나의 방금 전의 과거에도 결코 반성되지 않은 채로 있었던 의식상태를 지향하고 있다. 그러므로 반성되는 의식을, 그 자신에 대해 드러내 보이는 것이 아니다. 반성 이전의 코기토가 있고, 그것이 데카르트의 코기토의 조건을 이루고 있다.… 이런 지향은 하이데거의 표현을 빌린다면, "드러내고-드러내는 것"으로서만 존재할 수 있다. 따라서 헤아리기 위해서는 헤아리는 의식을 가져야만 한다.

…의식하고 있는 모든 존재는 존재하는 의식으로서 존재하는 것이라고. 우리는 이제 어째서 의식의 최초의 의식이 정립적이 아닌가를 이해할 수 있다. 즉 최초의 의식은 그것이 의식하고 있는 의식과 완전히 하나이다. 그것은 지각의 의식으로서, 그리고 동시에 지각으로서 규정된다. 문장 구성의 필요에서 우리는 지금까지 "자기에 대한 비정립적인 의식"에 대해 말하지 않으면 안 되었다.…

이런 자기(에 대한) 의식을 우리는 하나의 새로운 의식으로 생각할 것이 아니라, "뭔가에 대한 의식에 있어서 유일하게 가능한 존재방식"이라고 생각해야 한다.… (사르트르, 『존재와 무』, 35-36)

의식 자체에 대한 의식의 이 한정을 하나의 발생 또는 하나의 생성으로 생각해서는 안 된다. 왜냐하면 그렇게 하면 의식은 그 자체의 존재에 앞서는 것이라고 상정해야 하기 때문이다. 마찬가지로 이 자아의 창조를 하나의 행위로 생각해서는 안 된다. 만일 그렇게 생각한다면, 사실 의식은 행위로서의 자기(에 대한) 의식이라는 얘기가 되지만, 그런 것은 존재하지 않는다. 의식은 하나의 충만한 존재이며, 자기에 의한 자기의 이 한정은 하나의 본질적인 특징이다.(사르트르, 『존재와 무』, 38)

다. 수동적인 존재로서의 '대상 의식'

사르트르는 우리의 '대상의식'이 우리의 생리적인 것의 영역에서 온다고 말하지 않는다.(필자: 그는 '정신'을 부인하므로 정신 대신 '생리적인 것'이라는 용어를 사용했다.) 사물로부터 왔다고 말한다. 이것이 요즘 세계의 우연성에 의한 증명이 큰 인기를 차지하는 이유이다고 말한다.

아무리 해도 생각할 수 없는 것은 수동적인 존재, 다시 말해 자기를 생산할 힘도, 자기를 보존할 힘도 없이 존속하는 하나의 존재라는 것이다. 이 관점에서는 타성의 원리만큼 불가해한 것은 없다. 그리고 사실, 만일 의식이 무언가로부터 '올' 수 있다면, 이 의식은 어디서 '오는 것일까?' 무의식의, 또는 생리적인 것의 영역에서 온다고 대답한다 치자. 그러나 만일 이 영역이 어떻게 존재하고, 어디서 그 존재를 끌어내 오는가 하고 자문한다면, 우리는 수동적 존재의 개념으로 다시 되돌아왔음을 깨달을 것이다. 다시 말하면, 자기의 존재를 자기 자신으로부터 끌어내지 않는 그 비의식적인 주어진 것들이, 그럼에도 어떻게 자기의 존재를 존속시키고, 어떻게 하나의 의식을 생산할 힘을 여전히 발견할 수 있는지, 우리는 더 이상 절대로 이해할 수 없다. 이것은 세계의 우연성에 의한 증명이 그처럼 큰 인기를 차지하게 된 것을 보아도 알 수 있다. (사르트르, 『존재와 무』, 39)

3. '지각되는 것'으로서의 '즉자 존재'

가. '지각되는 것'의 존재

로크의 경우,[54] 어떤 대상이 우리의 '감각' 속에 비쳐졌을 경우, 이것은 우리에

---

[54] 로크에 의하면, "인간의 정신은 경험 이전에 백지상태(Tabula rasa)에 놓여있고, 경험은 외적인 경험인 '감각(Sensation)'과 내적인 경험인 '반성(Reflection)'으로 이루어져 있다. 그리고 이에 의해서 '관념'이 형성 된다… 더 나아가 '지식'이 형성된다."(『나무 위키 백과』)

게 아무런 영향을 미치지 않는다. 마치 거울과도 같다. 이것이 내 안에 의미 있게 자리 잡을 때는 나의 '반성'이 작용한다. 이때에 비로소 이 사물은 내 안에서 '관념'으로 자리 잡는다. 그리고 그것은 다음에 '기억'을 통해서 다시 끄집어 낼 수 있다. 이 '관념' 혹은 '지식'이 우리 안에 의미 있는 '의식'이지, 우리 안에 그냥 비춰진 '사물'은 마치 내 내면의 '거울에 비춰진 것'(로크의 '감각', 흄의 '인상')일 뿐이다. 그는 '정신'이라는 백지장에 이와 같이 '경험'을 통해서 '관념'이 형성되는 과정을 설명했다. 한편, 사르트르의 주장은 이러한 전통에 속하지 않는다. 한편, 우리는 일단 사르트르의 견해를 좇아가 보자.

사르트르는 이 '지각 되는 것'에 의해, '지각하는 자'가 드러났다고 말한다. 그런데, 이 '지각하는 자'는 '사물'에 의해 수동적으로 드러난다. 사르트르는 이러한 차원에서 볼 때, 존재론적으로 '지각을 일으키는 자'인 '사물'이 '지각하는 자'보다 더 우월적이라고 말한다. 그는 이러한 논리 전개를 위해서 '반성'을 제거시킨다. 한편, 전통 철학에서는 '감각'과 '반성'을 함께 '지각'으로 간주한다. 그리고 사르트르의 '반성'은 '기억'과 병치된다. 사르트르의 논의에 의하면, 우리의 자아는 사물이라는 존재로부터 받아들인 수동적인 존재이다. 즉 "나의 존재는 남에게서 받아들인 존재가 되고, 무와 같은 존재이다."

'지각되는 것'은 우리에게 '지각하는 자'를 가리켰다. 그리고 이 지각하는 자의 존재는 의식으로서 우리에게 자신을 드러내 보였다. 따라서 우리는 인식의 존재론적 근거까지 이르렀다고 해도 무방할 것이다.…(사르트르, 『존재와 무』, 40) 그런데 '지각되는 것'의 양상은 수동적이다. 그러므로 만일 현상의 존재(필자: '지각하는 자'를 의미)가 그의 '지각되는 것' 속에 깃든다면, 이 존재는 수동성이다. 상대성과 수동성이야말로 '존재하는 것(esse)'이 '지각되는 것'(percipi)으로 환원되는 한, 존재의 특징적인 구조가 될 것이다. 수동성이란 무엇인가? 나는 내가 그 기원이 아닌(다시 말해 내가 그 근거도 아니고 그 창조자도 아닌) 하나의 변양을 받을 때 나는 수동적이다. 그리하여 나의 존재는 내가 그 원천이 아닌 그런 존재 방식을 참고 견디어 내고 있다. 다만, 견디어 내기 위해서는 또한 나는 존재하고 있지 않으면 안 된다. 더욱이 이 사실에서 나의 존재는 항상 수동성의 저쪽에 자리 잡는다. 예를 들면 "수동적으로 참고 견디는 것"은 "단호하게 배제하는 것"과 마찬가지로 내가 지녀 나가는 하나의 태도이고, 나의 자유를 구속하는 하나의 태도이다. 만일 내가 언제까지나 '모욕하는 자'로 있어야 한다면,

나는 나의 존재에 있어서 참고 견디지 않으면 안 된다. 다시 말하면 나는 나 스스로 존재를 나에게 할당해야 한다. 그러나 바로 그 때문에 나는, 말하자면 내쪽에서 나의 모욕을 되찾아 그것을 내 몸에 받아들이고, 그것에 대해 수동적으로 있기를 그친다. 그것에서 다음과 같은 양자택일이 나온다. 나는 나의 존재에 있어서 이미 수동적이 아니며, 설령 처음에는 내가 나의 감정의 기원이 아니었다 할지라도 지금은 내가 나의 감정의 근거가 되거나 - 그렇지 않으면 수동성이 나의 존재까지 파고들어 나의 존재는 남에게서 받아들인 존재가 되고, 그러므로 모든 것은 무(無)로 돌아가거나, 둘 중의 하나이다.(사르트르, 『존재와 무』, 42)

나. 존재론적 증명

사르트르는 "의식은 하나의 실재적 주관성이며, 인상은 하나의 주관적 충실성이다"고 말하는 반면 "사물은 객관성이다"고 말하며, 객관성이 존재론적으로 우월하다고 말한다. 이때 우리는 '의식'을 '인상 혹은 감각'으로 보느냐, 아니면 '인식 혹은 지각'으로 보느냐가 중요하다. 만일 후자라고 본다면, 여기에는 '반성'이 반드시 개입되어야 한다. 단순한 '인상이나 감각'만으로는 우리의 '의식', '지식, 혹은 관념'을 결코 형성할 수 없으며, '기억'으로 다시 재현될 수 없다. 이때 실존주의자에게서 '의식'은 실존을 의미하는데, 그것은 반드시 '기억'으로 나타나야 한다. 그렇다면, 사르트르처럼 '반성'을 여기에서 제거시키면 안 된다. 그런데, 사르트르는 '반성'을 제거시키고, 논의를 전개하여 우리의 '의식'을 '사물'에 예속시킨다. 인간은 분명히 '사물'보다 '사유와 의식'이라는 월등한 본질을 가지고 있음에도 불구하고, 그는 유물론을 주장하기 위해서 이것을 '주관적인 것'으로 폄하한다.

한편, 사르트르는 위에서 '반성'을 제거시키고, '코기토'의 본질을 규명하면서 '존재론적 증명'을 하고자한다.

우리는 존재에 그 정당한 몫을 주지 않았다. 우리는 의식의 존재의 초현상성을 발견했으므로, 현상의 존재에 초현상성을 인정할 필요가 없다고 생각했다. 그러나 완전히 반대로, 우리는 바로 이 의식의 존재의 초현상성이 현상의 존재의 초현상성을 요구하는 것을 이제부터 살펴볼 것이다. 반성적 '코기토'에서 기인하는 것이 아니라 '지각하는 자'의 '반성 이전의' 존재에서 기인하는 '존재론적 증명'

이 있다. 우리는 이제 이것을 설명해 볼 것이다.(사르트르, 『존재와 무』, 42)

'의식'과 '사물'과의 관련 속에서 무엇이 무엇에게 속하여 있는가? 사물이 의식에 속하든, 의식이 사물에 속하든 둘 중의 하나일 것이다. 베르그송은 '의식'에 의해 '사물'이 존재하고 있음을 논증하였다. 이에 반하여 사르트르는 '사물'에 의식이 속하여 있음을 존재론적으로 증명하려고 시도한다.

먼저, 대상이 의식에 의하여 구성된다는 것은 기존의 전통적인 철학의 입장이다. 이에 반하여 사르트르는 '반성적인 요소'를 제거하였기 때문에, 이 해석은 스스로 무너진다고 말한다. 왜냐면, 의식은 무언가에 대한 의식이기 때문이다. 의식은 항상 충실한 현전과 마주하고 있기 때문이다.

따라서 두 번째의 견해를 좇는데, 여기에서 대상은 객관성인 반면, 의식은 하나의 실재적 주관성이며, 인상은 주관적 충실성이기 때문이다. 대상의 '실재성'에 주관적 인상적인 충실이 부여되었기 때문이다. 객관적인 것은 결코 주관적인 것에서 나오지 않고, 초월은 내재에서 나오지 않으며, 존재는 비존재에서 나오지 않는다. 의식은 무언가'에 대한' 의식이다. 그것은 초월이 의식의 구성적 구조라고 하는 의미이다. 다시 말하면 의식은 그 자체가 아닌 존재의 '도움을 받아' 발생한다는 뜻이다. 그것을 사르트르는 존재론적 증명이라고 부른다.

모든 의식은 무언가'에 대한' 의식이다. 이 의식의 정의는 완전히 다른 두 가지 뜻으로 해석될 수 있다. 그 하나는, 의식은 그 대상의 존재에 있어서 구성적인 것이라는 의미로 해석되는 경우(필자: 대상이 의식에 의해 구성됨)이고, 다른 하나는 의식은 그것의 가장 깊은 본성에 있어서 하나의 초월적인 존재와의 관계라는 뜻(필자: 자연에 의해 의식이 구성됨)으로 해석되는 경우이다. 그러나 이 명제의 첫 번째 해석은 그 스스로 무너진다. 무언가에 대한 의식이라는 것은, 의식 '이 아닌' 하나의 구체적이고 충실한 현전과 마주하고 있다는 것이다. 물론 사람은 하나의 부재에 대한 의식을 가질 수도 있다. 그러나 이 부재는 필연적으로 현전이라는 하나의 배경을 두고 나타난다.
(두 번째 해석) 그런데 우리가 보아 온 바와 같이 의식은 하나의 실재적 주관성이며, 인상은 하나의 주관적 충실성이다.…
대상의 '실재성'에 주관적 인상적인 충실에 따라 근거를 부여하고, 대상의 '객관성'에 비존재를 바탕으로 근거를 부여하는 마술을 부리려 해도 헛일일 것이다.

객관적인 것은 결코 주관적인 것에서 나오지 않고, 초월은 내재에서 나오지 않으며, 존재는 비존재에서 나오지 않을 것이다.… 의식은 무언가'에 대한' 의식이다. 그것은 초월이 의식의 구성적 구조라고 하는 의미이다. 다시 말하면 의식은 그 자체가 아닌 존재의 '도움을 받아' 발생한다는 뜻이다. 그것을 우리는 존재론적 증명이라고 부른다.…

…의식은 그 존재에 있어서 비의식적.초현상적인 하나의 존재를 포함하고 있다는 것을 보여 주는 데 있다. 특히 주관성은 사실 객관성을 내포한다거나, 주관성은 객관적인 것을 구성함으로써 자신을 구성한다는 식으로 반론해 보아도 아무 소용없을 것이다. 우리는 이미 주관성이 객관적인 것을 구성하기에는 무력하다는 것을 보아 왔다. 의식은 무언가'에 대한' 의식이라 함은, 바꿔 말하면, 의식은 의식이 아닌 하나의 존재, 의식이 그것을 드러내 보여 줄 때는 이미 존재하는 것으로서 주어지는 하나의 존재의 '드러내 보임-드러내 보여짐'으로써 생성되어야 한다는 것이다.(사르트르, 『존재와 무』, 45-47)

결론적으로, 의식은 존재이기는 하지만, 무언가 문제가 되는 존재이다. 그것은 "끌려들어가는 존재"이다. 즉, 그것은 하나의 본체적 존재는 아니다. 의식에 의해서 끌려들어가는 것은 이 탁자의 존재이고, 이 담뱃갑의 존재이며, 그 램프의 존재이고, 더욱 일반적으로는 세계의 존재이다. 따라서, '의식에 있어서' 존재하는 것인, 그 초현상적 존재는 그 자신으로서는 그것 자체에서 즉자적으로 존재한다. 사르트르는 '사물'을 '세계' 혹은 '사물 전체'로 파악하고 있다. 여기에 정신이 종속하여 있다. 이것이 사르트르의 유물론이다. 다만 사르트르의 '세계, 혹은 사물 전체'에는 '정신'이 빠져 있다.

존재는 곳곳에 있다. 확실히 우리는 하이데거가 '현존재'에 적용한 정의를 적용하여, 의식이란 그것을 위해 그 존재에 있어서 그 존재가 문제되는 하나의 존재라고 말할 수 있다. 그러나 이 정의를 보완하여 대략 다음과 같이 정식화하지 않으면 안 될 것이다. 즉 "의식이란 그 존재가 그것과는 다른 하나의 존재를 끌어들이는 한, 그것은 있어서는 그 존재에서 그 존재가 문제인 하나의 존재이다"라고.

말할 것도 없이 이 끌려들어가는 존재는 다름 아닌 여러 현상의 초현상적 존재이며, 현상들의 배후에 숨어 있는 하나의 본체적 존재는 아니다. 의식에 의해서 끌려들어가는 것은 이 탁자의 존재이고, 이 담뱃갑의 존재이며, 그 램프의 존재이고, 더욱 일반적으로는 세계의 존재이다. 의식은, 다만 '나타나는' 것의 존재는 '단순히' 그것이 나타나는 한에서만 존재하는 것이 아닐 것을 요구할 뿐이다. '의식에 있어서' 존재하는 것인, 초현상적인 존재는 그 자신으로서는 그것 자체에서 즉자적으로 존재한다.(사르트르, 『존재와 무』, 48)

다. 즉자존재

초현상적인 존재, 즉 현상을 일으키는 존재인 세계 사물들은 즉자적으로 존재하는 존재자들이다. 이 즉자적인 존재자들이 의식을 불러일으킨다. 그리고 그 의식은 의식 그 자체로서 하나의 존재자이다. 사르트르는 이것을 "의식은 모든 존재자의 '드러내 보임-드러내 보여짐'이며, 모든 존재자는 각각의 존재를 근거로 하여 의식 앞에 나선다. 그리고 이때 '의식'은 그 존재의 의미를 가지는 것을 말하는데, 이 의미 그 자체가 하나의 존재를 가진다고 말한다. 즉, 의식이 존재자라는 이야기인데, 사르트르에게 이것은 '즉자존재'에 의해서 파생되어 나온 존재자일 수 있다. 그리고 그는 이 의식의 또 하나의 특성을 설명하는데, 이것은 항상 즉자 존재자의 의미를 파악하는 것과 관련해서는 그 존재자를 뛰어넘을 수 있다고 말한다. 이러한 관점에서 의식은 '존재적-존재론적인 것'이다고 한다.

필자의 견해에 의하면, 즉자존재를 이전에 이러한 모든 것을 파악할 수 있는 '(순수)의식'이 존재하여야만 한다. 그래야 다음에 즉자적인 존재를 만났을 때, 그것을 뛰어넘어 의미를 파악할 수 있을 것이다. 예컨대, 갓난아이가 태어나서 맨 처음 '즉자존재'로서의 사물을 접한다. 그런데, 이 어린 아이는 이미 태중에서부터 '의식'이라고 할만한 것을 가지고 있었다. 한편, 다음의 내용은 사르트르의 주장이다.

우리는 이제 앞에서 보아 온 우리의 고찰을 확립하기 위해 문제 삼아 온 '존재현상'을 어느 정도 상세하게 풀이해 볼 수 있다. 의식은 모든 존재자의 '드러내 보임-드러내 보여짐'이며, 모든 존재자는 각각의 존재를 근거로 하여 의식 앞에 나선다. 그러나 어떤 존재자의 존재의 특징이란, 의식에 대해 '그 자신'은 친숙하게 직접 자기를 드러내 보이지 않는 것을 말한다. 존재자에서 그의 존재를 박탈할 수 없다. 존재는 존재자의 언제나 현전적인 근거이다. 존재는 존재자 속의 곳곳에 있지만 어느 곳에나 있는 것은 아니다. 존재라고 하는 이상에는, 하나의 본연의 존재가 아닌 존재는 없고, 존재를 나타내면서 동시에 존재를 가리고 있는 그 본연의 모습을 통해 파악되지 않는 존재는 없다. 그러나 의식은 항상 존재자를 뛰어넘을 수 있다. 그러나 그것은 존재자의 존재를 향해서가 아니라 존재의 의미를 향해서이다. 이것이 사람들로 하여금 의식을 존재적-존재론적인 것이라고 부르게 하는 것이다. 왜냐하면 의식의 초월의 근본적 특징은 존재론적인 것을 향하여 존재적인 것을 초월하는 데 있기 때문이다. 존재자의 존재 의미는 그것이 의식에 대해 자기를 드러내 보이는 한에서 존재현상이다. 이 의미는 그 자체가 하나의 존재를 가지고 있다. 그리고 이 존재에 근거하여 의미는 자기를 드러내 보인다.(『존재와 무』, 48-49)

라. 반성이전의 코기토의 존재와 현상의 존재

솔직히 말해서, 코기토 혹은 순수의식이 없이 현상이라는 것이 존재할까? 이것은 누가 보더라도 억지이다. 사르트르는 자신의 유물론을 합리화하기 위해서 '반성이전의 코기토'를 등장시킨다. 그는 지금까지의 고찰들이 "반성이전의 코기토의 존재와 현상의 존재라는 전제하에 살펴보았다"고 말한다. 그는 그의 논의 속에 이미 "반성이전의 코기토의 존재"를 들여오고 있는 것이다. 그는 의식은 이 둘의 결합이라는 것이다. 사실 이와 같이 반성적인 어떤 의식이 미리 존재해야만이 '대자 존재'라는 개념이 성립된다. 그는 다음과 같이 말한다.

존재현상은 모든 제1차적인 현상과 같이 직접적으로 의식에 드러내 보인다.… 그것에는 다음과 같은 주의가 필요하다. ①존재의 의미에 대한 이 해명은 현상의 존재에만 적용된다. 의식의 존재는 근본적으로 다른 것이므로, 그것의 의미는 나중에 우리가 정의할 또 다른 형태의 존재, 즉 현상의 즉자존재와는 반대인 대자존재의 '드러내 보임-드러내 보여짐'에서 출발하는 특수한 해명을 필요로 할 것이다. ②우리가 여기서 시도하고자 하는 즉자존재의 의미에 대한 해명은 잠정적인 것에 불과할 것이다. 우리에게 드러내 보일 여러 가지 모습은 좀더 다른 의의를 내포하고 있는데, 그것은 우리가 뒤에 가서 파악하고 확정하게 될 것이다.
특히 지금까지의 고찰들은 반성 이전의 코기토의 존재와 현상의 존재라는 절대적으로 단절된 두 개의 존재영역을 구별하는 것을 허락했다. 그러나 이와 같이 존재개념이 서로 오갈 수 없는 두 영역으로 갈라진다는 특성을 가지고 있기는 하지만, 그래도 이 두 영역은 똑같은 표제 밑에 놓일 수 있다는 것을 설명하지 않으면 안 된다.(『존재와 무』, 49-50)

3절 무(無)의 문제

1. 부정의 기원

우리는 우리가 '부정(아니오)'라고 말하는 이유를 먼저 알아야 할 필요가 있다. 이것은 헤겔 변증법의 이야기인데, 헤겔은 특별한 이유를 제시하는 것 없이 우리의 '정신'은 '대상의식(즉자존재의 의식)'에 대해 '아니오'라고 말함을 통해 '자기의식(대자존재의 의식)'으로 고양된다고 말한다. 그리고 여기서 또 다시 '대상의식'의 속성을 반영한 '부정'이 개입하여서 '자기의식'은 '이성'의 단계에 이른다.

이때 '아니오'의 이유가 무엇인가? 전통적으로 헤겔의 '부정'의 이유는 '이항대립의 원리'로 해석된다. 우리는 무엇을 인식할 때, 항상 정반대의 논리를 가지고 어떤 논리를 이해한다는 것이다. 나중에 구조주의 철학자들은 이 이항대립의 원리를 우리 정신에 내재한 선험적인 원리라고 밝혔다. 즉, 소쉬르의 경우 이 이항대립의 원리를 통해서 언어를 정립하였다. 그리고 레비-스트로스는 신화 소개서 이항대립의 원리를 발견하였으며, 이것을 통해 언어와 신화의 관계를 밝혔다. 훗날 헤겔의 변증법적 이항대립의 원리는 우리 정신의 선험성인 것으로 받아들여진다.

사르트르도 또한 마찬가지이다. 헤겔의 이항대립의 원리를 고스란히 수용한다. 우리의 모든 존재자에 의해서 우리 안에 나타나게 된 '현상, 그리고 우리 안에 드러나게 된 '의식'은 그것 자체로 존재자였다. 이때 이 '의식'은 '즉자존재'에 대해 이항대립의 원리를 적용하여 '비존재'를 목격하게 되며, 이에 따라 즉자존재에 대한 '부정'을 말하게 된다. 우리는 우리의 모든 경험 속에서 항상 이 '이항대립'의 원리에 따라 모든 사태들을 판단한다. 이것은 우리 안에 있는 선험적 원리이다. 사르트르는 이러한 '존재의 원리'를 도출하기 위해, 먼저 '존재에 대한 질문'을 화두로 하여 논의를 전개한다.

가. '세계-내-존재'에 대한 '질문'

사르트르에 의하면, 사물과 같은 즉자존재의 '현상'으로 인해 우리 안에 '의식'이 생성되었는데, 이 '의식'이 곧 우리의 '정신' 혹은 '반성전의 코기토'라고 하였다.

그도 결국은 '정신'을 암묵적으로 인정하고 있다. 즉, 그도 또한 인간 존재자를 데카르트와 마찬가지로 '의식이라고 하는 정신'과 '사물로서의 현상'의 결합으로 보았다. 그리고 인간 존재자는 이 두 가지의 결합으로 이루어진 존재로 보았고, 이 존재자를 하이데거식으로 '세계-내-존재'(세계-안에-있음)로 파악하였다. 그리고 인간의 존재를 더 깊이 탐구하고자 한다면, '의식'과 '현상'을 하나로 보고 '세계-내-존재'는 무엇인가라고 소박하게 질문하여야 한다고 말하며, 이에 대한 답은 곧 '인간-세계'에 대한 답이 될 것이다라고 말한다. 즉, '세계-내-존재'에 대한 설명이 곧 인간과 세계의 존재 혹은 본질에 대한 설명이 된다는 것이다. 왜냐면, '내가 그것인 이 인간'은 '의식 속에 머무는 즉자존재'이기 때문에 그 안에는 이 둘이 모두 존재하기 때문이다. 그 내용은 다음과 같다.

우리의 탐구는 우리를 존재의 핵심으로 이끌었다. 그러나 우리는 우리가 발견한 두 존재영역 사이의 관계(필자: 의식과 현상)를 확립할 수 없었으므로, 우리의 탐구는 막다른 골목에 부딪혔다.… 그러나 우리가 데카르트에게서 배워야 할 것은, "어떤 두 가지 항을 먼저 분리해 놓고 다음에 그 분리된 항을 다시 결합시키는 것은 마땅치 않다. 즉 관계는 종합이다"라고 하는 것이다.

이런 관점에서 보면 의식은 하나의 추상적인 것이다. 왜냐하면 의식은 그 자체 속에 즉자를 향하는 하나의 존재론적 기원을 내포하고 있기 때문이다. 한편 현상도 하나의 추상적인 것이다. 왜냐하면 현상은 의식에 '나타나는' 것이라야 하기 때문이다. 구체적인 것은 다만 종합적 전체로서만 있을 수 있는 것이고, 의식은 현상과 마찬가지로 이 종합적 전체의 계기를 이루는 것에 불과하다. 구체적인 것은 세계 속의 인간이다. 더욱이 그것은 하이데거가 '세계-속(內)-존재'라고 부른 인간과 세계의 그 특수한 결합을 지닌 '세계 속의 인간'이다.… 눈을 뜨고 '세계-속-인간'이라는 이 전체성을 그저 소박하게 물어보기만 하면 된다. 이 전체성의 기술을 통해 우리는 다음과 같은 두 가지 질문에 대답할 수 있을 것이다. ①우리가 '세계-속-존재'라고 부르는 종합적 관계는 무엇인가? ②인간과 세계 사이의 관계가 가능하다면, 인간과 세계라는 것은 무엇인가? 사실을 말하면 이 두 질문은 한쪽이 다른 쪽 위에 비어져 나와 있기 때문에, 우리가 이 둘을 떼어놓고 따로따로 대답하려 해도 소용없는 일이다. 그러나 어떤 인간적 행위도 '세계 속 인간'의 행위이므로, 그것은 인간과 세계, 그리고 그 둘을 결합하는 관계를 우리에게 보여 줄 수 있다.…

다행히 이 탐구라는 행위 자체가 우리에게 딱 알맞은 행위가 된다. '내가' 그것인 이 인간, 그것을 내가 지금 이 때 이 세계 속에 있는 그대로 파악한다면, 나는 이 인간이 하나의 질문하는 태도로 서 있는 것을 인정한다. "인간과 세계의 관계를 나에게 보여 줄 수 있는 하나의 행위가 있을 것인가?" 하고 내가 물어보는 바로 그 순간, 나는 하나의 질문을 내놓는 것이다.(『존재와 무』, 59-61)

나. '부정'의 가능성을 가진 질문

우리는 우리 안에 들어와 있는 '현상'이라고 하는 '의식'을 통해서 질문하는 존재와 하나의 질문 받는 존재가 마주하고 있다. 즉, '의식'의 이면에는 '인간(정신)'이 있으며, '현상'의 이면에는 '세계'가 있다. 이렇게 해서 인간 정신은 세계와 마주하고 있다. 그리고 이제 인간정신은 세계에 대해서 질문을 하는 것이다. 이때 우리는 세계 존재에 대해서 질문을 하게 되는데, 그 '구체적인 세계 존재'를 향하여 하는 질문은 추상적인 질문 곧 '존재의 초월성'을 질문한다는 것이다. 그리고 이러한 질문은 어떤 기대에 대한 변형으로서, 그것은 '그렇다' 혹은 '아니다'로 답변된다. 즉, 우리는 이 질문을 할 때, 항상 긍정과 부정을 예상하고 질문을 한다. 즉, 부정의 가능성을 항상 가지고 질문을 한다는 것이다. 그래서 만일 우리가 이 부정의 실재성을 파괴하면, 대답의 실재성도 사라져 버린다. 따라서 질문하는 자에게는 하나의 부정적인 대답의 객관적 가능성이 언제나 그곳에 있다. 한편, 이렇게 우리가 부정의 가능성을 가지고 질문을 하는 이유는 뒤에 나오는데, 헤겔이 발견한 우리 안에 선험적으로 주어진 변증법적 사유방식 때문이다. 따라서 이것은 두 개의 비존재와 한정이라는 제3의 비존재를 끌어들인다. 그 내용은 다음과 같다.

어떤 질문의 경우에도 우리는 우리가 질문하고 있는 존재와 마주하고 서있다. 따라서 모든 질문은 하나의 질문하는 존재와 하나의 질문 받는 존재를 예상하고 있다. 질문은 즉자존재에 대한 인간의 원초적 관계가 아니다. 그것과는 반대로 질문은 이 관계의 범위 안에 있으며, 이 관계를 예상하고 있다. 그런데 질문 받는 존재를 향해 우리가 묻는 것은 무엇인가'에 대해서'이다. 내가 '그것에 대해서' 존재에게 묻는 '무언가'는 존재의 초월성에 관여하고 있다. 나는 존재를 향해, 그 존재방식'에 대해' 또는 그 존재'에 대해' 묻는 것이다. 이런 관점에서 보면 질문은 기대의 한 변형이다. 나는 질문 받는 존재로부터 하나의 대답을 기대한다. 다시 말해 질문하기 전의 존재와의 친근성을 바탕으로, 나는 이 질문 받는 존재로부터 그 존재에 대한, 또는 그 존재의 방식에 대한, 드러내 보임을 기대하는 것이다. 대답은 '그렇다' 또는 '아니다'일 것이다. 똑같이 객관적이며 모순적인 이 두 가지 가능성의 존재에 의해 질문은 원칙적으로 긍정이나 부정으로 구별된다.

질문 중에는 외관상 부정적인 대답을 내포하고 있지 않을 질문들도 있다. 예를 들면 우리가 위에서 말한 "이 태도는 우리에게 무엇을 보여줄 것인가?"하는 식의 질문이다. 그러나 사실은 이런 종류의 질문에 대해서도 "아무것도…없다", "아무도…없다", "결코…아니다" 등등의 말로 대답하는 것이 언제나 가능하다. 따라서 "인간과 세계의 관계를 나에게 보여주는 하나의 행위가 있을 것인가?"라고 내가 물어 볼 때, 나는 "아니다. 그런 행위는 존재하지 않는다"라고 하는 것과 같은 부정적인 대답이 있을 가능성을 원칙적으로 용인한다. 그것은 우리가 이런 행위의 비존재라고 하는 초월적 사실과 직면하고 있음을 인정한다. 이에 비해 비존재라는 것이 객관적으로 존재한다는 것을 믿고 싶지 않은 사람도 있을 것이다.…

다음에 부정의 실재성을 파괴한다면, 대답의 실재성도 사라져 버리게 된다. 사실 이 대답은 존재 자체가 나에게 주는 것이다. 따라서 나에게 부정을 드러내 보여 주는 것은 존재이다. 그러므로 질문하는 자에게는 하나의 부정적인 대답의 객관적 가능성이 언제나 있는 것이다. 이런 가능성과 관련하여 질문하는 자는 그가 질문한다는 사실 자체로 말미암아, 말하자면 비결정 상태에 놓여 있다. 그는 대답이 긍정적인 것인지 부정적인 것인지 '알지 못한다'. 그리하여 질문은 두 개의 비존재, 즉 인간에 있어서의 앎의 비존재와 초월적 존재 속의 비존재 가능성 사이에 걸려 있는 다리이다. 결국 질문은 하나의 진리의 존재를 내포하고 있다. 질문을 제시하는 자는, 바로 질문하는 것 그것에 의해 "그것은 이러이런 것이고, 그 밖의 다른 것이 아니다"라고 말할 수 있는 하나의 객관적인 대답을 자신이 기대하고 있는 것을 인정한다. 한 마디로 말하면 진리는 존재에 차별을 준다는 뜻에서, 질문을 결정하는 것으로서의 제3의 비존재, 즉 한정이라는 비존재를 끌어들인다. 이 세 가지의 비존재는 모든 질문의 조건이 되는 것이다. 특히 형이상학적인 질문의 조건이 된다. 그리고 이것이 곧 '우리의' 질문이다.(『존재와 무』, 61-63)

사르트르는, 위의 같은 논의의 결과, 존재에 대한 질문 자체 위에 던져진 일별에 의해 뜻밖에도 우리는 무로 에워싸여 있음이 드러났다고 말한다. 즉 실재의 새로운 구성요소로서 비존재가 우리 앞에 나타난 것이다. 왜냐하면, 이 존재에 대한 부정의 가능성에 대한 질문은 우리 안에서 선험적이기 때문이다. (필자: 우리 '정신' 안에 '선험적'으로 내재하는 이러한 '이항대립 원리'는 헤겔의 위대한 발견이었다.)

우리는 존재의 탐구를 목표로 출발했다. 그리고 우리는 우리의 일련의 질문에 의해 존재의 핵심으로 인도된 것처럼 보였다. 그런데 우리가 막 목표에 손을 대려고 한 순간, 질문 자체 위에 던진 일별에 의해 뜻밖에도 우리는 무(無)로 에워싸여 있음이 드러났다. 존재에 대한 우리의 질문에 조건을 부여하고 있는 것은 우리 밖에도 있고 우리 안에도 있는 비존재의 끊임없는 가능성이다. 그리고 대답을 에워싸려 하고 있는 것 또한 존재이다. 존재가 '존재하게' 되리라는 것은 필연적으로 그것이 '존재하지 않는다는' 것을 바탕으로 부각된다. 이 대답이 어떤 것이든, 그것은 다음과 같은 공식으로 표현될 것이다. "존재는 '그것'이고, 그것 외에는 아무것도 아니다."
이리하여 실재의 새로운 구성요소가 우리 앞에 나타났다. 그것은 비존재이다. …
(『존재와 무』, 63)

다. '무'에 대한 기원으로서의 '부정'

우리 인간은 '부정'의 가능성을 가지고 사고를 한다. 우리 정신은 '부정'이 없는 '긍정'을 사고할 수 없다. 이것을 '이항대립의 원리'라고 한다. 우리의 모든 대화도 마찬가지이다. '부정'이 없는 '긍정'은 대화의 주제로 나타날 수 없다. 소쉬르는 여기에서 인간의 언어행위의 원리를 발견한다.

미래에 일어나는 모든 행위에는 부정의 가능성을 안고 있다. 예컨대, 내가 내 지갑 속에 1500프랑의 돈이 있다고 생각했는데, 1300프랑 밖에 없을 가능성은 항상 가지고 있다. 또 실제로 그렇게 틀렸다면 그 부정의 가능성은 나에게서 나온 것이다. 이런 입장에서 보면 부정은 단순히 판단의 하나의 질이고, 묻는 사람의 기대는 판단-대답에 대한 기대라는 이야기가 된다. 따라서 '무'에 대한 기원은 '부정적 판단' 속에 존재한다. '즉자 존재'는 완전한 긍정이다. 그러나 이에 대한 판단은 언제나 이에 대한 부정으로서의 '무'인 것이다.

사람들은 우리에게 다음과 같은 반박을 할 것이다. "즉자존재는 부정적 대답을 할 수는 없다. 즉자존재는 긍정과 부정의 저편에 있다고 당신들 입으로 말하지 않았는가? 또 일상의 경험은 그것만으로 보아도 우리에게 비존재를 드러내 보이는 것같이 생각되지 않는다. 나는 내 지갑 속에 1500프랑의 돈이 있다고 생각했는데 1300프랑 밖에 없었다. 그것은 경험이 나에게 1500프랑의 비존재를 보여주었다는 뜻이 아니라, 단순히 내가 헤아려 보니까 100프랑짜리 지폐 13장이 들어 있었다는 것뿐이다. 말하자면 부정은 나에게서 나온 것이다. 그것은 내가 기대한 결과와 획득한 결과를 비교한 경우의, 판단적 행위의 수면에 나타날 뿐이다."

이런 입장에서 보면, 부정은 단순히 판단의 하나의 질(質)이고, 묻는 사람의 기대는 판단-대답에 대한 기대라는 이야기가 될 것이다. 무에 대해서 말하면, 무는 그 기원을 부정적 판단 속에 가지게 된다. 무는 모든 부정적 판단에 초월적인 통일을 주는 개념이며, "X는…아니다"라는 형태의 명제를 확립하는 기능이라는 얘기가 될 것이다. 이 이론을 추구해 가면 즉자존재는 완전한 긍정성이고, 그 자체 속에 어떤 부정도 품고 있지 않다는 것을 인정하지 않을 수 없게 된다. 한편, 이 부정적 판단은 주관적인 작용이라는 점에서 전적으로 긍정적 판단과 같은 것이 된다. 이를테면, 부정적인 판단의 작용을 그 내적 구조에 있어서 긍정적인 판단의 작용과 구별한 것으로는 보이지 않는다. 어느 판단의 경우에도, 사람들은 개념의 하나의 종합을 이룩한다.

다만 이 종합은 심적 생활의 구체적이고 충실한 하나의 사건이지만, 긍정적 판단의 경우에는 계사인 '이다'를 써서 종합이 이루어지고, 부정적 판단의 경우에는 계사 '아니다'를 써서 종합이 이루어진다. 마찬가지로 골라내기(분리)의 조작과 모으기(통일)의 조작은 사실, 똑같은 실재와 관련된 두 가지의 객관적 행위이다. 이 논법으로 나가면 이렇게 된다. 부정은 판단 작용의 '맨끝'에 있다 해도, 그렇다고 존재 '안에' 있는 것은 아니다. 부정은 두 개의 충실한 실재 사이에 끼여 있는 비현실적인 것인데, 이 두 개의 실재 가운데 어느 것도 부정을 요구하지는 않는다. 부정에 대해 질문을 받은 즉자존재는 판단 쪽을 가리킨다. 그것은 즉자존재가 그것의 있는 바 그대로의 것 외에 아무것도 아니기 때문이다. 더욱이 판단은 완전한 심적 적극성으로서, 존재 쪽을 가리킨다. 왜냐하면 판단은 존재와 관련되는 부정, 따라서 초월적인 부정을 밝히기 때문이다. 부정은 구체적이고 심적인 조작의 결과이며, 이런 조작 자체에 의해 존재 속에 유지되지만, 그 자체로 존재하는 것은 불가능하며, 노에마적[55] 상관자로서의 존재를 가질 뿐이다. 부정의 '존재'는 바로 그 '지각되는 것' 속에 존재한다.…

문제는 다음과 같이 표현될 수 있을 것이다. 판단적 명제의 구조로서의 부정이 무의 기원을 이루는 것일까? 또는 그 반대로 현실의 구조로서의 무가 부정의 기원이자 근거인 것일까? 그리하여 존재의 문제는 우리를 인간적인 태도로서의 질문의 문제로 향하게 하고, 질문의 문제는 우리를 부정의 존재의 문제로 향하게 한다.(『존재와 무』, 64-65)

부정은 연속성의 갑작스러운 중단이다. 이런 중단은 어떤 경우에도 선행하는 여러 가지 긍정에서는 '나오는' 것은 아니다. 부정은 하나의 근원적이며 돌이킬 수 없는 사건이다. 그러나 우리는 여기서도 의식의 영역 안에 있다. 그리고 의식은 부정의 의식의 형태 하에서가 아니면 부정을 산출할 수 없다. 어떤 범주도 하나의 사물과 같은 방식으로 의식 속에 '거주'하고 의식 속에 깃들 수는 없다. 갑작스러운 직관적 발견으로서의 부(否)는 (존재)의식으로서, 부의 의식으로 나타난다. 요컨대 곳곳에 존재가 있다고 하면, 베르그송이 말하려 한 것처럼, 생각할 수 없는 것은 단순히 '무' 뿐만이 아니다. 그런 존재자에서는 결코 부정을 끌어내지 못할 것이다. 부라고 말할 수 있기 위해 필요한 조건은, 비존재가 우리 속에, 그리고 우리 밖에서의 끊임없는 현전이라는 것이다. 즉 그 조건은, 무가 존재에 "항상 붙어 다는 것"이다.(『존재와 무』, 72)

2. '무'에 대한 사고

가. '무'에 대한 변증법적 사고방식

사르트르는 헤겔의 변증법적 사고방식을 소개한다. 이에 의하면, 모든 존재는 비존재를 달고 있다. 그 대표적인 예로서 구체적인 것과 추상적인 것은 정반대이다. 하나는 존재이고 하나는 비존재이다. 그런데, 추상적인 것이 존재하지 않으면, 그 구체적인 것은 더 이상 발전은 없다. 추상적인 것이 존재하여야 그 구체적인 것은 더 완벽한 구체성으로 나타갈 수 있는 것이다. 이 추상적 계기가 있어야 각각의 완성을 위해, 전체성을 위해 자기를 초월해 나간다. 그래서 모든 '무'는 사실 '존재, 그 자체'와 동일성이다. 순수한 존재와 순수한 무는 똑같은 것이다. 존재의 계

---

55) 노에마란, 후설 현상학에서 "의식의 작용에 의하여 생각된 객관적인 대상 면"을 이르는 말이다.(『다음 백과』)

기와 비존재의 계기는 서로 직접적인 계기를 이루고 있다.

특히 존재와 존재에 붙어 다니는 비존재의 관계를 확실하게 해 두는 것도 나쁘지 않을 것이다. 사실 존재에 직면했을 때의 인간적 행위와 '무'에 직면하여 인간이 취하는 행위 사이에는 일종의 패럴렐리즘(병행론)이 있는 것을 우리는 확인하였다.…

헤겔의 관점은 확실히 그런 것이다. 사실 그는 『논리학』에서 '존재'와 '비존재'의 관계를 연구하면서, 이 『논리학』을 사고의 수수규정의 체계라고 불렀다. 그리고 그는 논리학의 정의를 이렇게 밝히고 있다. "사람들이 보통 생각하는 것과 같은 사고는 순수사고의 내용, 즉 순수사고에 의해 생산되는 내용 이외에 다른 어떤 내용도 포함하지 않는 방식으로만 파악된다."…

르센이 아믈랭의 철학에 대해 한 말을 그대로 헤겔에게 적용한다면, "더 낮은 각각의 개념은 더 높은 개념에 의존한다. 그것은 마치 추상적인 것이 구체적인 것에 의존하는 것과 같다. 구체적인 것은 추상적인 것에 있어서 그것을 실현하는 데 없어서는 안 되는 것이다." 헤겔에 있어서 진실로 구체적인 것이란, 자기의 본질을 지닌 '존재자'이며, 그것은 모든 추상적 계기의 종합적 적분에 의해 생산되는 전체성이다. 이 추상적 계기는 각각의 완성을 추구함으로써 이 전체성을 향해 자기를 초월해 간다.…

이런 무규정적인 존재는 즉시 그 반대의 것으로 '이행한다'. 헤겔은 『소논리학』에서 이렇게 말했다. "이 순수한 '존재'는 순수한 추상이며, 따라서 절대적 부정이다. 이런 부정을 또한 그 직접적인 계기에 있어서 본다면 그것은 또한 비존재이다." 무는 사실 그 자체와의 단순한 동일성이고, 완전한 공허이며 모든 규정과 내용의 결여인 것이 아닐까? 따라서 순수한 존재와 순수한 무는 똑같은 것이다. 아니면 차라리 그 둘은 서로 다르다고 말하는 편이 더 정확할 것이다. 그러나 "그 경우의 차이는 아직 규정된 차이는 아니다. 왜냐하면 존재와 비존재는 직접적 계기를 이루고 있기 때문이다. 따라서 이런 차이는… 단순한 추단에 지나지 않는다." 이것은 구체적으로 "하늘과 땅에는 그 자체 속에 존재와 무를 내포하고 있지 않은 것은 아무것도 없다"는 것을 뜻한다.(『존재와 무』, 73-75)

한편, 사르트르는 헤겔의 사고방식을 그것만으로 논하는 것은 아직 때가 이르다고 말한다. 특히 그는 헤겔이 말한 "존재가 존재하는 자의 하나의 뜻으로 환원된다"는 말에 주목한다. 이것은 다른 말로 '존재, 혹은 사물'(의식 속의 '존재')과 그 사물이 '존재하는 곳'(정신이라는 '존재하는 자')이 구별되지 않는다는 의미이다.(필자: 그러나 엄밀히 말하면, 의식은 정신 속에 존재한다.) 또는 '존재'는 다른 어떤 것의 '존재자의 구조' 속에 존재하지 않는다는 의미이기도 하다.(필자: 그러나 토마스 아퀴나스는 모든 개별적 '존재자' 속에 거하는 '존재'의 분유를 말하였다.) 그럴 경우, 헤겔의 '존재'와 '무'는 양극단일 수 있다.

헤겔식 사고방식을 그것만으로서 논하는 것은 아직 때가 이르다. 우리의 탐구 전체의 결과를 기다린 뒤에야 비로소 우리는 헤겔적인 사고에 대해 우리의 입장을 확실히 할 수 있을 것이다. 여기서는 다만, 헤겔에 의하면, 존재가 존재하는 자의 하나의 뜻으로 환원된다는 것을 지적해 두는 것이 좋을 것 같다. 존재는 본질에 둘러싸여 있고 그 본질은 존재의 근거이고 근원이다. 헤겔의 이론 전체는 다음과 같은 사상에 바탕을 두고 있다.

논리학의 단초에서, 매개된 것에서 출발하여 직접적인 것을 재발견하고, 바탕에 있는 구체적인 것에서 출발하여 추상적인 것을 재발견하기 위해서는 하나의 철학적인 고찰이 필요하다는 것이다.··· 존재는 "다른 여러 구조 속의 하나의 구조"가 아니며 대상의 한 계기도 아니다. 존재는 바로 모든 구조와 모든 계기의 조건 그 자체이다. 존재는 그 위에 현상의 성격들이 나타나는 근거이다. 또 마찬가지로 사물의 존재는 "그 본질을 드러내는 곳에 존재한다"는 것을 인정할 수는 없다. 왜냐하면 그렇게 되면 이런 존재에 대해 또 하나의 존재가 있어야 하기 때문이다.···

헤겔에 있어서는 모든 규정은 부정이라고 말하는 사람들도 있을 것이다. 그러나 오성은 이런 뜻에서는 그 대상에 대해 대상이 그것이 있는 것과는 '다른 것'이라는 것을 부정하는 데 그친다. 물론 그것만으로도 모든 변증법적 고찰을 저해하기에 충분하다.··· 여기에 '지양(止揚)'이라는 헤겔적인 개념의 양의성이 있다. 이 지양은 때로는 그 존재의 가장 깊은 내부에서 솟아나온 것으로도 보이고, 때로는 이 존재가 그것에 의해 끌려가는 외적인 운동으로도 보인다.···

그러나 여기서 검토해야 할 것은 특히 존재와 무에 관한 헤겔의 주장인데, 그에 의하면 존재와 무는 두 개의 상반되는 사항을 이루고 있으며, 그 차이점은 고찰된 추상의 수준에서는 하나의 단순한 '추단'에 지나지 않는다는 것이다.

헤겔적 오성의 방식으로 존재와 무를 마치 테제와 안티테제의 경우같이 대립시키는 것은 그들 사이에 하나의 논리적 동시성을 상정하는 일이다. 그리하여 두 개의 상반자들은 동시에 하나의 논리적 계열의 두 극한 조항으로서 나타난다. 그러나 여기서 주의해야 할 일은, 상반자들은 똑같이 적극적(또는 똑같이 소극적)이므로, 이 상반자들만이 동시성을 가질 수 있다는 것이다. 그런데 비존재는 존재의 반대 개념은 아니다. 비존재는 존재의 모순개념이다. 그것은 존재보다 무쪽이 논리적으로 '후행성'을 지닌다는 것을 뜻한다. 왜냐하면 무는 처음에 확립된 존재가 다음에 부정된 것이기 때문이다. 그러므로 존재와 비존재가 같은 내용의 개념이 될 수는 없는 일이다.… 헤겔이 존재를 무로 '이행'시킬 수 있었던 것은 그가 스스로 존재의 정의 자체 속에 암암리에 부정을 끌어넣었기 때문이다. 이것은 분명한 일이다. 왜냐하면 하나의 정의는 부정적인 것이기 때문이며, 헤겔은 스피노자의 명제를 들어 "모든 규정은 부정이다"라고 말했기 때문이다.… (『존재와 무』, 75-77)

필자의 판단에 의하면, 위에서 '존재'가 '존재하는 자'가 하나의 뜻이다는 것은 검토의 필요성이 있다고 본다. 실제적으로, 헤겔은 위에서 '부정'을 발하는 존재를 별도로 인정하지 않고 단순히 정신에 내재된 '선험성'만으로 본다. 그런데, 이 둘은 분리될 필요성이 존재한다. 즉, 어떤 '존재자'가 '무엇(존재)'에 대한 부정을 말할 때, 그냥 그것이 그의 본질상 무조건적으로 부정하느냐, 아니면 어떤 '존재자'가 이데아적인 '그 무엇'을 인식하고, 비교를 통해서 '무엇'을 부정하느냐이다.

만일 헤겔의 말처럼, 우리의 '판단'이 무조건적인 '부정'이라면, 그 부정의 순환은 끝이 없을 것이다. 그런데, 헤겔은 이러한 '부정'의 변증법을 통하여 궁극적으로는 '절대지'에 이르는데, 그 '절대지'에 이른 후에도 그러한 '상승'을 위한 '부정'은 계속 되는가의 문제이다. 이러한 '판단'에 대해 어거스틴은 그의 『고백록』에서, 우리의 정신이 무엇과의 비교를 통해서 이러한 판단을 한다고 말한다. 그리고 우리의 정신은 그 이데아적인 것을 보고 있다고 한다. 플라톤은 우리 영혼의 선험성을 통해서 이것을 '기억'(상기)하고 있다고 말한다.

오히려 '존재하는 자'와 '존재'는 구분되어야 할 필요가 있다. 즉 '존재하는 자'는 사태를 바라보고 있는 '정신'이며, '존재'는 '즉자존재'이다. 이 '정신'은 그 안에 내재적인 절대선에 대한 의식이 있기 때문에 현실적인 모든 것에서 그것의 발전을 위한 '부정'을 '선험적'으로 가지고 있다. 이러한 기준이 있기 때문에, 우리의 정신은 '즉자존재'로서의 '긍정'과 '대자존재'로서의 '부정'을 거친 후에 '즉자-대자 존재'로서의 '종합'에 이르렀을 때에 잠시 동안이지만 그것을 누리며 그 자리에 머문다. 따라서 '긍정'에 대한 '부정'은 어떤 큰 틀 안에서 '특정한 요소'에 대한 부정이지 전존재를 향한 부정은 아니라는 것이다.

그리고 무조건적인 '부정'이라면, '존재'에 대해서 극단적인 '비존재' 혹은 '무'가 등장하여야 하는데, 실질적으로 따져보면 그 '비존재'는 존재 전체를 향한 극단적인 '무'가 아니라, 발전을 위한 '모순'의 발견이었다. 이것은 마치 소크라테스가 이데아를 찾아가는 변증법적 발견과 같은 성격을 가지고 있다. 이러한 변증법적 원리를 맨 처음에 주장한 인물은 헤라클레이토스였다. 그는 '로고스'를 말하며 끊임없는 변화를 말하였다. 이에 반하여 파르메니데스는 변함없는 '일자'를 말하였다. 나중에 중기 플라톤 시대의 플로티누스는 이 양자를 결합하여 삼위일체론을 창안하였는데, '일자'를 '로고스'보다 순서상으로 1위에 두고, 로고스(누우스)를 2위에 두었다. 한 존재에 두 존재 혹은 세 존재를 반영한 것이다.

결론적으로, 우리는 사르트르의 '존재와 무'를 생각할 때, 즉, '존재'에 대한 '무'를 생각할 때, 파괴적이고 극단적인 '무, 혹은 무화작용'을 상정할 것인지, '모순'으로서의 '무화작용'을 생각할 것인지를 고려하여야 한다. 한편, 그럼에도 불구하고 필자의 주장은 한계를 가지고 있다. 또한 우리는 사르트르를 바르게 이해하기 위해서라도 헤겔과 사르트르의 견해에 충실하고자 한다.

나. 무에 대한 현상학적인 사고방식

하이데거는 이러한 헤겔의 '무' 개념을 인간의 현존재의 사고방식에 적용을 하였다. 다시 말하면 이 '무'는 '무화작용'으로서 "인간의 어떤 행위 속에도, 다시 말하면 인간존재의 어떤 기도(企圖) 속에 들어있다"고 말한다. 그 대표적인 예로서 '불안'을 꼽는데, 이때 이것은 자신을 미래에 기투하며, 자신을 무화한 것이다. 인간은 자기에 앞서 있는 존재인데, 존재가 세계로서 나타나고 구성되는 것은 전존재를 관통하는 이러한 무화운동으로 인한 것이다. 무는 판단의 근원에 있다. 무는 그 핵심에 존재를 지니고 있다. 한편, 사르트르는 이와 같은 하이데거의 '무화작용'을 자신의 '무'에 대한 개념으로 가져온다.

물론 존재와 무의 상호보완성을 다른 방식으로 생각해 볼 수 있다. 우리는 존재와 무를 실재의 구성에 똑같이 필요한 요소로 생각하면서도, 헤겔과 같이 존재를 무로 '이행시키지' 않고, 또 우리가 시도했듯이 무의 후행성을 주장하지도 않는 다른 사고방식이 가능하다. 이 사고방식에 의하면, 반대로 존재와 무가 서로 영향을 미치는 상호 배제력에 중점을 두어, 현실은 말하자면 서로 적대하는 이 두 개의 힘에서 생기는 긴장이라고 여길 수 있다. 하이데거는 이 새로운 방식을 향하고 있다.

…하이데거에서의 존재에는 하나의 의미가 있으며, 그 의미를 해명해야 한다. 존재에 대한 하나의 "존재론 이전의 양해"가 있는데, 이 양해는 '인간존재'의 어떤 행위 속에도, 다시 말하면 인간존재의 어떤 기도 속에도 들어있다. 그와 마찬가지로 철학자가 무의 문제를 다루기 시작하자마자 언제나 일어났던 온갖 아포리아[논리적 궁지]는 무의미하다는 것이 나타난다. 그런 아포리아는 오성의 사용을 제한하는 한에서만 가치를 가지며, 단순히 무의 문제가 오성의 권한에 속하는 것이 아님을 나타낼 뿐이다. 그와는 반대로 '인간존재'의 태도 중에는 증오.금지.회한 같은, 무의 '양해'를 내포하는 많은 태도가 있다. 나아가서, '현존재 (Dasein)'에 있어서도 무에 '직면하여' 자기를 발견하고, 현상으로서 무를 발견하는 끊임없는 가능성이 있다. 그것이 불안이다. 그러나 하이데거는 '무'를 구체적으로 파악할 수 있는 가능성을 내세우면서도 헤겔이 범한 오류에 빠지지 않는다. 그는 비존재에, 비록 추상적인 존재라 할지라도 하나의 존재를 따로 간직해 두지 않는다. 무는 존재하지 않는다. 무는 자신을 무화한다.…

인간은 세계의 저편에서 자기 자신에게 자기를 알려주고 지평선에서 출발하여 자기 자신을 향해 자기를 내면화시키기 위해 돌아온다. 인간은 "자기에 앞서 있는 존재"이다.

존재가 세계로서 나타나고 구성되는 것은 전(全)존재를 관통하는 내재화 운동에 의한 것이다. 더욱이 그 경우에는 세계에 대한 이 운동의 우위가 있는 것도 아니고, 이 운동에 대한 세계의 우위가 있는 것도 아니다. 그러나 세계의 저편을 향한 이 자기의 나타남, 다시 말하면 현실적인 것 전체의 이 나타남은 무 속에 '인간존재'가 노출되는 것이다. 오로지 무 속에서만 우리는 존재를 넘어설 수 있다. 동시에 또한 자기가 세계로서 구성되는 것은 세계의 저편의 관점에서이다. 그것은 한편으로는 인간존재가 비존재 속에서의 존재의 노출로서 나타남을 뜻하고, 다른 한편으로는 세계가 무 속에 '매달려' 있음을 뜻한다. 불안이란 이 이중의 끊임없는 무화(無化)의 발견이다.… 그러므로 하이데거의 경우에는, 무는 존재를 전면적으로 에워싸면서, 그것과 동시에 존재로부터 추방당하고 있다. 여기서는 무가 세계에 세계로서의 윤곽을 부여하는 역할을 한다. 이 해결책이 우리를 만족시켜 줄 것인가? 이 해결책이 우리는 만족시켜 줄 것인가? 확실히 세계를 세계로 파악하는 것은 무화적 파악이라는 것은 누구도 부정할 수 없을 것이다. 세계가 세계로서 나타나자마자, 그것은 "그것 이외의 아무것도 아닌 것"으로서 주어진다. 그러므로 이런 파악이 이루어지기 위해서는 반드시 다른 면에서 '인간존재'가 무(無) 속에 드러나지 않으면 안 된다. 그러나 '인간존재'가 이렇게 비존재 속에 드러나는 그 능력은 어디서 오는가? 하이데거가 부정은 그 근거를 무에서 이끌어 낸다는 사실을 고집하는 것은 물론 정당하다. 그러나 무가 부정에 근거를 부여한다는 것은 무가 자기 속에 그 본질적 구조로서 '부(否)'를 내포하고 있기 때문이다. 다시 말하면 무가 부정에 근거를 부여하는 것은 무차별적인 공허로서가 아니고, 또 자신을 타재로서 확립하지 않는 타재로서가 아니다. 무는 판단의 근원에 있다. 왜냐하면 무는 그 자체가 부정이기 때문이다. 무는 '작용'으로서의 부정에 근거를 부여한다. 왜냐하면 무는 '존재'로서의 부정이기 때문이다. 이런 무는 그것이 세계의 무로서 특히 자기를 무화할 때가 아니면 무가 될 수 없다. 다시 말하면 무가 그 무화에 있어서 세계의 거부로서 자기를 구성하기 위해, 특별히 이 세계를 향할 때만, 이 무는 무일 수 있다. 무는 그 핵심에 존재를 지니고 있다. 그러나 이 무화적 거부가, 노출이라는 것을 통해 어떻게 설명될 것인가? 초월, 즉 "…의 저편으로의 자기기투"는 무에 근거를 부여하기는커녕, 반대로 무가 바로 초월의 핵심에 있으면서 초월에 조건을 부여하고 있다.…(『존재와 무』, 79-83)

다. '무(無)'의 기원

무가 이와 같이 존재의 핵심 요소임이 드러났는데, 이 무는 즉자존재가 만들어 내지는 못한다. 그리고 무가 별도로 존재하는 것은 아니다. 그러므로 창조가 진행되기 위해서는 무슨 방식으로든 자체를 무화하기 위한 존재가 필요하다. 무는 존재되는 것이기 때문이다. 무를 만들어내는 존재가 요청된다.

그런데, 이때 무를 만들어내는 존재는 그 자체가 무를 근본으로 하는 존재라야 한다. 그래야 무를 만들어 낼 수 있는 것이다. 자신은 무가 아니면서 무를 만들어 낼 수는 없는 것이다. 그리고 그것, 즉 무의기원이 바로 인간존재이다.

우리는 먼저 존재에 대한 물음을 제기해 보았다. 이어서 우리는 이 물음 자체 위로 돌아가서 이것을 '인간적 행위'의 하나의 형태로 생각하고, 이번에는 이 물음 자체에 질문을 던졌다. 그런데 우리는 만일 부정이 존재하지 않는다면 어떤 질문도 제기될 수 없으며, 특히 존재에 대해서는 어떤 질문도 제기될 수 없다는 것을 인정하지 않으면 안 되었다. 그러나 이 부정 자체를 더욱 면밀히 고찰해 봄으로서 우리는 부정의 기원과 그 근거로서의 '무'의 문제로 되돌아가게 되었다. 세계 안에 부정이 있기 위해서는, 따라서 또 우리가 '존재'에 대해 자신에게 물어 볼 수 있기 위해서는 어떤 방식으로든 '무'가 주어져 있어야 한다. 우리는 그때 상호보완적이고 추상적인 개념으로서든, 존재가 그 속에 매달려 있는 환경으로서든, 존재의 밖에서는 무를 생각할 수 없다는 것을 깨달았다.

우리가 '부정성'이라고 부른 이 특수한 형태의 현실을 파악하기 위해서는 '무'가 '존재'의 핵심에 주어져 있어야 한다. 그러나 이런 내(內)-세계적인 '무'를 즉자 존재가 만들어 내지는 못할 것이다. 충만한 긍정성으로서의 '존재'의 개념은 그 구조의 하나로서 '무'를 포함하지 않는다. 존재의 개념은 무와 양립하지 않는다고 말할 수도 없다. 존재의 개념은 무와 아무런 관계도 없다. 그것에서 당장, 특별히 긴급을 요하는 것으로서 다음과 같은 문제가 우리 앞에 제기된다. 만일 '무'가 '존재' 밖에서도 생각할 수 없고 '존재'에서 출발해서도 생각할 수 없다면, 또 한편으로 무는 비존재이므로 '자신을 무화하는' 데 필요한 힘을 자기로부터 이끌어 낼 수 없다면 "무는 도대체 어디서 오는 것일까?"

만일 이 문제를 더욱 가가이서 추구하고 싶다면, 우리는 먼저 "자기를 무화한다"는 특성을 무에 대해 허용해서는 안 된다는 것을 먼저 인정하지 않으면 안 된다. 왜냐하면 "자기를 무화한다"는 이 동사는 무에서 매우 사소한 존재 비슷한 것까지 없애기 위해 생각해낸 말이기는 하지만, 자기를 무화할 수 있는 것은 '존재'뿐이라는 것을 인정해야 하기 때문이다. 그런데 '무'는 "존재하지 않는다." 우리가 무에 대해 말할 수 있는 것은, 무가 다만 존재적인 하나의 외관, 즉 빌려 온 것인 하나의 존재를 가지고 있기 때문이다. 그것을 우리는 앞에서 지적했다. '무'는 존재하는 것이 아니다. 무는 '존재되는' 것이다. '무'는 자기를 무화하는 것이 아니다. '무'는 '무화되는' 것이다. 그렇다면 그 밖에 무를 무화하는 특성으로 하는 하나의 존재, 자기의 존재에 의해 '무'를 유지하는 것을 특성으로 하는 하나의 존재, 그 존재 자체에 의해 끊임없이 무를 지탱하고 있는 하나의 존재, 즉 "무를 사물에게 오게 하는 하나의" 존재 - 이것은 즉자존재일 수가 없다 - 가 존재하지 않으면 안 된다. 이런 '존재'는 그에 의해서 '무'가 사람들에게 오기 위해서는 '무'에 대해서 어떤 관계에 있어야 할까?

우리가 먼저 주목해야 할 것은 여기서 문제가 된 존재가 '무'에 대해 수동적일 수는 없다는 것이다.… 무를 이 세계에 도래케 하는 이 '존재'는, 스스로 변하지 않고, 그 결과를 낳는 스토아적인 원인과는 잘리, 이 생산에 무관심한 채로 머물면서 '무'를 생산할 수는 없다. 충만한 긍정성인 하나의 '존재'가 자기 밖에서 초월적인 존재인 하나의 무를 유지하고 창조한다는 것은 생각해 볼 수 없는 일이다. 왜냐하면 '존재' 안에는 '존재'가 '비존재'에게 자기를 뛰어넘는 것을 가능하게 하는 것은 아무 것도 없기 때문이다. '무'를 세계 속에 도래케 하는 '존재'는 그 '존재'에 있어서 '무'를 무화하지 않으면 안 된다.… '무'를 세계에 오게 하는 존재는, 그 존재에 있어서 그 '존재'의 '무'가 문제가 되는 그런 하나의 존재이다. 바꿔 말하면 "'무'를 세계에 오게 하는 존재는 그 존재 자신의 무가 아니면 안 된다."(『존재와 무』, 87-89)

한편, 위의 견해는 '파괴'를 의미하는데, 우리는 이러한 극단을 현실적으로 보완할 또 다른 견해를 고찰해 볼 수도 있겠다. 필자의 견해에 의하면, 만일 인간이 어떤 이데아를 지향하는 기준을 선험적으로 알고 있다면, 그는 자신의 존재로서의 정체성을 가진 상태에서도 비존재인 무를 손쉽게 발견할 수 있을 것이다. 즉, 헤겔에게 있어서 무의 본질은 구체적인 것과 추상적인 것의 차이 부분이기 때문이다. 즉, 그 모자란 부분이 무일 수도 있기 때문이다. 사르트르도 이 무의 발견을 다음과 같이 말한다.

나의 현재의 상태가 선행하는 나의 상태의 연장인 한, 부정이 숨어들 수 있는 틈새는 완전히 막혀 있을 것이다. 그러므로 무화작용의 모든 심적 과정은 직전의 심적 과거와 현재 사이에 틈새가 있음을 보여준다. 이 틈새가 바로 무이다.… (『존재와 무』, 96)

만일 '부정'이나 '무'가 무차별적으로 현실에 적용된다면, 이 논의는 무조건적인 파괴로 오용될 수 있다. 그 대표적인 사례가 헤겔의 좌파 격인 칼 막스의 막시즘에서 나타났다. 추상적인 것과 구체적인 것 사이의 틈새를 무라고 했을 경우에는 현재의 전체를 파괴하지 않아도 된다. 그런데, 막시즘에서는 무조건적인 파괴를 추구한다. 예컨대, 자본주의는 무조건 파괴되어야 한다. 그런데, 현실에 의하면, 자본주의는 그 한계를 인식하면서 수정 자본주의로, 복지국가 모델로 변화를 추구하며 사회적인 진화를 이루고 있다. 공산주의는 유토피아에 이르기 위해 자본주의의 모든 선한 기능까지도 무조건적으로 파괴하려 한다.

역사 속에서 급격한 붕괴는 모두 도구의 발견으로 말미암았다. 불의 발견이 신석기 시대를 오게 하였다고 말한다. 중세봉건사회에서 근세사회로의 변화는 과학의 발견으로 말미암았다. 헤겔은 역사는 '즉자(정)-대자(반)-즉자대자(합)'의 발전을 통해서 역사의 발전을 이야기 하였는데, '대자'는 '즉자'에 대한 파괴가 아니었다. '즉자'에 있는 결함의 발견으로서 '대자'였다. 그래서 그 이후에 나타나는 것이 이 양자의 종합으로서 '즉자-대자'이다.

3. 자기기만

가. 자기기만과 허위

사르트르의 '자기기만'이란 인간의 자유에 대한 불안에서 출발한다. 인간은 대자존재로서 미래의 불안에 대한 기투의 자유가 있다. 그런데, 이것을 회피하기 위해서 자신을 자꾸 즉자존재화하는 행위를 의미한다.

인간은 그 안에 '무의 의식'이 있는 존재이다. 그런데 이 '의식'의 '무화행위' 혹은 '부정성'을 자기 자신을 향하게 할 수도 있다. 그래서 자기 자신을 '즉자화'하기도 한다. 예를 들면, 어떤 것이 금지되어 있거나, 또 스스로 그것을 거부하고자 할 때(예컨대, 자유에 대한 두려움 때문에), 스스로를 즉자화하여 미래적인 초월로서의 '자유'를 부정해 버린다. 그럴 경우, 나의 의식은 세계 속의 하나의 '부'로서 나타난다. 마치 노예가 처음에 주인을 파악하는 방식이다.

끝없이 자신을 '부정'으로 구성하는 이러한 사람을 셸러는 '원한적 인간'이라고 표현하였다. 아이러니도도 이런 행위의 한 예이다. 아이러니에서 사람은 하나의 똑같은 행위 속에서 그가 제기하는 것을 무효화한다. 그는 다른 사람을 믿도록 만들지만 그 자신은 그것을 믿어 주지 않는다. 이렇게 하여서 끝없이 자기 자신을 '즉자화'하는 그 행위를 사르트르는 '자기기만'이라고 말한다. 그리고 이것은 '허위'와 동일시된다고 말한다.

인간존재는 단순히 세계 속에 '부정성'이 나타나게 하는 존재일 뿐만 아니라, 자기에 대해 부정적인 태도를 위할 수 있는 존재이기도 하다.… 즉, "'의식'이란 그것에 있어서는 그 존재 속에 그 존재의 무의 의식이 있는 하나의 존재라고." 이를 테면 금지 또는 거부에 있어서 인간존재는 미래적인 초월을 부정한다. 그러나 이 부정은 무엇을 확정하는 것이 아니다. 나의 의식은 다만 하나의 부정성을 '응시'하는 것만으로 그치지 않는다. 나의 의식은 그 근저로부터, 다른 인간존재가 '그의' 가능성으로서 계획하는 하나의 가능성의 무화로서 자기 자신을 구성한다. 그러므로 나의 의식은 세계 속에 하나의 '부(否)'로서 나타날 것이다. 노예가 처음에 주인을 파악하는 방법도 바로 하나의 '부'로서 하는 것이다. 세계에는 자기의 사회적 존재가 오로지 '부'인 존재인 사람들(파수꾼, 감시병, 간수 등등)고 있으며, 그런 사람들은 한평생 이 지상에서는 하나의 '부'로서 밖에 존재하지 않으며, 그렇게 살다가 죽어갈 것이다. 그런 부류가 아닌 사람들도 사람인 한, 끊임없이 부정으로 자기를 구성하고, '부'를 그들의 주관성 자체 속에 지니고 있다. 셀러가 '원한적인 인간'이라고 부르는 것의 뜻과 기능, 그것이 이 '부'이다. 그러나 이보다 더 미묘한 행위도 존재한다. 그것에 대한 묘사는 우리를 더 멀리 의식의 내면까지 인도해 갈 것이다. 아이러니가 이런 행위의 한 예이다. 아이러니에서 사람은 하나의 똑같은 행위 속에서 그가 제기하는 것을 무효화한다. 그는 믿도록 만들지만 믿어 주지 않는다.… 차라리 인간존재에 있어서 본질적인 태도이기도 하고, 동시에 의식이 그 부정을 밖으로 향하는 것이 아니라 자기 자신에게 돌리는 일정한 태도를, 선택하여 검토하는 것이 마땅할 듯하다. 이 태도가 아마도 '자기기만'일 것이다. 적어도 우리에게는 그렇게 생각되었다.

자기기만은 흔히 허위와 동일시된다. 우리는 어떤 사람에 대해 무차별하게 "그의 태도는 불성실하다"든가, "그는 스스로 자기에게 거짓말 하고 있다"고 말한다. 만일 자기에 대한 거짓말과 단순한 거짓말을 확실히 구별할 수 있다면, 우리는 자기기만이란 자기에 대한 허위라는 것을 확실히 구별할 수 있다면, 우리는 자기기만이란 자기에 대한 허위라는 것을 기꺼이 받아들일 것이다. 허위는 하나의 부정적인 태도이다. 이것은 누구나 다 인정할 것이다.

그러나 이 부정은 의식 그 자체를 지향하는 것이 아니다. 이 부정은 초월적인 것밖에 노리지 않는다. 허위의 본질은 사실 거짓말을 하는 자가 완전히 진실을 알고 있으면서, 그 진실을 속이고 있다는 뜻을 담고 있다.…(『존재와 무』 123-125)

… 사실 자기기만을 범하는 사람에게 있어서 중요한 것은, 바람직하지 않은 진실을 숨기는 것, 또는 바람직하지 못한 잘못을 진실로서 드러내는 것이다. 그러므로 자기기만은 보기에는 허위의 구조를 가지고 있다. 다만 전적으로 다른 점

은 자기기만에서는 내가 나 자신에 대해 진실을 가리는 것이다.(『존재와 무』126)

나. 자기기만 행위

사르트르는 어떤 밀회에 나온 한 여인의 행위를 통해서 '자기기만의 행위'의 예를 든다. 이 여인은 자신의 욕정을 숨기고, 상대방에게 자신을 은밀히 맡긴다. 이때 그 여인은 마치 자신을 '즉자존재'인양 취급하여 '자신의 손'을 은밀히 상대방에게 맡긴 것이다. 우리는 이 여자를 자기기만적이라고 말할 것이다. 그녀는 상대의 행위를 오직 있는 그대로의 것으로 존재하도록, 다시 말해 즉자존재의 방식으로 존재하게 함으로써 그 무장을 해제했다. 그녀는 자신의 세계-속-존재의 기능으로부터 갑자기 몸을 뺀 것이다. 다시 말하면 세상을 넘어 그녀 자신의 가능성들을 향해 자기를 내던짐으로써 하나의 세계가 있게 하는 존재의 기능을 가지고 있음에도 그 기능을 벗어던진 것이다.

그때 남자는 그녀의 손을 잡는다.⋯ 여인은 손을 그대로 둔다. 그러나 자기가 손을 그대로 두고 있다는 것은 "알아차리지 않는다." 그녀가 그것을 알아차리지 않는 것은, 마침 그 순간 그녀는 정신 그 자체이기 때문이다. 그녀는 상대를 감상적인 명상의 가장 높은 경지까지 끌어올린다. 그녀는 삶에 대해 얘기하고, 그녀 자신의 삶에 대해 얘기한다. 그녀는 그 본질적인 양상 하에서 자기를 보여준다. 그러는 동안 몸과 영혼의 분리가 이루어진다. 손은 생기 없이 상대의 뜨거운 두 손 사이에서 휴식한다. 그 손은 동의하는 것도 아니고 저항하는 것도 아닌, 하나의 사물이다.

우리는 이 여자를 자기기만적이라고 말할 것이다. 그러나 우리는 즉시 이 여자가 자기를 자기기만 속에 유지하기 우해서 여러 가지 방편을 쓰고 있음을 본다. 그녀는 상대의 행위를 오직 있는 그대로의 것으로 존재하도록, 다시 말해 즉자존재의 방식으로 존재하게 함으로써 그 무장을 해제했다.⋯

그렇게 하여 발생된 기본개념은 하나의 '사실성'인 동시에 하나의 '초월'이라고 하는 인간존재의 이중의 성질을 이용한다.(『존재와 무』, 136-137)

사람들은 또한 우리의 젊은 여인이 우리의 '세계-한복판에-있는-존재'를, 다시 말해 다른 대상들 사이의 수동적인 객체인 우리의 타성적 현존을 어떻게 이용하는가를 보았다. 그녀는 그것을 이용하여 자신의 세계-속-존재의 기능으로부터 갑자기 몸을 뺀 것이다. 다시 말하면 세상을 넘어 그녀 자신의 가능성들을 향해 자기를 내던짐으로써 하나의 세계가 있게 하는 존재의 기능을 가지고 있음에도 그 기능을 벗어던진 것이다.(『존재와 무』, 140)

다. 자기기만 신앙

자기기만이 자기기만인 것은 자신이 믿고 있는 그것을 믿지 않는 것으로 스스로 승낙하기 때문이다. 여기에는 고지식함이 추가되는데, 그것은 "자신이 믿는 것을 믿지 않으려고 하는 것"을 의도적으로 피하는 행위이다. 이 자기기만의 신앙은 내적 분해의 분해작용이 일어나기 전에 미리 작용하여서 모든 신념을 무력하게 만들어 버린다. 자기기만은 자기기만으로서의 자기를 부인하고, '자신이-있지 않은-그대로의- 것으로-있지 않다'는 존재방식에 있어서는 내가 그것으로 있지 않은 즉자를 목표로 하고 있다.

자기기만이 자기기만인 것은, 바로 그것이 믿는 것을 믿지 않는 것을 승낙하는 한에서이다. 고지식함은 존재에 있어서 "자신이 믿는 것을 믿지 않는 것"을 피하려고 하는데, 자기기만은 "자신이 믿는 것을 믿지 않는 것"에 있어서 존재를 피한다. 자기기만은 미리 모든 신념을 무력하게 만들어 버린다. 자신이 얻고 싶어하는 신념은 물론, 그것과 동시에 자신이 피하고 싶어하는 신념도 포함하여 모든 신념을 무력하게 만들어 버린다.…
자기기만 속에는 냉소적인 허위도 없고 허위적인 개념의 교묘한 준비도 없다. 그러나 자기기만의 최초의 행위는 자신이 피할 수 없는 것을 피하기 위한 것이며, 자신이 있는 그대로의 것을 피하기 위한 것이다.… 고지식함은 우리 존재의 내적 분해를 벗어나, 자신이 그것으로 있어야 하지만 결코 그것으로 있지 않은 즉자를 향하려고 한다. 자기기만은 즉자를 피하여 내 존재의 내적 분해 속에 머물고자 한다. 그러나 자기기만은 이 분해 작용 자체를 부정한다. 자기기만은 자신이 자기기만이라는 것을 스스로 부정하기 때문이다. '자신이-있는-그대로의-것으로-있지 않는-것'을 구실로, 있지 않는 것으로 있다는 존재방식에 있어서는, 내가 그것으로 있지 않는 이 즉자로부터 달아남으로써 자기기만은 자기기만으로서의 자기를 부인하고, '자신이-있지 않은-그대로의- 것으로-있지 않다'는 존재방식에 있어서는 내가 그것으로 있지 않은 즉자를 목표로 하고 있다. 자기기만이 가능한 것은 그것이 인간존재의 모든 기도의 직접적인, 그리고 끊임없는 위협이기 때문이며, 의식이 그 존재 속에 자기기만의 끊임없는 위험을 감추고 있

기 때문이다.(『존재와 무』, 160-161)

4절 대자 존재와 시간성

사르트르는 2부 대자존재를 말하기에 앞서서 "대자의 직접적 구조"를 언급하며, '반성이전의 코기토'의 문제를 다시 꺼내든다. 왜냐면, 사르트르에게 반성의 문제는 '대자존재'에서 비로소 제기되기 때문이다. 그런데, 이러한 논의 전에 한 가지 판단하여야 할 것이 있다. 전통적인 견해에 의하면, '반성 이전의 코기토'에도 이미 '반성'의 기능은 존재하는 것으로 간주되기 때문이다.

필자의 견해에 의하면, 이 대자존재의 '반성'이 있기 위해서는 맨 처음에 사태가 주어졌을 때, 그것을 '기억'으로 각인하는 존재가 상정되어야 한다. 그런데, 사물이 기억으로 새겨질 그때부터 반성은 미미할지라도 존재하여야 한다. 만일 사물이 우리 안에 '기억'을 새기는 존재라면, 우리 안의 '기억'은 우리에게 실존적으로 필요하지 않은 모든 것들이 '기억' 속에 자리 잡아 온통 뒤죽박죽이 되어버릴 것이기 때문이다. 이러한 기억을 위해서 '반성'은 그때부터 존재했는데, 사물의 물질이 이 '반성'을 우리 인간 존재 안에 탄생시키는 것은 아닐 것이다. 그렇다면, '반성'의 특성을 가진 정신은 그 맨 처음 사물을 인식할 그 때부터 존재하였다. 따라서 사르트르의 '반성 이전의 코기토'는 적절하지 않으며, 유물론의 전개를 위한 방편으로만 보인다. 정신에게 이러한 기능이 그때부터 있었기 때문에 그 사태는 기억으로 저장될 수 있었다. 따라서 대상이 의식을 만들지는 못하며, 물질이 정신을 만들지는 않는다. 사르트르도 또한 "반성적인 코기토도 반성전의 코기토와 같은 종류이다"(『존재와 무』167)고 스스로 말하고 있다.

사실 그는 대자존재로서의 자기도 또한 유물론적 개념에서 파악한다. 그는 대자존재인 '자기'를 '무'로 파악하는데, 거의 '비존재'와 같다. 그는 '자기'는 실재하는 존재자로서 파악될 수는 없다고 말한다. 사르트르에게 '자기'는 '그의 자기'이다. 이대 '그'는 '반성적인 의식'을 일으킨 그 물질적인 '존재자들'이다. 반면 헤겔은 '정신'이라는 주체가 먼저 있기 때문에 '무화 작용'은 '차이 작용'으로 이해되어야 한다. 이 점에 있어서 사르트르는 헤겔과도 다르다. 우리는 이러한 다른 견해의 존재도 있다는 것을 인식하고 사르트르의 대자존재를 알아야 할 것이다.

1. 무 자체인 대자존재

가. 즉자존재와 대자존재

우리 안에 있는 '선험성으로서의 양심'(필자)은 우리로 하여금 다시 '자기기만'으로부터 '의식의 존재'로 돌아오게 한다. 사르트르는 이에 대해 "우리는 반성 이전의 코기토의 영역으로 다시 돌아가야 한다"고 말한다. '대상의식'(즉자존재)은 이제 '자기의식'(대자존재) 앞에 나타나게 되어 있다. 이때 그는 하이데거의 탈자적 기투를 수용하며, 여기에 추가하여 자신의 논의를 전개한다.

다만, 코기토가 우리의 출발점이 되어야 하지만, 우리는 "의식의 존재는 그것에 있어서는 그 존재가 문제인 하나의 존재이다"라는 명제로 돌아가야 한다고 말한다. 이 명제의 의미하는 바는, "의식의 존재가 완전한 동등성에 있어서 자기 자신과 일치하지 않는다"는 것을 뜻한다. 즉, 이것을 헤겔식으로 표현한다면, 사물에 대한 '즉자존재'의 반영으로서의 '대상 의식'이 '대자존재'의 반영으로서의 '자기의식'과 일치하지 않는다는 것을 말한다. 사르트르는 이 '자기의식'을 코기토의 '반성'으로 보고 있는 것이다. 사르트르는 데카르트나 칸트나 후설이나 하이데거까지도 여기에는 미치지 못하였다고 말한다.

부정은 우리들을 자유로 향하게 하고, 자유는 자기기만으로 향하게 하며, 자기기만은 다시 우리를 그 가능조건으로서의 '의식의 존재'를 향하게 했다. 그래서 우리가 지금까지 세운 요구의 조명에 비추어, 이 책의 서론에서 시도한 기술(記述)을 다시 한 번 다루어 보기로 한다. 바꿔 말하면 우리는 반성 이전의 코기토의 영역으로 다시 돌아가야 한다.

그러나 코기토는 내 달라고 요구하는 것밖에는 내어 주지 않는다. 데카르트는 "나는 의심한다. 나는 생각한다"라고 하는 코기토의 기능적인 면에 대해 코기토에게 물었으나, 이 기능적인 면에서 존재적 변증법으로 어떤 단서도 없이 이행하려고 했으므로 실체론적 오류에 빠졌다. 후설은 이 오류에서 깨달은 바가 있어 조심스럽게 기능적 기술면에 머물렀다. 따라서 그는 나타남으로서의 한계 안에서의 나타남을 단순히 기술하는 데서 한 걸음도 더 나아가지 않았다. 그는 코기토 속에 틀어 박혔다. 후설은 그런 호칭을 스스로 부인하고 있지만, 현상학자라기 보다는 현상론자라고 불리는 편이 어울린다. 그리고 그의 현상론은 끊임없이 칸트적인 관념론을 따라가고 있다. 하이데거는 본질을 메가라 학파적이고[56]

---

56) 메가라 학파 : 소크라테스의 제자인 메가라 사람 유클리데스(Euclides)가 창설한 학파. 소크라테스의 윤리학과 엘레아학파의 존재론을 결합했으며, 특히 논쟁술로 유명하다.

반변증법적인 방식으로 고립시키게 되는 이런 기술의 현상론을 피하려고, '코기토'를 거치지 않고 실존적 분석에 직접 접근한다. 그러나 '현존재'는 처음부터 의식의 차원이 결여되어 있었으므로, 이 차원을 결코 회복하지 못할 것이다. 하이데거는 인간존재에 자기 요해(了解)를 부여하고 이 자기 요해를 자기 자신의 가능성의 '탈자적 기투'(脫自適 企投, Project-ékstatique)라고 정의한다. 그리고 우리도 이 기투의 존재를 부인할 생각은 없다. 그러나 그 자신에 있어서 요해로 있음에 대한 의식이 아닌 그런 하나의 요해는 어떤 것일까? 인간존재의 이 탈자적인 성격은 만일 그것이 탈자적인 의식에서 출현하는 것이 아니라면, 의물론적(擬物論的)이고 맹목적인 즉자 속에 빠지고 만다. 사실을 말하면 코기토가 우리의 출발점이 되어야 하지만, 이 코기토에 대해서는 어떤 유명한 문구를 따라서 말한다면, "코기토는 어디든 데려가 주지만, 다만 일단 그렇게 되면 우리는 코기토에서 떨어져 나온다"고 말할 수 있을 것이다.… 그러므로 자기(에 대한) 비조정적인 의식의 기술로 돌아가서 그 결과를 검토하고, "그것이 그것으로 있지 않은 것으로 있고, 그것으로 있는 그대로의 것으로 있지 않다"는 이 필연성이 의식에 있어서 무엇을 의미하는지 자문해 보자.(『존재와 무』165-166)

이제 사르트르는 "의식의 존재는 그것에 있어서는 그 존재가 문제인 하나의 존재이다"는 말의 내용을 소개한다. 본격적인 '반성'이 시작되기 전의 코기토는 대상에 의해 즉자존재'가 고스란히 우리 안에 반영되어서 '대상의식'이 우리에게 주어져 있다. 이때 우리 안에 주어진 즉자존재는 그 자체로 충실하다. 내포하는 것과 내포되는 것이 동등하다. 그 존재 속에는 털끝만한 공허도 없으며, 무(無)가 비집고 들어갈 수 있는 바늘구멍만한 균열도 없다.

이에 반하여, 이제 이 대상의식에 대해서 반성이 시작되면, 우리 안에 형성되는 대상에 대한 의식(신념)은 이제 처음에 주어진 즉자존재로서의 대상의식과 차이가 생기기 시작한다. 이 반성적 시선은 그 시선이 향하고 있는 의식의 사실을 변질시킨다. 자기 자신에 의해 보인다는 것이 비반성적인 의식에 있어서 최초의 필연성으로 나타난다는 점에서는, 이 코기토도 반성적인 코기토와 같은 종류이다.

"의식의 존재는 그것에 있어서는 그 존재가 문제인 하나의 존재이다"라고 우리는 서론에서 말했다. 그것은 의식의 존재가 완전한 동등성에 있어서 자기 자신

(『다음 백과 사전』)

과 일치하지 않는다는 것을 뜻한다. 이 동등성은 즉자의 동등성으로서 "존재는 그것이 있는 그대로의 것으로 있다"는 단순한 명제로 표현된다. 자기 자신에 대해 거리를 가지지 않고 있지 않는 존재는 즉자 속에 단 한 조각도 없다. 그런 뜻에서의 존재 속에는 이원성의 약간의 기색조차 없다. 그것은 우리는, 즉자의 존재밀도는 무한다는 식으로 나타낼 것이다. 그것은 충실이다. 동일률이 종합적이라고 말할 수 있는 것은 단순히 이 동일률이 일정한 존재영역에 그 범위를 한정하고 있기 때문이 아니라, 특히 동일률이 자기 안에 무한한 밀도를 모으고 있기 때문이다. "A는 A다"라고 하는 것은, A는 무한한 압축 아래 무한한 압축 아래 무한한 밀도로 존재한다는 것을 뜻한다. 동일성은 통일의 한계 개념이다. 즉자(即自)가 그 존재의 종합적 통일을 필요로 한다고 말하는 것은 옳지 않다. 통일의 극한에서 '1'은 사라지고 동(同)으로 이행한다. '동'은 '1'의 이상(理想)이며 '1'은 인간존재에 의해 비로소 세계 속에 태어나다. 즉자는 그 자체로 충실하다. 내포하는 것과 내포되는 것의 그 이상의 완전한 충실, 그 이상의 완전한 동등성은 상상도 할 수 없다. 존재 속에는 털끝만한 공허도 없다. 무(無)가 비집고 들어갈 수 있는 바늘구멍만한 균열도 없다.

반대로 의식의 특징은, 의식이란 존재 감압이라는 점이다. 사실 의식을 자기와의 일치라고 정의하는 것은 불가능한 일이다. 이 탁자에 대해 나는 "이 탁자는 완전히 그리고 단순히 '이' 탁자이다"라고 말할 수 있다. 그러나 나의 신념은 신념(에 대한) 의식이다. 사람들이 종종 말하듯이, 반성적 시선은 그 시선이 향하고 있는 의식의 사실을 변질시킨다. 후설 자신도 인정한 것처럼, '보인다'는 사실은 하나하나의 "체험에 있어서 전체적인 변모를 불러일으킨다." 그런데 우리가 이미 보여 주었듯이, 모든 반성의 최초의 조건은 반성 이전의 '코기토'이다. 이런 코기토는 확실히 대상을 세우지 않는다. 그것은 어디까지나 의식 내부적이다. 그런데 자기 자신에 의해 보인다는 것이 비반성적인 의식에 있어서 최초의 필연성으로 나타난다는 점에서는, 이 코기토도 반성적인 코기토와 같은 종류이다.

나. 대자존재의 특성 : 자유

한편, 이 반성의 특성은 '자유'이다. 이것은 마치 주사와 빈사와 같다. 주체로서의 자기의 의식은 객체로서의 대상 의식은 근본적으로 다르다. 우리의 의식은 신념(즉자존재)에 대한 의식 외에 아무것도 아니다. 그런 존재로서의 우리의 의식은 사실상 즉자존재에 대한 자기 자신의 의식을 신념에 대해 가져야 할 것이다. 이때의 신념은 단순히 의식의 초월적이고 사유대상적인 성질을 부여하는 것이 될 것이다. 의식은 이 신념과 마주하여 자기 마음에 드는 대로 자기를 결정할 자유를 가질 것이다. 신념에 대한 의식은 신념을 돌이킬 수 없을 정도로 변질시키면서도 신념과 다른 것은 아니다. 이것이 대자존재이며, 그것의 자유이다.

그러므로 근원적으로 이런 코기토는 증인에 있어서 존재한다는 실효적인 성격을 띠고 있다. 하기는 이 경우, 의식이 그것에 있어서 존재하는 이 증인은 의식 자신이지만…. 따라서 나의 신연이 신념으로 파악된다는 그 사실만으로 나의 신념은 "신념 이외에 아무것도 아닌" 것이다. 다시 말하면 나의 신념은 이미 신념이 아니다. 그것은 혼란된 신념이다. 그리하여 "신념은 신념(에 대한) 의식이다"라는 존재론적 판단은 어떤 경우에도 동일판단으로 해석될 수는 없을 것이다. 주사와 빈사는 근본적으로 다르다. 그렇지만 이것은 하나의 똑같은 존재의 분해될 수 없는 통일 속에서의 이야기이다.

…신념(에 대한) 의식 외에 아무것도 아닌 그런 의식은 사실상 신념(에 대한) 의식으로서의 자기 자신(에 대한) 의식을 가져야 할 것이다. 신념은 단순히 의식의 초월적이고 노에마(사유대상)적인 성질을 부여하는 것이 될 것이다. 의식은 이 신념과 마주하여 자기 마음에 드는 대로 자기를 결정할 자유를 가질 것이다.… 신념에 대한 의식은 신념을 돌이킬 수 없을 정도로 변질시키면서도 신념과 다른 것은 아니다. 신념(에 대한) 의식은 신념이라고 말하지 않을 수 없다. 따라서 우리는 그 근원에서 이런 이중의 돌려보내기 놀이를 파악한다. 신념(에 대한) 의식은 신념이고, 신념은 신념(에 대한) 의식이다. 어쨌든 우리는 "의식은 의식이다" 라고 말할 수도 없고, "신념은 신념이다"고 말할 수도 없다. 한쪽의 항은 다른 쪽의 항을 가리키고 다른 쪽의 항으로 넘어가지만, 하나 하나의 항은 다른 쪽의 항과 다르다. 우리가 앞에서 본 것처럼 신념도 쾌락도 기쁨도 의식적인 것이 되기 '전에' 존재할 수 없다. 의식은 그들의 존재의 척도이다. 그러나 그렇다 해도 또한 신념은 그것이 '혼란된' 것으로서 밖에는 존재할 수 없다는 바로 그 사실 자체로 인해 본디 자기로부터 빠져나오는 것으로서, 그것을 가두어 넣으려 하는 모든 개념의 통일을 부수는 것으로서 존재한다. (『존재와 무』166-168)

다. 자기에의 현전 : 무 자체로서의 자기

사르트르는 위와 같은 이유로 인해 '신념(에 대한) 의식'과 우리 안에 형성되는

'신념'은 똑같은 존재라고 말한다. 그런데 우리 안의 '의식'은 나의 자유로운 판단 (반사)에 대한 '반영'이기 때문에 이 '신념'은 반사놀이에 직면하게 된다.

이때 이 '신념에 대한 의식'과 '신념' 간의 차이와 조정이 지속적으로 발생한다. 헤겔식으로 말하자면, '대상 의식'과 '자기 의식'의 사이에서 '차이'가 발생하는데, 항상 자기의식이 먼저 차이를 일으킨다. 그것은 추상적인 계획을 보고, 그것의 현재의 구체적인 것에 존재하는 그 무엇인가의 결여를 보고 그 부분을 무화시키기 때문이다.57) 한편, 이것은 필자가 손쉽게 풀이한 설명 방식일 뿐이며, 이와 유사한 방식은 스피노자와 헤겔의 방식이었다. 철학자들은 스피노자처럼 '이데아의 이데아'를 정립함으로써, 때로는 헤겔식으로 귀환을 참된 무한이라고 정의함으로써 무한의 도움을 받아 그것을 설명하고자 했다. 그러나 이렇게 연구하면 사르트르가 연구하려던 '반성 이전의 현상'을 놓치게 된다고 말한다. 사르트르는 이때 '자기'를 '반성 이전의 자기'로 보며, 그것의 본질을 '무'로 보고자 한다. 그리고 이 '무'가 '즉자 존재'에 개입을 한다.

그러므로 신념(에 대한) 의식과 신념은 똑같은 존재이며, 이 존재의 특징은 절대적인 내재성이다. 그러나 우리가 이 존재를 파악하려 하는 순간 이 존재는 우리의 손가락 사이로 빠져 나가고, 우리는 이원성의 희미한 조짐과 반사놀이에 직면하게 된다. 왜냐하면 의식은 반영이기 때문이다. 그러나 바로 반사로서의 한계에서 의식은 반사하는 것이지만 우리가 의식을 반사하는 것으로서 파악하려고 한다면 의식은 사라지고, 우리는 다시 반사 위로 돌아간다. '반사-반사하는 것'이라는 이 구조는 철학자들을 당혹감에 빠뜨렸다. 그들은 때로는 스피노자처럼 '이데아의 이데아'를 정립함으로써, 때로는 헤겔식으로 귀환을 참된 무한이라고 정의함으로써 무한의 도움을 받아 그것을 설명하고자 했다. 그러나 무한은 현상을 응고시켜서 그것을 모호하게 할 뿐만 아니라, 의식 속에 무한을 도입하는 것은 분명하게 의식의 존재를 즉자존재로 환원시키는 설명이론 밖에 되지 않는다.…그것은 이원성을 포함한 일원성도 아니고, 정립과 반정립의 추상적인 두 가지 계기를 지양하는 하나의 종합도 아니며, 일원성'인' 이원성, 즉 그 자신의 '반사작용'인 반사, 이런 존재방식이 그것이다.… 그러나 그와 반대로, 만일 우리가

---

57) 여기의 설명은 필자의 설명 방식이며, 필자는 자기의식이 대상의식을 어떤 기준을 가지고 바라보고 있다는 의미로서 설명하였다. 필자의 견해는 여기에 서 있다. 한편, 이 설명은 스피노자와 헤겔식의 설명으로 보인다. 반면, 사르트르는 아예 자기 자체의 본성을 '무'라고 본다.(필자)

있는 그대로의 이원성에서 출발하여 의식과 신념을 한 쌍을 이룬 것으로 정립시
킨다면, 우리는 스피노자의 '이데아의 이데아'에 부딪히게 되고 우리가 연구하려
고 시도하던 반성 이전의 현상을 놓치게 된다. 이는 반성 이전의 의식이 자기
(에 대한) 의식이기 때문이다. 연구하지 않으면 안 되는 것은 바로 이 자기(soi)
라고 하는 관념 자체이다. 왜냐하면 이 관념이 의식의 존재 자체를 정의하기 때
문이다. (『존재와 무』169)

사르트르에 의하면, 위와 같은 방식에 의하면, 궁극적으로 '자기의식'과 '대상의
식'이 같아지는데, 그것은 옳지 않다고 말한다. 왜냐면, 자기 의식의 본질은 '반성
적인 것'으로서 '무'이기 때문이다. 사르트르는 자기를 '반성적인 자기'로 보기 때
문에 그것은 주어가 아니고 '자기'는 실재하는 존재자로서 파악될 수 없다고 말한
다. 그래서 문장 구조법에서 이 '자기'는 '그의 자기'일 뿐이다. 이때 주어인 '그'라
는 '주어'는 '자기'와 일치할 수 없다. 일치할 경우 주어는 사라지기 때문이다. 이
양자는 항상 불일치를 나타낸다. 이러한 '자기'라는 '대자존재' 앞에, 어떻게 보면
'실재하는 존재자로서 파악될 수 없는' '자기' 앞에 '즉자존재'가 나타나고 있는 것
이다. 이것을 사르트르는 '자기에의 현전'이라고 말한다.

먼저 주의해 두고 싶은 것은, 우리가 초월적인 존재[58]를 지적하기 위해 전통에
서 빌려 온 즉자라는 용어는 적절하지 않다는 것이다. 사실 자기와의 일치의 극
한에 가서는 '자기'는 사라지고 동일적인 존재에게 자리를 내놓는다. 자기는 즉
자존재의 하나의 특질이 될 수는 없을 것이다. 본디 자기는 '반성된 것'이다.그것
은 문장구조법에 의해서도 충분히 분명하다. 특히 라틴어 구문법의 논리적인 엄
밀함과, 문법의 '그의(ejus)'의 용법과 '자기의(sui)'의 용법 사이에 설정한 엄격
한 구별이 충분히 밝혀주는 바이다. '자기'는 가리킨다. 게다가 그것은 바로 '주
어'를 가리킨다. 자기는 주어와 그 자신의 어떤 관계를 가리킨다. 그리고 이 관
계가 바로 이원성이다. 그러나 이 이원성은 특수한 언어적 기호를 요구하는 까
닭에 하나의 특수한 이원성이다. 그러나 다른 면에서 '자기'는 주어로서의 한계
에 있어서도 또한 목적보어로서의 한계에 있어서도 존재를 지시하지 않는다.
사실 예를 들어서 내가 "그는 권태롭다"[그는 자기를 권태롭게 하고 있다]의 '자

---

58) 사르트르에게 초월적인 존재는 그가 유물론자이기 때문에 '사물'을 의미하는 것으로
보임(필자)

기(se)'를 생각해 보면, 이 '자기(se)'는 반쯤 자기를 열어 보여서 자기 뒤에 주어 자체를 나타나게 하고 있음을 알 수 있다. 이 '자기(se)'는 결코 주어가 아니다. 자기에 대한 관계를 가지지 않는 주어는 즉자의 동일성 속에 응축될 것이기 때문이다. 이 '자기(se)'는 실재하는 하나의 안정된 분절도 아니다. 왜냐하면 이 '자기'는 자신의 배후에 주어를 나타나게 하고 있기 때문이다. 사실 '자기(soi)'는 실재하는 존재자로 파악될 수는 없다. 주어는 자기로 '있을' 수 없다. 왜냐하면 우리가 본 바와 같이 자기와의 일치는 자기를 사라지게 하기 때문이다. 그러나 그것은 또한 주어 자체의 지시이므로, 주어는 자기로 '있지 않을' 수도 없다. 그러므로 '자기'는 주어와 주어 자신의 내재 속에서의 이상적인 거리를 나타낸다. '자기'는 "자기 자신과의 일치로 있지 않은" 하나의 방식이고, '동(同)'을 '1'로서 내세움으로써 '동'에서 벗어나는 하나의 존재방식이며, 요컨대 다양성의 흔적을 볼 수 없는 절대적 응집으로서의 '동'과 다양의 종합으로서의 '1'사이의 항상 불안정한 평형상태에 있는 하나의 존재방식이다. 이것을 우리는 '자기에의 현전'(présence à soi)으로 부르기로 하자. 의식의 존재론적 근거로서의 '대자'의 존재법칙은 자기에의 현전이라는 형태 하에서 대자가 대자 자신으로 있는 것이다.(『존재와 무』169-170)

사르트르에 의하면, 이러한 '자기에의 현전'은 존재의 충실로 오해를 받아왔다고 말한다. 즉, 이것은 헤겔이나 스피노자처럼 존재가 갈수록 충만하게 되어 가는 것을 의미한다. 그런데, 사르트르에 의하면, 위에서 언급한 것처럼 '자기 의식'의 '자기'는 무(無)이다. 이것은 즉자존재에 대해 곧바로 '무'와 '부정'을 선사한다. (필자의 견해에 의하면, 그는 여기에 그의 유물론을 적용시키고 있는 것으로 보인다.) 사르트르에 의하면, '무'는 존재하는 것이 아니며 존재되는 것이다. 우리 안에 형성된 '신념(곧 대상의식)'은 대상 그 자체의 '자기 현전'일 뿐이다. 따라서 대자는 원래적인 근원이 없는 '무'이다. 우연적으로 생긴 것이다. 사르트르에 의하면, '대자'는 항상 '무'로 있어야 한다. 헤겔처럼 '대자'가 '자기 의식'이나 '이성'으로 발전하면 안 된다. '대자'가 이와 같이 변해버리면, '대자'의 일원성은 무너져 버리고, '두 즉자'만이 남게 될 것이기 때문이다. 그러면 더 이상의 변화는 존재하지 않는다. 사르트르는 영원한 변화를 추구하고 있다.

이런 '자기에의 현전'은 흔히 존재의 충실로 오해받았다. 철학자들 사이에 널리 퍼져 있는 선입견은 의식에 대해 존재의 가장 높은 지위를 부여하고 있다. 그러나 그런 요청은 현전이라는 관념을 더욱 상세하게 기술해 나가면 더 이상 유지될 수 없게 된다.(『존재와 무』170)

우리는 신념을 순수한 내재성으로서 다시 발견한다. 그러나 만일 그와 반대로 우리가 신념을 신념으로서의 한계 안에서 파악하려고 한다면, 그 균열은 우리가 그것을 보지 않으려고 할 때 나타나고 그것을 응시하려고 하면 바로 사라지는 방식으로 그곳에 존재한다. 그러므로 이런 균열은 순전히 부정적인 것이다. 거리, 시간의 경과, 심리적 갈등 따위는 그것만으로서 파악될 수 있고, 그런 것으로서 긍정적인 요소를 담고 있다. 그들은 단순히 하나의 부정적인 기능을 가지고 있을 뿐이다. 그러나 내부의식적인 균열은 그것이 부정하는 것 밖에서는 아무것도 아니며, 우리가 그것을 보지 않는 한에서만은 존재를 가질 수 있다. 존재의 무(無)인 이 부정적인 것, 모든 것을 함께 무화할 수 있는 이 부정적인 것, 그것이 '무(néant)'이다. 우리는 어떤 곳에서도 무를 이렇게 순수한 상태로 파악할 수는 없을 것이다. 다른 경우에는 우리는 어느 곳에서나 어떤 방법으로든 무에 대해, 무로서의 한계 안에서의 즉자존재를 부여하지 않으면 안 된다.

그러나 의식의 핵심에서 나타나는 무는 "존재하는 것이 아니다." 그것은 "존재되는 것이다." 이를 테면 신념은 하나의 존재와 또 하나의 존재의 인접은 아니다. 신념은 '그 자체의' 자기 현전이며, 그 자체의 존재감압이다. 그렇지 않다면 대자(對自)의 일원성은 무너져서 두 즉자(卽自)의 이원성에 빠져 버릴 것이다. 그리하여 대자는 무로 있어야만 한다. 의식인 한에 있어서의 의식의 존재는 자기에의 현전으로서 "자기로부터 거리를 두고" 존재하는 것이며, 또 이런 존재가 그 존재 속에 지니고 있는 이 아무것도 아닌 거리, 그것이 '무'이다. 그러므로 자기가 존재하기 위해서는 이 존재의 '일원성'이 '동일성'의 무화로서 그 자신의 무를 내포하고 있어야 한다.(『존재와 무』170-173)

여기서 우리는 한 가지 질문을 하고 넘어가야 한다. 이 대자는 즉자에 의해서 비로소 출현한 것인가? 즉, 대상의식 속에 섞여 있다가 분리되어 나온 것인가? 사르트르는 '대상 의식'을 하나의 존재자로 보고 의식과 그 의식의 주체를 분리하지 않는다. 그러한 분리는 대상 의식이 이루어지고 나서 의식적 주체인 대자로서 나타난다. 그리고 이 대자는 무라고 말하는데, 그 무의 성질도 대상으로 말미암았다. 이것은 물질이 의식을 만들어 내는 형국이다. 한편, 사르트르의 개념 정의에 의하면, '즉자존재'에게 '무'는 전혀 존재하지 않는다. 그렇다면, '대자'로서의 '정신'은 우연히 나온 것이다. 물질이 정신을 만들 수 있는가? 즉자존재 속에는 정신이 존재하지 않는다. 그리고 즉자존재가 대자존재를 좌지우지 하지도 못한다. 그것은 도구적 존재이며 가공대상일 뿐이다.

2. '무'를 부여하는 '대자'

가. 대자의 사실성

사르트르는 앞에서의 논의에서처럼 무는 존재의 무라고 말한다. 이것이 인간의 본질이며, 그 근거이다. 그럼에도 불구하고 대자는 존재한다고 말한다. 그래서 대자가 존재하는 것은 사건으로서이다고 말한다. 그러나 원인은 알 수 없는 우연적인 것으로서이다. 이것이 유물론에서의 '대자' 곧 '정신적 존재'이다. 이것이 사르트르를 유물론적 실존주의라고 부르는 이유이다.

무는 존재의 무이므로 존재 그 자체를 통해서만 존재에 올 수 있다. 물론 무는 인간존재라는 특이한 존재로 말미암아 존재에 온다. 그러나 이 특이한 존재는 그것이 그 자신의 무의 근원적 기도(企圖)라는 것 외에 아무것도 아닌 한, 자기를 인간존재로 구성한다. 인간존재는 그 존재 안에서, 그리고 그 존재에 대해 존재의 핵심 속에서 무의 유일한 근거라는 한에서만 존재한다.(『존재와 무』 173-174)

그렇다 하더라도 대자는 존재한다.··· 대자가 존재하는 것은 사건으로서이다. 필리프 2세가 '존재했다'. 나의 벗 피에르가 있다(존재한다), 이렇게 내가 말할 수 있는 의미에서, 대자는 사건으로서 존재한다. 대자가 스스로 선택한 것이 아닌 조건하에서 나타나는 한에 있어서, 피에르가 1942년 프랑스의 부르주아이고, 슈미트가 1870년 베를린의 노동자였던 한에 있어서 존재한다. 세계 속에 던져져 있고, 하나의 상황 속에 버려져 있는 한에 있어서 대자는 존재한다. 대자가 완전히 우연인 한에 있어서, 또 세계 속의 모든 사물과 마찬가지로, 또 이 벽과 이 나무, 이 찻잔과 마찬가지로, "어째서 이 존재는 다른 어떤 모습도 아닌 바로 이 모습으로 존재하는가?"라는 근원적인 질문이 제기 될 수 있는 한에 있어서 대자는 존재한다. 또한 대자는 그것의 근거가 아닌 어떤 것, 즉 대자의 '세계에의 현전'이 있는 한에 있어서 대자는 존재한다.(『존재와 무』174)

나. 존재의 결여로서의 대자의 자기 파악

존재가 존재를 자기 자신의 근거가 아닌 것으로서 받아들이는 이런 파악이 모든 '코기토'의 밑바탕에 있다고 한다. 그러나 이와 같이 존재와 마주하여 존재의 결여로서의 자기를 파악하는 것은, 먼저 '코기토'가 자기 자신의 우연성을 파악하는 것이다. 즉, 자신의 본질로서의 '무'를 파악하는 것이다.

존재가 존재를 자기 자신의 근거가 아닌 것으로서 받아들이는 이런 파악이 모든 '코기토'의 밑바탕에 있다.…

그러나 이와 같이 존재와 마주하여 존재의 결여로서의 자기를 파악하는 것은, 먼저 '코기토'가 자기 자신의 우연성을 파악하는 것이다. 나는 생각한다. 그러므로 나는 존재한다. 그러나 나는 대체 무엇으로 존재하는가? 자기 자신의 근거가 아닌 하나의 존재로서 나는 존재한다. 이 존재는 존재로서는, 자기가 현재 있는 것과는 다른 존재일 수도 있으나, 다만 그것은 이 존재가 자기의 존재를 설명하지 않는 한에서이다. 하이데거가 비본래성에서 본래성으로의 경과의 첫 번째 동기로서 제시한 것은 아마도 우리 자신의 우연성에 대한 이 최초의 직관일 것이다.…(『존재와 무』174-175)

존재는 가능성의 근거이다. 따라서 존재의 필연성이 그 가능성에서 도출되는 일은 있을 수 없다. 요컨대 만일 신이 존재한다면, 그것은 우연적이다. 그러므로 의식의 존재는, 대자를 향해 자기를 무화하기 '위해' 그 자체에 있어서 있는 한, 어디까지나 우연적이다.…(『존재와 무』177)

대자는 의식으로 자기를 근거 세우기 위해서 즉자로서의 자기를 상실하는 즉자이다. 그리하여 의식은 그 자체로서 자기의 의식존재(의식으로 있음)를 보존하고 있다. 의식은 그것이 자기 자신의 무화작용인 한에 있어서 자기 자신 밖에 가리키지 못한다. 그러나 의식으로 자기를 소멸시키는 것이, 그렇다고 의식의 근거라고 부를 수는 없는 것, 그것이 우연적인 즉자이다. 즉자는 아무것도 세울 수 없다. 만일 즉자가 자기에게 근거를 부여한다면, 그것은 즉자가 자기에게 대자의 양상을 줌으로써이다.… 만일 즉자존재가 그 자신의 근거로 있을 수도 없고, 또 다른 존재의 근거가 될 수도 없다면, 근거는 일반적으로 대자와 함께 세계에 온다. 대자는 무화된 즉자로서 스스로 자기의 근거를 세우는데, 뿐만 아니라 대자와 함께 비로소 근거가 나타난다. 따라서 근거의 나타남이자 대자의 나타남이라는 절대적 사건 속에 흡수되고 무화된 이 즉자는 대자의 품 속에 그 근원적인 우연성으로서 머물고 있다.(『존재와 무』178)

그러므로 대자는 하나의 끊임없는 우연성으로 지탱되고 있다.(『존재와 무』179)

다. 대자와 가치존재

사르트르는 인간존재에 의한 연속적인 창조가 필요한데, 그것은 대자존재가 무와 부정으로 존재해서 끊임없이 본능적으로 즉자존재를 무화시키고 파괴시켜야 한다고 생각한다. 그는 데카르트의 코기토도 이와 같은 방식으로 해석되어야 한다고 생각한다. 그는 이것이 '가치'라고 생각한다. 대자는 본능적으로 즉자를 무화시킨다. 왜냐하면, 대자 자신이 무이기 때문이다. 그의 발상은 상당히 파격적이고 과격하다.

인간존재의 연구는 코기토에서 시작하지 않으면 안 된다. 그러나 데카르트의 "나는 생각한다"는 시간성의 순간적인 전망 속에서 고찰되고 있다. 우리는 코기토의 내부에서 이 순간성을 초월하는 방법을 찾아 낼 수 있을까? 만일 인간존재가 "나는 생각한다"의 존재에 한정된다면, 인간존재는 순간적인 진리 밖에 갖지 않을 것이다. 데카르트의 경우에는, 확실히 인간존재는 하나의 순간적인 존체이다. 왜냐하면 인간존재는 미래에 대한 어떤 포부도 내세우지 않기 때문이다. 또 인간존재를 어떤 순간에서 다른 순간으로 이행시키기 위해서는 하나의 연속적인 '창조' 행위가 필요하기 때문이다.…

우리는 우선 대자의 존재가 그 존재에 있어서 자기에게 띠게 하는 무화에 부딪혔다. 이런 무의 현시는 우리에게 있어서는 코기토의 범위를 넘어서는 것으로는 생각되지 않았다. 그러나 좀더 잘 살펴보자. 대자는 스스로 자기를 하나의 '존재 결함'으로서 규정하지 않고서는 무화를 지탱할 수가 없다. 바꿔 말하면 무화는 단순히 의식 속에 공허를 도입하는 것과 같지는 않다. 하나의 외적인 존재는 의식으로부터 즉자를 배제하는 것은 아니었다. 오히려 끊임없이 즉자로 '있지 않도록' 자기를 규정해 가는 것은 대자이다. 다시 말해 대자는 즉자에서 출발하지 않으면, 또 즉자를 외면하지 않으면, 스스로 자기에게 근거를 부여할 수 없다. 그러므로 무화는 존재의 무화이고, 대자의 존재와 즉자의 존재 사이의 근원적인 연결을 나타내고 있다. 구체적이고 현실적인 즉자는 의식이 스스로 자기를 그것으로 있지 않도록 규정하는 것으로서, 의식의 핵심에서 그대로 온전히 현전하고 있다. 코기토는 필연적으로 우리를 인도하여 즉자의 이런 전체적이고 손이 미치지 않는 즉자의 현전을 발견하게 해 줄 것이다.(『존재와 무』183-184)

가치는 하나의 존재에 있어서 이 존재가 완전한 우연성으로서 "있는 그대로의 것으로 있는" 한에서가 아니라, 이 존재가 자기 자신의 무화의 근거인 한에 있어서 나타난다. 그런 의미에서 가치는 이 존재가 존재하는 한에서가 아니라, 이 존재가 자기에게 근거를 부여하는 한에 있어서 이 존재를 따라다닌다. 요컨대 가치는 '자유'를 따라다닌다. 이것은 가치와 대자가 매우 특수한 관계에 있다는 것을 뜻한다. 즉 가치는 이 존재가 자기 존재의 무의 근거로 있는 한에 있어서, 그것으로 있어야 하는 존재이다.(『존재와 무』197)

3. 시간성

가. 현상학적 과거

사르트르는 시간의 세 차원이 갖는 애매한 의미를 존재론 이전의 현상학적 기술을 통해 미리 밝혀두어야 '시간'의 존재에 대한 검토에 뛰어들 수 있다고 말한다. 그러면서 그는 '과거'는 이미 '주어진 것'으로서 우리에게 '심상이나 산기나 기억'으로서 남기 때문에 우리 인간 존재의 차원에서 이것을 즉자존재라고 말한다. 그리고 현재는 이것을 바라보는 대자존재이다. 사르트르는 이 즉자존재와 대자존재를 내재적 관계로 전환시킨다. 어떤 경우에도 자기 밖에 있는 외적인 인접관계는 문제가 될 수 없다고 말한다. 즉, 우리가 즉자존재라고 말하는 것은 외부에 있어서는 안 된다. 우리 마음의 내부에 있어야 하며, 과거에 있어야 한다.

이 말은 대자존재의 현재는 즉자존재에 대한 대자의 현전일 수밖에 없다는 것이다. 이 탁자가 이 의자에 대해 현전적인 것은 인간존재가 하나의 현전으로서 따라다니고 있는 하나의 세계 속에 있어서가 아니면 안 된다. 사르트르에 의하면, 항상 즉자가 먼저 있고, 그 다음에 이것을 현전시키는 대자가 있다. 따라서 대자는 존재에 대한 현전으로 정의된다.

그런 까닭에 상기는 우리에게 우리가 그것으로 있었던 존재를, 마치 존재의 충실성인 것처럼 현전시켜 준다. 이 존재의 충실성이 상기에 일종의 시정(詩情)을 부여하는 것이다.

우리가 '가지고 있었던'이 고뇌는 과거에 응고되어 있으나, 하나의 대자로서의 의미를 끊임없이 현전시킨다. 그렇다 해도 이 고뇌는 그 자신에 있어서 타자의 고뇌처럼, 조각상의 고뇌처럼, 침묵하는 고정상태로 존재한다. 이 고뇌는 이미 자신을 존재시키기 위해 자기 앞에 출두할 필요를 가지지 않는다. 이 괴로움은 존재한다. 그것에 반해 이 고뇌의 대자적인 성격은 이 고뇌 존재의 존재 양상이기는커녕, 단순한 하나의 존재방식, 하나의 성질이 된다. 심리학자들이 "의식은, 심적인 것을, 그 존재에 있어서 변양하는 일이 없이 띨 수도 있고 띠지 않을 수도 있는 하나의 성질"이라고 주장한 것은, 심적인 것을 "과거에 있어서" 고찰한 까닭이다. 지나가 버린 심적인 것은 "먼저 존재한다". 이어서 그것은 대자적이다.…

그러나 바로 그렇기 때문에 과거는 가치와 '비슷하지만', 가치는 '아니다.' 가치의 경우에 대자는 자기 존재를 뛰어넘어 근거를 부여함으로서 '자기'가 된다. 그것에는 자기에 의한 즉자의 회복이 있다. 이 사실로 인해 존재의 우연성은 필연성에 자리를 양보한다. 그와 반대로 과거는 먼저 즉자적이다. 그것에서는 대자는 즉자에 의해 존재하게 된다.… 그러므로 과거는 엄밀하게 말하면, 가치를 실현하고자 하는 대자, 자기의 끊임없는 부재에서 발생하는 불안을 피하려고 하는 하나의 대자에 의해 지향되는 대상일 수 있다.… 과거는 한 사람 한 사람의 대자 자체의 사실이고, 내가 그것으로 '있었던', 변경될 수 없는 우연적인 사실이다. 따라서 '과거'는 '즉자'에 의해 되돌아와서 침범된 하나의 대자이다. (『존재와 무』234-235)

나. 현상학적 현재

사르트르는 모든 존재자들을 즉자존재로 파악한다. 그런데 이러한 즉자존재들은 대자존재의 현전(혹은 현재) 속에 대자존재의 과거로서의 의식을 통해 들어온다. 따라서 만일 대자존재의 현전 혹은 현재가 없다면, 의식으로서의 즉자존재는 없게 된다. 모든 즉자존재는 과거로서 존재하기 때문이다. 즉 즉자존재는 대자존재와 내재적으로 공존한다는 것이다.

어떤 탁자와 의자가 현전한다는 것은 인간존재가 하나의 현전으로서 따라다니지 않으면 안 된다. 그의 기억(과거) 속에 분명히 즉자존재로 존재하여야 하는 것이다. 즉, 모든 즉자존재는 대자의 현재가 있기 때문에 존재한다. 만일, 대자가 대자로 있는 것을 그만 둔다면, 즉자존재도 현전으로 있는 것을 그만두어야 한다. 따라서 이런 '대자'는 존재에 대한 현전으로 정의된다.

대자의 현전 혹은 현재가 존재하지 않을 경우, 즉자존재의 현전은 불가능하게 된다. 따라서 대자의 현전은 즉자 존재라는 하나의 전체를 존재하게 하는 것이라고 해도 무방할 것이다. 이러한 현상적 차원에서 본다면, '대자존재'는 현재를 세계 속에 들어오게 하는 존재인 것이다.

사실, 사르트르의 이 이야기는 대자가 즉자를 존재하게 하였다는 이야기를 의미할 뿐이다. 대자가 원시상태의 즉자를 지속적으로 부정하고 무화시킴을 통해서 그 즉자를 있게 하였다는 이야기에 다름이 아니다. 이에 대해 사르트르는, 이 세계 속에서 '대자'는 현전이라고 불리는 탈자적(脫自適)인 이 전면적인 희생에 의해, 자기 자신의 피로 그런 존재들을 결합시키고 있는 것이다고 말한다.

> 즉자인 과거와는 달리 현재는 대자이다.⋯ 나의 현재는 현전적으로 있는 것이다. 무엇에 대해 현전적인가? 이 탁자에 대해, 이 방에 대해, 파리에 대해, 요컨대 즉자존재에 대해 현전적이다.⋯ 그러나 곧 알게 되겠지만 결코 그런 것이 아니다. '~에 대한 현전'은 현전적인 존재와, 이 존재가 그것에 대해 현전적으로 있는 여러 존재 사이의 하나의 내적 관계이다. 어떤 경우에도 단순히 외적인 인접 관계는 문제가 될 수 없다. '~에 대한 현전'은 '자기의 밖에' '~가까이에' 존재한다는 뜻이다. '~에 대해 현전적'으로 있는 것은 그 존재에 있어서 다른 존재들과의 하나의 존재 관계가 자신 속에 있는 것이 아니면 안 된다. 하나의 즉자와 다른 하나의 즉자의 어떤 동시성이 문제가 될 수 있는 것은, 이 두 즉자에 대해 공통현전적인 하나의 존재, 자기 자신 속에 현전능력을 가지고 있는 하나의 존재의 관점에서가 아니면 안 된다. 그러므로 '현재'는 즉자존재에 대한 대자의 현전일 수밖에 없는 것이다. 또 이런 현전은, 우유성이나 부수성의 결과일 수는 없을 것이다. 반대로, 이런 현전은 모든 부수성에 의해 전제되는 것으로, '대자'의 존재론적 구조의 하나가 아니면 안 된다. 이 탁자가 이 의자에 대해 현전적인 것은 인간존재가 하나의 현전으로서 따라다니고 있는 하나의 세계 속에 있어서가 아니면 안 된다. 다시 말해, '먼저' 대자로 있고 '그 다음에' 존재에 대해 현전적으로 있는 방식으로 존재하는 자는 생각도 할수 없을 것이다. 그러나 '대자'는 자기를 대자로 있게 함으로써 자기를 존재의 현현으로 있게 하는 것이며, 대자로 있는 것을 그만 둔다면 현전으로 있는 것을 그만두는 것이다. 이런 '대자'는 존재에 대한 현전으로 정의된다.

어떤 존재에 대하여 '대자'는 자기를 현전시키는 것일까? 그 대답은 분명하다. '대자'가 현전하는 것은 모든 즉자존재에 대해서이다. 또는, 대자의 현전은 즉자존재라는 하나의 전체를 존재하게 하는 것이라고 해도 무방할 것이다.… 그러므로 '대자'는 여러 존재로 하여금 똑같은 현전'에 있어서' 존재하게 한다. 존재는 공통현재적인 것으로서 하나의 세계 속에 드러내 보이지만, 이 세계 속에서 '대자'는 현전이라고 불리는 탈자적(脫自適)인 이 전면적인 희생에 의해, 자기 자신의 피로 그런 존재들을 결합시키고 있는 것이다. '대자'의 이 희생 '이전에는' 존재들이 함께 존재한다거나, 따로 따로 존재한다고 말하는 것은 불가능했을 것이다. 그러나 대자는 현재를 세계 속에 들어오게 하는 존재이다. 사실, 세계의 존재들은 똑같은 대자가 그들 모두에게 현전적으로 있는 한에서 공통현전적으로 있다.…(『존재와 무』236-238)

위의 내용은 대자와 즉자와의 관계만을 말하였을 뿐이다. 우리는 아직 '현전'의 의미를 살펴보지는 않았다. 현존이 단순히 '대자'와 '즉자'의 공존은 아닐 것이다. 이 둘은 우리의 의식 안에 내재적으로 밀착되어 있다. 이때 대자는 '무'와 '부정'으로서 밀착하여 있다. 만일 대자가 무가 아니라면, 이 양자는 동일화되어 버릴 것이다. 그러므로 대자의 '존재에 대한 현전'에는 "대자는, 존재의 현전에 있어서 존재로 있지 않은 것으로서의 자기 증인이다"라는 뜻을 의미한다.

우리는 이제 "누가 현전적으로 있는지", 현재는 "무엇에 대해" 현전적으로 있는지를 알고 있다. 그러나 현전이라는 것은 도대체 무엇일까? 우리가 이미 보아온 것처럼, 그것은 단순한 외적 관계로 생각되는 두 현실 존재자의 공존일 수는 없을 것이다. 왜냐하면 단순한 공존은 이 공존을 확립하기 위해 제3항을 필요로 할 것이기 때문이다.… 다시 말해, 모든 사물에 대해 자기를 공통현전자가 되게 함으로써 이 공존을 확립하는 것은 '대자'이다.…
대자는, 대자가 지향적으로 자기 밖에, 존재의 위로 향해지는 경우에, 이 존재에 대해 현전적이다. 더욱이 대자는 동일화하지 않는 정도로 최대한 밀접하게 이 존재에 밀착하지 않으면 안 된다. '대자'는 존재와의 근원적 결합 속에서 자기에 대해 태어난다는 사실, 즉 대자는 이 존재로 있지 않은 것으로서 자기 자신에 대해 자기 증인으로 있다는 사실에서, 이런 밀착이 얼마나 진실한지를 우리는 다음에 살펴볼 것이다. 대자는 자기 밖에, 존재 위에, 그리고 존재 속에 이 존재로 있지 않은 것으로서 존재한다.… 이 내적인 연관은 부정적인 연관이다. 이 연관은 현전적 존재에 대해, 그 현전적인 존재가 현전되고 있는 쪽의 존재라는 것을 부정한다. 그렇지 않으면 내적인 연관은 사라지고, 다만 단순한 동일화에 빠져 버릴 것이다. 그러므로 대자의 '존재에 대한 현전'에는 "대자는, 존재의 현전에 있어서 존재로 있지 않은 것으로서의 자기 증인이다"라는 뜻이 내포되어 있다. 존재에 대한 현전은 대자가 존재하지 않는 한에서, '대자'의 현전이다.(『존재와 무』238-239)

다. 현상학적 미래

사르트르에게 있어서 미래는 대자의 현존과 관련이 깊다. 대자는 즉자에 대해 무를 발산하여 그것을 부정하고 무화시킴으로 그것의 존재를 위협한다. 그것으로 있지 않을 수 있다는 가능성의 시야가 그의 미래에 있다. 여기에서 그 불안이 생겨난다. 그런데, 이때 대자존재는 즉자존재가 아니므로 자유 자체이다. 그런데 이 자유에는 한계가 있어서 이 자유는 저주받은 자유로도 보일 수도 있다. 따라서 '미래'는 '미래'이므로 '즉자적'으로 존재하는 것이 아니며, 미래는 '대자'의 존재방식으로 존재하지도 않는다. 왜냐하면 미래는 '대자'의 의미이기 때문이다. '미래'는 자기를 '가능화한다.' '여러 가능'의 계속적인 가능화이다.

'미래'는 '대자'가 또 하나의 미래를 향한, 존재에 대한 현전화적인 도피로서, 자기를 존재하게 할 때의, 틀을 미리 소묘하는 것일 뿐이다. 미래란 내가 자유롭지 않다면 내가 그것으로 있었을 것이고, 내가 자유로워야만 내가 그것으로 "있어야 하는 것을 있을 수 있는" 것이다. 미래는 내가 그것으로 있을 것에서 출발하여, 내가 있는 그대로의 것을 나에게 알려주기 위해서 지평에 나타내는 동시에, 미래는 대자-현재적 미래라는 그 본성에 의해 무력해진다.… 요컨대 나는 그것으로 있지 않을 수 있다는 가능성의 불변의 시야에서 나의 '미래'로 있다.

거기서 우리가 앞에서 기술한 그 불안이 생겨난다. 불안은 내가, 내가 있어야 하는 이 미래로 있는 데 충분하지 않은 데서 온다. 불안은 나의 현재에, "나는 그 의미가 항상 문제적인 하나의 존재"라고 하는 나의 현재의 의미를 부여한다.… 다시 말해, 대자는 오로지 문제적으로 밖에 자신의 미래로 있을 수 없는 것이다. 왜냐하면 대자는 자기가 그것으로 있는 하나의 '무'에 의해 미래에서 분리되어 있기 때문이다.

한 마디로 대자는 자유롭다. 그리고 대자의 자유는 이 자유 자체에 대해 이 자유 자체의 한계이다. 자유롭다는 것은 자유롭도록 저주받은 것이다. 따라서 '미래'는 '미래'인 한에 있어서는 존재를 가지지 않는다. '미래'는 '즉자적'으로 존재하는 것이 아니다. 또한 미래는 '대자'의 존재방식으로 존재하는 것도 아니다. 왜냐하면 미래는 '대자'의 의미이기 때문이다. '미래'는 존재하지 않는다. '미래'는 자기를 '가능화한다.' '미래'는 현재적인 '대자'의 의미로서, 그것도 이 의미가 문제적인 한에 있어서, 또 이 의미가 그런 것으로서 현재적인 대자에서 근본적으로 빠져 나가는 한에 있어서 '여러 가능'의 계속적인 가능화이다.(『존재와 무』 249-250)

라. 근원적 시간성과 심적 시간성-반성

하이데거나 사르트르나 모두 베르그송의 '시간'개념을 따라서 현재의 '의식' 속에 모두 몰아 넣었다. 하이데거는 현존재 구조의 전체성을 '시간' 속에서 '염려'를 통해서 이해한다. 현존재의 시간은 미래에 대해서는 '자기를-앞질러-있음(실존성)', 현재에 대해서는 '…곁에-있음(현사실성)', 과거에 대해서는 '이미…안에-있음(빠져 있음)'이라는 세 가지 구조계기 속에 존재한다. 이것을 사사키 다케시는 "이와 같은 존재의 구조 전체는 첫째로 '자신에게 앞서서' 자신의 존재 가능성을 장래를 향해 '기투'한다는 '실존성'을 포함하고, 둘째로 '이미 세계 속에 존재한다'고 하는 '피투적'인 '사실성'을 지고 있으며, 셋째로 그와 같은 상태인 동시에 '세계 내부적으로 만나게 되는 존재자들 사이에서 존재한다'는, 곧 도구와 타인에 대해 배려하거나 고려하면서 존재한다는 세 가지 계기로 이루어진 통일적 전체 구조를 의미하며, 그 전체 구조는 다름 아니라 바로 '관심'이다"(사사키 다케시, 『절대지식 세계고전』이다 미디어)고 말한다. 이것을 근원적 시간성이라고 한다.

이에 반하여, 사르트르는 베르그송의 시간의 개념 속에 헤겔의 개념을 결합하여, 과거는 즉자존재로, 현재를 과거에 대하여 있는 대자존재로, 미래는 대자존재의 의미 혹은 가능성으로 바라보았다. 그리고 여기에 추가하여 '반성'이라는 인식기능이 핵심적으로 나타난다. 이때 시간성이 "과거에 있어서만 존재할 수 있는 하나의 존재"인 '심적 지속'의 형태로 나타나는 것은 '반성되는 의식'에 속한다. 즉, 사르트르의 심적 시간성이란, 과거로서의 즉자존재를 대자존재가 응시하면서 반사를 통해서 미래의 의미 혹은 가능성을 도출한다는 것이다. 여기에서 사르트르의 유물론에 대한 문제가 나타난다. 왜냐하면, 반성은 데카르트와 후설에 의해서 하나의 특권적 직관의 형태로 주어지기 때문이다. 전통적인 견해에서는, '대자'로서의 '정신'은 이 '반사'를 통해 자신의 개념을 그 대상에 삽입하여 새로운 이미지를 형성하여, 새로운 창조를 선도한다고 설명한다. 반성이란 의식이 외부의 인상을 자기 자신에게 비춰보는 것이다. 사르트르는 이러한 것을 '조정적 의식'이라고 말한다. 그런데, 사르트르는 이 '대자'를 '무'라고 말해 버렸기 때문에 새로운 창조를 선도할 능력이 없다. 사르트르는 이제 이 문제를 자신의 관점에 따라 소명하려 한다. 그는 그것은 '비조정적 의식'이라고 말한다.

그는 대자를 '무'로 놓아 '비조정적인 상태'에 고스란히 놓아두고, 대상의 '반사와 반사하는 것'에서 그 답을 찾으려 한다. 변화를 대상의 반사에서 찾으려 한다. 그는 '반성되는 것', 즉 '대상의 반사'는 지각되는 것이 아니라, 이미 하나의 존재라고 말한다.

그리고 여기에 추가하여, 반성이 인식인 한에 있어서 반성하는 것도 있어야 하는데, 이것이 곧 대자이다. 즉, 사르트르는 이때 존재의 분리가 일어난 것이라고 말한다.

대자는 지속하는 것(에 대한) 비조정적인 의식의 형태로 지속한다. 그러나 나는 "흐르는 시간을 느낄" 수 있고, 스스로 계기적인 통일로서 나를 파악할 수 있다. 이 경우에 나는 지속하는 것'에 대한' 의식을 갖는다. 이런 의식은 조정적이며 하나의 인식과 매우 비슷하다. 그것은 나의 시선 아래 시간화 되어 가는 지속이 하나의 인식대상에 매우 가까운 것과 마찬가지이다. 근원적인 시간성과, 내가 스스로 '지속중'이라고 나를 파악하자마자 내가 이내 부딪히는 이 심적 시간성 사이에는 어떤 관계가 존재할 수 있을까? 이 문제는 우리를 즉시 또 하나의 다른 문제로 이끌어 간다. 왜냐하면, 지속'에 대한' 의식은 지속하는 의식에 대한 의식이고, 따라서 지속에 대한 이 조정적 의식의 본성과 권한에 대한 질문을 제기하는 것은, 결국 반성의 본성과 권한에 대한 질문을 제기하는 것에 귀착되기 때문이다. 사실 시간성이 심적 지속의 형태로 나타나는 것은 반성되는 의식에 속하는 것이다. 그러므로 하나의 심적 지속이 어떻게 반성의 내재적인 대상으로 구성될 수 있는가를 자문해 보기 전에, 우리는 과거에 있어서만 존재할 수 있는 하나의 존재(심적 지속)에 대해 어떻게 반성이 가능한가 하는 이 선행해야 하는 질문에 대답하는 것을 시도하지 않으면 안 된다.

반성은 데카르트와 후설에 의해서 하나의 특권적 직관의 형태로서 주어진다. 그것은 반성이 현재적 순간적 내재성의 행위 속에서 의식을 파악하기 때문이다.… 우리의 존재론은, 모든 점에서 반성적 경험 속에 그 근거를 가지고 있는 만큼, 그 모든 권리를 잃어버릴 우려가 있는 것은 아닐까?…

반성이라는 것은 자기 자신'에 대한' 의식적 대자이다.… 그렇게 되면 또 다시 스피노자의 그 유명한 이데아의 이데아가 다시 나온다. 그러나 반성적인 의식이 '무에서' 나타나는 것을 설명하기는 어렵지만, 특히 반성적인 의식과 반성되는 의식의 절대적 통일, 즉 반성적 직관의 권한과 확실성을 이해할 수 있게 하는 유일한 통일을 설명하는 것은 절대로 불가능하다. 사실 우리는 여기서 반성되는 것의 '존재(esse)'를 하나의 '지각되는 것'이라고 정의할 수는 없다. 왜냐하면 바로 반성되는 것의 존재는 존재하기 때문에 지각될 필요가 없는 존재이기 때문이다. 그리고 반성되는 것과 반성의 최초의 관계는, 표상과 사고하는 주체 사이의 일원적인 관계가 될 수는 없다. 만일 인식되는 존재자가 인식하는 존재자와 동격의 존재를 가져야 한다면, 결국 소박한 실재론의 입장에서 이 두 존재자의 관계를 기술해야 한다.…

그런 반면, 반성하는 것과 반성되는 것을 전면적으로 동일시하는 것은, 결국 반성이라는 현상을 소멸시키고, 뒤에는 그저 '반사-반사하는 것'이라는 환영적 이원성 밖에 남기지 않게 되므로 여기서는 문제가 될 수 없을 것이다. 우리는 여기서 다시 한 번 "반성은 만일 그것이 불가용의적(不可容疑的) 명증이라야 하는 것이라면, 반성하는 것이 반성되는 것'이기'를 요구한다"고 하는 대자를 정의할 때의 존재형식을 만날 것이다. 그러나 반성이 '인식'인 한에서, 반성되는 것은 반성하는 것의 '대상'이 아니면 안 된다. 이것은 존재의 분리라는 뜻을 내포한다. 그리하여 반성하는 것은 반성되는 것으로 있어야 하고 동시에 있지 않아야 하는 것이다. 우리는 이미 대자의 핵심에서 이런 존재론적 구조를 발견했다.…(『존재와 무』281-283)

사르트르는 이때 '반사-반사하는 것' 사이에서 하나의 논리적 비약을 한다. 즉, 그 양자 사이에 '반성'은 자신을 반사할 때, 즉, 자기 밖에서 자기를 상실한 대자는, 반성에 의해 자신의 존재 속에 자기를 내화하려고 시도한다고 말한다. 반성은 즉자의 '반사'에서 분리되어 나온 대자가 자기에게 근거를 부여하려는 제2의 노력이다고 말한다. 즉, 이 두 반사 사이에는 차이가 존재하는데, 전자의 '반사'는 즉자로 인한 것이고, 후자의 '반사하는 것'은 대자로 인한 반사이다. 이때, 후자의 반사에는 '순수한 반성'이 있고, '불순한 반성'이 있다. 이때 그는 이 '순수한 반성'은 일종의 '카타르시스'에 의해 획득되어야 하는 반성이라고 말한다. 사르트르는 대자를 '무화'라고 설명하고, 여기에서는 아무런 별도의 설명 없이 '반사하는 것'은 이와 분리되어 있다고 말한 후, 그것은 카타르시스에 의해서 '초월'로 나아간다고 말한다.

결국 사르트르는 이 '반성'의 탁월한 능력이 어디에서 발생했는지를 밝히지 않고 있다. 그 기원을 '카타르시스'에 두고 있다. 그는 이에 대해 유물론이 인식을 대상에서 끌어내리려다가 부딪히는 난관은, 유물론이 하나의 실체를 또 하나의 다른 실체에서 만들어 내려는 데서 유래한다고 말한다.

반성하는 것은 하나의 무에 의해 반성되는 것으로부터 분리되어 있다. 그러므로 반성이라는 현상은 대자의 하나의 무화이지만, 이 무화는 밖에서 대자에게 찾아오는 것이 아니고, 대자가 '있어야 하는 것으로 있는' 무화이다. 이렇게 훨씬 더 진보한 무화는 어디서 올 수 있을까? 그것에 동기를 부여할 수 있는 것은 어떤 것일까?

'존재에 대한 현전'으로서의 대자의 나타남 속에는 하나의 근원적인 분산이 있다. 즉 대자는 밖에, 즉자의 옆에, 세 가지의 탈자 속에 자기를 잃는다. 대자는 자기 자신의 밖에 있다. 이 대자존재는 자기의 내부 깊은 곳에서 조차 탈자적이다. 그것은 이 대자존재가 다른 곳에서 자기의 존재를 찾아야 하기 때문이다. 다시 말해, 그것이 자신을 '반사'가 되게 할 때는 '반사하는 것' 속에서, 또 그것이 자신을 '반사하는 것'으로서 내세울 때는 '반사' 속에서 자신의 존재를 찾지 않으면 안 되기 때문이다. 대자의 나타남은 자기 자신의 근거로 있을 수 없었던 즉자의 좌절을 확인한다. 반성은 존재회복의 시도로서 또한 대자의 끊임없는 가능성으로 머문다. 자기 밖에서 자기를 상실한 대자는, 반성에 의해 자신의 존재 속에 자기를 내화(內化)하려고 시도한다. 반성은 대자가 자기에게 근거를 부여하려는 제2의 노력이다.… 요컨대 문제는, 있지 않다는 존재방식으로, 있는 그대로의 것으로 있음으로써, 자기로부터 벗어나는 존재, 자기 자신의 경과로 있음으로써, 스스로 경과하는 존재, 자기 자신의 손가락 사이로 사라지는 존재, 이런 존재를 극복하는 것이다.

… 동시에 자기를 회복하고, 자기에게 주어진 것으로서 근거를 부여하는 이 존

재, 즉 존재의 우연성을 자기에게 부여하고 그리하여 우연성에 근거를 부여함으로써, 우연성을 구제하는 이 존재는, 그 자신이 자기가 회복하고 근거를 부여하는 것, 즉 자기가 탈자적인 분산에서 구제하는 것으로 있어야만 한다.…(『존재와 무』285-287)

이 두 존재는 '똑같은 존재'가 아니면 안 된다. 그러나 바로 이 존재가 '자기를' 회복하는 한에서, 이 존재는 자기와 자기 사이에, 존재의 통일 속에, 하나의 절대적 거리를 존재하게 한다. 반성이라는 현상은 대자의 끊임없는 가능성이다. 그것은 반성적 분열이 반성되는 대자 속에 잠세적으로 존재하기 때문이다. 사실 '반사하는 것'인 대자가 '반사에 대한' 증인으로서 자신에 대해 자신을 세우기만 하면 충분하다. 또 '반사'인 대자는 이 '반사하는 것'의 '반사'로서 자신에 대해 자신을 세우기만 하면 충분한 것이다.…

만일 우리가 반성적인 현상을 시간성과의 관계 속에서 파악하고자 한다면, 다음과 같이 두 종류의 반성을 구별하는 것이 마땅하다. 즉 반성은 순수한 반성으로 있을 수도 있고 불순한 반성으로 있을 수도 있다. 순수한 반성, 즉 반성되는 대자에 대한 반성적인 대자의 단순한 현전은, 반성의 근원적인 형태인 동시에, 반성의 이상적인 형태이기도 하다. 이 반성은 불순한 반성이 나타날 때의 근거가 되는 반성이고, 또한 결코 먼저 '주어지지' 않는 반성이며, 일종의 카타르시스에 의해 획득되어야 하는 반성이다.…(『존재와 무』287-288)

4. '기투'를 통한 '초월'

가. '부정'의 진정한 의미

사르트르의 '부정'에는 지금까지의 논조와는 사뭇 다른 아이러니가 존재한다. 그는 먼저 외적인 부정과 내적인 부정을 나눈다. 외적인 부정이란 어떤 사물에 대한 부정이다. 예를 들면, "찻잔은 잉크병이 아니다"와 같은 것이다. 만일 이것을 우리의 대자 존재가 '무'로 변화시킨들 그것이 없어지는 것은 아니다. 따라서 사르트르가 말하는 '부정'은 내적인 부정이라고 한다. 내적인 부정의 예를 들면 다음과 같다. 어떤 아름다움이 있는데, 그것을 아름답지 않다고 말한다고 해보자. 이것은 내적인 부정인데, 이것은 더 나은 아름다움을 위한 대자의 부정이라는 것이다. 사르트르는 이것이 대자가 부여하는 부정이라고 말한다. 따라서 사르트르가 말하는 즉자와 대자는 그 존재의 종류 자체가 달라야 하며, 더 나아가 즉자는 의식으로 나타나야 한다.

이에 대한 아이러니는 다음과 같다. 이것은 스피노자의 이데아의 이데아를 위한 부정 혹은 차이와 다르지 않다는 것이다. 대자가 그것을 부정하였다고 해서 그 아름다움이 없어진 것은 아니기 때문이다. 현재도 아름다운데 아름답지 못한 어느 부분에 대해서 대자는 '아름답지 않다'고 말했다는 것이다. 사르트르의 이야기는 스피노자나 헤겔식의 그 대자와 다를 바가 없이 '이데아의 이데아'를 말하고 있다. 그것은 정신의 기능이었는데, 그는 이에 대해 유물론적 해석을 시도했을 뿐이다.

부정은 대자 자체에서 온다. 그렇다고 이런 부정을, 사물 자체를 지향하고, 사물에 대해 그것이 대자임을 부정하는 하나의 판단형식으로 생각해서는 안 된다.… 오히려 그 반대로, 근원적인 부정에 의해 사물로 '있지 않은' 것으로서 자기를 구성하는 것은 대자일 것이다. 따라서 우리가 의식에 대해 앞에서 내린 정의는 대자의 시야에 있어서 다음과 같이 표현될 수 있다. "대자는 그 존재가 본질적으로 자신과는 다른 것으로서 동시에 정립하는 어떤 존재로 '있지 않은' 하나의 방법으로 있는 한에서, 그것에 있어서는 그 존재에 있어서 그 존재가 문제되는 하나의 존재이다." 그러므로 인식은 하나의 존재방식(존재양상)으로 나타난다. 인식한다는 것은, 두 존재 사이에 나중에 설정된 관계도 아니고, 이런 두 존재 중 한쪽의 작용도 아니며, 하나의 성질 또는 고유성, 그리고 덕 같은 것도 아니다. 인식한다는 것은 대자가 '…에 대한 현전'인 한에서, 대자의 존재 자체이다. 다시 말해 인식한다는 것은, 대자가 자기로 하여금 자신이 현전하고 있는 어떤 존재로 있지 않게 함으로써 자신의 존재로 있어야 하는 한, 대자의 존재 자체이다.

요컨대 대자는 어떤 존재로 있지 않은 것으로서 자기를 반사시키는 하나의 '반사'라는 방식으로만 존재할 수 있음을 뜻한다. '반사-반사하는 것'이라는 이 한 쌍이 무속에 무너지지 않기 위해서 반사되는 것에 성질을 부여할 그 '무엇인가'는 순수한 부정이다. 반사되는 것은 '밖에 있어서', 어느 한 쪽 존재 옆에서, 이 존재로 '있지 않은' 것으로서 자기에게 성질을 부여하게 한다. 이것이 바로 우리가 "무언가에 대한 의식으로 있는 존재"라고 부르는 것이다.

그러나 이 근원적인 부정에 의해 우리가 무엇을 뜻하고 있는가를 분명히 해 두지 않으면 안 된다. 사실 외적인 부정과 내적인 부정이라는 두 가지 형식의 부정을 구별하는 것이 좋다. 전자인 외적 부정은 한 증인에 의해 두 존재 사이에 설정된 하나의 순수한 외면성을 연계로서 나타난다. 예를 들면 "찻잔은 잉크병이 아니다"라고 내가 말할 때, 이 부정의 근거는 찻잔에 있지도 않고, 잉크병에 있지도 않다. 이런 대상의 어느 쪽에나 그것은 있는 것이다. 다만 그뿐이다. 이 경우의 부정은 내가 어떤 점에서도 그 둘을 변양시키지 않고, 그들의 성질을 조금도 풍부하게 하거나 빈양하게 하지도 않으며, 그 둘 사이에 설정하는 하나의 범주적이고 이상적인 연관으로서 존재한다.… 부정은 이 둘을 풍부하게 하거나 그들을 구성하는 데도 아무런 도움이 되지 않으므로, 이 부정은 어니까지나 외적인 부정에 머문다. 그러나 만일 우리가 "나는 부자가 이다"라든가, "나는 아름답지 않다"는 말을 고찰해 본다면 또 하나의 부정의 의미를 재빨리 간파할 수 있다.

…내가 "나는 아름답지 않다"고 말할 때, 나는 전적으로 전체적인 것으로서 이해된 나에 대해 어떤 하나의 덕성을 부정하고, 따라서 이 덕성은 무(無)속으로 이행하지만, 나의 존재의 긍정적인 전체에는 아무런 영향도 기치지 않는다고 말하는 것만으로는 끝나지 않는다. '아름답지 않은' 것은 나의 존재에 대한 일종의 부정적인 덕성이라는 뜻으로 나는 말하고 있는 것이다. 이 부정적인 덕성은 부정성으로서의 한에서, 내면으로부터 나를 특징짓고 있다. 아름답지 않다는 것은 나 자신의 하나의 실재적인 성질이고, 이 부정적인 성질은 이를테면 나의 비관이나 나의 사회에서의 실패를 설명해 줄 것이다. 내적 부정이라는 말로 우리가 뜻하고 있는 것은, 이 두 존재 사이에서 한쪽의 존재(대자)에 의해 부정되는 다른 쪽의 존재(즉자)가, 그의 부재 자체에 의해 그 본질의 핵심 속에서 다른 쪽의 존재(대자)에 성질을 부여하는, 그런 관계이다. 이 경우의 부정은 본질적인 '존재의 유대'가 된다.(『존재와 무』317-319)

그것은 다음과 같은 뜻이다. 내적인 부정의 경우에는 대자(나)가 자신이 그것으로 있지 않은 것(즉자)으로 있지 않는 것으로서 나타나는 것은 저편에 있어서이고, 자신이 그것으로 있지 않은 존재(즉자) 속에서이며, 또 이 존재 위에서이다. 그런 뜻에서 내적 부정은 하나의 구체적인 존재론적 유대이다.… 대자가 그 부정적인 힘을 끌어내어 그것을 끊임없이 갱신하는 것도 그런 부정된 성질에 의해서이다. 그런 뜻에서 이런 성질들은 대자의 존재의 한 구성요소로 보지 않으면 안 된다. (『존재와 무』320-321)

유물론이 인식을 대상에서 끌어내려다가 부딪히는 난관은, 유물론이 하나의 실체를 또 하나의 다른 실체에서 만들어 내려 하는 데서 유래한다. 그러나 이 어려움이 우리를 막을 수는 없을 것이다. 왜냐하면, 우리에게 말하라고 한다면, 즉자의 밖에는 '아무것도' 없기 때문이다. 만일 있다고 하면 이 '없는 것'의 하나의 반사가 있을 뿐이지만, 이 '없는 것'은 그것이 바로 '이' 즉자의 무인 한에서, 다시 말하면 즉자로 있지 않다는 것만으로 아무것도 아닌, 개별화된 '없는 것'으로 있는 한에서, 그 자신이 즉자에 의해 극한이 되고 한정되는 것이다.… 대자는 자신의 밖에, 즉자 속에 존재한다. 왜냐하면, 대자는 자신이 그것으로 있지 않은 것에 의해 자기를 한정시키기 때문이다.…(『존재와 무』321)

나. 절대적 현전으로서의 인식 : 황홀

사르트르는 즉자의 '반사' 후에 대자가 '반사하는 것'으로서의 인식의 본질은 없는 것에 대한 '절대적 현전'이며, '황홀'이며, '우주와의 융합'이라고 말한다. 하나의 없는 것에 대한 '부정'으로서의 '창조'라고 표현한다.

요컨대, 우리가 '인식한다'고 말하는 이 형석의 존재에 있어서, 우리가 만날 수 있는 유일한 '존재는', 그리고 끊임없이 '그곳에' 존재하는 유일한 존재는 '인식되는 것'이다. 인식하는 것은 존재하지 않는다. 인식하는 것은 파악될 수 없다. 인식하는 것은 인식되는 것의 하나의 현존[그곳에 있음], 즉 하나의 현전을 그곳에 존재하게 하는 것 외에 아무것도 아니다. 왜냐하면 자기 자신으로 인식되는 것은 현전적이지도 않고, 부재하는 것도 아니며, 단순히 존재하는 데 지나지 않기 때문이다. 그러나 인식되는 것의 이 현전은 '없는 것'에 대한 현전이다. 왜냐하면 인식하는 것은 하나의 '없는 존재'의 단순한 반사이기 때문이다. 그러므로 이 현존은 '인식하는 것-인식되는 것'의 전체적인 반투명성을 거쳐서 '절대적' 현전으로 나타난다.

이런 근원적 관계에서 심리적…경험적으로 적절한 예는 '황홀'의 경우에서 볼 수 있다. 사실 황홀은 인식의 직접적 사실을 나타내는 것으로, 이런 경우에 인식하는 것은 절대적으로 하나의 순수한 부정 이외에 아무것도 아니다. 인식하는 것은 절대적으로 하나의 순수한 부정 이외에 아무것도 아니다.…

루소가 자기 생애의 구체적인 심적 사건으로서 범신론적 직관에 서술한 적이 있는데, 그런 직관의 바탕에서 우리가 만나는 것도 또한 이렇게 순수한 부정이다. 그가 그때 말한 바에 의하면, 자신은 우주와 '융합'했으며, 오로지 세계만이 갑자기 절대적인 현전으로서, 무조건적인 전체로서, 현재적으로 있었다는 것이다. 분명하게 우리는 세계의 멀고 전체적인 이런 현전, 세계의 순수한 '현존'을 이해할 수 있다.…(『존재와 무』322-323)

다. 세계의 시간 : '기투'를 통하여 나타나는 '보편적 장래'

사르트르의 시간은 '심적 시간성'이다. 따라서 사르트르에게 있어서 미래는 '대자의 의도이며, 인식이며, 반사이다. 그리고 이것은 자유로운 대자의 기투를 통해서만 펼쳐진다. 세계의 미래는 여러 가지가 있으며, 그것은 운에 의해서 정의되어 자율적인 개연이 된다. 그리고 그것은 내가 나 자신의 모든 가능성을 공통현전적인 것의 저편에 기투함으로써, 어떤 '이것'의 미래를 그 현재에 긴밀하게 연관시키는 한에서이다.

그래서 이 기투가 그의 실존을 구성한다. 사르트르의 인간(대자)의 본질은 '무'이다. 그러나 그의 기투를 통해서 그는 현재에 대한 초월을 그의 본질로 삼을 수 있다.

나의 미래는 미래적 공통 현전으로서 하나의 미래적 세계의 소묘를 불러일으킨다. 그리고 이미 우리가 살펴본 것처럼, 내가 그것으로 있을 '대자'에 대해 그려내 보여지는 것은, 이 미래적인 세계이지 대자의 가능성 자체는 아니다. 대자의 가능성은 반성적 시선을 통해서만 인식될 수 있다. 나의 모든 가능은 내가 현재 그것으로 있는 것이라는 의미인 동시에, 나에 의해 현재 현전되고 있는 즉자의 하나의 '저편'으로서 나타나는 것이므로, 나의 미래에 대해 드러내 보여주는 즉자의 미래는, 나에 의해 현전되고 있는 현실과 직접적이고 밀접한 연관을 가지고 있다. 즉자의 미래는 변양을 입은 현재적인 즉자이다.…

세계의 미래는 여러 가지가 있으며, 그것은 '운(chance)'에 의해서 정의되어 자율적인 개연이 된다. 그러나 이 개연은 자기를 개연화 하는 것이 아니라 개연으로서의 한에서 완성된 수많은 '지금'으로서 '존재한다.' 그러나 그 내용은 충분히 규정되어 있기는 하지만, 아직 실현된 것은 아니다. 그런 미래는 '이것'의 하나하나에도 '이것'의 집합에도 속해 있지만, 그런 미래는 '밖에' 있다.

그렇다면 보편적 장래란 어떤 것일까?… 이런 뜻에서 때로는 장래가 긴급성으로서, 또 위협으로서 나타나는 일도 있다. 다만 그것은 내가 나 자신의 모든 가능성을 공통현전적인 것의 저편에 기투함으로써, 어떤 '이것'의 미래를 그 현재에 긴밀하게 연관시키는 한에서이다.(『존재와 무』378-379)

라. 초월과 자유

사르트르의 '초월'은 인간의 '자유'와 밀접히 연결되어 있다. 여기에서의 '자유'는 대자로서의 인간이 자신이 즉자화 되는 것을 피하여 미래를 향하여 자신을 내어 던질 수 있는 자유이다. 그리고 초월은 여기에서 나타난다. 인간은 그 자신이 즉자 존재를 있게 하는 그 입법자이기 때문이다. 사르트르의 이 양자의 관계를 정소성은 다음과 같이 요약한다.

인간은 즉자와 대자라는 서로 다른 두 가지 성질을 지니고 있다. 인간은 어느 쪽을 선택하는 것도 가능하다. '로캉탱'[59]처럼 즉자의 무상성을 취한 채로 아무 일도 하지 않고 무책임하게 살아가는 것도 가능하다. 그러나 반면 인간은 즉자 존재의 우연성에 도전하여 이 우연에 대한 인간의 책임을 마주 놓고, 자신의 의 미를 만들어 스스로 입법하고, 자기가 자기를 만들어 가는 것도 가능하다. 우리 들은 선택하지 않으면 안 된다.

사르트르는 드디어 즉자와 일체화된 무상으로서의 자유와 결별하고, 자기를 즉 자존재로부터 해방할 필요성에 쫓기게 되었다. "인간은 끊임없이 자기 자신의 밖 에 있으면서, 인간이 인간을 존재시키는 것은 자기 자신을 기투하고, 자신을 자 신의 밖에서 잃어버리는 데 이르게 된다." 인간과 즉자와 일체화해서 자기 자신 의 존재 안에 있는 한, 세계에는 의미도 책임도 생기지 않는다. 사르트르는 이것 (기투)이 자유라고 생각했다. 또 이런 노력도 '대자의 사실성'에 둘러싸여 있는 이상 '끊임없이' 반복해서 끊임없이 기투하지 않으면 안 되었다.

"인간이 존재할 수 있는 것은 초월적인 목적을 추구하는 것에 의해서이다. 인간 은 이 초월이며, 이 초월에 연관되었을 뿐인 대상을 촉진하기 때문이다. 그러므 로 이 초월의 한 가운데에 핵심이 있다." 사르트르에 따르면 대상계는 확실히 존재하고는 있지만, 그것 자체로는 아무런 의미도 갖고 있지 않다. 인간의 선택, 이 대상에 대한 인간의 일정한 의도에 의해 대처관계가 생기기 시작하므로, 대 상에도 의미가 생겨난다.…

"인간적 세계, 인간적 주체성의 세계 이외의 세계는 없다" 우리들은 인간에 대 해 "그 자신 외에 입법자는 없다는 것, 인간이 그 자신을 결정하는 것은 고독 안에 있는 것"을 상기시킨다. 사르트르는 인간의 자유라는 것은 인간이 인간에

---

59) 사르트르의 『구토』의 주인공 이름이 로캉탱인데, 그는 세상의 사물에 직면했을 때 마다 구토를 느낀다. 『구토』는 로캉탱의 일기 형식으로 된 소설이다. 로캉탱은 바로 사르트르 자신의 모습이었다.

대한 유일한 입법자라는 것과, 인간은 늘 현재의 자신을 넘어서며 살아가며 자신을 둘러싼 대상을 넘어가는 것, 이 두 가지의 요소가 결합하여 성립된다고 생각했다.

"인간을 이루는 것으로서 초월(넘어서는 것으로서)과, 인간적 세계 속에 현존하는 주체성(그 자신이 자신에 대한 입법자이다), 이 두 가지의 결합이야말로 실존론적 휴머니즘이라고 부르는 것이다.(정소성,『존재와 무』역자 해설, 1043-1045)

5절 대타존재론

사르트르의 존재론에서 타자는 사물 존재, 안간 존재인 '나'에 이어 '존재의 제3영역'을 구성한다.

1. 타자의 존재와 나

가. '타자'의 존재

사르트르의 대타존재는 타자를 의미하는데, 여기에서는 하나의 모순이 발생한다. 내가 타인을 즉자존재로 바라보고, 타인도 또한 나를 즉자존재로 바라본다는 것이다. 그런데, 여기에서는 하나의 파라독스가 존재하는데, 그가 타인이 나를 즉자화시켜서 바라봄을 통하여 나의 존재가 확인된다는 것이다.

그럼에도 불구하고 이제 이 양자 사이에는 투쟁이 존재하게 된다. 대자존재가 존재할 수 있는 길은 즉자존재를 무화하고 초월하여 자신의 의미를 부여하는 것이며, 이것이 인간 존재의 가장 근원적인 자유이다. 그런데 이것은 타자에게서도 마찬가지이다.

사르트르는 이와 같은 타자와 나와의 관계가 투쟁의 관계임에도 불구하고, 타자는 나에게 필요불가결하며, 나 또한 타자에 대해서 필요불가결하다고 말한다. 이러한 사르트르의 논의를 오수선은 다음과 같이 정리한다.

사르트르의 대타존재는 타자를 의미한다. 이 타자는 나와 마찬가지로 의식을 지닌 신체, 또는 신체를 지닌 의식이기 때문에 우리가 사물을 바라보듯이 타인을 바라 볼 수 없다. 타자 역시, 내가 그러하듯, 자유인 것이며, 내가 타자를 객체로서 바라보듯이, 타자 역시 나를 객체로서 바라본다. 나는 타자의 의식, 타자의 주체성, 타자의 시선과 대면함으로써, 나의 주체성이 타자의 주체성을 대상화하거나, 아니면 나의 주체성이 타자의 주체성 앞에서 객체화되는 상황에 놓이게 된다. 따라서 타자와의 관계는 언제나 모순관계일 수밖에 없다. 하지만 타자는 이와는 정반대되는 또 하나의 존재론적 지위를 가지고 있다. 그것은 바로 타자란 나의 존재에 있어서 없어서는 안 될 존재로서의 지위이다. 왜냐하면 이 세계에 나와 같이 대자로 존재하는 타자는 나의 가치를 판단해 주는 존재이며, 우리는 이 타자의 의견 안에서만 우리의 가치를 인식할 수 있다.

대자존재가 존재할 수 있는 길은 즉자존재를 무화하고 초월하여 자신의 의미를 부여하는 것이며, 이것이 인간 존재의 가장 근원적인 자유이다. 이러한 인간존재는 타자와의 관계에 있어서도 여전히 적용된다. 내가 대자 존재임을 유지하면서 타자와 관계를 맺기 위해서는 타자를 즉자존재화 하여 그것을 부정하고 초월하는 길만이 있을 뿐이다. 그런데, 대타관계는 사물과의 관계와는 다르다. 왜냐하면 대타관계는 관계의 양극이 서로 교환될 수 있기 때문에, 서로 사물화 되지 않으려는 양극의 노력이 투쟁을 일으킬 수 있기 때문이다.

즉 한 인간이 다른 인간과의 관계를 맺는다는 것은 어느 한 쪽이 즉자화(대상화)되어 상대방에 의해 부정당하고 초월당하는 것이다. 그것은 한쪽의 인간은 반드시 그의 인간존재로서의 본질조건인 자유를 잃어버려야 한다는 것을 의미한다. 내가 타자에 대해서 주체의 입장을 취하면, 타자는 대상이 되고, 반대로 내가 타자를 주체로 취급하면, 나는 그 대상으로 전락하는 것이다. 그래서, 나에게 타자는 혹은 타자에게 나는 오직 부정과 무화, 그리고 초월로써만 관계할 수 있는 것이다.

사르트르는 자신의 존재론에서 특히 타자가 차지하고 있는 존재론적 위치를 보여주기 위해 '수치심'이라는 감정을 예로 들고 있다. 일반적으로 한 인간으로서 내가 수치심을 느끼는 것은 다른 사람 앞에서이다. 물론 혼자 있을 때도 나는 내 자신에 대해 수치심을 느낄 수 있지만, 이것은 일차적으로 내가 누군가의 앞에서 느끼는 감정이다.

그런데, 이와 같이 타자와 나는 서로 투쟁하는 관계임에도 불구하고 또 한편으로, 타자는 나에게 필요불가결하며 또 나 자신을 아는 데에도 필요불가결한, 내 실존의 요건이라고 설명하고 있다.[60)]

---

60) 오수선, "사르트르 실존개념의 교육적 의미 탐색," 안양대학교대학원, 박사(2012), 58-62.

나. 타자의 시선

사르트르는 대타존재의 두 가지 문제 가운데 첫 번째 문제를 다루면서 '시선'의 개념을 도입해 '타자는 나를 바라보는 자'라고 규정하였다. 그리하여 이것을 통해서 타자는 나를 즉자로 바라보는 것이다. 이것은 내가 객체로 평가되고 있다는 것을 의미한다. 또 이와 마찬가지로 나도 또한 타인을 이와 같은 객체로 바라본다는 것은 나는 내가 중심이 되어 형성된 세계의 다른 사물들 사이에 그 어떤 새로운 관계도 나타나지 않는다는 것을 의미한다. 게다가 나는 내가 중심이 되어 형성된 세계에 아무런 변화를 주지 않고서 그 인형 객체를 나의 의식의 지향성 구조 속에서 소멸시켜 버릴 수 있다. 이러한 것을 '시선투쟁'이라고 한다.

그러나 내가 그 사람을 인형 같은 객체가 아닌 나와 동일한 한 사람의 인간으로 파악할 때는 위와는 전혀 다른 현상들이 발생한다고 사르트르는 생각한다. 이것은 이 인간이 자기 주위에 지금까지 나에게 속해 있었던 사물 존재들을 이용하여 하나의 새로운 세계를 형성한다는 것을 의미한다.

어떻게 보면, 내 출혈로 인하여 내가 타인의 즉자존재가 됨을 통하여서 세계는 새롭게 형성되어가는 데, 나에게는 출혈이다. 이러한 사르트르의 논의를 오수선은 다음과 같이 정리한다.

> 만일 내가 다른 인간을 인형과도 같은 객체로 평가할 때에는, 나는 내가 중심이 되어 형성된 세계의 다른 사물들 사이에 그 어떤 새로운 관계도 나타나지 않는다는 것을 의미한다. 게다가 나는 내가 중심이 되어 형성된 세계에 아무런 변화를 주지 않고서 그 인형 객체를 나의 의식의 지향성 구조 속에서 소멸시켜 버릴 수 있다.(변광배, 2004: 24).
> 그러나 내가 그 사람을 인형 같은 객체가 아닌 나와 동일한 한 사람의 인간으로 파악할 때는 위와는 전혀 다른 현상들이 발생한다고 사르트르는 생각한다. …이것은 이 인간이 자기 주위에 지금까지 나에게 속해 있었던 사물 존재들을 이용하여 하나의 새로운 세계를 형성한다는 것을 의미한다. 그 다음으로 이처럼 새롭게 형성된 세계에서는 지금까지 내가 중심이 되어 있던 세계에 속해 있던 사물들이 이 새로운 세계의 중심이 되는 인간이라고 하는 한 극점을 향하여 나로부터 물어져 간다. 따라서 나는 점차 세계의 중심으로서의 위치를 상실하게 되는 상황에 처하게 된다. 이런 시각에서 이 세계에 인간, 즉 타자의 출현이라고

하는 것은 나의 세계를 훔쳐가는 하나의 특수한 존재가 나타났다는 것을 의미한다.

다만 한 가지 위안이 되는 것은 내가 이 인간을 다시 인형과도 같은 객체로 파악한다면 그의 출현으로 내가 중심으로 있는 세계 속에서 발생하는 내 출혈, 즉 나의 세계의 해체와 와해는 정지되고 모든 사태는 원상태로 회복될 수 있다는 점이다.(변광배, 2007: 184-185)

그러나, (위와 반대의 경우로서) 내가 누군가에 의해 바라보여지고 난 뒤에 일어난 내 출혈은 끝이 없다. 다시 말하면 나를 바라보는 자 쪽으로 향해 이루어지는 나의 세계의 흘러나감은 끝이 없다는 것이다. 내가 중심이 되어 형성된 세계에서 내가 누군가에 의해 바라보여진다는 행위는, 나의 세계의 해체가 완료된다는 사실을 의미한다는 것이 사르트르의 견해이다. 누군가가 나를 바라볼 때 이 누군가가 중심이 되어 맺어지는 관계들이 점차 확대되어 내가 중심이 되어 조직된 세계 속에서 형성된 기존의 관계들을 대치하게 되며, 그렇게 함으로써 나의 세계 위에 다른 누군가가 중심이 되어 형성된 새로운 세계가 와서 겹쳐지며, 그 결과 나의 세계는 완전히 해체되고 와해되어 사라진다는 것이다. 이것은 그래도 나는 이제 더 이상 이 세계의 주인, 곧 귀추중심의 자격을 상실한다는 것을 의미한다. …하나의 의식으로부터 거리를 부여받는 존재는 사물 존재, 곧 즉자존재의 특성이 아닌가? 나는 그 누군가에 의해 바라보여짐으로써 즉자성, 곧 객체의 자격을 부여받게 된다.[61]

다. 타자와 나의 존재 위치

그럼에도 불구하고 사르트르는 타자와 나와의 근본적 관계를 투쟁과 갈등의 지위를 부여하면서도 정반대 되는 또 하나의 존재론적 지위를 부여하고 있다. 그것은 바로 타자란 나의 존재에 있어서 없어서는 안 될 존재로서의 지위이다. 다시 말하면 타자는 나의 존재에 필수불가결한 존재이고, 내가 나에 대해 가지는 인식에서도 마찬가지인 존재이다. 왜냐하면 타자에 의해서만 내 자신의 가치가 인정이 되고, 새로운 세계가 탄생되기 때문이다.

이런 의미에서 사르트르는 타자에게 나와 나 자신 사이를 이어주는 불가결한 매개자, 곧 내가 누구인지를 가르쳐 주는 자로서의 존재론적 지위를 부여하고 잇다.

---

61) 오수선, "사르트르 실존개념의 교육적 의미 탐색," 64-66.

이것이 나와의 관계에서 타자가 이중의 반대되는 존재론적인 지위를 갖게 되는 이유이다. 이러한 사르트르의 논의를 오수선은 다음과 같이 정리하고 있다.

그런데, 사르트르는 타자와 나와의 근본적 관계를 투쟁과 갈등의 지위를 부여하면서도 정반대 되는 또 하나의 존재론적 지위를 부여하고 있다. 그것은 바로 타자란 나의 존재에 있어서 없어서는 안 될 존재로서의 지위이다. 다시 말하면 타자는 나의 존재에 필수불가결한 존재이고, 내가 나에 대해 가지는 인식에서도 마찬가지인 존재이다.…

…사르트르에 의하면, 이 나의 바라보여진 존재는 '나의 외부'에 해당한다. 그는 한 사람의 타자가 존재한다면, 그가 누구이건 그가 어디에 있건 간에, 그의 존재의 단순한 출현에 의해서 그가 나에게 달리 작용하는 일이 있을지라도, 나는 하나의 외부를 갖게 된다고 주장하였다. … 나의 이 모습은 타자의 의식 50퍼센트와 나의 있는 그대로의 모습 50퍼센트가 합해져 만들어 진 것이기 때문이다. 그런데, 중요한 것은 나의 모습이 타자에 의해 근거되고 보증된 것이라는 점이다. 그리고, 사르트르는 내가 나의 모습을 나의 의식의 지향성 구조를 채우기 위한 항 항목으로 포착할 수 있을 때, 나는 나의 최후의 소망인 즉자와 대자의 결합 상태를 실현할 수 있다고 하였다.62)

"나는 생각한다"라는 말로서 우리는 … 타자와 마주선 우리를 파악하는 것이며, 타자도 우리와 마찬가지로 확실한 존재이다. 그리하여 코기토로서 직접 자신을 파악하는 사람은 또한 모든 타자를 발견하고 그는 그들을 자기 존재조건으로 본다. 그는 타자가 그렇게 그를 인정하지 않는다면-기지가 있는 사람이라거나 나쁜 사람, 질투심이 강한 사람 등등의 의미로서-아무것도 아니라는 것을 잘 알고 있다. 나에 관한 어떤 종류의 진리라도 그것을 파악하려면 나는 타자를 거치지 않으면 안 된다.63)

라. '시선투쟁'에 대한 평가

우리 각 사람은 대자로서 분명히 각각의 상대방을 즉자로 취급하여 서로를 무화함으로써 서로 간에 시선투쟁이 발생한다. 이때의 '무화'의 종류에 따라 상당한 차이가 존재한다. 마치 A와 B가 각각에 대해서 그들의 전체에 대해 '부정'을 말하면,

---

62) 오수선, "사르트르 실존개념의 교육적 의미 탐색," 85-86.
63) 사르트르, 실존주의는 휴머니즘이다. 왕사영 역, 서울: 청아출판사, 1993년, 44.

이 양자 사이에는 서로에 대해서 아무런 존재의 이유가 없을 것이다. 그 둘 사이에는 온갖 다툼만이 존재할 것이다. 인간 상호간의 관계는 적대적인 관계이다. 이것은 곧 유물론적 '무화'라고 이름 하도록 하자.

그러나 더 나은 발전을 위한 '부정'이라면 일단 그 둘 사이에는 서로가 서로를 위한 존재의 이유가 있다. 즉 상호의존적인 관계이다. 이들의 시선투쟁은 양자의 관계를 강화시키는 방향으로 나아갈 것이다. 우리는 이것을 헤겔이나 스피노자처럼 유신론적 '무화'라고 부를 수 있겠다.

전자의 극단적인 경우는 이기심과 욕망이 극대화 되었을 경우, 나타나는 양자의 관계이다. 그런데, 우리는 각종 종교와 도덕과 교육을 통해서 후자의 자리에 있을 수 있다. 그리고 그 이유는 그 무화의 주체가 정신이기 때문이다. '나와 너'의 '시선투쟁'의 관계는 각각의 가치관에 따라서 위 둘 중의 하나로 결정되기도 한다.

2. 타자와의 구체적인 관계

사르트르는 이와 같은 대자와 대자가 만났을 때, "시선투쟁"이 발생한다고 한다. 내가 항상 주체의 상태를 유지하는 것이 진정한 삶의 태도인 것처럼 타자 역시 그러하기 때문이다.

그런데 그 후에 사르트르는 이러한 대타관계에서 드러나는 우리의 태도에 대해서 두 가지의 방향을 언급한다. 하나의 태도는 "사랑, 언어, 마조히즘"이며, 두 번째의 태도는 "무관심, 증오, 성적욕망, 사디즘"이다. 그런데, 이 두 가지 태도 모두 영원한 성공을 거둘 수 없다고 한다. 이에 대해 임지혜는 다음과 같이 말한다.

먼저 제1태도, 즉, 사랑·언어·마조히즘의 태도는 타자의 자유가 나의 존재근거가 되므로, 나를 객체화시켜 타자에게 내어 줌으로써 타자를 소유하려는 시도이다. 하지만, 사르트르는 이러한 시도는 하나의 기만이며 불가능한 이상일 뿐 결코 성공할 수 없는 것이라고 말한다. 마조히스트가 초월되어야 할 존재로서 자기를 배치하는 것은 그의 초월 속에서이며, 또 그의 초월에 의해서이다. 즉, 자기를 개체화시킴으로써 타자를 주체화시켜 자신의 존재근거를 마련하려는 마조히즘은 구조적으로 나의 주관이 폭발을 내재하고 있으므로 좌절될 수밖에 없다.

사르트르는 마조히즘의 이러한 좌절이 제2태도, 즉, 무관심·욕망·증오·사디즘의 태도를 취하는 기회가 될 수도 있다고 말하고 있다. 나의 객체성의 중개에도 불구하고 타자의 의식을 나와 동화하려는 마조히즘적 시도가 불가능함을 알게 되자, 나는 타자를 향해 결연히 돌아서게 되고, 타자에게 '시선'을 주게 된다. 내가 시선을 돌리는 것은, 이제 더 이상 나를 객체로서 타자에게 내어주는 것이 아닌, 오히려 나의 자유를 토대로 해서 타자의 자유에 맞서려는 태도이다. 나를 바라보고 있던 타자에게 내가 나의 시선을 쏘아댄다. 내가 타자의 시선을 향해서 바라보자마자 타자의 시선은 소실되고, 이 순간 타자는 내가 소유하는 하나의 존재이며 나의 자유를 인정하는 하나의 존재가 된다. 그러나 타자의 자유를 나의 것으로 삼으려 했던 의도와는 달리 나의 시선에 의해 객체로 무너지는 타자를 깨닫는 이 순간 나의 실망은 전면적이다. 때문에 이 실망을 계기로 하여 나는 나에게 객체로 무너져 버린 타자의 자유를 찾아가고자 하며, 타자의 신체의 전면적인 야유화를 통해 이 자유를 내 것으로 삼을 수 있는 행위들을 발견하려는 시도를 하게 된다. 이러한 태도들이 바로 무관심·욕망·증오·사디즘인 것이다.[64]

3. 우리들에 대한 현상학적 접근

주체성을 가진 대자라고 불리우는 개인들은 이제 그 존재론적인 지위의 확보를 위해 대타를 즉자로 이해하려 하며 시선투쟁을 벌인다. 그런데 이때 '우리들'이라는 '제3자'가 나타났을 때, 이때의 개인의 주체성은 어떻게 변하나?

제3자의 개입으로 '우리들'이 형성되는 순간 나는 타자에 대한 나의 의식은 사라지고, 타자와 나는 '우리들' 속에 구성된다. 이때의 우리들은 두 가지 종류로 구분되는데, 하나는 내가 우리 속에서 객체화되어 버린 '대상(객체)-우리'의 형성이며, 또 하나는 내가 우리 속에서 주체인 '주관(주체)-우리'의 형성이다. 따라서 '우리'라는 용어는 문장에서도 주어로 사용되기도 하고, 목적어나 보어의 객체로 사용되기도 한다. 예컨대, 관객의 경우에는 '주체-우리들'로서의 '나'이다. 반면, 어떤 사고 현장의 경우에는 그 사고현장이 우리 각자의 주체가 되고 '나'는 객체가 될 뿐이다.

'우리'는 '대타-존재' 일반을 근거로 하여 특수한 경우에 태어나는 어떤 특수한 경험이다. '대타-존재'는 '공타-존재'에 앞서는 동시에, 거기에 근거를 부여한다. 또 그 뿐 아니라, '우리'를 연구하려고 하는 철학자는, 미리 마음을 써서, 자신이 무엇에 대해 얘기하고 있는지 알아야 한다. 사실 그저 단순하게 하나의 '주어-우

---

64) 임지혜, "사르트르의 『존재와 무』에서 '우리들'에 관한 고찰," 17.

리'가 존재하는 것만은 아니다. 문법이 우리에게 가르쳐 주듯이, 하나의 '보어-우리', 즉 '대상-우리'도 존재한다. 그런데 지금까지 이야기해 온 바에 의해서 쉽사리 이해할 수 있는 일이지만, "우리는 그들을 쳐다 본다" 할 때의 '우리'는 "그들은 '우리'를 쳐다 본다" 할 때의 '우리'와 동일한 존재론적 차원에 존재할 수가 없을 것이다. 여기서는 주관성들'로서의 한도에서의' 주관성들은 문제될 것이 없을 것이다. "그들은 '나를'쳐다본다"고 하는 이 문구에서 내가 지시하고자 원하는 것을 내가 나를 타자에게 있어서의 객체로서, 그리고 타유화 된 '나'로서, 그리고 초월되는 초월로서 체험한다는 일이다. 만일 "그들은 우리를 쳐다 본다"고 하는 이 문구가 하나의 현실적인 경험을 가리키는 것이라야만 된다면, 이 경험에 있어서 나는 내가 타자들과 함께 타유화 된 '나'-들이라고 하는 초월되어지는 초월들의 공동체 속에 구속되어 있음을 체험하는 것이라야만 한다. 여기서 '우리'는 '공동객체-존재'들에 관한 하나의 경험을 가리킨다. 그러므로 '우리'에 대한 경험에는 근본적으로 다른 두 가지 형태가 있다. 이 두 가지 형태는 '대자'와 '타인'의 기본적인 관계를 구성하고 있는, '시선을 보내는-존재'와 '시선을 받는-존재'에게 각각 대응하는 것이다. (『존재와 무』681-682)

대상-우리는 대상-나와 같은 형태로서 수치에 의해서 하나의 공동적인 타유화를 경험한다. 내가 누구를 때리며 창피를 주고 있을 경우, 제3자가 나타나면, 나는 즉시로 굴욕과 무능의 경험을 하게 된다. 내가 도리어 창피를 당하는 자가 되어진다. 이것이 사실은 '군중심리'이다. 그리고 사르트르는 이것이 곧 압박당하는 계급이라고 말한다.

이 점에서 우리는, 어떤 특수한 형태의 '우리', 특히 '계급 의식'이라 불리고 있는 '우리'에게 인도된다. 분명히 계급의식은, 보통의 경우보다 훨씬 뚜렷하게 구조된 하나의 집단적인 상황을 기회로, 하나의 특수한 '우리'를 떠맡는 일이다. (『존재와 무』690)

반면, 사르트르는 '주체-우리'는 브루주아 라고 말한다. '주체-우리'는 나를 타자의 현전에 놓음과 동시에 나의 무차별적인 초월을 그 위에 놓는다. 마치 군중을 소비자의 제품처럼 취급을 한다.

우리가 하나의 '주관-공동체'에 소속되어 있음을 우리에게 알려 주는 것은 세계이다. 특히 세계 속에 있는 온갖 제조품의 존재이다. 그런 물품은 '주관-그들'을 위해서, 다시 말하면 우리가 앞에서 '사람'이라 부른 무차별적인 시선과 일치하는, 개별화되지 않고 하나하나 열거되지 않는 하나의 초월을 위해서, 사람들이 제작한 것이다. 왜냐하면, 노동자는 무차별적이고 부재인 하나의 초월의 현전에 있어서 노동하기 때문이다.… 이 경우, '타유화하는 초월'은 소비자, 즉 '사람'이고, 노동자는 단순히 '사람'의 기도를 예측하는 데 그친다.(『존재와 무』695)

사르트르는 위와 같은 문제를 '인류'라는 이름으로 해결하려 시도한다. 그러나 그것은 해결책이 아니라고 말한다. 그는 이것을 정립하는 일을 착수하기에는 아직은 너무 이르다고 말한다.

그러므로 인간존재가 "타인을 초월하거나, 타인에 의해서 초월되거나"하는 딜레마에서 벗어나려고 시도해 보아도 헛된 일이다. 의식개체들 사이에 있는 관계의 존질은 공동존재가 아니라 상극이다.(『존재와 무』704)

위의 몇 가지 지적은, 우리의 연구 목표 그 자체인 "존재에 대한 일반적인 이론"에 대해 기초로서 도움이 될 것이다. 그러나 이 이론을 정립하는 일에 착수하기는 아직 너무 이르다. (『존재와 무』705)

위의 내용들은 유물론적 가치관들이다. 인간 안에서 모든 것을 긍정으로 바라보고자 끝없이 노력하는 것은 정신이다. 그런데 이 정신의 존재를 부인하는 유물론적 가치관은 위와 같이 투쟁과 폭력으로 이어질 수 밖에 없다.

6절 평 가

사르트르의 이야기는 기존의 있는 모든 논의들을 유물론적으로 해석해보고자 하였다. 이에 따라 기존의 이론들에 대해 새로운 것이 없으며, 정신을 유물론적으로 해석하려다 보니 많은 논리의 부정합이 스스로에게서 드러났다.

먼저, 그의 가장 큰 가치는 우리의 대자 존재가 '무'라는 것인데, 여기에 우리가 무엇을 채우느냐에 의해 우리의 실존이 결정된다는 것이다. 그런데, 이것은 존 로크의 경험이론과 크게 다르지 않다. 로크는 우리의 정신은 백지 상태라고 하였다.

여기에 경험을 통해서 우리를 구성한다고 말하였다. 사르트르는 이와 크게 다르지 않다. 로크의 정신을 '무'로 대체하였을 뿐이다.

두 번째, 사르트르의 '무'는 '정신'으로 대체될 필요가 존재한다. 그는 헤겔이나 스피노자의 정신의 기능을 '무'로 대체하려는 시도를 하였다. 그러나 그가 이에 대한 논의를 전개하면 할수록 그의 '무'는 '정신'을 그렇게 해석하려고 시도하였다는 의미 밖에 주지 않는다.

세 번째, 그의 '심적 시간성'이다. 이것은 베르그송의 시간 개념을 원용하여서 즉자존재를 대자존재의 의식 속으로 끌고 들어왔다는 점이 새롭다. 헤겔은 이러한 전제 없이, 무조건적으로 즉자-대자-즉자대자의 관계를 전개하였는데, 사르트르는 베르그송의 시간 개념을 통해서 헤겔의 정신의 변증법에 대한 전제를 마련하였다.

네 번째, 유물론적 '대타관'은 폭력과 투쟁으로 이어진다. 반면 유신론은 정신의 존재를 근거로 삼고 있다. 이 정신의 제 1 특성은 '양심'이다. 유신론적 가치관은 이 '양심'의 기능을 극대화하려 한다.

실존주의자들의 말처럼 우리의 본질은 실존이다. 그리고 그 실존은 우리 안에 의식으로 자리 잡고 있다. 이것에 의해서 우리의 본질이 결정된다. 이 의식은 선하여야 할 것이다. 그 의식이 악(폭력)이면 그의 본질이 곧 악(폭력)이다. 우리 안에 선과 악이 모두 존재할 수 있으며, 우리가 선택을 하여야 한다면 우리는 우리 자신을 위해서라도 선을 선택하여야 한다. 우리는 이 생명을 선택하기 위해서 죽음도 선택하는 것이다. 그러나 그 끝은 생명이어야 한다.

〈저자소개〉 **최 환 열 (崔 煥 烈)**

백석대학교대학원 철학박사(구약학)

횃불트리니티대학원 목회학석사

아세아연합신학대학원 선교문학석사 수료

한양대학교 회계학과 졸업

현) 공인회계사, 삼지회계법인 대표

현) 국제지역개발협력협회 대표

현) 자유시장경제포럼 대표

저서 :『아브라함의 언약』, 『모세오경의 언약』, 『국민연금과 사모펀드의 반란』,
　　　『생철학과 현상학』

유투브 : "나라사랑TV(신앙)"
　　　　"나라사랑TV(인문학) 최환열 & 철학자 이름"으로 검색

『실존주의 철학』

2023년 12월 15일 초판 발행

지 은 이 : 최 환 열

펴 낸 이 : 김 동 명

펴 낸 곳 : 도서출판 창조와지식

주　　소 : 서울시 강북구 덕릉로 144

전　　화 : 1644-1814

메　　일 : gvmart@hanmail.net

I S B N : 979-11-6003-675-6(93100)

가　　격 : 19,000원